140

$$\frac{919-A \cdot B3\text{-}\eta\eta\eta-172}{00}$$

# LES CAROLINGIENS

DU MÊME AUTEUR

*Les Invasions barbares*, P.U.F., Paris, 1953, 6ᵉ éd. refondue (en collaboration avec Ph. Le Maître), Paris, 1983.
*Césaire d'Arles*, Éditions Ouvrières, Paris, 1956.
*Éducation et culture dans l'Occident barbare*, Le Seuil, Paris, 1962, 3ᵉ éd. 1973.
*De l'éducation antique à l'éducation chevaleresque*, Flammarion, Paris, 1968.
*Grandes Invasions et Empires* (Vᵉ-Xᵉ siècle), Larousse, Paris, 1969, réimp. 1973.
*Textes et documents d'histoire du Moyen Age, Vᵉ-Xᵉ siècle* (en collaboration avec G. Tate), S.E.D.E.S., Paris, 1973-1974, 2 vol.
*La Vie quotidienne dans l'Empire carolingien*, Hachette, Paris, 1973, 2ᵉ édition 1979.
*Dhuoda. Manuel pour mon fils*, Sources chrétiennes, Paris, 1975.
*Écoles et enseignement dans le haut Moyen Age*, Aubier, Paris, 1979.
*Instruction et vie religieuse dans le haut Moyen Age*, Variorum Reprints, Londres, 1981.

PIERRE RICHÉ

# LES CAROLINGIENS/

## Une famille qui fit l'Europe

**HACHETTE**
*littérature*

*Pour mes enfants et mes petits-enfants,*
*citoyens de l'Europe du troisième millénaire*

# AVANT-PROPOS

L'Europe est depuis un certain temps objet de réflexion, de débats, d'espoir. Qui parle de l'Europe veut inévitablement en rechercher ses origines, remonter dans son plus lointain passé, retrouver ses racines.

Pour les uns, le point de départ est la conquête romaine puisque les Romains ont unifié une partie de l'Occident depuis l'Afrique jusqu'à la Grande-Bretagne, ont créé des routes et des villes, ont construit des monuments dont certains sont encore debout. Pourtant, la romanisation n'a réellement influencé que les régions méridionales, les Romains n'ont pas pu pénétrer au-delà du Rhin et du Danube et la partie occidentale de l'Empire n'a pas résisté aux grandes invasions du Ve siècle.

Alors s'est formée une Europe romano-barbare dans laquelle se sont installés des peuples qui ont donné leur nom à différentes régions : les Francs, les Anglo-Saxons, les Burgondes, les Lombards, qui ont apporté un nouveau genre de vie et qui ont fixé des limites linguistiques qui existent encore. Mais cette Europe barbare, face à un Empire qui se maintient en Orient, n'est que la réunion de petits royaumes

qui s'affrontent les uns les autres et que la christianisation qui commence ne peut unifier.

Faut-il attendre les XIᵉ et XIIᵉ siècles pour assister à l'éveil de l'Europe et au début de son essor ?
L'Europe a-t-elle seulement pris conscience d'elle-
même lorsqu'elle part à la conquête de l'Orient, lorsque naît la civilisation urbaine, lorsque se mettent en
place des monarchies nationales ?

Nous ne le pensons pas. C'est pourquoi nous
avons voulu étudier la naissance de l'Europe dans la
période qui va du VIIᵉ siècle au début du XIᵉ siècle,
celle qui a vu la constitution de l'Empire carolingien
et ses prolongements. Alors s'est réalisée une première forme d'unité européenne, une première civilisation européenne à partir de quoi est née l'Europe
médiévale. Au VIIᵉ siècle, le mot Europe n'est encore
qu'une expression géographique. Isidore de Séville
dans ses Étymologies reproduit la définition des géo-
graphes antiques. Pour lui, comme pour eux,
l'Europe — face à l'Asie et à l'Afrique — est l'espace
qui s'étend du Don à l'Océan et à l'Espagne. Au début
du XIᵉ siècle, il n'en est plus ainsi ; peu à peu
l'Europe est devenue ce que l'on peut appeler une
« personne morale ». L'action politique, culturelle,
spirituelle des laïcs et des ecclésiastiques a permis les
conditions de la création du premier ensemble européen qui va de l'Atlantique à la Vistule et à la plaine
danubienne.

Or, cette œuvre est en grande partie due à une
famille aristocratique et aux familles qui lui sont
apparentées et alliées. Les Carolingiens, leurs parents,
leurs fidèles se sont peu à peu rendus maîtres d'abord
de la Gaule, puis d'une grande partie de l'Occident.
C'est donc en suivant le destin de la famille carolingienne que nous étudierons celui de l'Europe. Nous

*insisterons sur le rôle des personnalités éminentes qui, en profitant de certaines conditions politiques et sociales favorables, se sont imposées par la force, la diplomatie et la culture. En effet, pour cette période au moins, peut-on ignorer l'action personnelle des rois et des princes, des conquérants, des administrateurs, des missionnaires, voire des artistes, qui ont influencé par leur puissance créatrice des peuples d'origine et de civilisation différentes ?*

*L'œuvre des Carolingiens et de leurs successeurs a été bien souvent mal jugée par les historiens qui parlent des « illusions » et des « fumées » carolingiennes, du « départ manqué » ou même du « faux départ » de l'Europe. Que l'empire de Charlemagne n'ait pas pu se maintenir tel que l'aurait souhaité son fondateur est un fait, mais cet empire a duré un siècle après lui, a été restauré par Otton qui se voulait un « nouveau Charlemagne » et s'est prolongé après lui. Dans cet empire sont nées des principautés d'où sont sorties les nations européennes et des institutions qui ont survécu pendant des siècles. D'autre part, l'action de Charlemagne retient surtout l'attention. Il est vrai que cet homme a eu un destin exceptionnel et que, par la durée de son règne, par ses conquêtes, sa législation, sa légende, il a marqué profondément l'histoire de l'Occident. Mais on a trop laissé dans l'ombre l'œuvre de ses prédécesseurs et surtout celle de son père Pépin qu'il faudrait mieux appeler le Grand que le Bref et également celle de ses successeurs, Charles le Chauve particulièrement. De plus, il ne faut pas négliger l'action de tous les aristocrates apparentés à la famille carolingienne et des rois et empereurs du Xe siècle qui, eux aussi, ont fait l'Europe.*

*Pour comprendre comment s'est formée l'Europe*

*carolingienne, il était inévitable de rappeler les événements politiques, sociaux ou religieux depuis le moment où les ancêtres des Carolingiens jettent les bases de leur puissance jusqu'à la fin du premier millénaire, histoire souvent confuse surtout lorsqu'on arrive au Xe siècle et que nous avons tenté de présenter le plus clairement possible dans ses grandes lignes. Nous suivrons donc le destin de la famille carolingienne depuis ses débuts en Austrasie au VIIe siècle jusqu'à ses premiers succès au milieu du VIIIe siècle. Puis nous montrerons l'importance des règnes de Pépin et de Charlemagne. Nous verrons alors les transformations de l'empire carolingien au IXe siècle et, dans une autre partie, l'organisation des principautés et la renaissance de l'empire. Enfin, nous terminerons par un tableau de la civilisation européenne en insistant sur l'action des princes dans les différents domaines politique, religieux, économique et culturel.*

*Puisse ce livre aider tous ceux qui s'intéressent à des âges que l'on disait autrefois « obscurs » et dont la connaissance est indispensable pour comprendre la naissance de la civilisation européenne.*

---

\* Les tableaux généalogiques et les cartes sont placés en fin de volume, pp. 347 à 393.

# INTRODUCTION

## L'OCCIDENT AU VIIᵉ SIÈCLE

Pendant longtemps, le VIIᵉ siècle a eu mauvaise réputation. Alors qu'au cours du VIᵉ siècle l'Occident était encore éclairé par les dernières lueurs de la civilisation romaine, le voilà brusquement plongé dans la nuit au siècle suivant. Tout s'effondre, l'État, les institutions, la culture. L'Occident est en proie aux troubles, aux brutalités, à l'anarchie jusqu'au moment où les Carolingiens reprennent en main la direction des affaires.

Tout autre me paraît le VIIᵉ siècle. En effet, cette période voit, dans bien des domaines, les premiers traits constitutifs de cet Occident que l'on commence à appeler l'Europe. Les nouvelles structures politiques, sociales, religieuses, économiques sont établies qui vont donner à l'Occident un nouveau visage.

Lorsque meurt l'empereur Justinien en 565, la Méditerranée est encore l'axe du monde civilisé. Ayant reconquis sur les Vandales et les Goths, l'Afrique, l'Italie et le sud de l'Espagne, Justinien a eu peut-être l'illusion d'avoir repris cet Empire d'Occident que ses prédécesseurs « perdirent par leur indolence ». Pourtant, trois ans après la mort de Justinien, les Lombards envahissent une Italie que vingt ans de guerre de reconquête avaient laissée exsangue. Ils établissent solidement leur domination en Italie du Nord que l'on appellera ensuite Lombardie et fondent les duchés de Spolète et de Bénévent, cherchant à couper la route entre Rome et Ravenne. Les Byzantins sont trop éloignés; dès lors, l'Italie est livrée à ses propres forces. Ce que Théodoric avait sauvegardé — institutions romaines, civilisation — disparaît peu à peu. Grégoire le Grand, pape de 590 à 604, voit avec effroi la ruine de ce qui faisait encore au VIᵉ siècle la grandeur de Rome : « Rome qui paraissait autrefois la maîtresse du monde en quel état est-elle ?... Où est le Sénat, où est le peuple ? Où sont tous ceux qui se complaisaient autrefois dans la gloire ? Où sont leur cortège et leur orgueil ?... Il arrive à Rome ce que prédisait le prophète : agrandis ta calvitie comme l'aigle. La calvitie de l'homme se limite à la tête, l'aigle au contraire devient chauve entièrement lorsqu'il vieillit, il perd toutes les plumes de son corps. » Ainsi, Grégoire assiste dans l'angoisse non pas à ce qu'il croyait être la fin du monde mais à la fin d'un monde.

Au VIIe siècle, les Byzantins ne perdent pas simplement le contrôle de l'Italie mais également l'Afrique. Cette fois, c'est du Proche-Orient que vient l'envahisseur. Pour des décennies, les Arabes conquièrent une partie de l'Empire byzantin, l'Égypte, puis l'Afrique du Nord. En 698, Carthage tombe définitivement et, au début du VIIIe siècle, les Arabes lancent les Berbères à la conquête de l'Espagne. En quelques semaines, le royaume wisigoth est conquis et quelques chefs se réfugient dans le nord de la péninsule, dans ce qui deviendra le royaume des Asturies. Pourtant, le royaume wisigoth paraissait un des plus puissants des États barbares du VIIe siècle. Malgré une civilisation brillante, une culture encore antique dont Isidore de Séville a été le meilleur représentant, il reste très lié au monde méditerranéen et à Byzance, ce qui fit sans doute sa faiblesse.

Ainsi, une grande partie des rives de la Méditerranée sont-elles aux mains des Arabes. Même si — contrairement à ce que disait Pirenne — les relations entre Occident et Orient ne sont pas totalement interrompues, les empereurs byzantins, occupés à lutter contre l'Islam, les Perses, les Slaves et à régler leurs problèmes intérieurs politiques et religieux, se désintéressent de plus en plus de l'Occident. La pénétration des Slaves dans les Balkans est même une sorte d'écran entre les deux anciennes parties de l'Empire romain. Si la Méditerranée n'est plus le centre de gravité de l'Occident, il faut maintenant regarder vers le nord pour voir s'établir une sorte de Méditerranée nordique, lieu d'échange de produits, d'hommes, d'idées entre les pays riverains de la mer du Nord et de la Manche.

Cette situation a été rendue possible par l'entrée de l'Angleterre dans la Chrétienté au début du VIIe siècle. Et l'on ne saurait sous-estimer l'importance de cet événement. Grâce à l'impulsion du pape Grégoire le Grand, un pape de culture romaine mais qui eut le grand mérite de voir plus loin que les rives de la Méditerranée, un monde nouveau est converti au christianisme. Les Angles, les Jutes et les Saxons avaient progressivement envahi ce que l'on appellera l'Angleterre au cours du VIe siècle. Les Celtes avaient été soit soumis, soit refoulés vers l'ouest dans le pays de Galles, la Cornouaille, le Cumberland. Ces Celtes étaient catholiques comme l'étaient les Irlandais où Rome n'avait jamais pénétré, mais, coupés des régions méditerranéennes par les invasions, ils avaient vécu en vase clos et avaient adopté une liturgie différente de la liturgie romaine. Après le triomphe des Anglo-Saxons, ils avaient refusé toute relation avec les vainqueurs et n'avaient pas cherché à les convertir au christianisme, ne serait-ce, disaient-ils, que « pour ne pas les retrouver au Paradis ». C'est donc Rome qui prit la décision de convertir les Anglo-Saxons. La première mission envoyée par Grégoire le Grand dans le Kent réussit à baptiser le roi et ses guerriers. Mais la conversion de l'ensemble de l'Angleterre fut longue et dura plus d'un siècle. Rome continua à se préoccuper de la jeune Église en envoyant des moines, des prêtres, des manuscrits. Dès 653, l'Anglo-Saxon Wilfrid partit faire ses études religieuses à Rome plutôt qu'en Irlande où ses compatriotes avaient l'habitude d'aller. En 669, une nouvelle mission romaine, dirigée par Théodore et Hadrien, fut envoyée par le pape et cette fois l'Église anglo-saxonne fut définitivement fondée. Pendant toute son histoire, l'Église d'Angleterre se souvint, pour s'en féliciter ou s'en plaindre, qu'elle a dû sa naissance aux moines et à la papauté.

Pendant les années d'évangélisation, les moines romains et leurs disciples se trouvèrent en présence des Irlandais qui, à partir de 630, s'étaient mis eux aussi à convertir l'Angleterre du Nord. Après maintes discussions, une partie de ces Irlandais, les Scots, adoptèrent la liturgie romaine, ce qui renforça l'influence de la papauté dans cette partie de l'Occident. Les moines irlandais ne limitent pas leur expansion à l'Angleterre, mais quelques-uns d'entre eux se dirigent vers la Gaule et créent des liens nouveaux entre îles Britanniques et continent.

En liaison avec ces échanges, nous assistons à un premier essor économique et monétaire dans les régions septentrionales. Les ports de la Manche et de la mer du Nord, Rouen, Quentovic sur la Canche et Duurstede sur le Rhin accueillent pèlerins et marchands venus d'outre-Manche. Le Rhin, l'Escaut, la Meuse sont les voies de pénétration naturelles où l'on rencontre de plus en plus des Frisons, autant pirates que marchands, qui sont des intermédiaires entre des mondes jadis séparés. Les Frisons, à partir de 650, utilisent une monnaie d'argent que l'on appelle *sceattas* qui remplace de plus en plus la monnaie d'or de type antique. Le premier commerce atlantique et l'apparition d'une monnaie d'argent qui va se maintenir jusqu'au XIII<sup>e</sup> siècle marquent bien les débuts d'une nouvelle époque.

C'est la Gaule et surtout la Gaule située au nord de la Loire qui profite le plus de ces courants d'échanges. Les Mérovingiens qui, au VI<sup>e</sup> siècle, avaient étendu leur royaume jusqu'à la Méditerranée, regardent de plus en plus maintenant vers les régions germaniques, jetant en quelque sorte les bases de l'Europe carolingienne. L'Alémanie, pays compris entre le Neckar, le Rhin, le Danube et l'Iller, est sous contrôle franc depuis 536. Elle commence à être christianisée par les moines de Saint-Gall. Dagobert mit sans doute en place des ducs et fit rédiger la première version du *Pactus alemanorum*. Les Bavarois qui se sont installés sur le haut Danube, puis dans les régions comprises entre Danube, Iller, Enns et Alpes, sont dirigés par plusieurs familles aristocratiques. L'une d'entre elles, celle des Agilolfing, l'emporte sur les autres, mais, comme le dit le prologue de la première loi des Bavarois rédigée vers 640 : « Ces ducs doivent tenir leur confirmation du roi des Francs. » La Thuringe entre le Main, la Werra, l'Unstrut et la Saale, est soumise aux Mérovingiens depuis 531. Leurs ducs, d'origine franque, doivent protéger l'Austrasie contre les menaces venant de l'est, les Saxons d'une part et bientôt les Slaves.

En effet, au cours du VI<sup>e</sup> siècle, les Slaves progressent le long du Danube et dans la grande plaine du Nord, prenant la place que les Germains ont abandonnée. Progrès d'autant plus rapides qu'ils sont poussés par un nouveau peuple asiatique, les Avars qui, à l'exemple des Huns, s'installent dans la cuvette danubienne. Vers 625, les tribus slaves se soulèvent contre les Avars et forment une sorte de confédération sous la direction d'un marchand franc, Samo, qui faisait le commerce des esclaves et des fourrures. L'autorité de Samo s'étend sur la Bohême, la Moravie, la basse Autriche et la Carinthie, de la Thuringe au Frioul. Dagobert, en 631, sans doute pour protéger d'autres marchands qui suivaient la route danubienne, tente vainement de soumettre Samo dont l' « empire » disparaît après sa mort en 660. Mais il ne peut ou ne veut pousser plus loin vers l'est et attaquer les Avars qui resteront fixés dans l'Europe centrale jusqu'au moment où Charlemagne détruira leur « ring ».

Cette progression des Mérovingiens vers l'est a bénéficié d'une stabilité politique plus grande dans la première moitié du VII<sup>e</sup> siècle. Clovis avait fondé la dynastie mérovingienne mais ses fils et petits-fils s'étaient partagé le royaume comme ils l'auraient fait d'un patrimoine. Chaque prince gouvernait une fraction du royaume *(Teilreich)* et se disputait âprement les terres du voisin. L'Aquitaine où avait survécu plus longtemps la civilisation romaine était l'objet de convoitise des rois et cherchait vainement à devenir une région autonome. Au nord de la Loire, les princes de Neustrie ou *Francia*, c'est-à-dire les régions entre Somme et Seine, de Bourgogne et d'Austrasie, de Reims aux pays rhénans, s'engagèrent dans d'âpres guerres civiles. Heureusement à partir de 613, le *regnum* fut à nouveau dirigé par un seul roi, Clotaire, puis Dagobert († 639). Ce que l'on appelle le « siècle de Dagobert » (qui dure en fait vingt-cinq ans) fut une période plus stable. Les rois purent, par l'intimidation ou la diplomatie, maintenir l'unité de cet ensemble disparate qu'était la Gaule tout en donnant satisfaction aux particularismes régionaux.

Pendant cette période, la fusion entre les différents éléments nationaux commence à porter ses fruits. Même s'ils gardent leurs droits particuliers, les peuples sont soumis à la même loi publique. Les comtes installés dans chaque *civitas* représentent l'autorité du roi. Ils réunissent les assemblées populaires, rendent la justice, lèvent les impôts. Tous les hommes libres sont appelés au service militaire et peu à peu acquièrent l'idée qu'ils font partie d'un ensemble : face aux ennemis du royaume, ils sont « Francs ». Dans l'aristocratie qui, nous le verrons, devient la plus grande force de la Gaule, se retrouvent mêlés les « sénateurs » d'origine gallo-romaine et les chefs francs. Des mariages unissent les grandes familles. Ces aristocrates désirent servir le roi et envoient à la cour leurs enfants dès l'âge de la puberté. La cour est une sorte d'« école de cadres » d'où sortent les chefs militaires et les fonctionnaires. Ainsi à la cour de Clotaire et de son successeur se retrouvent des jeunes Aquitains (Didier d'Albi, futur évêque de Cahors, Éloi de Limoges), des Neustriens (Dadon plus connu sous le nom de saint Ouen), des Austrasiens (Paul, futur évêque de Verdun) qui font leurs preuves, sont chargés de l'administration, dirigent les bureaux, le trésor royal, deviennent comtes et par la suite évêques.

L'alliance entre la royauté et l'Église renforce la puissance de la monarchie mérovingienne. Cette alliance remonte à la fin du Ve siècle. Alors que tous les princes barbares installés dans l'Occident étaient ariens donc hérétiques, le païen Clovis a choisi la foi catholique ; il ne se doutait pas que sa conversion aurait des conséquences capitales pour l'histoire de sa dynastie et de son royaume. Bien avant que ne l'affirment avec autorité les Carolingiens, le roi mérovingien se dit « l'élu de Dieu » et considère les évêques comme ses premiers auxiliaires.

Installé dans sa ville, l'évêque collabore avec le comte au bon gouvernement de la cité et apparaît bien souvent comme le défenseur des habitants contre la tyrannie des pouvoirs publics. Mais trop souvent ces anciens fonctionnaires gardent leurs habitudes d'antan et font passer leur charge administrative avant leur charge pastorale. Grâce aux moines venus des îles Britanniques et à leurs disciples, une partie du clergé redécouvre sa vocation spirituelle.

L'essor du monachisme est en effet le grand événement du VIIe siècle, non seulement pour la Gaule mais pour tout l'Occident. Alors qu'au VIe siècle, les monastères importants sont situés en Provence, en Bourgogne, en Aquitaine, au siècle suivant, la Gaule du Nord et de l'Est voit partout l'installation de moines et de moniales. Il faut attribuer cette évolution à l'arrivée des moines irlandais et à leur prodigieux succès. Ces moines attirent par leur austérité exigeante, leur non-conformisme, leur indépendance d'esprit. Si la pratique liturgique et les usages qu'ils apportent d'Irlande scandalisent quelques évêques mérovingiens, ils séduisent des laïcs, hommes et femmes. Les rois, les évêques, les aristocrates installent les moines sur leurs terres et les prennent sous leur protection. Pour loger les moines et les moniales de plus en plus nombreux, on construit des bâtiments vastes et solides qui remplacent avantageusement les huttes primitives. Bientôt, les monastères ressembleront à n'importe quel grand domaine. Ils attirent les paysans, ont des colons, voire des esclaves, obtiennent des privilèges d'immunité du roi, bref, deviennent des puissances avec lesquelles il faut compter.

Ce succès n'entraîne pas une diminution du zèle religieux des moines. Dans les régions septentrionales et orientales de la Gaule, ils sont les artisans les plus actifs de l'évangélisation. De plus, ils adoptent bientôt une règle mixte, mêlant les éléments irlandais à la règle bénédictine qui n'était connue qu'en Italie et en Angleterre, ce qui assura une plus grande stabilité à l'institution monastique. Enfin, et ce n'est pas là le moindre rôle des moines iro-francs et des moines anglo-saxons, grâce à eux, le prestige de la papauté grandit en Occident.

Depuis la mort de Grégoire le Grand en 604, vingt-quatre papes se sont succédé, trois seulement ont régné plus de sept ans. Ils ont dû défendre leur ville contre les Lombards et lutter contre les empereurs byzantins qui voulaient leur faire admettre de nouvelles définitions théologiques. Mais peu à peu ces papes réussissent à consolider leur position. La conversion définitive des Lombards au catholicisme vers 680 leur laisse espérer la paix en Italie. D'autre part, si Martin I<sup>er</sup> est déporté sur ordre de l'empereur en 649, Serge I<sup>er</sup> (687-701) est protégé du même danger par les populations italiennes. Au cours du VII<sup>e</sup> siècle, l'église du Latran perfectionne une liturgie qui devient un modèle pour tout l'Occident. Même si les évêques des royaumes barbares sont unis à leur prince, ils n'en reconnaissent pas moins la primauté du vicaire du Christ. Les pèlerinages aux tombeaux des apôtres se multiplient, les églises dédiées à saint Pierre et à saint Paul sont de plus en plus nombreuses, les monastères comme Bobbio ou Yarrow se mettent sous la protection directe du pape. Bien avant que se noue, nous le verrons, une alliance entre papauté et Carolingiens, le pape apparaît comme la plus haute puissance morale de l'Occident et l'on pourrait dire de l'Europe. Saint Colomban en avait eu en quelque sorte l'intuition, lui qui appelait le pape Boniface IV, « le chef de toutes les Églises de la totalité de l'Europe ».

Ainsi se présentent les principaux aspects de l'Occident au VII<sup>e</sup> siècle. Il était nécessaire de tracer ce tableau pour comprendre comment une famille aristocrate d'Austrasie allait peu à peu se distinguer des autres aristocrates et non sans mal imposer son autorité d'abord à la Gaule puis à une grande partie de l'Europe.

*PREMIÈRE PARTIE*

# MONTÉE
# DE LA FAMILLE CAROLINGIENNE
## (DÉBUT DU VIIe SIÈCLE -
## MILIEU DU VIIIe SIÈCLE)

L'histoire de l'Europe carolingienne débute par l'ascension d'une famille aristocratique dont les chroniques mentionnent l'existence au début du VIIe siècle. Cette famille va profiter de la crise qui secoue la Gaule mérovingienne pour peu à peu s'imposer, d'abord en Austrasie puis dans tout le royaume. Mais cette progression ne va pas se faire sans à-coups et sans de réelles difficultés. Pendant un siècle et demi, patiemment, en contournant tous les obstacles, les Carolingiens vont peu à peu occuper la première place dans le royaume et devenir, au milieu du VIIIe siècle, maîtres de la royauté franque.

# CHAPITRE PREMIER

## LES DÉBUTS
## DE LA FAMILLE CAROLINGIENNE

Au commencement de la fortune des Carolingiens, il y a deux familles aristocratiques installées dans la région du royaume des Francs que l'on appelle, depuis la fin du VIe siècle, l'Austrasie. L'Austrasie était un des trois royaumes de la Gaule mérovingienne. Il s'étend de Reims à l'ouest jusqu'à la haute vallée de la Weser à l'est et du nord au sud, des boucles de la Meuse et du Rhin jusqu'aux sources de la Meuse et de la Moselle, c'est-à-dire au plateau de Langres. L'Austrasie est donc parcourue par les rivières Meuse, Moselle, Rhin moyen et ses affluents, elle recouvre les trois anciennes provinces romaines : Belgique première dont la capitale était Trèves, Germanie première (capitale Mayence), Germanie seconde (capitale Cologne) et la partie orientale de la Belgique seconde (capitale Reims). De plus, les rois d'Austrasie ont agrandi leur État au-delà du Rhin jusque dans la vallée du Main aux frontières de la Thuringe, de l'Alémanie et de la Bavière, petit duché contrôlé par la puissance franque. Restant en contact avec la Germanie, l'Austrasie est le royaume le plus germanisé. Les traces de la civilisation romaine subsistent dans quelques villes, se manifestant par des monuments antiques plus ou moins ruinés et quelques îlots encore romanisés. Au cours du VIe siècle, les Francs restaurèrent les anciens évêchés romains sur le Rhin (Cologne, Mayence, Spire, Worms), sur la Meuse (Verdun, Maëstricht) et sur la Moselle (Trèves et Metz), cette dernière ville fait déjà à cette époque figure de capitale de l'Austrasie aux dépens de Trèves en déclin *(cf. cartes II et III)*.

Mais si les villes sont centres d'évêchés et sièges de comtés, la vie réelle est ailleurs, dans les grands domaines tenus par les familles aristocratiques. Car c'est bien l'aristocratie qui domine partout en cette fin du VI<sup>e</sup> siècle. Non seulement en Austrasie mais dans tout l'Occident. Pendant le VI<sup>e</sup> siècle, l'aristocratie, qu'elle soit d'origine romaine ou germanique, est la force montante. L'aristocrate à l'origine est un compagnon du chef, il a fait partie de sa suite, il a combattu avec lui, a occupé des terres ou les a reçues en cadeau. Par la suite il reste au service du chef devenu roi. Il se distingue des autres hommes par son lignage d'abord. Sa famille descend d'un ancêtre qui s'est fait remarquer, dont on conserve le souvenir, dont on transmet le nom de génération en génération. Il se distingue d'autre part par son genre de vie, son costume, son armement, car l'aristocrate est avant tout un soldat. Lorsqu'il meurt, il se fait enterrer avec ses armes et ses chevaux. Les aristocrates possèdent d'immenses domaines représentant plusieurs milliers d'hectares qui ne forment pas un tout mais qui sont dispersés dans différentes régions. Ils tirent leurs ressources de l'exploitation de ces domaines, soit qu'ils chassent dans les régions forestières, soit qu'ils fassent cultiver les terres arables par des paysans libres ou par la main-d'œuvre servile. En effet, l'esclavage n'a pas disparu avec les progrès du christianisme ; au contraire, les guerres n'ont fait qu'augmenter les troupeaux d'esclaves dont le trafic enrichit quelques grands marchands. Ces esclaves travaillent dans les ateliers qui entourent la maison du maître ou sont installés sur les terres alentour. Le grand propriétaire a de plus en plus tendance à « caser » ses esclaves sur des lopins de terre, si bien que la main-d'œuvre servile tend à se confondre avec les paysans libres qui de leur côté se sont mis sous la protection des puissants. Ainsi se dessine l'image du grand domaine médiéval, la *villa*, constituée de ce qu'on appellera d'une part, la réserve, la terre du maître et, d'autre part, des tenures paysannes.

Installés dans leur maison fortifiée, les aristocrates disposent d'hommes qui les servent et de terres dont ils cherchent à augmenter le nombre par des achats ou des mariages. Leur but est d'accroître leurs richesses qui leur donneront une force matérielle et qui leur permettront de créer un réseau d'amis et de fidèles, qui les aideront dans leurs entreprises politiques. Car le rêve de tout aristocrate est de dominer dans la région où il réside soit en servant le roi, soit en s'opposant à lui lorsque la fortune de la royauté est chancelante.

C'est ainsi que l'aristocratie austrasienne profite des guerres où s'affrontent rois de Neustrie et rois d'Austrasie depuis le milieu du VI<sup>e</sup> siècle. En effet, à la mort de Clotaire I<sup>er</sup> (561), le royaume d'Austrasie a été confié à Sigebert II et celui de Neustrie à son frère Chilpéric. Les deux frères se sont combattus et après l'assassinat de Sigebert sur l'instigation de la célèbre Frédégonde, épouse de Chilpéric, c'est la Wisigothe Brunehaut, femme de Sigebert, qui avait régné en Austrasie au nom de son fils Childebert II puis de ses petits-fils Théodebert et Thierry. Les deux frères s'étant à leur tour opposés par les armes, Clotaire II de Neustrie, fils de Chilpéric, cherche à intervenir et à conquérir l'Austrasie. La politique autoritaire de Brunehaut ayant lassé l'aristocratie austrasienne, cette dernière finit par se rallier à Clotaire II en 613. Parmi les grands qui favorisèrent la défaite et la mort de Brunehaut, figurent deux ancêtres des Carolingiens, Arnoul et Pépin.

La vie d'Arnoul a fait l'objet de récits plus ou moins légendaires aux VIII<sup>e</sup> et IX<sup>e</sup> siècles, au moment où l'on voulait exalter l'œuvre du glorieux ancêtre des Carolingiens. Ainsi, a-t-on voulu rattacher Arnoul à l'aristocratie d'Aquitaine et même à la famille mérovingienne, ce qui est tout à fait imaginaire. Mieux vaut suivre la biographie d'Arnoul écrite au milieu du VII<sup>e</sup> siècle, par un témoin oculaire.

Arnoul est né vers 580 d'une famille qui possède d'immenses domaines dans le pays de Woëvre entre la Moselle et la Meuse mais également dans la région de Worms. Dans sa jeunesse, il est instruit des lettres par un précepteur, ce qui est bien dans la tradition des familles aristocratiques désirant donner à leurs enfants une instruction élémentaire et une éducation religieuse. Arrivé à l'âge de la puberté, il entre à la cour du roi comme le faisaient à la même époque beaucoup de fils de grandes familles. Il est confié au maire du palais Gundulf, un aristocrate sans doute issu de la famille de Grégoire de Tours et installé dans la région messine. S'étant fait remarquer par ses qualités militaires, il entre au service du roi Théodebert II, fils de Childebert, devient intendant des domaines royaux et est même chargé de fonctions administratives dans les comtés. Le jeune Arnoul songe sans doute, dès cette époque, avec ses amis Romaric et Bertulf à fuir le monde et à rejoindre les moines irlandais qui, depuis 590, se sont installés près des Vosges. Colomban a dû s'exiler en Italie mais il a laissé des disciples dont le genre de vie ascétique attire les jeunes aristocrates austrasiens. Pourtant, sous la pression de ses parents désireux que l'héritage familial soit transmis et même agrandi par un mariage, Arnoul accepte d'épouser une jeune fille d'illustre famille. De ce mariage sont nés de nombreux enfants dont deux fils, Clodulf et Ansegisel, dont nous reparlerons plus loin. Arnoul, grand fonctionnaire à la cour d'Austrasie, prend position, nous l'avons dit, contre Brunehaut et se rallie à

Clotaire II. Ce faisant, il lie ses intérêts à ceux d'un autre aristo-crate, Pépin, et ces liens sont d'autant plus renforcés que par la suite, Ansegisel, fils d'Arnoul, épousera la fille de Pépin, Begga *(cf. tableau II)*.

Pépin, que l'on appelle depuis le XIIIᵉ siècle Pépin de Lan-den du nom d'un de ses domaines mais qu'il vaut mieux appe-ler Pépin l'Ancien ou Pépin Iᵉʳ, est lui aussi issu d'une grande famille qui possède d'immenses domaines. Ils sont situés dans une autre région de l'Austrasie, dans le Brabant, la Hesbaye et le Namurois, donc dans la région de la Meuse, cette grande voie fluviale qui, nous l'avons dit, devient l'un des axes importants de la vie économique de l'Europe du Nord. Pépin a épousé Itta, sœur de Modoald, futur évêque de Trèves, une riche héritière qui était célèbre, nous dit un texte, « par ses vertus, l'étendue de ses terres et le nombre de ses esclaves ». Les pays de Metz d'une part et ceux de la Meuse d'autre part sont donc les deux régions qui ont été les bases de la fortune matérielle des pre-miers Carolingiens *(cf. carte II)*.

Clotaire II, vainqueur et maître de tout le royaume des Francs en 613, récompense les deux familles aristocratiques qui l'ont soutenu. L'évêché de Metz étant devenu vacant, Clotaire le donne à Arnoul (vers 614) dont il sait les qualités religieuses et administratives. La charge d'évêque de Metz est importante puisque cette ville est la capitale du royaume d'Austrasie. La cathédrale Saint-Étienne, le baptistère et d'autres églises for-ment un quartier dans une ville de soixante-dix hectares proté-gée par des murailles romaines. Au sud, à l'intérieur de la ville, sont construits des basiliques et des monastères dont le célèbre Saint-Pierre-aux-Nonnains encore debout de nos jours. Un évê-que mérovingien n'est pas simplement le chef de son clergé et le pasteur des fidèles mais c'est un administrateur qui veille au développement de sa ville et qui aide le roi dans sa politique. D'ailleurs Arnoul cumule les fonctions religieuses et adminis-tratives puisque, nous dit sa *Vita*, il garde ses anciennes fonc-tions de *domesticus* et de *palatinus*. Bien plus, lorsque Clotaire II, pour satisfaire le particularisme austrasien, décide d'installer son jeune fils Dagobert, âgé de dix ans, à Metz, il confie à Arnoul et l'instruction du jeune prince et le gouverne-ment de ce royaume. Pourtant, pour partager cette lourde charge, Clotaire nomme Pépin maire du palais d'Austrasie.

La fonction de maire du palais est ancienne. Au VIᵉ siècle, le *major palatii* est attaché à la personne du roi ou de la reine, il dirige les intendants qui font exploiter les domaines royaux. Cette charge importante donne un grand pouvoir au maire qui, par la suite, devient le principal collaborateur du roi et quelquefois son rival. Lorsque Pépin Ier est nommé maire du palais d'Austrasie, il dirige en fait le royaume en collaboration avec Arnoul, puis bientôt seul.

En effet, l'évêque Arnoul, alors âgé d'une quarantaine d'années, reprend un projet de jeunesse : l'entrée dans la vie monastique. On le voit de plus en plus résider dans des ermitages situés dans ses domaines, près de Metz ou à la lisière des Vosges. Son ami Romaric avait quitté la cour vers 613 et, après avoir passé quelques années à Luxeuil, avait fondé dans une de ses propriétés, le monastère d'Habendum, appelé plus tard Remiremont. Arnoul veut le rejoindre et quitter sa charge épiscopale mais il se heurte au refus de Clotaire II. Ce n'est qu'après la mort du roi, en 629, qu'il réalise son projet. Il se retire près d'Habendum, entouré de quelques moines et de lépreux qu'il sert avec humilité. C'est là qu'il meurt vers 643-647 ; enterré à Remiremont, il est déjà considéré comme un saint, ce qui n'est pas sans importance pour le prestige futur de sa famille.

Pépin, maire du palais, gouverne seul. Le chroniqueur appelé le pseudo-Frédégaire, qui est très favorable aux Pippinides, nous représente le maire comme « le plus sage de tous », comme un conseiller avisé, fidèle, aimant la justice, etc. En fait, nous devinons à travers d'autres sources que Pépin doit tenir en respect quelques familles aristocratiques d'Austrasie qui elles aussi cherchent à jouer un rôle religieux et politique. Car les Pippinides et les Arnulfiens représentés maintenant par les fils d'Arnoul, Ansegisel et Clodulf, tous deux *domestici*, ne sont que deux familles unies étroitement entre elles, face à d'autres grands dont la puissance matérielle est aussi réelle.

Déjà en 624, Chrodoald, un homme fort riche représentant l'illustre famille des Agilolfing qui plus tard fera fortune en Bavière, s'oppose aux Arnulfiens. Dagobert patienta un moment puis finit par faire assassiner Chrodoald. Nous avons là un exemple des rivalités entre grands, entre clans pourrait-on dire, qui pratiquent la vendetta et qui entretiennent dans leurs familles des haines réciproques. Un autre clan, celui des Gonduin, dans la région de Toul et aux confins de la Bourgogne, joue un rôle important pour l'expansion du monachisme colombanien. Gonduin a accueilli en 614 dans son domaine aux sources de la Meuse l'abbé de Luxeuil, Eustase. Sa fille Salaberge fonda — sur l'instigation de Waldebert de Luxeuil — le monastère de Sainte-Marie de Laon ; son fils Bodo Leduinus devint évêque de Toul, tandis que sa petite-fille, Teutberge, fut abbesse de Bonmoutier près de Lunéville. Ce même Gonduin, devenu duc d'Alsace, donna à l'abbé de Luxeuil une terre pour installer un autre aristocrate de Trèves, Germain de Granval qui fonda dans le canton de Berne le monastère de Moutiers-Granval.

Grâce à un testament parvenu jusqu'à nous, nous pouvons connaître l'immensité de la fortune d'une autre famille, celle de Grimo Adalgésil. Ce testament daté de 634 est une étonnante source documentaire pour évaluer la fortune aristocratique en terres, vignes, bâtiments laïcs et ecclésiastiques mais également la dispersion des biens immobiliers. Nous en trouvons dans la Woëvre, dans la vallée de la Chiers, dans la région de Trèves, dans l'Hunsrück, dans les Ardennes, vallées de la Meuse et de l'Ourthe. Ce testament nous permet de voir d'autre part que la famille de Grimo n'hérite pratiquement de rien mais que tous ses biens vont aux églises, ce qui sera une coutume très courante par la suite. Grimo était oncle du duc Bobbo qui gouverna l'Auvergne et parent d'un autre Adalgésil qui, à partir de 633, remplace Pépin à la tête du royaume d'Austrasie.

En effet, pendant tout le règne personnel de Dagobert de 629 à 639, Pépin Ier n'eut plus de responsabilité en Austrasie. On peut s'en étonner. Dagobert, qui avait été son élève, l'a fait venir auprès de lui en Neustrie où il avait installé le centre politique du royaume. Au début de son règne, Dagobert voulut mettre l'Austrasie sous son contrôle direct, mais les Austrasiens montrèrent leur mécontentement comme en témoigne le pseudo-Frédégaire. Lorsque Dagobert organisa son expédition contre Samo, les Austrasiens combattirent sans ardeur et se firent battre. L'Austrasie était de plus en plus menacée par les Slaves qui avaient envahi la Thuringe et ce ne sont pas les Saxons, avec qui Dagobert avait conclu un traité, qui pouvaient vraiment protéger les frontières. Mieux valait charger les Austrasiens de surveiller la progression de ces nouveaux barbares.

Dagobert dut se résoudre à imiter son père et à faire une concession au particularisme austrasien en donnant à ce pays un roi en la personne de son fils aîné le jeune Sigebert âgé de trois ans qu'il avait eu d'une concubine austrasienne. Mais il ne désigna pas Pépin pour diriger le royaume et s'adressa à d'autres familles rivales des Pippinides. D'une part Adalgésil, d'autre part l'archevêque de Cologne Cunibert, deux hommes qui jouent un rôle important dans le duché ripuaire en voie de constitution et dont la capitale est Cologne. De plus, pour faire l'éducation de Sigebert, Dagobert choisit le fils d'un de ses intendants, Otton, qui était issu d'une famille de Wissembourg alliée semble-t-il à celle de Gonduin, duc d'Alsace, qui elle aussi n'était pas favorable au clan des Pippinides. Enfin, Dagobert installe en Thuringe, principauté qui était sous le contrôle des Francs, un autre aristocrate austrasien, Radulf, lui aussi apparenté à la famille de Gonduin. Ainsi Arnoul dans son ermitage, Pépin à Paris, les ambitions politiques des deux familles semblent compromises pour un temps.

La mort de Dagobert en 639 permit à Pépin de reprendre sa place à Metz et, à en croire le pseudo-Frédégaire, il fit alors un pacte avec l'archevêque Cunibert pour encourager les Austrasiens à reconnaître Sigebert alors âgé de dix ans. Pépin, nous dit le chroniqueur, « gouverna les leudes d'Austrasie avec prudence et se les attacha par des liens d'amitié », entendons qu'il renforça l'autorité de son parti. Dagobert avait prévu que le royaume des Francs serait divisé en deux : d'une part l'Austrasie et d'autre part la Neustrie et la Burgondie confiées à son fils cadet Clovis II. Mais le trésor du roi était entre les mains de la reine mère. Un des premiers actes politiques de Pépin fut de réclamer une partie du trésor et de le ramener à Metz où il fut présenté et inventorié. Pépin était sur le point de reprendre la mairie du palais lorsque la mort le surprit en 640.

# CHAPITRE II

## LES OBSTACLES AU POUVOIR

### *Les ambitions de Grimoald*

Pépin Ier laissait plusieurs enfants dont Begga, femme d'Ansegisel, Gertrude qui se retira avec sa mère Itta dans le monastère de Nivelles qu'elle avait fondé et Grimoald, âgé alors de vingt-quatre ans. Grimoald, chef de la famille pippinide, est un homme entreprenant et dont, nous dit le chroniqueur, la popularité est grande. Il veut saisir la mairie du palais qu'occupe Otton le précepteur du jeune roi Sigebert III. Il a contre lui d'autres adversaires, tels le duc de Thuringe Radulf qui profite de la mort de Dagobert pour se libérer de la tutelle franque, appuyé par Fara le fils de ce Chrodoald que Dagobert avait fait tuer sur l'instigation des Arnulfiens. La révolte de Radulf n'est pas née d'un mouvement national mais d'une tendance à l'émancipation d'un duc qui refuse l'autorité du jeune prince mérovingien.

Grimoald va donc accompagner le duc Adalgésil et le roi Sigebert III dans leur expédition contre Radulf ; les Austrasiens furent écrasés et le roi ne dut son salut qu'à l'intervention de Grimoald. Après cette expédition malheureuse, Grimoald conquiert l'amitié du jeune prince et réussit à se débarrasser d'Otton en le faisant assassiner par un Alaman à son service et il le remplace à la mairie du palais. « Il tient entre ses mains tout le royaume d'Austrasie » et mérite le titre de *rector regni* que lui décerne son correspondant, Didier évêque de Cahors vers 643.

Grimoald dispose de biens immenses depuis la Frise jusqu'à la région entre Meuse et Rhin. Il a des biens à Utrecht et à Nimègue. Il en a à Tongres, Maëstricht, dans la vallée de la Meuse et dans la région de Reims. Ces terres vont lui permettre de fonder des monastères où il installe parents et proches. Ainsi, Grimoald inaugure une politique que suivront tous les Carolingiens : posséder des abbayes, avoir des moines qui prient pour la famille et qui le soutiennent dans ses entreprises.

Le moment est favorable, car le monachisme colombanien a pris son essor dans toute l'Austrasie, non seulement dans la région des Vosges mais dans les pays de l'Escaut et de la Meuse. Deux moines qui se distinguent particulièrement, Amand et Remacle, établissent avec Grimoald et sa famille des relations durables. Le premier, saint Amand, un Aquitain converti à la spiritualité colombanienne, a été consacré évêque après un pèlerinage à Rome, mais sans avoir reçu de siège fixe à la façon des Irlandais. Avec l'appui de Dagobert, il exerce sa prédication en Gaule du Nord à partir de son monastère d'Elnone (Saint-Amand-les-Eaux). C'est lui qui, en 640, conseille à la veuve de Pépin de fonder sur ses terres de Nivelles un petit monastère comprenant trois églises dont on a retrouvé entre 1941 et 1953 quelques éléments. Notons qu'une des églises était consacrée à saint Pierre en hommage au premier évêque de Rome que l'on commence à vénérer en Gaule septentrionale. Par saint Amand, la mère de Grimoald entrait spirituellement en contact avec la papauté et le tombeau des apôtres. Itta s'était installée à Nivelles avec sa fille Gertrude âgée de quatorze ans. La jeune fille qu'un fils d'un duc d'Austrasie — il s'agit peut-être d'Adalgésil — avait voulu épouser de force, s'était vouée au service du Seigneur. En 652, à la mort de sa mère, elle devint abbesse de Nivelles. Son premier biographe, qui écrivit vers 670, nous dit que l'abbesse était fort instruite dans les sciences religieuses et qu'elle avait fait venir des livres et d'Irlande et de Rome. Elle dirigeait un monastère double d'hommes et de femmes qui suivait la règle colombanienne. Sa réputation, au dire de l'hagiographe, avait même dépassé l'Austrasie et s'était répandue « dans toute l'Europe ». Gertrude mourut à trente-trois ans en 659. La fille de Grimoald, Vulfretude, lui succéda dans la charge d'abbesse jusqu'à sa mort en 669. Saint Amand, quant à lui, poursuit ses pérégrinations missionnaires et se fixe pendant trois ans dans le diocèse de Tongres qu'il vaut mieux appeler diocèse de Maëstricht, puisque les évêques résident de plus en plus dans cette *villa* de la Meuse. En 650, sans doute avec l'accord de Grimoald, il parvint à faire élire évêque son disciple Remacle.

Remacle était lui aussi un Aquitain. Il avait été le premier abbé de Solignac, monastère fondé par saint Éloi en 632, puis avait rejoint saint Amand dans le nord de la Gaule. En 643, son nom apparaît dans un diplôme que le roi d'Austrasie, Sigebert III, envoie à « l'illustre Grimoald, maire du palais ». Le roi, après avoir pris conseil d'évêques et de grands, décide d'établir un monastère en l'honneur de saint Pierre, saint Paul et saint Jean à Cugnon sur la Semois. En fait, il semble que ce projet n'ait pas été suivi d'effet. En effet, peu après, le même Remacle se voit confier par un autre diplôme de Sigebert III les deux monastères de Stavelot et de Malmédy situés dans la forêt d'Ardenne « en des lieux d'horreur et de vastes solitudes où pullulent les troupes de bêtes sauvages ». Le roi donne une terre de son domaine forestier et Grimoald est chargé de fournir l'argent pour la construction de ces deux monastères situés l'un sur l'Amblève et l'autre, Malmédy, à quelques kilomètres à l'est. Devenu évêque de Maëstricht, Remacle continue à diriger ses deux abbayes qui forment un monastère double à la façon des Irlandais et qui suivent également la règle de Colomban. Tout en suivant les premiers développements de Stavelot-Malmédy et en dotant ces monastères de ses domaines personnels ou de ceux qu'il reçoit du roi, Grimoald accueille des Irlandais venus d'Irlande en passant par la Neustrie. Fursy, fondateur de Lagny et de Péronne, avait un frère Fuilan qui fut expulsé par le maire du palais de Neustrie Erchinoald. Itta et Gertrude de Nivelles accueillirent les Irlandais et Grimoald leur concéda un domaine namurois de Brebona (plus tard Fosses-la-Ville) à quarante kilomètres au sud de Nivelles. Ce monastère s'appelait encore au IXe siècle *monasterium scottorum* et servait de relais pour les moines missionnaires qui parcouraient le nord de la Gaule. Sans aller jusqu'à dire que Grimoald a constitué, comme le feront plus tard ses successeurs, des « monastères privés », disons qu'il s'assure de l'appui de ceux qui représentent dans l'Église l'élément le plus dynamique et que les vertus des saintes et des saints installés sur ses terres renforcent sa position.

En tant que maire du palais d'Austrasie, Grimoald réside également à Metz. Or la ville vient de s'enrichir du corps d'Arnoul déjà considéré comme un saint. La translation de Remiremont à Metz eut lieu sous l'épiscopat de Goëric, successeur d'Arnoul, dans la basilique consacrée aux Saints-Apôtres, située dans la zone cimetériale au sud de la ville. Saint Arnoul ayant repris place dans sa ville, il était naturel que son fils Clodulf, clerc de l'église de Metz, soit choisi comme évêque, sans doute sous l'instigation de Grimoald, vers 656.

Clodulf d'ailleurs reste en liaison avec l'abbaye de Nivelles et avec Remacle de Stavelot. Ce dernier lui adresse un jeune aristocrate de Hesbaye, Trudo, un cousin de Grimoald, et lui demande de l'instruire. Trudo, par la suite, fonde un monastère dans son domaine de Sarchinium (aujourd'hui Saint-Trond) entre Landen et Tongres et lègue tous ses biens à l'église de Metz. Ainsi se trouvent confirmés les liens qui existent entre la région messine, terre des Arnulfiens, et la région plus septentrionale de l'Austrasie où se trouvent les domaines familiaux des Pippinides.

En 656, le jeune roi Sigebert III meurt à vingt-six ans. Ce saint prince — il fut l'objet d'un culte local en Lorraine — n'avait régné que sous la tutelle de son maire du palais. Grimoald se sent alors assez fort pour faire ce qu'on a appelé le « premier coup d'État carolingien », en installant son fils sur le trône d'Austrasie.

## Le coup d'État de Grimoald et son échec

Ce n'est pas le pseudo-Frédégaire, favorable aux Pippinides, qui nous parle de l'usurpation de Grimoald, mais un moine neustrien qui écrivit au début du VIIIᵉ siècle à Saint-Denis. En confrontant son récit à d'autres témoignages contemporains on peut ainsi présenter cette curieuse tentative du fils de Pépin Iᵉʳ.

Sigebert III, désespérant de ne pas avoir d'enfant, avait accepté d'adopter le propre fils de Grimoald et lui avait donné le nom bien mérovingien de Childebert. Mais la reine d'Austrasie ayant eu enfin un fils qui s'appela comme son grand-père Dagobert, Sigebert III changea ses dispositions et confia l'éducation du jeune garçon à Grimoald. Sigebert étant mort, son fils Dagobert II devait lui succéder. Pourtant nous dit le chroniqueur neustrien, Grimoald fit tondre le jeune enfant, le confia à l'évêque de Poitiers, Didon, qui l'emmena en Irlande. Il mit sur le trône d'Austrasie son fils Childebert, celui que l'on appelait Childebert l'Adopté.

Le récit de ces événements a suscité beaucoup de commentaires. Certains historiens ont utilisé d'autres sources pour démontrer que Dagobert II avait régné pendant quelques années sous l'autorité de Grimoald, puis que sur le conseil du maire du palais, il aurait décidé de partir volontairement en Irlande. Grimoald l'aurait alors remplacé par son fils Childebert l'Adopté. Pourtant il est difficile de croire que Dagobert II ait accepté volontairement, par piété, d'être tonsuré et qu'il soit parti en Irlande pour des raisons religieuses même si à cette époque l'Irlande apparaît comme le centre de formation spirituelle le plus réputé. Si Grimoald confie Dagobert à Didon c'est bien pour l'exiler au bout de l'Occident en espérant que, devenu moine, le prince mérovingien serait à jamais exclu du monde.

Un autre problème est celui de l'attitude des Neustriens dans cette affaire. Depuis la mort de Dagobert, Clovis II règne en Neustrie sous l'autorité de son parent, le maire du palais Erchinoald. Le maire lui fit même épouser une de ses esclaves anglo-saxonne, Bathilde, dont il eut plusieurs fils. En 656, lorsque mourut Sigebert III, frère de Clovis II, les Neustriens avaient peut-être intérêt à s'entendre avec Grimoald pour exiler le fils du défunt roi et ainsi réaliser de nouveau l'unité du royaume. En fait, ils ont laissé Didon et Dagobert II s'embarquer pour l'Irlande. Mais le « coup d'État » de Grimoald contraria leurs plans. On comprend alors que les Neustriens aient, d'après le chroniqueur de Saint-Denis, attiré Grimoald et son fils en Neustrie et les aient fait périr l'un et l'autre à une date qu'il est difficile de préciser. La femme de Grimoald semble être tombée entre les mains d'un Austrasien, Frodebert, devenu par la suite évêque de Tours et qui, n'ayant pas pu l'épouser, la fit enfermer dans un monastère. La fille de Grimoald, l'abbesse de Nivelles, fut elle-même persécutée. Les Neustriens, qui n'avaient pu l'obliger à démissionner, s'en prirent aux biens du monastère.

Ainsi se termina tragiquement cette étonnante tentative de Grimoald, homme entreprenant qui avait temporairement réussi à faire de son fils le premier roi carolingien. Son échec prouve que l'heure d'une dynastie carolingienne n'est pas encore venue. Les Pippinides sont écartés pour quelque temps du pouvoir et, par suite, avec beaucoup plus de prudence, ils sauront attendre le moment d'agir.

## Les Pippinides attendent leur heure

Après la mort de Clovis II en 657, sa femme Bathilde règne en Neustrie au nom de son fils Clotaire III. Cette femme, dont les qualités politiques sont indéniables, profite de la mort de Grimoald et de Childebert l'Adopté pour faire installer son second fils Childéric II comme roi d'Austrasie. Le prince étant fort jeune, il fut confié à la veuve de Sigebert III, Himnechilde, et à un Austrasien, Wulfoad, nommé maire du palais. Wulfoad, dont le nom apparaît dans plusieurs documents, était un aristocrate possédant d'immenses domaines et sans doute allié au clan des Gonduin qui, nous l'avons vu, étaient les rivaux des Pippinides. Devant l'hostilité du nouveau maire du palais, Ébroïn, Bathilde dut se retirer dans le monastère de Chelles qu'elle avait fondé (664). Alors commence une période fort confuse pendant laquelle les aristocraties des deux royaumes favorables ou hostiles au maire du palais, s'occupant exclusivement de leurs propres intérêts, font et défont les rois qui ne sont que des fantoches entre leurs mains.

Le seul prince qui mérite encore le nom de roi est Childéric II d'Austrasie qui fut le dernier à régner sur tout le royaume. En effet, à la mort de Clotaire III, les aristocrates neustriens et bourguignons influencés par l'évêque Léger d'Autun, le neveu de Didon de Poitiers, appelèrent Childéric II pour les gouverner. Pendant deux ans (673-675), le royaume des Francs fut réunifié, Childéric acceptant de « donner aux trois royaumes les coutumes de chaque patrie ».

Childéric II ayant été assassiné, peut-être à l'instigation des partisans d'Ébroïn, les Austrasiens, c'est-à-dire le maire du palais Wulfoad et sans doute le duc d'Alsace Adalric, ancêtre de l'illustre famille des Étichonides *(cf. tableau XIII)*, ayant retrouvé les traces de Dagobert II, le font revenir d'Irlande (676). Mais Ébroïn d'un côté, une partie de l'aristocratie austrasienne d'un autre côté, préparent un complot contre Dagobert qui est assassiné en 679 dans la forêt de Woëvre « traîtreusement par la ruse des ducs et le consentement des évêques ». Le maire du palais Wulfoad disparaît à la même époque.

Parmi ces ducs, comment ne pas voir ceux qui sont restés fidèles à Grimoald, à ses successeurs et à ses parents ? Après la mort du fils de Grimoald, son neveu Pépin II, Pépin le Moyen, fils de Begga et d'Ansegisel représentait la famille. Ansegisel, victime de la vendetta, avait été assassiné quelque temps auparavant et sa veuve Begga s'était retirée dans un de ses domaines sur la Sambre et avait fondé le monastère d'Andenne. Pépin II et son frère Martin ne purent s'entendre avec Ébroïn qui rêvait d'unifier la Gaule sous son autorité. Une rencontre entre les Neustriens et les Pippinides à Lucofao près de Rethel tourna au désavantage de ces derniers. Pépin s'enfuit et Martin, réfugié à Laon, fut exécuté traîtreusement sur l'ordre d'Ébroïn (680).

La tyrannie d'Ébroïn devait finir tragiquement. Il fut assassiné par un fonctionnaire du fisc qui, après ce meurtre, trouva refuge auprès de Pépin. Ce dernier pourtant ne parvient pas à s'entendre avec le nouveau maire Waraton qui dirige le royaume de Neustrie au nom de Thierry III et surtout son fils Gislemar. La guerre reprend, et une nouvelle fois Pépin est battu près de Namur. Pourtant le gendre de Waraton, Berchaire, devenu à son tour maire, voulant reprendre la politique d'Ébroïn, suscita de nombreux mécontentements en Neustrie. Un certain nombre de grands, parmi lesquels l'évêque de Reims, Rieul, désirant garder leur liberté et peut-être surtout en finir avec ces guerres civiles s'adressèrent alors au duc d'Austrasie. Pépin prépara soigneusement son expédition. Ayant levé ses hommes dans ses domaines mosans, il suivit la vieille route romaine de Tongres, Bavai, Cambrai et il réussit à battre les Neustriens à Tertry près de Saint-Quentin. Cette fois, la victoire était décisive (687). Les Pippinides avaient vengé Grimoald. Pépin II, s'emparant du roi Thierry III et du trésor, était bien décidé à se faire respecter de toute l'aristocratie du royaume.

# CHAPITRE III

# LE PRINCIPAT DE PÉPIN II (687-714)

## Politique de Pépin

Pépin II, Pépin le Moyen, celui qu'on appellera au XIIIe siècle Pépin de Herstal, est donc maître du *Regnum Francorum*, c'est-à-dire de l'Austrasie, de la Neustrie et de la Bourgogne. Par une politique habile, il se concilie les aristocrates. Ainsi, son fils Drogon épouse Anstrude, fille du maire du palais Waraton et veuve de Berchaire. Il maintient la mairie du palais de Neustrie et la confie à un de ses fidèles, Norbert, comte de Paris. A la cour de Neustrie nous retrouvons les anciens partisans de Pépin dont Ermenfrid l'assassin d'Ébroïn et également des aristocrates d'origines romaine ou germanique.

Pépin II règne au nom du roi mérovingien Thierry III qui appose sa signature sur plus d'un diplôme. Thierry meurt vers 690. Pépin le remplace par l'enfant Clovis III qui ne règne que quatre ans puis par son frère Childebert III (694-711). Lorsque Childebert meurt au palais de Choisy-au-Bac (Oise), Dagobert III devient roi jusqu'en 715 *(cf. tableau I)*. Ces rois résident dans leurs palais de Neustrie, Compiègne, Valenciennes, Noisy, Montmacq-sur-Oise, etc. Pépin reste régulièrement en contact avec eux. Le rédacteur des *Annales de Metz* qui écrit au IXe siècle et qui veut exalter Pépin le Moyen raconte : « Tous les ans aux calendes de mars, le maire du palais Pépin II tenait une assemblée générale avec tous les Francs selon la coutume des Anciens. A cause de la révérence due au titre de roi, il y faisait présider le roi jusqu'à ce qu'il ait reçu de tous les grands parmi les Francs les dons annuels, qu'il eût fait une harangue pour la paix et la protection des églises de Dieu, des orphelins, des veuves, qu'il eût interdit fermement le rapt des femmes, le crime de l'incendiaire, qu'il eût ordonné à l'armée d'être préparée pour le jour annoncé pour partir. Alors Pépin renvoya le roi à sa villa royale de Mamaccas [Montmacq] pour y être gardé avec honneur et vénération tandis que lui-même gouvernait le royaume des Francs. »

Ce royaume comprend trois parties qui ont chacune leurs caractères originaux, l'Austrasie, la Neustrie, la Burgondie. C'est en Austrasie que Pépin réside, c'est de là qu'il tire ses forces, c'est là qu'il a ses fidèles. Par son mariage avec Plectrude, il s'est allié à une grande famille qui possède des terres dans les régions de Cologne et de Trèves. Son beau-père Hugobert, qualifié de comte du palais, avait épousé Irmina qui fut après la mort de son mari la deuxième abbesse d'Oeren (cf. tableau III). De ce mariage étaient nées, outre Plectrude, des filles qui, nous le verrons, sont à l'origine des grandes familles d'Austrasie. Pépin II pouvait compter sur l'aristocratie installée dans le duché des Ripuaires dont le centre est Cologne. D'autre part, en Alsace, les ducs se sont, après une certaine hésitation, ralliés aux Austrasiens. Adalric, appelé aussi Éticho, d'où le nom de la famille les Étichonides (cf. tableau XIII), est un homme brutal mais dont on peut attendre des services lorsque les Alamans s'attaquent au royaume.

En Neustrie, Pépin II a placé ses fidèles dans les évêchés et les abbayes. A la mort de l'évêque Rieul, il installe l'aristocrate ripuaire Rigobert sur le siège épiscopal de Reims (690). A Rouen, l'évêque Angebert qui est également abbé de Fontenelle est exilé dans le diocèse de Cambrai et est remplacé par un certain Griffon qui semble appartenir à la famille des Pippinides. Le monastère de Saint-Wandrille est donné à Hildebert, un Austrasien, puis à l'évêque Bainus de Thérouanne. Pépin pratique une politique de sécularisation que son fils Charles généralisera comme nous le verrons. A partir de 700, Pépin remplace le maire du palais Norbert par son propre fils Grimoald. Ainsi les deux mairies du palais sont entre les mains du père et du fils.

La Bourgogne septentrionale est confiée à son fils aîné, Drogon, qui reçoit le titre de duc de Champagne ou bien, dit un autre texte, « duc des Bourguignons ». Lorsque Drogon meurt en 708, c'est son frère Grimoald qui hérite de sa charge. Dans la Burgondie méridionale, vers Lyon, apparaît vers 701, un autre duc des Bourguignons dont nous ignorons tout et qui semble en conflit avec l'évêque Goduin. D'ailleurs c'est à cette époque que les évêques cherchent à se constituer des principautés suivant l'exemple qui avait été donné par saint Léger d'Autun quelques décennies auparavant. Pépin ne semble pas s'en inquiéter pour le moment. Tout à fait au sud de la Bourgogne, en Provence, l'aristocrate Anténor qui était à la cour de Neustrie représente le maire du palais et cherche par la suite à s'émanciper de sa tutelle.

Donc pas de grands problèmes à l'intérieur du royaume des Francs. Au contraire à l'extérieur, les dangers sont réels. L'auteur des *Annales de Metz* se souvient « qu'en ce temps-là la guerre menaçait le prince invaincu non pas tant au sujet du principat des Francs que pour l'acquisition des différents peuples qui avaient été autrefois soumis aux Francs : les Saxons, Frisons, Alamans, Bavarois, Aquitains, Vascons et Bretons ». Des rapports entre Pépin et les Bretons, nous ignorons tout, mais nous savons qu'il s'intéressa un moment à ce qui se passait en Aquitaine. Aux VIᵉ et VIIᵉ siècles, l'Aquitaine apparaissait comme une dépendance des royaumes du Nord et était partagée entre les princes de Neustrie et d'Austrasie. Ce pays très riche et qui conserve encore bien des traits de la civilisation romaine n'a pas accepté l'autorité des Mérovingiens et plus d'une fois ceux que les hommes du Nord appellent les « Romains » se sont révoltés. Mais toutes les tentatives d'autonomie ont échoué. Les Aquitains ont semblé accepter de lier leur destin à celui des Francs et ont contribué par leurs artistes, leurs lettrés, leurs missionnaires, à civiliser le nord du royaume. Les liens de Metz et de Trèves avec l'Aquitaine sont encore étroits au VIIᵉ siècle si bien que des légendes postérieures parleront d'alliances familiales entre des « sénateurs » du sud et les Arnulfiens.

Pourtant à la fin du siècle, les Aquitains sont menacés par la progression de guerriers montagnards, les Vascons, c'est-à-dire les Basques, qui avancent vers la rive gauche de la Garonne. Pour lutter contre ces redoutables cavaliers, apparaissent des chefs locaux qui cherchent à mener une politique indépendante en s'appuyant sur le clergé local et l'aristocratie. Le duc Loup, vainqueur des Basques, profite des luttes entre Ébroïn et les Austrasiens pour se tailler une principauté au sud de la Garonne. Pépin II, devenu le maître du royaume franc, ne peut se désintéresser de l'Aquitaine d'autant plus que les églises austrasiennes possèdent des biens au sud de la Loire et que des moines méridionaux tels Amand ou Remacle ont fondé des monastères dans le nord avec l'aide des Pippinides. En Auvergne, l'évêque Avitus II puis son frère Bonnet, ancien patrice de Provence, sont à la tête d'une petite principauté mais restent en relation avec Pépin. Après la démission de Bonnet en 701 c'est un certain Norbert qui lui succède, parent du comte de Paris ou le comte de Paris lui-même, on ne sait. Pépin suit de

près les événements d'Aquitaine : après la disparition du duc
Loup vers 700, Eudes prend sa place et se qualifie même de
« prince ». A en croire les *Miracles de saint Oustrille*, Pépin
serait intervenu contre lui dans le Berry. Ainsi Pépin esquisse-
t-il une politique que reprendra avec plus d'énergie son successeur.

## Progression en Germanie

Sans doute Pépin est-il plus préoccupé par les menaces que
font peser au nord et à l'est les Frisons et les Alamans. Les Frisons installés, nous l'avons vu, dans les pays des bouches du
Rhin cherchent à étendre leur domination vers l'Escaut. Ce
sont des pirates et des marchands, ils disposent d'une flotte
importante et, à partir de Duurstede, une de leurs bases de
départ, ils commercent avec l'Angleterre et la Scandinavie
comme en témoignent les *sceattas,* pièces d'argent trouvées en
grand nombre par les archéologues.

Dagobert avait déjà établi à la demande de l'archevêque
Cunibert de Cologne un *castellum* à Utrecht pour surveiller la
progression des Frisons et sans doute amorcer leur conversion.
Vers 678, profitant de la bonne volonté du chef Aldgisl, des missionnaires anglo-saxons, Wilfrid d'York et Wictbert, prêchent
l'Évangile. Leur œuvre fut poursuivie par un de leurs compatriotes, un ancien moine de Ripon, Willibrord qui s'installa en
Frise vers 690 et qui alors eut affaire non seulement aux Frisons mais à Pépin II. La rencontre entre le missionnaire et le
prince franc est d'une importance capitale pour l'avenir de la
Frise et de la dynastie des Pippinides.

En effet Pépin avait décidé d'arrêter la progression des Frisons et, après plusieurs expéditions, il réussit à battre le chef
païen Radbod. Il reprit Utrecht et Vechten, l'ancienne Fectio
romaine, et étendit son autorité jusqu'aux Vieux Rhin là où les
Romains avaient installé leur frontière. La région fit l'objet
d'une véritable colonisation et les aristocrates francs se taillè-
rent de grands domaines. Pépin aurait voulu que Radbod se fît
baptiser mais ce dernier refusa. A en croire la *Vie de saint Vul-
framn,* comme on lui disait qu'il ne retrouverait pas ses parents
dans le Paradis qu'on lui promettait, il répondit qu'il préférait
être damné avec ses ancêtres plutôt que d'être sauvé avec une
poignée d'hommes. Il accepta pourtant que sa fille soit baptisée
et épouse le fils de Pépin, Grimoald. La conquête franque
s'accompagna de la fondation de nombreuses églises et de la
création de l'évêché d'Utrecht. Pépin pensa que Willibrord était

le plus apte à diriger la nouvelle Église et il le fit avec l'accord de la papauté, ce qui est capital pour la suite de l'histoire des relations entre les Pippinides et Rome.

Nous avons déjà évoqué les liens étroits qui unissaient l'Église anglo-saxonne et la papauté. Il est donc normal que Willibrord se soit rendu en pèlerinage à Rome vers 692 et qu'il ait demandé à Serge Ier sa bénédiction pour la mission frisonne. Après sa victoire sur Radbod, Pépin invita Willibrord à retourner à Rome afin d'être sacré évêque par le pape Serge. Ce dernier non seulement accepta mais donna à Willibrord le titre d'« archevêque du peuple des Frisons », créant ainsi une nouvelle province ecclésiastique. La cathédrale d'Utrecht fut fondée sous le vocable du Saint-Sauveur, vocable qui rappelait celui du Latran, deux évêques furent institués, un clergé indigène fut formé. Willibrord reçut des domaines d'aristocrates et particulièrement celui d'Echternach que Pépin possédait et qui devait par la suite devenir une des bases de la formation des missionnaires.

Forts de leur succès en Frise, les disciples de Willibrord poussèrent plus loin leur apostolat. Ainsi Suidbert partit évangéliser les tribus franques, les Boructuari entre la Lippe et la Ruhr. Les Saxons ayant repris la région méridionale de la Westphalie, Suidbert fut installé par Pépin dans une île du Rhin près de Düsseldorf qui devint bientôt le monastère de Kaiserwerth. Deux autres Anglo-Saxons Hewald le Noir et Hewald le Blanc qui avaient tenté de convertir les Saxons furent martyrisés et leurs corps furent ramenés par Pépin à Cologne dans l'église de Saint-Cunibert. Plus à l'est, les ducs thuringiens Théodbald et Heden († 717) favorisent eux aussi le christianisme et octroient des terres à Willibrord dans la région de Kitzingen.

Au sud-est de l'Austrasie, les ducs alamans et bavarois, qui jusqu'alors reconnaissaient l'autorité lointaine du roi mérovingien, ne veulent pas être soumis aux ducs des Francs. Un texte nous précise cette attitude : « En ce temps-là, le duc des Alamans Godfrid et les autres ducs n'acceptent pas d'obéir aux ducs des Francs, car ils ne pouvaient plus servir le roi mérovingien comme ils avaient l'habitude de le faire auparavant. Ils se tenaient donc chacun à part. » Pépin toléra momentanément cette situation. Mais après la mort de Godfrid (709), il fit plusieurs expéditions contre son successeur et fit rentrer cette principauté dans l'orbite de la monarchie sans pour autant annexer le duché (cf. carte II).

En Bavière les ducs de la famille des Agilolfing rêvent de mener une politique indépendante. En raison de leur position géographique les ducs regardent autant vers l'Austrasie dont ils sont issus que vers l'Italie. Théodon est le premier duc bavarois qui ait conscience de la force qu'il représente et qui cherche à faire de son duché une grande principauté. Entre la Bavière et le royaume lombard dirigé depuis 712 par Liutprand, les relations sont bonnes. Comme Liutprand dans son royaume, Théodon veut organiser une Église nationale. Pour cela, il fait venir l'ancien évêque de Worms, Chrodebert, nommé aussi Rupert, et l'installe dans l'ancienne ville romaine de Juvavum appelée maintenant Salzbourg. A la même époque, il accueille à Ratisbonne le moine aquitain Emmeran tandis qu'un autre moine, Corbinien, s'installe à Freising. Mais Théodon veut davantage : il souhaite créer des évêchés à Ratisbonne, Salzbourg, Freising et Passau. Pour cela il se tourne vers la papauté, et lors d'un pèlerinage à Rome en 716, il demande au pape Grégoire II des évêques pour son duché. La papauté qui s'intéresse de plus en plus à la conversion des pays germaniques ne peut que répondre favorablement ; une mission romaine est envoyée en Bavière pour réaliser le projet. Malheureusement la mort de Théodon en 724 et le partage du duché entre ses fils ne permet pas la création de ces évêchés. Pépin II de son côté se contente de rester en contact avec la Bavière en unissant par des mariages sa famille à celle des Agilolfing.

## Monastères et palais

Pépin II a réussi par une politique habile à se faire respecter par les ducs nationaux et à faire régner la paix en Europe. Il est « prince des Francs » mais il reste surtout le duc d'Austrasie, la terre de ses ancêtres. Comme son oncle Grimoald, il sait que sa puissance sera d'autant plus grande qu'il pourra s'appuyer sur l'Église et sur les monastères qui commencent à devenir des possessions familiales. Sur un domaine appartenant à sa mère Begga est fondé le monastère d'Andenne ; à Lobbes, non loin de Liège, Pépin installe l'abbé évêque Ursmer (†713) dont le successeur est Ermin. Dans le *pagus* dit « mosan », au nord de Maëstricht, trois monastères sont fondés : Odilienberg où selon une tradition un clerc de l'entourage de Pépin est abbé, Susteren donné à Willibrord par Pépin et sa femme, et en face Aldeneik où s'installent Harlinde, Rémille et leurs parents vers 705-710. Dans le diocèse de Trèves, Léodoin, futur évêque de la ville et fidèle du prince, fonde le monastère de Mettlach dédié à saint Denis dont le culte se répand en Austrasie lorsque Paris tombe entre les mains de Pépin. La belle-sœur du prince, Adela, installe une communauté dans une ancienne villa romaine sur les bords de la Moselle qui prend le nom de Pfalzel (« petit palais »). Enfin les Pippinides ont à Echternach un véritable monastère familial. Irmina, belle-mère de Pépin, donne des terres à Willibrord pour une première fondation, puis le 13 mai 706, Pépin et Plectrude augmentent le domaine du monastère et précisent que l'abbé et ses successeurs devront rester les protégés de Pépin : « Quand Willibrord aura quitté cette vie, ses frères se constitueront librement un abbé. Celui-ci devra se montrer fidèle en toutes choses à nous-même, à notre fils Grimoald, au fils de celui-ci et aux fils de Drogon, nos petits-fils. »

Pépin réside le plus souvent dans ses domaines mosans de Herstal, de Jupille, de Chèvremont, place forte dominant la Vesdre. La Meuse est déjà une grande voie commerciale et les centres de Namur, Huy, Maëstricht possèdent des ateliers monétaires actifs. Liège, qui n'était encore qu'une *villa* de l'évêque de Tongres, devient à l'époque de Pépin résidence épiscopale. L'évêque Lambert, qui avait été réinstallé sur son siège par Pépin II, est assassiné à Liège en 705. Son disciple et successeur Hubert, peut-être le beau-frère de Pépin, transfère en 718 les restes de Lambert de Maëstricht à Liège et réside dans cette bourgade très proche des domaines des Pippinides (*cf. carte IV*).

Pépin II, ayant atteint un âge avancé et souvent malade, doit songer à sa succession. Son fils aîné Drogon est mort quelques années avant et est enseveli à Metz dans l'église qui porte vers 708 le nom de Saint-Arnoul. Drogon avait quatre fils, dont Hugues destiné à la cléricature et qui devient en 720 évêque de Rouen et Arnulf dont nous ignorons tout. Le fils cadet de Pépin, Grimoald II, fut assassiné sur la route de Jupille alors qu'il venait vénérer les reliques de l'évêque Lambert. Pépin II avait deux autres fils, Childebrand et Karl nés de ses amours avec une concubine nommée Alpaïde. Pourtant il ne désigna ni l'un ni l'autre pour lui succéder à la mairie du palais, non pas parce qu'ils étaient des bâtards puisque la polygamie était habituelle dans les grandes familles germaniques et qu'elle le restera longtemps. D'ailleurs c'est le fils bâtard de Grimoald, Théudoald âgé de six ans que Pépin fait reconnaître par les grands comme futur maire du palais. Ce choix lui a certainement été dicté par Plectrude son épouse qui pensait ainsi écarter les fils de la concubine et diriger elle-même les affaires du royaume. Pépin diminué par l'âge et la maladie accepta cette solution ; il mourut le 16 décembre 714.

# CHAPITRE IV

# LE « RÈGNE » DE CHARLES MARTEL
## (714-741)

## Débuts difficiles

Pépin II, par sa forte personnalité, a maintenu le royaume sous son autorité. Après sa mort, le pouvoir est entre les mains d'une femme. La famille des Pippinides n'est pas encore assez implantée pour que tous ceux que Pépin II avait soumis n'en profitent pas pour se révolter. Les aristocrates de Neustrie qui n'avaient accepté qu'à contrecœur la victoire des Austrasiens se soulèvent « contre Théudoald et ceux qui avaient été les leudes de Pépin et de Grimoald », comme dit le continuateur du pseudo-Frédégaire. Ils battent les Austrasiens dans la forêt de Compiègne et, profitant de la mort du roi Dagobert III (715), vont chercher le moine Daniel, fils réel ou prétendu de Childéric II et le proclament roi sous le nom de Chilpéric II. En fait, c'est Ragenfred devenu maire du palais de Neustrie qui gouverne en son nom. Le maire commence par écarter les fidèles de Pépin II des postes importants : ainsi Bénigne, abbé de Fontenelle, est remplacé par Wando et Grimo, abbé de Corbie, doit céder la place à un certain Sébastien comme le montre un diplôme de 716, etc. Pour attaquer l'Austrasie, Ragenfred trouve des appuis du côté du chef frison Radbod, grand-père de Théudoald, et même des Saxons. Enfin prenant la route de Reims à Cologne, il traverse la Forêt charbonnière qui marquait la frontière entre Neustrie et Austrasie et pousse jusqu'à Cologne, capitale du duché ripuaire où s'est installée Plectrude. Il s'empare ainsi d'une partie du trésor qu'avait amassé Pépin II.

C'est alors qu'intervient Charles, le bâtard de Pépin II qui jusqu'en 714 avait vécu auprès de son père. Pépin avait donné à ce fils le nom de Karl, nom jamais encore porté dans la famille et qui devait devenir illustre puisque c'est lui qui est à l'origine de l'appellation des « Carolingiens ». Charles a trente ans, donc en pleine possession de ses moyens et si nous ignorons tout de son caractère, nous pouvons juger par son action de son énergie et de ses qualités politiques. Après la mort de Pépin, Plectrude s'en était d'ailleurs méfiée et avait fait enfermer Charles dans une prison. Profitant des circonstances, le jeune homme s'échappe et réunissant des partisans cherche à battre les Frisons, mais il est vaincu et doit se retirer dans ses domaines de l'Ardenne. Guettant l'armée des Neustriens de retour de Cologne, Charles leur fait subir de grandes pertes à Amblève près du monastère de Malmédy. Il reprend alors quelques villes dont Verdun que tenait Wulfoald, petit-fils du maire de Dagobert II tout dévoué aux Mérovingiens. L'évêque Peppo favorisa la victoire de Charles et en reçut quelques domaines qui augmentèrent son temporel. L'année suivante en 717, n'ayant pu faire la paix avec les Neustriens, ni même reprendre Reims où Rigobert était évêque, Charles attaquait l'ennemi à huit kilomètres de Cambrai, à Vinchy, et réussit le 21 mars 717 à triompher des Neustriens et à les repousser jusqu'à Paris.

Mais il ne se sent pas encore assez fort pour en finir avec ses adversaires car il lui manque et l'argent et un semblant de roi au nom duquel il pourrait régner. Il préfère retourner en Austrasie et forcer Plectrude à lui remettre ce qui restait du trésor de Pépin II. Plectrude devait d'ailleurs mourir à Cologne et est enterrée dans le monastère Notre-Dame qu'elle avait fondé. Prenant la place du maire du palais d'Austrasie, Charles fait proclamer un prince mérovingien, peut-être le fils de Thierry III, sous le nom de Clotaire IV. Son premier souci est alors de défendre les frontières de son « royaume » : il repousse les Saxons jusqu'à la Weser et il obtient le retrait des Frisons, ce qui fut assez facile après la mort de Radbod.

Charles va-t-il se contenter comme ses ancêtres de régner en Austrasie ? C'est mal le connaître. Il veut en finir avec les Neustriens. Ceux-ci alors se cherchent un allié et le trouvent en Aquitaine. Là, nous l'avons vu, le duc Eudes avait formé une sorte de principauté et aspirait peut-être à devenir roi. Ayant levé une armée de Basques qui représentaient l'élément militaire le plus fort de l'Aquitaine, Eudes marche vers le nord jusqu'à Paris au secours des Neustriens. La riposte de Charles est immédiate. Eudes doit s'enfuir en emportant avec lui le trésor et en emmenant le petit roi Chilpéric II. Quant à Ragenfred, il se retire à Angers où il forme une principauté. Eudes se rend compte qu'il doit traiter. En 720, il accepte de faire la paix avec Charles et lui restitue le roi et le trésor. Clotaire IV d'Austrasie étant mort en 719, Chilpéric II va être roi de la Neustrie et de l'Austrasie sous le contrôle de Charles maire du palais des deux royaumes. Après la mort de Chilpéric II, on le remplace par un fils de Dagobert III, Thierry IV.

Charles était maître des deux royaumes ; il y fait figure comme son père de *princeps*.

Pourtant sa situation est précaire ; il doit tenir compte de ceux qu'Éginhard appellera plus tard les « tyrans » et qui, laïcs et clercs, forment dans le nord du royaume des petites principautés : Ragenfred est à Angers, il y demeure jusqu'à sa mort en 731. L'évêque de Lyon, Goduin, règne en maître dans sa région. Savary, évêque d'Orléans et d'Auxerre, rêve de reconstituer un duché bourguignon. Ses successeurs Aymard à Auxerre et Eucher à Orléans héritent de ses ambitions. D'autre part les principautés périphériques, Bavière, Alémanie, échappent au contrôle du prince carolingien ; dans le nord, les Frisons sont prêts à reprendre l'offensive. Charles doit donc faire face sur tous les fronts et trouver le moyen de ne pas compromettre sa récente victoire sur les Neustriens.

## Les moyens d'action de Charles

Pour assurer sa domination en Neustrie, Charles installe partout où il peut ses amis et ses parents. Poursuivant la politique de son père, il occupe des places importantes dans la province ecclésiastique de Rouen. Wandon, abbé de Fontenelle (Saint-Wandrille) qui avait été installé par Ragenfred, est exilé à Maëstricht ; Charles le remplace par son neveu Hugues qui non seulement est abbé de Fontenelle et de Jumièges, mais est évêque de Rouen, de Bayeux et même de Paris. Après lui, nous trouvons un certain Ragenfred à Rouen, un Alaman Teutsind qui cumule les abbayes de Fontenelle et de Saint-Martin de Tours puis le laïc Wido peut-être parent de la femme de Charles Martel, Chrodtrude.

Au Mans, place importante entre Seine et Loire, l'évêque Erlemond est remplacé par des fidèles laïcs Charivé, fils du comte Rotgar, puis par son frère Gauziolene, un clerc illettré comme étaient d'ailleurs bien des évêques du temps. A Nantes, le comte Agathée est évêque et abbé de Redon. Dans le Nord, Célestin, abbé de Gand, est déposé et finit sa vie à Rome. Corbie est repris en main par Grimo, un moine qui restaure l'abbaye et qui joue le rôle d'intermédiaire entre Charles et la papauté.

Charles, ayant exilé dans un de ses domaines l'évêque de Reims
Rigobert, pour avoir refusé de lui livrer la place, le remplace
par Milon, issu de la famille des Widonides. Le père de Milon
Léotwin était évêque de Trèves et avait fondé le monastère de
Mettlach sur la Sarre. Milon, qui est peut-être aux côtés de
Charles à la bataille de Vinchy, succède à son père à Trèves et à
l'abbaye de Mettlach. Charles lui donne alors l'archevêché de
Reims qu'il va conserver jusqu'en 744. Cet évêque, qui a laissé
le souvenir d'un homme brutal et sans mœurs, a été un des
meilleurs soutiens de la politique carolingienne. Ainsi évêchés
et abbayes sont entre les mains des fidèles et si la religion en
souffre la politique y trouve son compte.

Il ne suffisait pas d'avoir des hommes sûrs, il fallait les
attacher par des liens de fidélité durables. Charles va utiliser à
son profit les avantages de la vassalité qui depuis le VIIe siècle
devient un des fondements de la société occidentale.

Sans nous attarder sur les origines de la vassalité, rappelons que depuis le VIe siècle se développent des liens d'homme à
homme : pour échapper aux difficultés du temps, des hommes
acceptent de se mettre au service des puissants et de les aider.
Un texte tiré des *Formules* de Tours, et qui date du début du
VIIIe siècle, nous donne les clauses d'un contrat qui établit les
relations entre deux hommes d'inégale fortune : « Celui qui se
recommande en la puissance d'autrui. Au seigneur magnifique
un tel, moi un tel. Attendu qu'il est parfaitement connu de tous
que je n'ai pas de quoi me nourrir, ni me vêtir, j'ai demandé à
votre pitié, et votre volonté me l'a accordé de pouvoir me livrer
ou me recommander en votre maimbour [protection]. Ce que
j'ai fait aux conditions suivantes : vous devrez m'aider et me
soutenir autant pour la nourriture que pour le vêtement dans
la mesure où je pourrai vous servir et bien mériter de vous.
Tant que je vivrai, je vous devrai le service et l'obéissance qu'on
peut attendre d'un homme libre et tout le temps de ma vie je
n'aurai pas le pouvoir de me soustraire à votre puissance ou
maimbour, mais je devrai au contraire tous les jours de ma vie
rester sous votre puissance et protection. En conséquence il a
été convenu que si l'un de nous voulait se soustraire à ces
conventions, il paierait à son pair une composition de tant de
sous et que la convention elle-même resterait en vigueur. Il a
été convenu aussi de cet acte, deux chartes de même teneur
devraient être rédigées et confirmées par les parties, ce qu'elles
ont fait. »

La recommandation, d'abord acte privé, va s'étendre à
toute la société. En cette époque, l'homme seul est voué à la

mort, il lui faut s'engager au service d'un grand, être sous son patronage. Ainsi se multiplient les « hommes libres en dépendance », comme le dit un texte. Lorsque les rois mérovingiens étaient forts, on se mettait sous leur protection, mais maintenant c'est le maire du palais qui devient l'homme puissant, c'est à lui que l'on s'adresse. Dans le *Formulaire* de Marculf rédigé entre 650 et le début du VIIIe siècle, nous trouvons une charte de maimbour octroyée par le roi mais qui privilégie la protection du maire du palais : « Il est juste que le pouvoir royal accorde sa protection à ceux dont la fidélité a été éprouvée. En conséquence que Votre Grandeur et Votre Utilité sachent que nous avons notoirement reçu dans la garantie de votre protection, l'évêque Untel ou vénérable homme Untel du monastère un tel, établi en l'honneur de tel saint, avec tous ses biens, ses hommes, ses serviteurs et ses amis et tous ses représentants légitimes quels qu'ils soient, selon sa demande, à cause des attaques illicites de méchantes gens, en sorte qu'il ait à demeurer en paix sous le maimbour et la protection d'Untel, maire de notre palais, avec tous ses biens de la susdite église ou monastère, etc. »

Celui qui se commande à un maître *(dominus)* ou à un seigneur (du latin *senior*, l'ancien) devient son « homme ». Or, au début du VIIIe siècle, pour désigner ce dernier, un nouveau mot apparaît dans la loi des Alamans et des Bavarois, mot d'origine celtique qui allait avoir un succès durable, c'est vassal *(vassus)*. Si bien que l'on peut à partir de cette date parler de la vassalité.

La recommandation vassalique ne prévoyait pas simplement qu'un seigneur protège son homme mais exigeait que le vassal lui apporte son aide. A une époque où les grands s'imposent par la force, cette aide est avant tout militaire. Les aristocrates se constituent des suites d'hommes forts prêts à défendre leurs intérêts. Celui qui réussit à avoir le plus grand nombre de fidèles l'emporte sur les autres. Le maire du palais et ses amis s'entourent de guerriers domestiques qu'attirent non seulement le goût des expéditions militaires mais l'espoir de rémunérations fructueuses.

En effet tout service demande une récompense. Pour s'attacher leurs fidèles, les aristocrates leur octroient non seulement de l'or mais des terres, source essentielle de la richesse. Les rois mérovingiens avaient été très généreux et avaient distribué une partie de leur domaine, de leur fisc, comme on disait, si bien que petit à petit, ils en étaient venus à ne plus avoir de fortune mobilière et que par la suite ils ne pouvaient plus se faire de clients. Les Pippinides possèdent d'immenses domaines, nous l'avons vu, et en ont disposé pour doter des abbayes. Ils ne veulent pas qu'en multipliant leurs fidèles, leur fortune foncière soit réduite à rien. C'est pourquoi Charles Martel dispose des biens réalisant ainsi « un coup de génie sur lequel s'édifie la puissance carolingienne », comme l'a écrit l'historien Dhondt. Sans doute, bien des écrivains et surtout des écrivains ecclésiastiques accuseront Charles d'avoir sécularisé les biens d'Église. Certains l'ont fait avant lui, d'autres le feront après lui sans mériter pour autant une *damnatio memoriae*. Charles, qui, nous le dirons plus loin, apparaît comme un prince pieux et favorable aux abbés et aux évêques qui soutiennent sa cause, a profité des circonstances pour fortifier son pouvoir et y a réussi.

On a pendant longtemps rattaché le fait des sécularisations à la constitution d'une cavalerie que ne possédaient pas encore les Francs. Ces derniers étaient des guerriers fantassins qui combattaient avec la hache, arme de jet, la lance, l'épée à deux tranchants qui avait jusqu'à quatre-vingt-dix centimètres de long et l'épée courte. Ils se garantissaient grâce à une chemise de cuir recouverte de plaques de métal, un casque conique et un grand bouclier de bois. Certains d'entre eux étaient déjà montés sur des chevaux, comme le note Grégoire de Tours, mais ils étaient très rares. Équiper un cheval représente une mise de fonds considérable, plus de quarante sous dit la loi ripuaire, ce qui représente le prix de vingt vaches, sans parler de la nourriture de la monture et de l'entretien des hommes qui suivent le cavalier. L'étrier dont les Avars ont fait connaître l'usage au VIIᵉ siècle permet au cavalier d'utiliser avec plus de succès sa lance et son épée qu'il tient à deux mains. Pourtant l'armée franque ne s'est pas brusquement transformée d'armée de fantassins en une armée de cavaliers. Il est possible que l'enrichissement des guerriers et l'utilisation de l'étrier aient favorisé l'évolution des techniques militaires et aient permis les victoires de Charles. Mais nous ne sommes qu'au début d'un processus qui fera de la cavalerie la « reine des batailles » médiévales.

## Charles et les principautés périphériques

Tout en se faisant respecter dans le nord du royaume, Charles reprend pied dans les principautés périphériques par ses guerriers et par les missionnaires. C'est alors que nous rencontrons la grande figure de Boniface, cet Anglais qui « eut sur l'histoire de l'Europe une influence supérieure à celle qu'aucun

autre Anglais à aucune époque n'a jamais exercée »
(Ch. Dawson).

En Frise, la mort de Radbod en 719 a été saluée par tous
comme la fin d'un cauchemar. L'abbé Willibrord peut poursuivre l'évangélisation du pays à partir d'Anvers et d'Utrecht. En
716, puis en 719, il avait reçu l'aide de son compatriote Wynfrid,
le futur Boniface, et avait espéré en faire son successeur à
Utrecht. Mais, nous le verrons, Boniface se sent appelé vers un
autre terrain d'évangélisation. Les progrès du christianisme en
Frise furent arrêtés en 734 par la révolte du duc Bobbon.
Charles Martel, désirant en finir avec ces dangereux Frisons,
attaque cette fois par l'intérieur et par mer, ce qui est assez
nouveau. Il mobilise des bateaux et pénètre dans le nord du
pays. Ayant tué par traîtrise le duc, il détruit les temples,
ramasse du butin, et repousse les frontières de la Frise jusqu'à
Lawen. Les disciples de Willibrord reprennent leur mission
sous la protection des guerriers de Charles Martel. Mais Boniface n'est plus là. Il a reçu du pape Grégoire II la mission
d'évangéliser la Germanie.

En effet, en 719, Boniface avait effectué un pèlerinage à
Rome et le pape Grégoire II qui, comme son homonyme, voulait évangéliser les pays barbares, avait vu tout le parti qu'il
pouvait tirer de cet Anglo-Saxon. Il le renvoya en Germanie en
lui donnant une lettre qui lui précisait sa mission : prêcher le
christianisme aux païens, en adaptant sa prédication à de rudes
esprits, maintenir la liturgie romaine et rester en liaison avec
Rome.

Boniface commença son œuvre en Thuringe et en Hesse ;
bien qu'annexées au royaume des Francs, ces régions étaient
très peu christianisées et étaient continuellement menacées par
les incursions des Saxons. Contre ces derniers, Charles Martel
ne put que poursuivre la politique des Mérovingiens, c'est-à-
dire organiser quelques expéditions punitives et ainsi protéger
les populations de Hesse et de Thuringe. Le maire du palais
remet en état les routes et érige quelques châteaux dont on a
retrouvé les traces, tel le Kestenberg devenu Christianberg au
nord de Marbourg. Protégé par les armées franques, Boniface
établit un premier monastère à Amoeneburg puis, après avoir
abattu le fameux chêne sacré de Geismar, fonde non loin de là
le monastère de Fritzlar (723). Ces premiers succès conduisent
Grégoire II à convoquer Boniface à Rome et à lui donner la
consécration épiscopale. De plus il lui remet plusieurs lettres
de recommandation aux grands du royaume, aux aristocrates
de Thuringe et surtout à Charles Martel. Ce dernier fit rédiger

par sa chancellerie une lettre adressée aux évêques, ducs, comtes et à tous les agents du royaume par laquelle il prenait officiellement sous sa protection l'évêque Boniface (723). Cette protection était nécessaire car quelques fidèles de Charles, particulièrement l'archevêque Gérold de Mayence, n'acceptaient pas l'action de cet étranger, un Anglo-Saxon. Gérold étant mort en combattant les Saxons, son fils Gewilib lui succéda et resta un adversaire tenace de Boniface.

Malgré ces difficultés, Boniface, grâce à l'aide de ses compatriotes venus l'aider et à celle de quelques aristocrates francs dont Grégoire le petit-fils d'Adela de Pfalzel, consolida ses missions. Il construisit le monastère d'Ohrdruf près de Gotha, sur le domaine d'un aristocrate thuringien, puis dans la région du Main, les abbayes de Tauber-Bishoffschein, de Kitzingen, d'Ochsenfurt qu'il confia à des moniales anglo-saxonnes, Lioba et Thécla. De plus, malgré les évêques austrasiens, il établit trois évêchés à Wurzbourg, Burabourg et Erfurt, ces diocèses étaient destinés à former une nouvelle province ecclésiastique. En effet, en 732, le nouveau pape Grégoire III, poursuivant l'objectif de son prédécesseur, envoie à Boniface le pallium. Cette distinction n'était pas seulement honorifique, mais renforçait les liens entre le pape et l'évêque, mettant Boniface au-dessus des autres évêques. Mais Rome était loin et l'autorité morale et religieuse du pape ne pouvait remplacer l'aide du maire du palais. Boniface le reconnaît dans une lettre à l'évêque Daniel de Winchester. « Sans le patronage du prince des Francs, je ne peux ni gouverner les fidèles de l'Église, ni défendre les prêtres et les clercs, les religieux et les religieuses, je ne puis même sans l'un de ses ordres et sans la crainte qu'ils inspirent empêcher les rites païens et la pratique de l'idolâtrie. » Boniface ne peut se passer du bras séculier. Charles Martel sait tout ce que fait l'évêque pour l'affermissement de son pouvoir en Hesse et en Thuringe. Il suit la même politique dans les autres régions périphériques en appuyant l'œuvre d'un autre missionnaire, Pirmin.

En Alémanie, le duc Lantfrid (712-725) se conduit en prince indépendant, comme en témoigne la *Recensio lantfridana* de la loi des Alamans. Charles Martel soumet le Hegau et, à la mort du duc en 730, il doit maintenir sur place son successeur Thebald. En fait ce dernier n'a autorité que sur la vallée du Neckar, le versant oriental de la Forêt-Noire. Charles Martel prend alors sous sa protection un missionnaire venu d'Espagne wisigothique, l'évêque Pirmin, espérant faire de lui un nouveau Boniface pour l'Alémanie. Il favorise l'installation de Pirmin dans une île du lac de Constance, Reichenau (724). Malheureusement Pirmin ne peut rester que trois ans, car le duc voit en lui une créature de Charles Martel et le chasse. Pirmin passe alors en Alsace où il est bien reçu par les ducs de la famille des Étichonides *(cf. tableau XIII)*. Cette illustre famille qui s'était, nous l'avons vu, ralliée aux Pippinides, possède plus de soixante-dix domaines provenant de donations et de conquêtes dans la plaine d'Alsace, dans l'Ajoie (région de Porrentruy), dans le Sorgau (région de Délémont). Adalbert, fils d'Éticho, fonde en 722, dans une île du Rhin au nord de Strasbourg, le monastère d'Honau, et installe des moines missionnaires irlandais. Son fils aîné, Liutfrid, enrichit le monastère de Wissembourg qu'avait fondé, entre 630 et 680, la famille mosellane des Gonduin. Son deuxième fils, Éberhard († 747), fonde Murbach en 727 et confie cet établissement à Pirmin. Dans la suite, s'étant retiré à Remiremont, il laisse à l'abbaye de Murbach une grande partie de sa fortune immobilière. Notons enfin que sa sœur Odile, dont l'histoire plus ou moins légendaire est connue à partir du IXe siècle, aurait été installée à Hohenbourg, appelé par la suite le Mont-Sainte-Odile.

A la mort du duc Liutfrid, vers 740, Charles Martel prend en main le duché d'Alsace et le divise en deux diocèses, celui de Bâle qui s'étend sur l'Alsace méridionale et le Jura suisse et englobe l'abbaye de Murbach et celui de Strasbourg qui correspond à l'actuel département du Bas-Rhin. L'évêque Hedo de Strasbourg, disciple de Pirmin, confie aux moines l'évangélisation de son diocèse.

Pirmin est alors appelé par l'évêque de Metz Sigebald (716-741) fidèle de Charles Martel et avec lui restaure Marmoutier, fondé au VIIe siècle et établit des moines à Hilariacum, devenu par la suite Saint-Avold. Pirmin s'installe alors à Hornbach dans le Palatinat, abbaye fondée par le comte Warnarius de la famille des Widonides et étend son influence sur toute la région jusqu'à Wissembourg. Ainsi grâce aux moines pirminiens et aux grandes familles aristocratiques, Charles Martel est maître des provinces orientales du royaume. Les abbayes richement dotées par les grands vont passer sous le contrôle des Carolingiens.

Du côté de la Bavière, Charles Martel ne connaît pas autant de succès, car les ducs de la famille des Agilolfing, les plus puissants des aristocrates bavarois, veulent garder leur autonomie. Après la mort du duc Théodon (724), Charles profite des difficultés de la succession pour entreprendre deux expéditions, et il oblige le duc Hugbert à lui remettre des terres qui, plus tard, formeront les bases de l'évêché de Eichstadt. C'est alors que la loi des Bavarois fait l'objet d'une nouvelle rédaction promulguée au nom du roi mérovingien Thierry IV. Charles espère garder son influence sur la Bavière par l'intermédiaire de Boniface. En effet, reprenant le projet du duc Théodon, Hugbert, puis son successeur Odilon (739) demandent aux missionnaires de réorganiser l'Église bavaroise. Boniface accepte et, en liaison avec Rome, il crée quatre évêchés, Salzbourg, Freising, Ratisbonne et Passau. Odilon garde le contrôle sur ces évêchés et n'accepte pas l'intrusion du clergé franc. Charles doit se contenter de nouer des relations familiales avec la dynastie bavaroise, puisque, après la mort de sa femme Chrodtrude, il épouse Swanahilde, parente d'Odilon.

## Charles en Aquitaine, Provence et Bourgogne

Charles aurait pu se contenter de diriger les mairies du palais de Neustrie et d'Austrasie, et de dominer par personnes interposées en Thuringe, Alsace et Alémanie. Mais un événement imprévu va lui donner l'occasion de pénétrer au sud de la Loire et du plateau de Langres, ces régions qui ont échappé à l'autorité des rois mérovingiens et où Pépin II n'avait pas vraiment osé intervenir. Cet événement est l'invasion musulmane.

Depuis 711, les Berbères encadrés par les Arabes sont maîtres d'une grande partie de l'Espagne. Les princes wisigoths et quelques aristocrates se sont réfugiés dans les montagnes du nord-ouest et ont établi un petit royaume chrétien autour d'Oviedo. Ayant leur liberté d'action à l'est, les musulmans à partir de la Septimanie pénètrent en Aquitaine. Toulouse est sauvée en 721 par le duc aquitain Eudes, et cette victoire connaît un grand retentissement, jusqu'à Rome. Les Arabes se tournent alors vers le bas Rhône, remontent le couloir rhodanien et s'enfoncent jusqu'en Bourgogne où ils saccagent Autun. Eudes encouragé par son succès veut renforcer sa position en faisant alliance avec un prince berbère et n'hésite pas à accueillir en Aquitaine les ennemis de Charles, l'ancien maire neustrien Ragenfred et l'évêque de Reims Rigobert.

A-t-il été plus loin et a-t-il appelé les troupes musulmanes contre Charles ? En fait cette accusation fut lancée par la propagande carolingienne pour déconsidérer les Aquitains et mettre en valeur l'action de Charles Martel. Au contraire, lorsqu'en 732, le nouveau gouverneur d'Espagne pénètre en Aquitaine par le Pays basque et marche vers Bordeaux en pillant tout sur son passage, Eudes appelle le prince Charles à son secours. Alors se produit la célèbre rencontre de Poitiers. Les Arabes, après avoir incendié Saint-Hilaire de Poitiers, cherchent à gagner

Saint-Martin de Tours dont la richesse les tente. Après sept jours d'escarmouches, Eudes et Charles Martel réussissent à battre les troupes arabes sur la voie romaine de Poitiers à Tours, sans doute à Moussais, le 25 octobre 732.

Qu'on le veuille ou non la victoire de Poitiers eut un grand retentissement dans tout l'Occident. L'Anglo-Saxon, Bède le Vénérable, moine de Yarrow en Northumbrie reprit le texte de son *Histoire* pour noter que : « les Sarrasins qui avaient dévasté la Gaule, furent punis de leur perfidie ». En Espagne, un chroniqueur chrétien anonyme qui vit à Cordoue consacre un poème à la bataille quelques années après les événements. Il rappelle comment Eudes appela à son aide « le maire du palais d'Austrasie en France intérieure, un nommé Charles, homme belliqueux depuis son jeune âge et expert dans l'art militaire ». Puis décrivant la bataille, il montre d'un côté les Sarrasins et de l'autre les « gens d'Europe » qui, une fois vainqueurs, se partagent entre eux les dépouilles et le butin et s'en retournent joyeux dans leur patrie. Le chroniqueur anonyme n'a sans doute pas voulu exalter une première victoire « européenne » mais il a pris conscience de l'opposition qui existe entre deux mondes et deux civilisations, d'un côté les Arabes musulmans, de l'autre ceux qu'il appelle, dans un autre passage, les Francs, les gens du Nord, les Austrasiens qui représentent les peuples européens.

La victoire de Poitiers, considérée par certains comme un fait militaire secondaire qui mit fin simplement à un raid arabe, eut d'autre part une grande importance pour le destin de Charles et celui des Carolingiens. La bataille a été interprétée comme un jugement de Dieu dont Charles a été le bénéficiaire. Plus tard, au IXe siècle, les chroniqueurs l'appelleront *Martellus*, se souvenant peut-être que ce surnom avait été donné à Judas Maccabée, héros guerrier de l'Ancien Testament et également béni de Dieu.

Poitiers mit fin aux ambitions du duc Eudes. Profitant de sa victoire et de la mort du duc en 735, Charles Martel descend jusqu'à la Garonne, prend la ville de Bordeaux et la forteresse de Blaye et oblige le nouveau duc Hunald — le légendaire Huon de Bordeaux — de lui promettre fidélité.

Charles profite de son succès en Aquitaine pour intervenir dans la vallée du Rhône et dans la Provence et pour battre non seulement les Arabes mais soumettre les aristocrates qui depuis longtemps s'étaient rendus indépendants. Aidé de son frère Childebrand, des ducs et des comtes, il fait plusieurs campagnes dans le Midi et demande aux Lombards de prendre à revers les Arabes. Il assiège Avignon que le duc Mauront n'avait pas pu ou n'avait pas voulu défendre et, tel Josué à Jéricho, nous dit le chroniqueur, il se rend maître de la ville. Il se dirige alors en Septimanie, assiège Narbonne, bat une armée de secours arabe sur la Berre et ne peut s'emparer de Narbonne. Pour priver les Arabes de points d'appui, il dévaste Agde, Nîmes, Béziers, Maguelonne, dévastations dont les Méridionaux garderont longtemps le souvenir. En 738, le duc Mauront se soulève à nouveau et Charles doit faire une nouvelle expédition. La Provence est « pacifiée ». Charles confisque les biens des aristocrates rebelles et les donne à ses fidèles, tel le comte Abbon fondateur de l'abbaye de Novalèse au pied du mont Cenis, dont l'autorité s'étend dans les vallées de l'Arc et de la Doire Ripaire, routes qui permettent les liaisons entre la Gaule et l'Italie lombarde.

Il aura donc fallu plusieurs années de luttes pour que les Carolingiens se rendent maîtres du sud des Alpes et de la Provence. Ces régions sont dévastées, les populations considèrent les gens du Nord comme des étrangers, mais, ce qui est important pour l'avenir, les Francs réoccupent les bords de la Méditerranée.

Pour achever sa mainmise sur tout le royaume franc, Charles doit occuper la Bourgogne partagée entre plusieurs dynasties aristocratiques. Les successeurs de Savary d'Orléans, son neveu Eucher et Aymard d'Auxerre sont déportés. Le premier à Saint-Trond sous la garde du duc Chrodebert, l'autre à Bastogne dans les Ardennes. En 736, l'armée de Charles pénètre jusqu'à Lyon et les grands sont forcés de reconnaître son autorité. Charles installe ses fils Pépin et Remi en Bourgogne et distribue domaines et abbayes à des aristocrates bavarois qui feront souche. Charles peut compter sur la fidélité de ses amis et parents, Thierry et son frère, comte d'Autun et de Vienne (cf. tableau XXIII), Adalard, comte de Chalon-sur-Saône et sur les abbés dévoués à sa cause comme l'abbé de Flavigny qui allait devenir un grand centre monastique carolingien. Les routes qui conduisent à travers le Jura vers le Valais, puis vers l'Italie sont entre les mains des Carolingiens.

## L'appel de Rome

Depuis 737, après seize ans de règne obscur, le roi Thierry IV est mort, et Charles ne l'a pas remplacé par un autre prince mérovingien. Il n'ose pourtant ni prendre sa place ni la donner à un de ses fils, se souvenant sans doute de l'expérience tragique de son grand-oncle Grimoald. Il dirige seul les affaires du royaume délivrant des diplômes au nom du feu roi, distribuant les terres des abbayes à ses fidèles, nommant et exilant les évêques, installant comtes et vassaux dans les cités qu'il a soumises. Sans en avoir le titre, Charles est roi ou plus exactement vice-roi *(vice regulus)*. C'est bien ainsi que l'appelle le pape Grégoire III lorsqu'en 739, il lui écrit pour lui demander son aide. Cet appel de Rome est un nouvel élément important pour l'histoire des Carolingiens et de l'Europe. Il faut en expliquer rapidement les raisons et les circonstances.

Depuis la reconquête de Justinien au milieu du VIᵉ siècle, Rome fait partie de l'empire byzantin. Le pape est, en tant que successeur de saint Pierre, considéré comme le premier personnage de l'Église. Sans doute les relations entre Rome et Constantinople n'ont-elles pas été sans nuages, d'une part en raison de la rivalité entre le patriarche de Constantinople devenue la Nouvelle Rome et le patriarche d'Occident et d'autre part, par suite de la politique religieuse des empereurs qui cherchaient un compromis entre catholiques et monophysites. On vit même au milieu du VIIᵉ siècle le pape Martin Iᵉʳ déporté en Orient sur l'ordre de l'empereur. Pourtant toutes ces disputes ont été oubliées lors du VIᵉ concile œcuménique de Constantinople (681). Le pape Léon II a exalté peu après l'empereur Constantin IV, « fils de l'Église et nouveau David ». Retenons cette expression qui désignera plus tard d'autres empereurs en Occident.

L'entente fut de courte durée et le conflit se ranima violemment lorsque l'empereur Léon III l'Isaurien (717-741) déchaîna la querelle des images. Le pape Grégoire II (715-731) ne peut accepter l'édit contre les images et les persécutions dont les monastères sont victimes. Menacé brutalement par Léon III, il se sent soutenu par les populations italiennes du duché de Rome. Le rédacteur du *Liber pontificalis* écrit : « Les notables et les gens du commun se lièrent par un serment sacré, jurant de ne jamais permettre que le pape, zélateur de la vraie foi et défenseur de l'Église, fût attaqué ou emmené de force et tous étaient prêts à mourir avec joie pour lui sauver la vie. » Bien plus, le pape se sent également soutenu par l'Occident qui, grâce aux missionnaires travaillant en liaison avec Rome, est de plus en plus gagné au christianisme. Dans une lettre longtemps considérée comme apocryphe et dont on vient de démontrer l'authenticité, Grégoire II va jusqu'à écrire à l'empereur Léon III : « Cela nous attriste de voir que, si les peuples sauvages et barbares ont accédé à la civilisation, toi le civilisé, tu retournes à la sauvagerie et à la violence. Tout l'Occident

apporte au saint chef des Apôtres les fruits de sa foi et tu
envoies des hommes briser l'image de saint Pierre. Nous avons
récemment reçu du fond de l'Occident une invitation : ils désirent que, pour l'amour de Dieu, nous allions là-bas pour leur
donner le saint baptême. Et pour éviter qu'on ne puisse nous
demander compte de notre négligence et de notre manque de
zèle, nous nous préparons à partir... » Ce texte assez étonnant
témoigne de l'évolution d'une papauté devenue consciente de
sa force et de son prestige.

Pourtant en Occident, à la même époque, les papes sont
menacés par l'expansion lombarde qui va singulièrement com-
pliquer la situation. Les rois lombards, quoique passés de
l'arianisme au catholicisme à la fin du VIIe siècle, souhaitent
soumettre toute l'Italie. Liutprand, qui règne depuis 712, est un
roi énergique qui commence par consolider son autorité en
complétant la législation de ses prédécesseurs, en perfectionnant son administration et ses bureaux de Pavie et en
s'appuyant sur les ducs et leurs fidèles. A partir de 726, il veut
soumettre les duchés de Spolète et de Bénévent jusqu'alors
indépendants et, peut-être à l'exemple de Charles Martel, il
cherche à unifier l'Italie et à soumettre toute l'aristocratie. Il
profite de la crise qui secoue l'Italie et se réjouit de voir les Italiens se soulever contre l'exarque de Ravenne.

Grégoire II ne pouvant accepter la politique iconoclaste de
Léon III aurait pu exploiter la « révolte italienne ». Pourtant il
ne suit pas cette voie car il se rend compte que, rompant définitivement avec les Byzantins, il se livrera aux Lombards et que
la papauté deviendra un évêché sous l'autorité de Liutprand.
Paradoxalement, il intervient même pour rétablir l'exarque à
Ravenne. Il préfère négocier avec les Lombards pour gagner du
temps. En 728, Liutprand ayant conquis des possessions byzantines et étant parvenu près de Rome, Grégoire II obtient que le
roi « restitue à Pierre et à Paul » la place de Sutri. Retenons
également cette expression que nous retrouverons plus tard.

Grégoire III, successeur de Grégoire II en 731, poursuit
cette difficile politique : appui à l'exarque de Ravenne, négociations avec les Lombards. En 738, il croit même habile d'accueillir à Rome le duc de Spolète que le roi Liutprand venait de battre. Le roi, désirant en finir, marche alors sur Rome et occupe
quatre châteaux, places stratégiques importantes. Vers qui Grégoire III va-t-il se tourner pour demander de l'aide ? Byzance
est loin, et les relations entre le pape et Léon III sont de plus en
plus mauvaises. En représailles, l'empereur iconoclaste vient
de confisquer les patrimoines de saint Pierre dans la Calabre et

dans la Sicile et même a détaché du patriarcat de Rome les régions des Balkans et de l'Italie du Sud. Le pape décide alors de s'adresser aux Francs.

Les relations entre Charles Martel et la papauté se sont nouées lorsque Boniface a reçu sa mission de Grégoire II. Le pape avait adressé une lettre à son fils le « patrice » Charles en 724. Depuis, Boniface avait pu renseigner le pape Grégoire II puis son successeur de la situation dans le royaume franc. Les succès de Charles et surtout la victoire de Poitiers avaient été connus à Rome. Charles apparaissait à Rome comme le prince le plus capable d'aider le chef de la Chrétienté. Dans trois lettres dont le texte a été conservé dans les archives carolingiennes, le pape supplie le *subregulus* d'intervenir en sa faveur. Charles doit envoyer des hommes pour se rendre compte des périls qu'encourt la papauté et se conduire en fils dévoué du prince des Apôtres Grégoire III. Pour donner plus de poids à ses lettres, le pape envoie à Charles de riches présents, en particulier les clés et les chaînes de saint Pierre, c'est-à-dire un reliquaire contenant un peu de limaille des chaînes incorporée dans une clé. Peut-être voulait-il rappeler par là que Pierre était le prince des apôtres, le portier du ciel, celui qui ouvre le Paradis à ceux qui soutiennent sa cause et ainsi fléchir une mentalité « barbare ».

Ces lettres et ces présents n'eurent pourtant aucun effet. Charles a de bonnes relations avec les Lombards : en 734, il avait envoyé son fils Pépin à Pavie et le jeune prince avait été adopté par Liutprand ; de plus, Charles a besoin de l'appui lombard pour lutter contre les musulmans. Il reçut l'ambassade pontificale avec honneur et, pour toute réponse, envoya à Rome Grimo de Corbie et Sigebert de Saint-Denis avec de bonnes paroles et des cadeaux pour Saint-Pierre du Vatican. Même si l'appel de Grégoire III n'a pas été reçu, il n'en témoigne pas moins du prestige dont jouissait le prince carolingien, et nous le verrons, il prépare l'avenir.

## La fin du règne de Charles Martel

Charles Martel gouverne donc le royaume franc. A la différence de son père, il réside le plus souvent en Neustrie dans ses palais de Vinchy, dont on a retrouvé quelques restes, de Quierzy et de Laon, de Verberie sur l'Oise. Mais il lui arrive de passer quelque temps en Austrasie, à Amblève près de Stavelot, à Bastogne et à Herstal qui apparaît pour la première fois comme un palais royal en 722. Il a auprès de lui les clercs de sa

« chapelle » qui comme son nom l'indique conserve, parmi ces précieuses reliques, un morceau de la chape de saint Martin. Il a confié ses bureaux à un de ses cousins, Chrodegand, qui commence comme référendaire une brillante carrière dont nous reparlerons par la suite. Charles est l'ami des moines de Saint-Denis à qui il confie l'éducation de son fils Pépin. Ce faisant, Charles rompt avec la tradition des rois mérovingiens qui confiaient leurs fils à des gouverneurs et suit l'exemple des princes anglo-saxons qui, dès le VIIe siècle, firent instruire leurs enfants par des moines. Lorsque le jeune Pépin se trouve à Saint-Denis, les moines commencent à devenir les historiographes des Francs. L'auteur du *Liber historiae Francorum* d'abord favorable au parti neustrien termine son livre par l'apologie du maire du palais. Charles Martel, de son côté, fit rédiger par son frère Childebrand une chronique officieuse qui continue l'œuvre du pseudo-Frédégaire. C'est, nous dit W. Levison, « la chronique familiale de la maison des Carolingiens ». Dans l'entourage de Charles et de son frère naît la légende de l'origine troyenne du peuple franc, car il fallait bien que les Francs trouvent les moyens de se rattacher aux peuples civilisés.

Le « roi » Charles se sent vieillir. Il approchait en effet de la soixantaine ce qui, pour l'époque, est déjà un très grand âge. Il prépare donc sa succession. Charles avait plusieurs enfants légitimes et illégitimes. Sa première épouse lui avait donné deux fils, Carloman et Pépin. De son épouse bavaroise, il avait eu Griffon. Charles souhaite que la mairie du palais reste dans la famille et veut régler sa succession dès son vivant. Il attribue à son fils aîné Carloman l'Austrasie, l'Alémanie, la Thuringe et à Pépin la Burgondie, la Neustrie, la Provence, mais aussi comme on l'a démontré récemment le *ducatus mosellanis* comprenant Metz et Trèves. Il était nécessaire que chaque frère ait un peu de cette Austrasie d'où était issue la fortune des Carolingiens. Quant à Griffon, il reçut peu avant la mort de Charles quelques territoires dispersés dans le royaume. Ce partage que Charles réalise comme un roi est ratifié par les grands qui eux aussi avaient intérêt que les mairies du palais restent entre les mains des Carolingiens.

Charles cherche à éloigner la mort, il multiplie les présents à Saint-Denis. Mais l'inévitable se produit le 22 octobre 741 au palais de Quierzy. La dépouille de Charles est ramenée à Saint-Denis où elle est enterrée auprès des rois mérovingiens. A Echternach, le successeur de l'abbé Willibrord († 739) écrit dans le *Calendrier* où étaient notés les grands événements : « Octobre 741, mort du roi Charles. »

C'est en effet un grand règne qui s'achève. En plus d'un quart de siècle, par ses vertus guerrières et par son habileté politique, Charles a mis fin à une période d'incertitude. Au début du VIII<sup>e</sup> siècle, l'Europe s'acheminait vers un système de principautés autonomes, dirigées par des ducs qui avaient soumis l'aristocratie. Charles a arrêté le processus et a regroupé autour d'un pouvoir central presque toutes les régions de l'Occident. Il y est parvenu grâce à ses guerriers et à ses fidèles qu'il a installés dans les régions soumises et qu'il a dotés de terres, d'abbayes, d'évêchés. Il a compris qu'en soutenant les missionnaires Boniface et Pirmin, il favorisait les progrès de l'Évangile et faisait entrer les Germains dans la communauté franque.

Pourtant de cette œuvre immense, on ne retiendra trop souvent que deux événements, la victoire de Poitiers et les sécularisations des biens d'Église.

# CHAPITRE V

# PÉPIN ET CARLOMAN
# MAIRES DU PALAIS (741-751)

La mort de Charles Martel ouvre inévitablement une nouvelle crise dans le royaume franc. Les princes germains et aquitains en profitent pour se révolter, l'aristocratie franque ne songe qu'à ses intérêts, les partisans de la famille mérovingienne s'agitent. Pendant six ans, Carloman et Pépin cherchent et trouvent des solutions pour maintenir et consolider l'œuvre de leur père.

## Révoltes et soumission des principautés

C'est au sein de leur famille même que Carloman et Pépin trouvent leurs premiers adversaires. Leur demi-frère Griffon, fils de la Bavaroise Swanahilde, fait figure d'héritier au même titre que ses frères comme en témoigne une lettre que lui écrit Boniface. Il veut prendre possession de ses biens. Pourtant ni Pépin, ni Carloman n'acceptent, et ils font enfermer le jeune homme dans le château de Chèvremont, près de Liège. Quant à sa mère, elle est installée à l'abbaye de Chelles sous la garde des religieuses. D'autre part Hiltrude, sœur des maires du palais, aidée de quelques amis, quitte le royaume en cachette et décide d'épouser le duc de Bavière, Odilon. Ce dernier, entrant ainsi dans la famille carolingienne, espère jouer un rôle politique d'autant qu'il se sent appuyé par la papauté et qu'il a conclu un pacte d'alliance avec le duc d'Aquitaine, Hunald. Le duc d'ailleurs, ayant appris la mort de Charles Martel, se révolte contre ses fils. Enfin, en Alémanie, Theutbald, frère du duc Lantfrid que Charles Martel avait soumis, reprend sa liberté d'action et cherche à restaurer le duché. Pendant plusieurs années, Carloman et Pépin vont porter leurs efforts au sud et à l'est du royaume.

Ils commencent par attaquer l'Aquitaine et par écraser les « romains » comme le dit le chroniqueur. Ils prennent Bourges, rasent la forteresse de Loches et près de Poitiers se partagent le duché. En 745, nouvelle révolte d'Hunald, nouvelle expédition des maires. Hunald est forcé de livrer des otages et de prêter serment de fidélité. Il devait peu après se retirer dans un monastère de l'île de Ré, laissant à son fils Waifre le soin de continuer la résistance. Son allié, le Bavarois Odilon, malgré l'aide des Saxons toujours prêts à intervenir contre les Francs, ne peut empêcher les maires du palais de parvenir jusqu'à l'Inn. Pourtant Carloman n'ose pas lui retirer le duché et se contente d'obtenir de lui la cession du Nordgau. De plus Pépin envoie l'Irlandais Virgile comme abbé de Saint-Pierre de Salzbourg. Ce dernier avait passé deux ans à la cour et avait séduit Pépin par sa science profane et religieuse ; peu après il devient évêque de Salzbourg. Pépin espère par son intermédiaire surveiller les agissements des Bavarois. Du côté des Alamans, la résistance est tenace ; plusieurs expéditions sont nécessaires pour vaincre les révoltés. Carloman s'impose par la terreur en faisant périr une partie de l'aristocratie alémane. L'Alémanie est alors divisée en deux comtés confiés à des aristocrates francs, les comtes Warin et Ruthard. Avec ce dernier, s'implante en Alémanie la célèbre famille des Welfs. Avec l'aide des grands et des moines, disciples de Pirmin, sont fondés des monastères en Forêt-Noire, Gengenbach, Schuttern, tandis que les abbayes de Reichenau et de Saint-Gall sont sous autorité franque. Plus au sud, les Carolingiens contrôlent la principauté ecclésiastique de Coire et s'assurent ainsi d'un des passages vers l'Italie du Nord.

## Rétablissement de la dynastie mérovingienne

La révolte des princes a montré à Pépin et à Carloman que leur puissance était encore fragile. Ils décident en 743 de la renforcer en rétablissant un roi mérovingien sur le trône. Ils vont chercher dans le monastère de Saint-Bertin un jeune homme que l'on considère comme prince mérovingien et l'installent auprès d'eux sous le nom de Childéric III.

On peut s'étonner que la vieille dynastie ait encore quelque prestige d'autant plus que la propagande carolingienne a tout fait pour déconsidérer ceux qu'à partir du XVIe siècle on appellera les rois fainéants. Eginhard qui écrivait au IXe siècle en utilisant des chroniqueurs du siècle précédent, nous dit que le roi n'avait plus « que la satisfaction de siéger sur son trône avec sa longue chevelure et sa barbe pendante », qu'il se contentait de donner audience aux ambassadeurs des divers pays, qu'il ne possédait en propre qu'un unique domaine de faible rapport avec une maison et quelques serviteurs, « quand il avait à se déplacer, il montait dans une voiture attelée de bœufs qu'un bouvier conduisait à la mode rustique : c'est dans cet équipage qu'il avait coutume d'aller au palais, de se rendre à l'assemblée publique de son peuple réunie annuellement pour traiter des affaires du royaume et de regagner ensuite sa demeure ». Le tableau est pittoresque mais il ne correspond pas tout à fait à la réalité. Passons sur la « barbe pendante » qui ne sied pas à un jeune homme et sur le « char à bœufs » qui était à l'époque le moyen de transport ordinaire. Mais remarquons que Childéric, comme son prédécesseur Thierry III, possède certainement plus d'un domaine comme en témoigne la localisation des diplômes souscrits. Tous deux ont d'autre part la possibilité de faire des donations de terres fiscales. Ils reçoivent des demandes des grands, ils octroient des diplômes, leur souscription garantissant la valeur des actes qu'ils confèrent aux aristocrates. Sans doute, c'est sur le conseil des maires qu'ils légifèrent, mais il n'empêche que, sauf pendant la courte période d'interrègne sous Charles Martel, les rois mérovingiens tiennent encore leur rôle de souverains. Ils représentent également aux yeux des chefs des principautés une force morale. Si les ducs alamans et bavarois se sont soulevés en 741, c'est qu'ils savaient la royauté vacante et qu'ils se considéraient à égalité avec les princes carolingiens. De plus comme les autres rois anglo-saxons et lombards, les Mérovingiens représentent des familles régnant depuis des siècles et dont les origines sont mythiques. A une époque où le paganisme n'a pas totalement disparu, le fait d'être rattaché par ses ancêtres à quelque divinité n'est pas sans importance. Enfin dans la conception germanique, le roi est porteur du salut pour son peuple. Il est le garant de l'harmonie cosmique et de la paix. On ne peut s'en passer.

En rétablissant Childéric III, les maires du palais font donc une concession à l'opinion superstitieuse des sujets du royaume. Le roi des Francs « heureux d'avoir été rétabli sur le trône », comme le dit un acte qu'il délivre, se contente de souscrire des diplômes et laisse les maires diriger « leur » royaume avec leurs grands, laïcs et ecclésiastiques.

## La réforme de l'Église franque

Les maires du palais prennent une autre décision capitale pour l'histoire de leur royaume et même de l'Occident : ils entreprennent la réforme de l'Église franque. L'initiative en revient autant aux princes, anciens élèves des moines qu'à celui qui, depuis le début du siècle, travailla à l'évangélisation de la Germanie, l'évêque Boniface. Dans une lettre adressée au nouveau pape Zacharie, l'évêque écrit : « Votre Paternité saura que Carloman, duc des Francs m'a mandé auprès de sa personne et m'a sollicité de réunir un synode dans la partie du royaume franc soumise à son pouvoir. Il a promis de corriger et de rectifier la discipline ecclésiastique qui a été foulée aux pieds et mise en pièces depuis bien longtemps, c'est-à-dire depuis au moins soixante ou soixante-dix ans. » Suit alors un tableau de l'Église du royaume : « Les Francs, à ce que disent les Anciens, n'ont pas réuni de synode depuis plus de quatre-vingts ans ; ils n'ont pas d'archevêques, et n'ont fondé ni restauré nulle part les statuts canoniaux des cathédrales, dans la majeure partie des cas, les sièges épiscopaux sont livrés à des laïcs cupides pour en prendre possession, ou à des clercs adultères, coureurs, vendus pour en jouir d'une manière mondaine. » Plus loin Boniface parle des évêques qui affirment ne pas être fornicateurs ou adultères mais sont en réalité ivrognes, négligents et chasseurs. « Ils combattent à l'armée les armes à la main et répandent de leur propre main le sang des hommes, celui des païens comme celui des chrétiens... Quant à ceux qu'on appelle diacres, ce sont des individus plongés depuis l'adolescence dans la débauche, l'adultère, qui ont quatre, cinq ou plusieurs concubines la nuit dans leur lit et ne rougissent pas cependant de lire l'Évangile et de parvenir à l'ordre de prêtrise, puis à l'épiscopat. » On peut se demander comment les clercs arrivaient à lire l'Évangile, en effet, la plupart d'entre eux étaient ignares. Les écoles ecclésiastiques que des évêques mérovingiens avaient créées sont désorganisées, le latin, langue liturgique, est inconnu. Boniface dénonce un prêtre bavarois qui avait baptisé « au nom de la patrie et de la fille » *(in nomine patria et filia)*.

On comprend dans ces conditions que les populations, qui avaient été christianisées aux VIe et VIIe siècles, retournent à des pratiques païennes. Un document de cette époque l'*Indiculus superstitionum* donne une longue liste de superstitions inquiétantes : banquets auprès des églises et des tombes, sacrifices dans les forêts près des fontaines et des pierres, renouveau du culte de Mercure et de Jupiter, incantations magiques, divinations sous différentes formes. Déjà Charles Martel dans un texte qui ne nous est pas parvenu avait infligé une lourde amende à ceux qui s'adonnaient aux pratiques superstitieuses, mais ces dernières survivaient solidement. De plus les populations livrées à elles-mêmes sont tentées par des charlatans qui se disent prêtres ou évêques. Ainsi en Neustrie, Adalbert, pseudo-évêque, réunit le peuple en plein air au bord des fontaines et autour de croix qu'il plante et, invoquant une lettre du Christ et ses relations avec des anges, distribue en guise de reliques ses ongles et ses cheveux, vitupère les prêtres et estime inutiles les sacrements. Un Irlandais nommé Clément qui se dit lui aussi évêque, d'autres moines gyrovagues venus des îles Britanniques propagent des doctrines hérétiques.

Il était donc urgent de réagir. Boniface va consacrer tous ses efforts à la réforme, en liaison étroite avec Rome. Il demande des instructions au pape Zacharie : « Si donc je dois entreprendre et mener cette affaire à la demande du duc et sur votre ordre, je désire avoir sous la main un précepte et une décision du siège apostolique avec les canons ecclésiastiques. » Le pape ne peut que répondre favorablement et envoie et à Boniface et à Carloman des recommandations précises.

Ainsi s'ouvre le 21 avril 742 ou 743, ce que l'on a appelé le « Concile germanique ». Carloman qui le préside déclare : « Sur le conseil des serviteurs de Dieu et de ses grands, il a réuni les évêques et les prêtres qui sont dans son royaume pour qu'ils lui donnent conseil sur les moyens de restaurer la loi de Dieu et de l'Église corrompue au temps des princes antérieurs afin que le peuple chrétien puisse assurer le salut de son âme et ne se laisse pas entraîner à sa perte par des faux prêtres. » Il décide d'établir des évêques dans les cités et de placer au-dessus d'eux l'archevêque Boniface, l'envoyé de saint Pierre. Ainsi, dès les premières lignes du concile, le ton est donné : la restauration de l'Église se fera en liaison avec la papauté. Suivent plusieurs décrets réformateurs dont nous reparlerons plus loin. L'année suivante, conformément à une décision de réunir un synode annuel, Carloman se retrouve avec les évêques et les comtes dans sa villa de Leptinnes ou Estinnes en Hainaut près de la frontière des diocèses de Cambrai et de Liège. Pépin, maire de Neustrie, ne peut que suivre l'exemple de son frère aîné. En 744, il réunit à Soissons vingt-trois évêques des provinces de Sens, Rouen et Reims et, après avoir condamné l'hérésie d'Adalbert, il promulgue des canons qui reprennent les décisions des conciles d'Austrasie.

Sans entrer dans les détails, indiquons les grandes lignes de ces mesures réformatrices. En premier lieu, il fallait obliger les clercs à mener une vie digne de leurs fonctions. Les faux prêtres, les diacres et les clercs fornicateurs sont dégradés. A l'avenir, les clercs ne devront pas porter les armes et combattre, ni se rendre à l'armée en dehors des aumôniers militaires qui accompagnent le prince. Ils ne doivent pas avoir de meutes et de chasses, ils doivent éviter d'habiter dans la maison d'une femme, enfin on les oblige à porter un habit autre que celui des laïcs et à avoir une *casula*, ce qui veut dire un simple manteau semblable à ceux des moines. Ces derniers ne sont pas oubliés, puisqu'on décide d'emprisonner les religieux coupables de fornication et de raser les moniales indignes. De plus, on remet partout en honneur la règle de saint Benoît. En second lieu, les canons rétablissent l'autorité des évêques sur le clergé. Trop de clercs gyrovagues erraient ici et là ; ils doivent être désormais attachés à une église épiscopale. D'autre part, comme les « églises privées » fondées par les grands sur leurs domaines s'étaient multipliées, les prêtres des paroisses sont astreints à rencontrer régulièrement leur évêque, au moins une fois l'an. En troisième lieu, Carloman et Pépin s'en prennent aux superstitions populaires et aux paganies, port des amulettes, augures, incantations, sacrifices des animaux. Carloman demande aux comtes qui représentent le pouvoir public d'intervenir pour interdire les actes de paganisme. Déjà se dessine une politique qui sera celle des Carolingiens : extirper même par la force ce qui empêche le peuple de faire son salut éternel.

Le mouvement réformateur parti du royaume franc gagne d'autres régions de l'Occident. En Bavière, sans qu'on puisse préciser à quelle date, les évêques se réunissent et prennent des mesures concernant la liturgie et la morale. Les évêques et les abbés anglo-saxons qui correspondent avec leur compatriote Boniface sont gagnés à la réforme. En 747, l'archevêque de Canterbury Cuthbert réunit un synode à Cloveshoe qui reprend quelques canons des conciles continentaux. A Rome même le pape Zacharie ne peut que suivre l'exemple, lui qui a été consulté sur la réforme à entreprendre. En 743, il réunit un concile au Latran pour condamner l'immoralité des clercs, exiger d'eux un habit particulier et extirper les superstitions telles les réjouissances des calendes de janvier. En 745, en présence d'évêques et de prêtres de l'Église romaine, il examine en détail la situation des deux hérétiques Clément et Adalbert. A cette occasion, ils affirment que seuls les archanges Michel, Gabriel et Raphaël ont droit à la vénération des fidèles. L'année suivante Pépin, ses évêques et ses abbés adressent à Zacharie un questionnaire en vingt-sept points ; la lettre qu'envoie le pape constitue les éléments d'une législation canonique qui leur manquait encore.

Les conciles réformateurs d'Austrasie et de Neustrie avaient abordé deux problèmes importants pour l'Église franque : celui de la restitution des biens confisqués et celui du rétablissement des évêques métropolitains. Cette fois, pour des raisons politiques, les princes se montrèrent plus hésitants.

Dans le premier concile Carloman avait sans doute pris la décision de rendre aux églises les richesses volées. Mais l'année suivante, à Leptinnes, il décide « qu'à cause des guerres menaçantes et des attaques des autres peuples voisins, il conservera quelque temps, avec l'indulgence de Dieu, une partie de la fortune ecclésiastique pour aider son armée ». Il lui était en effet impossible de déposséder les aristocrates des terres d'Église qu'ils avaient reçues, sous peine de voir faiblir leur fidélité. On en vient alors à un compromis en appliquant le système de la « précaire ». Cette pratique, qui existait depuis des siècles, consistait en une demande, une prière *(precaria)*, qu'un particulier faisait à un grand propriétaire pour une durée déterminée d'où l'expression « à titre précaire ». Le précaire ressemblait ainsi au bénéfice qu'un seigneur remettait à son vassal à titre viager. Pour confirmer le droit de propriété de l'Église, il est entendu que les laïcs verseront un cens annuel de douze deniers par biens d'Église ou de monastère. Voulant rassurer les évêques ou abbés, Carloman promet de veiller à ce que les églises ne souffrent pas de la pauvreté, mais il est bien évident que cette solution, avantageuse pour lui, ouvrait la porte à d'autres confiscations de biens, celles-ci opérées légalement. Si, à Soissons, Pépin n'emploie pas le mot de précaire, il prévoit un cens versé aux monastères pour les dédommager des biens perdus, ce qui revient au même. Ainsi, les princes étaient assurés de pouvoir disposer de la fortune de l'Église lorsque les besoins militaires s'en feraient sentir.

Le deuxième problème à résoudre était la nomination de nouveaux évêques et le rétablissement de la hiérarchie. En ce domaine, les idées réformatrices de Boniface ne correspondaient pas aux exigences politiques du moment. Les princes ne pouvaient pas mécontenter les familles aristocratiques qui occupaient les sièges épiscopaux. On ne connaît qu'un cas d'archevêque prévaricateur déposé, c'est Gewilib de Mayence, un des adversaires de Boniface ; encore fait-il appel à Rome. A Rouen, l'évêque Ragenfred est chassé seulement après quinze ans d'épiscopat indigne. Lorsque Milon qui cumulait les archevêchés de Trèves et de Reims est remplacé sur ce siège par un certain Abel, il résiste longtemps avant de partir. De plus, bien des évêchés restent encore sans titulaire surtout dans le sud de la France, à Lyon, Bordeaux, Chalon, Arles, Aix, etc.

Les princes carolingiens avaient promis de rétablir les métropoles. A la demande de Boniface, le pape Zacharie envoya le pallium pour les archevêques Grimo de Rouen, Ardobert de Sens et Abel de Reims. Mais la mauvaise volonté du clergé franc et des princes empêchent la réalisation de ce projet. Boniface lui-même est victime de cette politique. En 745, on lui promet l'archevêché de Cologne, ville bien placée au contact de la Frise, de la Hesse et de la Saxe. Mais il ne peut s'y installer ; comme il l'écrit au pape, « les Francs n'ont pas accompli ce qu'ils avaient promis ». Ce n'est que trois ans après que Boniface reçoit l'archevêché de Mayence. Cette affaire montre bien que l'autorité de Boniface décline. Son influence se limite aux régions orientales du royaume, et même à une partie de ces régions. Aucun évêque de la province de Trèves n'a de rapport avec lui. Milon, chassé de Reims, reste le maître de Trèves. Boniface se désole de voir « Milon et ses semblables se maintenir en place et nuire aux églises de Dieu ». En Alsace et en Alémanie, le clergé et les moines installés par Pirmin ignorent complètement l'apôtre de la Germanie. En Bavière, son prestige décline, si bien que le duc Odilon demande à Rome d'envoyer un autre légat.

Boniface qui atteint la soixantaine, qui est donc un vieillard, sent que son heure est passée. Des hommes plus jeunes, les Fulrad, les Chrodegand dont nous reparlerons plus loin, prennent la première place auprès de Pépin. Boniface compte surtout sur Carloman qui, en 744, lui a accordé un territoire où s'élèvera l'abbaye de Fulda. En remerciant le pape Zacharie d'avoir accepté de prendre sous sa protection cette fondation, Boniface écrit : « J'ai fait l'acquisition de cet endroit grâce à la piété d'hommes religieux et craignant Dieu, surtout de Carloman, prince des Francs, et je l'ai dédié au Saint Sauveur. Là, j'ai décidé, avec le consentement de votre piété, de donner quelques jours de repos à mon corps fatigué par la vieillesse et d'aller y dormir après ma mort. Les quatre peuples auxquels, par la grâce de Dieu, j'ai porté la parole évangélique, demeurent dans les environs ; je puis encore leur être utile tant que je vivrai, avec le concours de vos prières. »

Mais quelques années après, Boniface perd son protecteur, Carloman, le maire du palais d'Austrasie. En effet, Carloman, après avoir donné à l'abbaye de Stavelot-Malmédy une partie de ses domaines à l'est et à l'ouest de la Meuse, décide d'abandonner les affaires du monde. Ayant abdiqué sa charge, il part pour Rome, demande la cléricature au pape Zacharie et s'installe dans le monastère du mont Soracte. Quelques chroniqueurs ont noté que cette décision était « spontanée » comme si on avait accusé Pépin d'y avoir contribué. Il est certain que Pépin ne pouvait que se réjouir du départ de son frère puisqu'il devenait le seul maître du royaume.

L'abdication de Carloman provoqua pourtant quelques remous dans la famille carolingienne. Drogon, fils aîné de Carloman, qui revendiquait une partie de l'héritage, fut rapidement neutralisé. D'autre part, Pépin avait eu l'imprudence de relâcher son demi-frère Griffon, qui se réfugie alors chez les Saxons, puis chez les Bavarois. Ces derniers, après la mort du duc Odilon en 748, cherchaient à nouveau à affirmer leur indépendance. Pépin réagit vivement, battit les Saxons auxquels il impose un nouveau tribut de cinq cents vaches, puis passe en Bavière, se fait livrer Griffon, force les Bavarois à reconnaître le petit Tassilon III qui règne alors sous la régence de sa mère Hiltrude, sœur de Pépin, et sous le contrôle de quelques comtes francs. En bon frère, Pépin pardonne à Griffon et lui remet quelques comtés dans la région du Maine pour surveiller les Bretons.

Dès lors Pépin, ayant réglé ses problèmes de famille et soumis ses adversaires, peut s'occuper de ses propres affaires. Le chroniqueur officieux note qu'après le retour triomphal de Bavière, pendant deux ans, aucun conflit ne vint troubler le royaume. Pépin va mettre à profit ces deux années pour réaliser un projet qui mûrit depuis quelque temps, se faire proclamer roi des Francs.

*DEUXIÈME PARTIE*

# PÉPIN III ET CHARLEMAGNE
# FONDATEURS
# DE L'EUROPE CAROLINGIENNE
(751-814)

Les historiens ont coutume d'étudier tour à tour l'œuvre de Pépin puis celle de son fils Charlemagne en présentant le règne du premier roi carolingien comme une simple préface du règne prestigieux de Charles. Pourtant, il paraît difficile de ne pas associer dans une même étude, et le père, et le fils. En effet dès le règne de Pépin, sont prises les grandes options qui caractérisent l'histoire de l'Occident pendant un demi-siècle : regroupement autour du royaume franc des principales régions de l'Occident, alliance avec la papauté, sacre des rois, romanisation de la liturgie, intervention en Italie, réforme monétaire, reprise des relations avec l'Orient, etc. Le règne de Pépin n'est pas seulement une « préfiguration » de celui de Charlemagne, ce dernier n'a fait que suivre les voies tracées par son père. Tous les deux sont les créateurs de l'Europe carolingienne.

# CHAPITRE PREMIER

# LE RÈGNE DE PÉPIN LE GRAND

## Avènement de la dynastie carolingienne

### Les forces de Pépin

Avant de voir les conditions de ce qu'on appelle le « coup d'État » de 751, rappelons que Pépin tire sa force de ses immenses domaines de Neustrie et surtout d'Austrasie, de l'appui de ses vassaux clercs et laïcs qui possèdent encore une grande partie des biens d'Église. Il est aidé par sa propre famille, par les aristocrates austrasiens, les Warin, Autchar, Rothard, Girard qui par suite de mariages se rattachent à la lignée du maire. En 744, Pépin a épousé Bertrade. Le père de la princesse qui était comte de Laon est issu de la famille de Plectrude, grand-mère de Pépin (cf. tableau III). Cette famille richement possessionnée dans l'Eifel avait fondé, nous l'avons vu, les monastères d'Oeren et de Pfalzel et avait contribué à la création d'Echternach. La sœur de Plectrude, Adela, était la grand-mère de Grégoire, le disciple de Boniface et le futur évêque d'Utrecht. D'une autre sœur d'Adela, Chrodelinde, descendait Thierry, comte de Mâcon, ancêtre de la famille des Wilhelmides (cf. tableau XXIII).

On peut également rattacher à la famille de Pépin, ses deux conseillers ecclésiastiques Chrodegand et Fulrad. En effet, Chrodegand descend d'une grande famille de la Hesbaye. Sa mère Landrada était parente ou même peut-être sœur du duc Chrodebert qui servit Charles Martel et qui fut enterré à l'abbaye de Saint-Trond. Chrodegand était cousin de Cancor, fils de Chrodebert, cousin également d'un autre Chrodebert, évêque de Salzbourg, plus connu sous le nom de Rupert et de Chrodegand, évêque de Sées. Après avoir été élevé à Saint-

Trond et avoir servi Charles Martel comme référendaire, il est nommé par Pépin évêque de Metz en 742. Pépin ne pouvait que favoriser Chrodegand qui siégeait dans la ville où son ancêtre saint Arnoul avait été évêque. En 748, il l'aide à fonder le monastère de Gorze, près de Metz où Chrodegand installe sans doute des disciples de Pirmin. Chrodegand travaille en dehors de la sphère d'influence de Boniface. Il n'assiste ni au concile germanique de 743, ni à celui que Boniface réunit en 747. Il est et reste au service de Pépin.

Il est difficile de savoir d'où provient la famille de Fulrad de Saint-Denis car il possède des biens dans différentes régions d'Austrasie. Son testament, document inappréciable, nous donne un aperçu de sa fortune, ou du moins d'une partie, car il est fils cadet. Il possède des domaines dans dix localités d'Alsace, pays de Strasbourg, de Sélestat, d'Haguenau, de Colmar, puis dans la vallée de la Seille et près de Château-Salins, de Nancy, Sarrebourg et de Dieuze, enfin six dans la Sarre, près de Sarreguemines et dans la vallée de Blies. C'est à ce grand propriétaire que Pépin confie en 749 l'abbaye de Saint-Denis. Fulrad n'était pas le premier Austrasien à diriger l'abbaye, puisque Charles Martel y avait installé Godobald un grand aristocrate originaire d'Avroy près de Liège. C'est sous l'abbatiat de ce dernier que Pépin avait été élevé à Saint-Denis et que Charles Martel y avait été enterré. Saint-Denis est la plus prestigieuse des abbayes tombées entre les mains des Carolingiens, mais il y en eut bien d'autres puisque, dès l'époque de Pépin, les princes réussissent à enlever les abbayes du contrôle des évêques et à les remettre soit à leur famille, soit à leurs vassaux (cf. carte IV).

### La préparation du coup d'État

Assuré de l'appui de ses fidèles, des clercs et des moines qui lui sont tout dévoués, Pépin sent que l'heure est venue de prendre officiellement la place du roi mérovingien. Mais l'histoire de sa famille et sa propre expérience lui ont appris qu'on ne peut se débarrasser facilement d'un prince mérovingien, même fantoche. Les partisans des Carolingiens préparent donc l'opinion en démontrant qu'un roi qui ne fait rien n'est pas digne de régner. Il ne suffit pas qu'il soit issu d'une famille dont l'origine remonte très haut, il faut qu'il ait les qualités politiques et morales. *Rex a regendo*, disait Isidore de Séville dans ses *Étymologies*, « le mot roi vient de régner ». On sait qu'en Espagne wisigothique quelques rois incapables ont été déposés. Un ouvrage provenant des îles Britanniques intitulé les *Douze Abus du siècle* insiste lui aussi sur l'activité effective des rois. Enfin dans la loi des Alamans il est écrit que « le duc incapable d'aller à l'armée, de monter à cheval, de manier les armes peut être déposé ».

La propagande carolingienne est à l'œuvre soit à Saint-Denis, soit même à la cour. Childebrand, oncle de Pépin, puis son fils Nibelung, ont la charge de la chronique officieuse. Ils rappellent les qualités des ancêtres de Pépin, Grimoald, Pépin II et les victoires que Charles a remportées avec l'aide de Dieu. A Saint-Amand, le frère de Pépin a copié la *Vie de saint Arnoul de Metz*; le culte de Gertrude et d'autres abbesses appartenant à la lignée carolingienne est entretenu. Une famille qui compte tant de guerriers victorieux et de saints dans ses ancêtres ne peut que régner. Déjà peut-être étaient rédigées les fausses généalogies établissant un lien entre Arnoul et les Mérovingiens.

C'est alors que Pépin et ses amis ont l'idée d'en appeler au pape. Cette initiative pourrait surprendre ceux qui croient qu'entre domaines religieux et politique existe une nette frontière. Pépin et ses évêques avaient déjà pris l'habitude de consulter Zacharie sur quelques questions de discipline religieuse, pourquoi ne lui demanderaient-ils pas son opinion sur une question politique ? Pépin envoie à Rome Fulrad, abbé de Saint-Denis, et Burchard évêque de Wurzbourg. Nous aimerions connaître les conversations qui se sont déroulées au Latran. Mais malheureusement aucun document romain n'en parle.

Zacharie était un habile diplomate. Il avait réussi à éloigner les Lombards de Rome et à Terni, avait obtenu une trêve de vingt ans. Après la mort du roi Liutprand (744) son successeur Ratchis renouvela cette trêve. Bien plus, en 749, il décide de se faire moine à Saint-Pierre, puis de se retirer au Mont-Cassin où il retrouva Carloman qui avait alors quitté le mont Soracte pour la grande abbaye bénédictine. Si cette abdication réjouit Zacharie, le nouveau roi Aistolf lui fournit de nouveaux sujets d'inquiétude, qui reprend la politique de Liutprand et se décide à en finir avec la conquête de l'exarchat. Il est vraisemblable qu'en accueillant favorablement l'ambassade de Fulrad, Zacharie pensait à une éventuelle intervention de Pépin en Italie.

Fulrad et Burchard interrogent donc le pape « au sujet des rois qui étaient en France sans exercer le pouvoir et lui demandent si cela était bon ou mauvais ». A cette question, Zacharie, s'appuyant sur la thèse augustinienne de l' « ordre » du corps social, répond : « Il valait mieux appeler roi celui qui avait plutôt que celui qui n'avait pas le pouvoir royal. » Il est vraisemblable que Zacharie confia aux envoyés une lettre dans laquelle « il ordonnait par son autorité apostolique que Pépin soit fait roi ». Malheureusement ce document n'a pas été conservé dans les archives du palais.

Ayant appris l'heureux résultat de cette consultation et fort de l'autorité du pape, Pépin peut alors réunir les grands à Soissons en novembre 751 et se faire élire roi des Francs. Le jeune Childéric III est tonsuré et renvoyé au monastère de Saint-Bertin où il meurt en 755. Son fils Thierry est enfermé et élevé au monastère de Fontenelle. C'est ainsi, pour reprendre une expression des historiens du XVIIe siècle, que les rois de la « première race » furent remplacés par les rois de la « seconde race ».

Le coup d'État a-t-il eu quelques répercussions dans le royaume ? Aucun document officiel ne parle de résistance. Néanmoins, le biographe de Boniface fait allusion à des troubles et quelques textes nous disent que Pépin dut déloger d'un de ses châteaux, aux environs de Verdun, là où s'élèvera plus tard le monastère de Saint-Mihiel, un certain comte Wulfoald. Ce dernier descendait sans doute du maire du palais de Dagobert II, un des adversaires des Pippinides.

### Le sacre

Pour se garantir contre les résistances éventuelles des partisans des Mérovingiens, Pépin décide d'accomplir un deuxième acte capital pour l'histoire de la famille carolingienne : il se fait sacrer roi par les évêques de son entourage, peut-être même par Boniface qui représentait le pape en France.

Cette innovation mérite quelques mots d'explication. Les conseillers de Pépin n'ont pas inventé de toutes pièces la cérémonie du sacre, mais ont utilisé des précédents proches et lointains. Grâce à la collection canonique *Hispania* que des réfugiés wisigoths avaient fait pénétrer en Gaule, ils savent qu'en 672 le roi wisigoth Wamba, menacé par l'aristocratie, a demandé au métropolitain de Tolède de le sacrer, renforçant ainsi l'étroite union entre monarchie et Église. Les successeurs de Wamba furent sacrés comme lui jusqu'à la chute de la monarchie en 711. D'autre part, il se peut que l'onction royale ait été connue dans les régions celtiques des îles Britanniques. Les Anglo-Saxons auraient alors importé en Gaule un rite insulaire. Mais c'est surtout en relisant l'Ancien Testament et le commentaire du Livre des Rois que les clercs carolingiens ont compris l'importance du sacre. Le prophète Samuel avait oint de l'huile sainte d'abord Saül, puis David et ainsi avait affirmé aux yeux de tous qu'ils étaient remplis d'une grâce divine. Grégoire le Grand, très lu dans le monde anglo-saxon, écrit dans son commentaire du *Livre des Rois* : « Celui qui est élevé au sommet du pouvoir reçoit le sacrement de l'onction... Que la tête du roi soit ointe car l'âme du maître doit être remplie de grâce spirituelle. » En étant sacré, le roi carolingien était donc élevé au rang des rois de l'Ancien Testament. Déjà quelques années auparavant Charles Martel, puis Pépin, avaient été comparés à Josué conduisant le peuple d'Israël à la victoire et la *missa pro principe* conservée dans le missel de Bobbio faisait elle aussi référence aux grandes figures de l'Ancien Testament. Ainsi le roi n'était-il pas seulement un chef de guerre ou un chef d'État, il devenait un personnage revêtu d'une vertu sacrée et donc invulnérable. Ses prédécesseurs pouvaient dire, selon la tradition chrétienne, que leur pouvoir venait de Dieu, mais Pépin les surpassait en étant l'élu du Dieu ; d'ailleurs il n'oubliera pas de le rappeler dans ses actes : « La divine Providence nous ayant oint pour le trône royal. » « Avec l'aide du Seigneur qui nous a placé sur le trône. » « Notre élévation au trône ayant été faite entièrement avec l'aide du Seigneur. »

Il ne suffisait pas à Pépin d'être sacré, il voulut que cette grâce spéciale soit étendue à sa famille. En 754, nous le verrons plus loin, le pape Étienne II vient en Gaule, sacre de nouveau le prince franc — fait unique dans l'histoire — puis verse l'huile sainte sur le front de ses deux fils Carloman et Charles. Un contemporain, moine de Saint-Denis, dans une note que l'on appelle la *Clausula de onctione Pippini*, nous a donné la signification de cette cérémonie : « Le susdit seigneur très florissant, le pieux roi Pépin, par l'autorité et l'ordre du seigneur pape Zacharie de sainte mémoire, par l'onction du saint chrême reçue des mains des bienheureux évêques de Gaule et par l'élection de tous les Francs fut élevé sur le trône royal trois ans auparavant. Ensuite par les mains de ce même pontife Étienne, il fut oint et béni de nouveau comme roi et patrice avec ses susdits fils Charles et Carloman dans l'église des susdits saints martyrs Denis, Rustique et Eleuthère où réside le vénérable homme et abbé, l'archiprêtre Fulrad... Et il fit défense à tous sous peine d'interdit et d'excommunication d'oser jamais choisir un roi issu d'un autre sang que celui de ces princes que la divine piété avait daigné exalter et sur l'intercession des saints apôtres confirmer et consacrer par la main du bienheureux pontife, leur vicaire. » Ainsi ce n'est pas seulement un évêque représentant le pape, c'est le pape lui-même, c'est saint Pierre qui sacre le roi. Ce n'est plus un homme mais c'est une famille qui est choisie par Dieu pour régner sur le peuple franc. Ceux qui restaient fidèles à la tradition germanique de l'élection et ceux qui pouvaient encore soutenir les droits de la famille mérovingienne sont désormais incapables d'agir. Un siècle après le « coup d'État » de Grimoald, la famille austrasienne des Carolingiens a obtenu, grâce à l'Église romaine, la dignité royale et va la garder pendant plus de deux siècles.

## Fondation de l'État pontifical

### Appel d'Étienne II

Pépin, roi des Francs « par l'autorité apostolique », va très rapidement avoir à répondre à un appel au secours du pape. En 739, Grégoire III avait déjà demandé de l'aide à Charles Martel, mais en vain, nous l'avons vu. Quatorze ans après, la situation est bien différente de part et d'autre des Alpes.

Ce qu'avait redouté Zacharie est arrivé, Aistolf prend sans coup férir Ravenne et met fin à la domination byzantine dans le nord de l'Italie. Il s'apprête alors à parfaire l'unification de l'Italie en s'emparant de Rome et à faire de la papauté un évêché lombard. Le pape ne peut accepter cette situation. D'une part, depuis quelques décennies, il dirige en fait le duché byzantin de Rome et ne peut être soumis à l'autorité de ces barbares même catholiques qui, par leurs mœurs et leurs lois, sont si opposés aux Romains. Le pape se sent responsable de la *Respublica romana* comme on dit à l'époque. De plus l'Église de Rome possède des domaines d'où elle tire toutes ses ressources et qui lui sont d'autant plus précieux que ceux de Sicile et de Calabre ont été confisqués par les Byzantins. Enfin l'évêque de Rome est le successeur de saint Pierre, le prince des apôtres, le portier du Ciel. Pour exercer la primauté romaine, il faut une indépendance politique.

C'est ainsi que le pape Étienne II, qui succède à Zacharie en 752, entreprend les premières négociations avec le nouveau roi des Francs Pépin. Il lui soumet son projet de venir en Gaule pour discuter avec lui de la situation de Rome. Des papes étaient allés souvent en Orient, quelquefois contraints et forcés, mais n'avaient jamais osé entreprendre un voyage dans les pays barbares. Pépin accepte l'idée et envoie deux de ses familiers Chrodegand de Metz et le duc Audgar pour organiser le voyage. Pourtant Étienne ne se rend pas directement en France mais, répondant à la demande de l'empereur byzantin Constantin V, il passe par Pavie pour tenter de convaincre Aistolf de rendre

Ravenne. On peut s'étonner que le pape continue à avoir des relations avec Byzance lorsque l'on sait que Constantin V avait poursuivi la politique iconoclaste de son père et se préparait à réunir un concile pour condamner le culte des images. Mais comme ses prédécesseurs, Étienne II ne peut repousser les demandes des Byzantins même s'il sait le peu d'efficacité de la démarche. Devant le refus d'Aistolf, le pape n'avait plus aucun scrupule à poursuivre son voyage. Accompagné des principaux personnages de la curie, de cardinaux, de prêtres, de diacres, il prend la route d'Aoste en novembre 753, « bravant le froid, la neige, les flots des rivières débordantes, franchissant les fleuves les plus rapides, les montagnes les plus effrayantes, ne s'arrêtant devant aucun danger », comme il l'écrira plus tard à Pépin. Il parvient avant l'hiver à Saint-Maurice en Valais, mais a la déception de ne pas trouver le roi mais seulement deux de ses envoyés, Fulrad de Saint-Denis et le duc Rothard, chargés de conduire le pape à la résidence royale de Ponthion non loin de Vitry-le-François. Près de Langres, Étienne II est accueilli par le jeune Charles âgé alors de douze ans et enfin arrive au palais royal le 6 janvier 754, le jour de l'Épiphanie.

Quelle a été la teneur des conversations entre Étienne II et Pépin ? Les sources franques nous disent que le pape demandait que Rome et sa région soient libérées des menaces que faisait peser sur elles Aistolf. Et de son côté l'auteur du *Liber pontificalis* va plus loin puisqu'il précise que Pépin est invité à restituer au pape l'exarchat de Ravenne. Certains historiens dont Louis Halphen, se sont demandé si le pape n'avait pas présenté alors la fameuse « Fausse Donation de Constantin » par laquelle l'empereur romain, au moment de partir en Orient, aurait concédé au pape Sylvestre Ier, non seulement Rome mais l'Italie et tout l'Occident. S'il est maintenant presque certain que le célèbre faux a été composé au Latran dans la deuxième moitié du VIIIe siècle, la légende pouvait déjà exister à Rome et les arguments tirés d'un acte écrit plus tard ont dû être avancés dans la conversation entre Pépin et le pape.

Tandis que le pape s'installait à Saint-Denis pour passer l'hiver, Pépin à la demande des grands, peu désireux de s'engager dans l'aventure italienne, tenta de négocier avec Aistolf. Mais ce dernier eut la maladresse de faire intervenir Carloman, frère de Pépin, qui s'était installé au Mont-Cassin. Pépin fit arrêter Carloman à Vienne, en Burgondie, le contraignit à vivre dans un monastère où il mourut. Il fit accepter par ses guerriers le principe d'une expédition en Italie à l'assemblée de Quierzy (avril 754), et il promit au pape, par écrit ou par oral (on en discute) de lui restituer les biens usurpés par les Lombards. L'accord réalisé, Étienne II sacra de nouveau Pépin à Saint-Denis, conféra l'onction à ses fils, donna la bénédiction à la reine Bertrade et, ajoute l'auteur de la *Clausula* dont nous avons déjà parlé, décerna au roi et à ses fils le titre de « patrices des Romains ». Il est impensable que le pape ait attribué cette dignité au nom de l'empereur comme on l'a quelquefois prétendu, Byzance était loin et le pape avait peut-être appris que, le 10 février 754, le concile iconoclaste d'Hiera s'était réuni. La présence d'Étienne II en Gaule marquait bien la fin effective des relations entre la papauté et Byzance. Si Pépin et ses fils ont été faits patrices des Romains, c'était pour signifier que l'on comptait sur eux pour protéger la ville de saint Pierre.

## Pépin en Italie

L'expédition décidée, l'armée franque entra en Italie au printemps 755 et prit Pavie, tandis que le pape, accompagné de Jérôme, demi-frère de Pépin, rentrait triomphalement à Rome. Le roi franc fit promettre à Aistolf de restituer Ravenne et, sans exiger d'autres garanties que quelques otages, repartit en Gaule en ramenant beaucoup de richesses.

A peine l'armée franque eut-elle repassé les Alpes qu'Aistolf reprit ses tentatives pour s'emparer de Rome (janvier 756). Le pape envoya alors trois lettres à Pépin dont l'une, fait exceptionnel, censée écrite par l'apôtre saint Pierre lui-même : « Vous êtes mes fils adoptifs, venez arracher des mains de mes ennemis ma cité de Rome et le peuple qui m'a été confié par Dieu. Venez protéger du contact de ces gens la demeure où mon corps repose. Venez libérer l'Église de Dieu exposée aux pires tourments, aux pires oppressions du fait cet abominable peuple lombard. Vous que j'aime tant... soyez assurés qu'entre tous les peuples celui des Francs m'est particulièrement cher. Ainsi, je vous en adjure et vous en avertis, vous, rois très chrétiens, Pépin, Charles et Carloman, et vous tous de l'ordre sacerdotal, évêques, abbés, prêtres, moines, et vous ducs et comtes, et vous peuple franc tout entier, ajoutez foi à mes exhortations comme si j'étais là vivant et présent devant vous, car si je n'y suis pas en chair et en os, j'y suis en esprit. » La lettre continue sur ce ton et se termine par des menaces : « Votre désobéissance à mes exhortations vous vaudrait d'être écartés du royaume de Dieu et de la vie éternelle. »

Pépin ne pouvait refuser l'aide que saint Pierre lui demandait. Une nouvelle expédition fut organisée et Pavie fut assiégée à nouveau. Pendant le siège, Pépin reçut une ambassade byzan-

tine qui lui exposa que les terres promises au pape apparte-
naient en fait à l'empereur et qui essaya même, aux dires du
biographe pontifical, d'acheter le roi des Francs par divers présents. Mais Pépin « refusa d'enlever à saint Pierre ce qu'il lui
avait précédemment offert ». Aistolf battu dut livrer des otages
et les clés des différentes villes que Pépin avait promises au
pape. L'abbé Fulrad déposa ces clés sur l'autel de saint Pierre
dans la basilique du Vatican avec un acte de donation perpétuelle. Si nous n'avons plus cet acte qui, aux dires des Romains,
se trouvait dans les archives du Latran, nous connaissons les
territoires qui constituent ce qu'on peut appeler désormais
l'État de saint Pierre. En dehors du duché de Rome, ce sont
vingt-deux cités situées dans l'exarchat de Ravenne, l'Émilie, la
Pentapole, le nord et le sud des possessions pontificales étant
réunis par une bande de territoire correspondant à la vallée du
Tibre.

En 756, la mort soudaine d'Aistolf, mort providentielle
dirent les Romains, permit au pape d'intervenir pour faire élire
à Pavie le candidat de l'abbé Fulrad, le duc de Toscane Didier.
Ce dernier promit de respecter les engagements de son prédécesseur et même d'agrandir l'État pontifical. Pourtant les
papes Étienne II puis son frère Paul Ier, qui lui succéda en 757,
se plaignent à Pépin que Didier n'est pas fidèle à ses engagements. Ils envoient lettre sur lettre à celui qu'ils appellent le
« nouveau Moïse », le « nouveau David » et aux princes Charles
et Carloman, considérés comme les fils adoptifs des papes.
Paul Ier fait transférer au Vatican les restes de sainte Pétronille,
et à partir de cette date, celle qu'on croyait être la fille de saint
Pierre fut considérée comme la patronne des Carolingiens. De
plus, le pape accepte d'être le parrain de Gisèle, fille de Pépin.
Entre les papes et la famille carolingienne s'établit donc une
solide parenté spirituelle. Pourtant Pépin, tout en sachant
qu'une offensive de Didier était possible, refuse d'intervenir
une nouvelle fois car, nous le verrons, il a d'autres soucis dans
son royaume. Il recommande au pape la patience et l'entente
avec les Lombards.

Quoi qu'il en soit, grâce à l'alliance entre le roi des Francs
et la papauté, un nouvel État a été créé en Italie. Cet État de
saint Pierre ou « État pontifical », comme on l'appelle habituellement, est destiné à jouer en Europe un rôle capital, non seulement au Moyen Age, mais jusqu'au XIXe siècle, puisqu'il ne dis-
parut qu'en 1870.

## Conquête de l'Aquitaine

Si Pépin ne voulut pas intervenir en Italie, c'est qu'il était engagé dans une entreprise difficile en Gaule : il veut en finir avec cette Aquitaine que son père avait une première fois soumise, mais qui, sous la direction de Waifre, fils d'Hunald, ne désespère pas de recouvrer son indépendance. C'est pour les Aquitains et les Francs une lutte sans merci qui dure plus de dix ans. L'importance que les événements d'Aquitaine tiennent dans la *Chronique* de Nibelung (plus de onze chapitres) montre bien que Pépin est décidé coûte que coûte à en finir avec le particularisme aquitain.

Les prétextes d'intervention ne manquent pas. Ainsi, en 751, Waifre avait accueilli Griffon une nouvelle fois révolté contre son frère ; d'autre part le duc d'Aquitaine avait occupé les biens que les Églises du nord possédaient au sud de la Loire. Jusqu'en 760, Pépin se prépare à la conquête en s'emparant d'abord, grâce à quelques comtes wisigoths, de la Septimanie que tenaient toujours les Arabes, en pénétrant à Vannes pour empêcher les Bretons de prêter main-forte aux Aquitains, et surtout en renforçant son armée.

C'est en 755 que le rendez-vous des troupes est fixé, non plus au mois de mars, mais au mois de mai, époque où l'herbe est suffisante pour nourrir les chevaux. En 758, les Saxons, une nouvelle fois battus par Pépin, doivent lui livrer un tribut non plus de cinq cents vaches mais de trois cents chevaux. Ces indices permettent de penser que la cavalerie lourde fait quelques progrès dans l'armée franque. Pépin renforce et multiplie les liens de vassalité avec les grands qui peuvent lui apporter une aide militaire. En 757, le jeune Tassilon de Bavière devenu majeur, vient prêter serment de vassalité à Compiègne, dans des conditions que nous rapportent les *Annales* royales : « Il se commanda en vasselage par les mains, il jura de multiples et innombrables serments en mettant les mains sur les reliques des saints, il promit fidélité au roi Pépin et à ses fils, susdits les seigneurs Charles et Carloman ainsi que par droit un vassal doit le faire avec un esprit loyal et un ferme dévouement comme un vassal doit être à l'égard de ses seigneurs. » Tassilon conduisit son armée en Italie, puis en Aquitaine et resta fidèle du moins jusqu'en 763.

A partir de 760 et jusqu'à sa mort en 768, Pépin fait tous les ans une campagne en Aquitaine, pénétrant de plus en plus au cœur du pays, en Auvergne, Berry, Limousin, Quercy. Il prend ville après ville avec des machines de siège perfectionnées. Contrairement aux habitudes du temps, on le voit même hiverner dans le pays pour être prêt à reprendre le combat. En 768, il s'avance jusqu'à la Garonne et reçoit la soumission des Basques. Enfin Waifre, pourchassé, est tué par un des siens soudoyé par Pépin.

L'Aquitaine est soumise, mais dans quel état : terres brûlées, villes incendiées, monastères détruits. La civilisation et la culture que l'Aquitaine avait réussi à maintenir depuis les grandes invasions sont ruinées. Le pays ne se remettra pas de sitôt du traumatisme carolingien. Pépin a beau promulguer à Saintes en 768 un capitulaire de pacification et promettre que les aristocrates aquitains garderont leur droit privé — le droit romain — cette mesure ne peut faire oublier des années de guerre atroce.

## Poursuite de la réforme religieuse

Pépin n'est pas qu'un prince guerrier. Par le sacre qui a fondé la monarchie de droit divin, il a reçu mission de travailler à l'expansion du christianisme dans son royaume. Il veut diriger les affaires religieuses et poursuivre la réforme qu'il avait entreprise avec son frère Carloman. Mais cette fois ce n'est plus Boniface qui aide le prince, mais l'évêque de Metz Chrodegand.

Boniface, qu'il ait sacré Pépin en personne ou non, on en discute, est depuis quelques années éloigné des milieux de la cour. En 752, il demande à Pépin, par l'intermédiaire de l'abbé Fulrad, que son disciple Lull lui succède à l'archevêché de Mayence. Il songe à se retirer à Fulda, mais le zèle de la mission le reprend à soixante-dix ans. Il part dans le pays où il avait commencé son œuvre d'évangélisateur, la Frise. Accompagné de l'évêque d'Utrecht, de prêtres et de moines, il s'installe au contact des pays frison et saxon, dans le nord de la Frise, à Dokkum. C'est là qu'il est attaqué par quelques pillards frisons et qu'il tombe sous les coups des païens (5 juin 754). Son corps, ramené d'abord à Utrecht, puis à Mayence, est réclamé par les moines de Fulda. Le tombeau de Boniface devient un des grands lieux de pèlerinage et l'abbaye le centre religieux de la Germanie que Boniface avait évangélisée.

C'est à cette époque que le pape Étienne II, alors installé à Saint-Denis, décide de donner le pallium à l'évêque de Metz Chrodegand et faire de ce dernier son représentant en France. La réforme de l'Église continue donc sous la direction de Chro-

degand en liaison étroite avec Pépin. Un concile réuni au palais
de Ver en 755 prend des dispositions pour renforcer la puissance des évêques sans que l'on songe encore à restaurer les
métropolitains. Il est convenu que le roi réunira régulièrement
les évêques à Verberie en 756, Compiègne en 757. C'est sans
doute à cette date que Pépin décide le principe du versement de
la dîme aux clercs afin de dédommager les églises des confiscations dont elles ont été victimes. En effet non seulement Pépin
ne rend pas les biens aux églises spoliées mais il fait même
faire une enquête sur le temporel ecclésiastique et prévoit la
remise de terres à ses grands. Ainsi à Auxerre, cent tenures ou
manses sont réservées à l'évêque, le reste des domaines est
confié à des princes bavarois. Même « division » à Mâcon entre
l'évêque et les grands laïcs.

En 762, évêques des cités, évêques abbés administrant des
diocèses et abbés se retrouvent au palais royal d'Attigny. On
distingue alors plusieurs groupes, celui des provinces de Germanie (Mayence, Cologne et Reims), celui des provinces de
Rouen, Sens et Tours, celui des provinces de Trèves, des
régions d'Alsace, d'Alémanie et de Bourgogne septentrionale. A
ces clercs se joignent les évêques abbés d'Agaune (Saint-Maurice en Valais), de Novalèse et l'évêque de Coire qui siègent
dans des régions capitales pour les relations entre Gaule et Italie. Seules les provinces d'Aquitaine, de Provence, de Narbon-
naise et Bourgogne rhodanienne restent à l'écart. Pourtant en
767, un évêque est nommé par Pépin à Vienne et en 769, les
sièges de Bourges, Lyon et Narbonne sont occupés. Ainsi le
corps épiscopal de Gaule commence à retrouver son unité.
Pépin tient en main les évêchés et les principales abbayes du
royaume et si même tous les évêchés du royaume ne sont pas
pourvus de titulaires, les progrès sont indéniables.

La réforme de l'Église est complétée par la romanisation
du culte en pays franc. Jusqu'alors bien que quelques livres
liturgiques, sacramentaires grégoriens, gélasiens, commencent
à circuler en Gaule, une grande liberté était laissée aux différentes églises qui suivaient ici et là les liturgies gallicanes.
Après la période d'anarchie, il fallait réorganiser la vie liturgique. Pépin et Chrodegand en prennent l'initiative. Comme le dit
C. Vogel : « L'implantation en Gaule des usages liturgiques de
la ville de Rome est comparable, pour le développement cultuel
en Occident, à l'importance qui revient à la conjonction des
Francs et de la papauté pour les destinées politiques de
l'Europe. » On a supposé avec raison que cette réforme fut décidée pendant le séjour du pape Étienne II en France entre 753 et

755. Le pape était accompagné de prêtres et de diacres romains qui ont pu instruire Chrodegand et ses clercs des coutumes romaines. D'autre part Remi, frère de Pépin, évêque de Rouen, s'est associé à cette œuvre puisque en 760, après un voyage à Rome, il installe dans sa ville le chef de la *schola cantorum* de Rome en lui demandant d'initier ses clercs au nouveau chant. Ainsi a été rédigé le *Sacramentaire gélasien du VIII<sup>e</sup> siècle* dont nous possédons quelques copies, particulièrement le célèbre *Sacramentaire* de Gellone. Ce recueil introduit les oraisons et les formules liturgiques de Rome tout en laissant une place réduite au rituel franc pour ne pas heurter les usages locaux. La romanisation du culte en pays franc a été décidée autant pour des raisons politiques que religieuses. Il fallait en effet renforcer l'unité des Églises, donc du royaume, et inviter les clercs à prier d'une façon identique. Sans doute était-ce là une œuvre de longue haleine à laquelle ne collaborèrent pas toutes les Églises. Charlemagne, tout en rendant hommage au travail entrepris par son père, reprit et compléta la réforme liturgique.

Chrodegand dans sa ville de Metz fut un des premiers à appliquer cette nouvelle liturgie. Metz, la ville de saint Arnoul, se devait de montrer l'exemple. L'évêque, qui fit agrandir la cathédrale Saint-Étienne et développer le groupe épiscopal, organisa une liturgie stationale au moment du Carême qui s'inspirait de celle de Rome. Sous son épiscopat, Metz devint une école de la *Cantilena romana* et le resta pendant des décennies.

Mais Chrodegand fit plus. Constatant dans quelle négligence vivait son clergé, il rédigea entre 754 et 756 la règle des chanoines en s'inspirant de la règle bénédictine. Il voulut que ses clercs mènent une vie commune à l'instar des moines. Ils devaient dormir dans un même dortoir, manger dans un même réfectoire, pratiquer la pauvreté, s'occuper des malades, assister ensemble aux offices, s'adonner à la lecture et même se préparer à la prédication. Le chanoine *(canonicus)* est donc un clerc qui, sous la direction de son évêque, obéit à des lois *(canones)* qui règlent sa vie. Chrodegand aurait souhaité que « l'ordre canonial » soit étendu à toutes les églises du royaume. Mais bien des clercs voulaient garder leur liberté d'action, et c'est peu à peu, non sans quelque résistance, que d'autres églises du royaume adopteront l'institution canoniale qui tint une si grande place dans la vie de l'Église européenne. Chrodegand était profondément pénétré de l'idéal monastique et dès son installation à Metz il avait accueilli les moines pirminiens qui travaillaient déjà sous son prédécesseur. Entre

748 et 754, il avait fondé avec l'aide de Pépin, le monastère de
Gorze au sud-ouest de Metz et avait doté cette abbaye de
grands domaines. Les moines de Gorze devaient par la suite
s'installer à Gengenbach, fondation de saint Pirmin en Forêt-
Noire. En 754, saint Pirmin participa à la fondation de Lorsch
sur la rive droite du Rhin en face de Worms. Le comte Cancrod,
fils du duc Chrodebert et cousin de Chrodegand (leurs noms
sont très apparentés), confia l'abbaye à Chrodegand, puis à son
frère Gundeland. Ce monastère situé au débouché de la vallée
du Neckar était destiné à être une des grandes abbayes royales
carolingiennes.

L'activité de l'évêque archevêque est inlassable et multi-
ple. Grâce à Chrodegand, Metz devient le centre de la réforme
religieuse et première ville épiscopale du royaume. Paul Diacre qui écrivit vers 783 l'histoire des évêques de Metz, nous
rappelle les travaux que Chrodegand fit entreprendre dans la
cathédrale; la règle des chanoines évoque les bâtiments installés autour du cloître, les églises Saint-Pierre-le-Vieux, Saint-
Paul, Sainte-Marie, Saint-Pierre-le-Majeur. Rien ne demeure
de tout cet ensemble, seule la cathédrale de Metz conserve
encore le siège épiscopal de Chrodegand taillé dans un fût de
colonne de marbre veiné. A cinq cents mètres au-dessus du
quartier épiscopal, s'élève encore Saint-Pierre-aux-Nonnains,
abbaye installée au VIIe siècle dans une basilique romaine du
IVe siècle. Dans cette abbaye ont été retrouvés des fragments
de chancel c'est-à-dire de la clôture de pierre qui sépare les
fidèles du chœur. Ces fragments qui forment onze plaques
sont actuellement conservés dans le musée de Metz. Datent-ils
de Chrodegand ou sont-ils un peu postérieurs, les historiens
de l'art en discutent encore aujourd'hui, mais par leur décor
emprunté aux thèmes de la haute Italie et du monde copte,
par les jeux d'entrelacs des lis, par les arcades, les croisillons
tressés, les éléments végétaux et zoomorphes, ils témoignent
magnifiquement de la renaissance artistique carolingienne.
Cette renaissance qui s'exprime d'ailleurs à la même époque à
Jouarre, à Saint-Denis et dans l'évangéliaire de Gundohinus
daté de 754, n'a pas attendu le règne de Charlemagne pour se
développer, elle est inséparable du renouveau de l'Église au
temps de Pépin.

## Prestige de Pépin III

Chrodegand meurt en 766 et est enterré à Saint-Arnoul, la
basilique funéraire des premiers Carolingiens et des évêques de

Metz. Pépin le suit dans la tombe deux ans après. Un grand roi dont le prestige est immense.

## Pépin et l'Orient

La réputation de Pépin dépasse les frontières du royaume et même de l'Italie puisqu'il fut le premier à nouer des relations avec les princes musulmans. En 750, les califes omeyyades de Damas ont été renversés et ont été remplacés par la famille abbasside qui s'installe à Bagdad. Le seul survivant des Omeyyades Abd al-Rahman s'enfuit en Espagne, prend Cordoue et fonde un émirat quasi indépendant. On comprend dans ces conditions que le calife de Bagdad ait cherché à nouer des relations avec Pépin qui, de son côté, combattait les Arabes de Septimanie et avait repris Narbonne en 759. Des ambassades entre calife et roi furent échangées et les envoyés de Bagdad passèrent même tout un hiver à Metz en 768.

L'année précédente, c'est une délégation byzantine qui s'installe dans le palais de Gentilly près de Paris. Les relations entre Pépin et Byzance s'étaient établies pendant la deuxième expédition d'Italie. Mais, nous l'avons vu, Pépin avait refusé de restituer aux Byzantins ce qu'ils réclamaient. Pourtant Constantin V n'a pas perdu tout espoir de reprendre Ravenne : il profite du conflit qui éclate entre le pape et le roi lombard Didier et du refus de Pépin d'intervenir à nouveau: Des ambassades sont échangées entre Constantinople et la cour franque. C'est d'ailleurs Pépin qui fait le premier pas en voulant, nous dit le chroniqueur officieux, « établir un lien d'amitié entre les deux cours ». L'empereur Constantin V lui répond en lui envoyant des émissaires chargés de présents. Les Grecs assistent à l'assemblée de Compiègne de 757. Mais le chroniqueur ajoute : « Je ne sais pourquoi mais ces mutuelles marques d'amitié n'ont pas eu de conséquences heureuses. » Pourtant, la diplomatie byzantine ne se décourage pas : on parle d'un mariage entre Gisèle, fille de Pépin, et le fils de l'empereur Constantin. En 762, les envoyés du pape et du roi se retrouvent ensemble à Constantinople. En 765, une ambassade byzantine conduite par l'eunuque Sinesius est en Gaule. Il semble que Byzance ait voulu engager Pépin dans l'affaire des images dans laquelle l'Église de Gaule n'avait pas pris position. Le pape s'en émeut et craint le pire. De fait, à Pâques 767, un synode se réunit dans le palais royal de Gentilly où les théologiens grecs et francs discutent les problèmes concernant la Sainte Trinité et les images des saints. Certains clercs francs ont pu être tentés par les thèses iconoclastes des Byzantins. Lorsqu'en 769, le

concile du Latran en débattit en présence d'évêques francs,
c'est après de longues discussions que les thèses iconoclastes
furent condamnées. Ainsi tout n'était pas joué d'avance ; dans
cette affaire des images s'annoncent déjà les débats futurs qui
suivent le concile de Nicée de 789 et la rédaction des *Libri Carolini.*

La présence des Byzantins à la cour de Pépin pose le problème de la connaissance du grec en Europe. Depuis le VIᵉ siècle, les lettrés d'Occident ignoraient totalement la langue grecque sauf dans quelques centres privilégiés de l'Italie du Sud et
de Rome. Or nous constatons que sous le règne de Pépin, des
manuscrits grecs ont été apportés et traduits en Gaule et nous
savons que le pape Paul fit cadeau à Pépin de livres de grammaire et d'ouvrages de Denys l'Aréopagite écrits en langue grecque. Cet envoi a fait l'objet de nombreux commentaires, il était
difficile de savoir à qui il était destiné. La mention de Denys
l'Aréopagite nous conduit à penser que ces livres devaient être
remis à la bibliothèque de l'abbaye de Saint-Denis. En effet les
moines étaient déjà persuadés que Denys, disciple de Paul,
Denis martyr à Paris et Denys le mystique, le pseudo-Denys,
n'étaient qu'un même personnage. Il est au contraire impensable que les livres aient été envoyés, comme on l'a dit, à l' « école
du palais », école qui en fait n'existait pas plus au milieu du
VIIIᵉ siècle qu'à l'époque mérovingienne. Ce qui existe c'est une
administration que Pépin va développer et perfectionner.

### L'organisation de la cour

Pépin, devenu roi, a hérité de l'administration des Mérovingiens. Les grands services sont maintenus : celui du sénéchal qui s'occupe de la table et du ravitaillement du palais, du
bouteiller, chef des échansons, du comte de l'étable (expression
qui donnera le mot connétable) qui est responsable des écuries
royales, etc. Le poste de maire du palais a évidemment disparu
et est remplacé par celui de chambrier *(camerarius)* qui garde le
trésor où s'entassent les présents venus d'Orient et d'Occident,
les produits des amendes, des tonlieux et des autres impôts
indirects. Tout en affirmant le principe régalien du tonlieu,
Pépin a remis le bénéfice de certaines douanes à des églises
cathédrales et à quelques monastères, mais n'oublie pas d'en
garder une partie. Ainsi à Mâcon, Pépin garde les deux tiers du
tonlieu.

Une autre source de revenu provient du monnayage.
Depuis longtemps les rois mérovingiens avaient perdu le monopole de la frappe de la monnaie. Chaque évêque, chaque abbé,

chaque comte frappaient des deniers d'argent, le seul métal utilisé depuis que la monnaie d'or a disparu de la Gaule vers 670. Dans le nord les sceattas frisons circulent toujours en grand nombre. Pépin veut mettre fin à cette anarchie. Il décide au concile de Ver en 755 « qu'en ce qui concerne les monnaies, on ne frappe plus que vingt-deux sous dans une livre poids de métal, sur ces vingt-deux sous, le monétaire retiendra un sou et le reste sera rendu au porteur du métal ». Nous avons ici la première règle monétaire imposée par les rois des Francs. Les monnaies de Pépin dont on a retrouvé cent cinquante exemplaires, sont frappées à Lyon, à Angers, à Paris, à Chartres, mais toutes portent le nom du roi, alors que depuis cent ans le nom du roi n'était inscrit qu'exceptionnellement. Pépin réussit même à mettre la main sur l'atelier de Duurstede qui frappait les *sceattas* frisons. Il crée ainsi une monnaie royale qui se maintient pendant des siècles.

L'organisation des bureaux où sont promulgués les actes fait également l'objet de transformations. Lors du séjour à Pavie qu'il fit à l'âge de vingt et un ans, Pépin avait constaté le bon fonctionnement de l'administration lombarde, héritière de la tradition romaine et servie par un personnel qualifié de laïcs et de clercs. Devenu maire du palais, il confie ses bureaux aux membres de sa chapelle, si bien qu'après 751, le référendaire laïc mérovingien qui avait la direction de l'administration disparaît et est remplacé par le chancelier *(cancellarius)*, un des notaires de la chapelle du roi. Ainsi, assistons-nous à une véritable révolution. A partir de cette date jusqu'à la fin du XIIIe siècle, les laïcs sont exclus de la direction des bureaux royaux. Ce changement de personnel s'accompagne d'un progrès dans l'établissement des actes. Progrès d'abord dans la forme extérieure : il suffit de comparer le dernier acte d'un roi mérovingien et les premiers actes du maire du palais pour constater le soin de la présentation et une plus grande régularité d'écriture. Mais surtout progrès dans la langue. Alors qu'en parcourant le VIIe siècle et la première moitié du VIIIe siècle, on observait un abaissement constant du niveau de l'orthographe et de la grammaire, au contraire au milieu du VIIIe siècle, le relèvement commence et se poursuit jusqu'à la fin du siècle. Il faut remarquer que les progrès du latin valent surtout pour les actes publics, car dans les actes privés la correction de la langue latine laisse toujours à désirer. On a supposé à bon droit que ces progrès du latin étaient dus aux clercs de la chancellerie qui disposaient de grammaires et de traités d'orthographe. Chrodegand, le dernier référendaire qui exerça son emploi au temps de Charles Martel, et dont la culture latine était grande, avait déjà dû œuvrer en ce sens. Par la suite, les moines de Saint-Denis ont certainement joué un rôle actif dans les progrès des méthodes de travail de l'administration. Ajoutons qu'à côté de ces notaires qui savent rédiger un acte en bon latin, se trouvent quelques juristes qui utilisent non seulement les formulaires en usage, mais des abrégés et des manuels de droit romain. Dans l'un de ses diplômes, Pépin fait mention de ceux qui jugent avec le prince : les grands, le comte et les autres *legis doctores*. En redonnant vie à la loi et importance à l'écrit, Pépin amorce l'œuvre de Charlemagne.

## Pépin et Saint-Denis

Comme les rois mérovingiens, Pépin n'a pas de résidence fixe. Ses actes sont datés des palais de la vallée de l'Oise : Compiègne, Ver, Berny-Rivière, Verberie, des demeures de la Champagne austrasienne : Corbeny, Samoussy, Ponthion, mais aussi des palais mosans : Herstal, Jupille, Düren et Aix-la-Chapelle. Une légende rapportée par Notker de Saint-Gall montre Pépin triomphant des démons qui hantaient les bâtiments thermaux d'origine romaine avant de bâtir la première chapelle et les bâtiments de la *villa* encore modestes. Pépin séjournait également dans les abbayes royales qui sont de plus en plus nombreuses : il fut sacré une première fois à Saint-Médard de Soissons, puis une deuxième fois à Saint-Denis.

Depuis le temps où Dagobert s'était intéressé à la basilique de Saint-Denis, le monastère s'est développé. Il est devenu une véritable cité monastique comprenant l'église abbatiale et les églises annexes, le cloître, le dortoir, le réfectoire, le scriptorium, la bibliothèque, les ateliers, les entrepôts où sont emmagasinés les produits venant des nombreuses *villae* rurales données à l'abbaye depuis le VIIᵉ siècle. Tous les ans, au moment de la fête de saint Denis, le 9 octobre, une foire réunit les marchands d'outre-mer et ceux du continent. Les moines perçoivent alors les tonlieux sur navires et transactions. Mais le comte de Paris conteste ce droit. Il faut qu'en 753, Pépin délivre un diplôme en faveur des moines dans lequel il rappelle que depuis son enfance, puisqu'il avait été élevé à Saint-Denis, « il avait vu que les tonlieux étaient perçus au profit de l'abbaye ».

Ces ressources étaient d'autant plus nécessaires que l'abbé Fulrad avait entrepris des travaux pour rénover la vieille basilique en s'inspirant des œuvres architecturales italiennes. Lorsque le pape Étienne II était venu séjourner à Saint-Denis, le chœur de la nouvelle église dont on a retrouvé quelques traces était déjà en projet mais l'ensemble de l'abbatiale ne fut achevé qu'en 775. Fulrad, ce grand propriétaire austrasien, était l'homme de confiance de Pépin. Il joua, nous l'avons vu, un rôle important au moment de l'expédition d'Italie. Il fut nommé archichapelain c'est-à-dire qu'il conservait les reliques de la *capella*, la chape de saint Martin et autres reliques. Il avait en outre la haute main sur l'administration puisque les notaires royaux, nous l'avons dit, sortaient de la chapelle.

Les moines de Saint-Denis étaient tout dévoués à la famille carolingienne et jouèrent un grand rôle au moment du coup d'État et du sacre. Par la suite, ils continuèrent à favoriser la propagande carolingienne, mais gardiens du tombeau des princes mérovingiens et des premiers carolingiens, ils réussissent à associer les deux familles dans une même éloge. Ainsi en 763, un moine de Saint-Denis rédige le prologue et l'épilogue de la loi salique que Pépin avait fait réviser. Ce texte que l'on pourrait appeler la « Marseillaise des Francs » commence ainsi : « Race illustre des Francs instituée par Dieu lui-même, courageuse à la guerre, constante dans la paix, profonde dans ses desseins, de noble stature, au teint d'une blancheur éclatante, d'une beauté exceptionnelle, audacieuse, rapide et rude, convertie à la foi catholique et indemne de toute hérésie lorsqu'elle était encore barbare, cherchant la clé de la connaissance sous l'inspiration de Dieu, ayant le désir de la justice dans son comportement de vie et cultivant la piété. C'est alors que ceux qui étaient les chefs de cette race, dans ces temps-là dictèrent la loi salique... Mais alors grâce à Dieu, le roi des Francs, Clovis, impétueux et magnifique, le premier reçut le baptême catholique... Vive le Christ qui aime les Francs, qu'Il protège leur règne, qu'Il remplisse les dirigeants de la lumière de sa grâce, qu'Il veille sur leur armée, qu'Il leur accorde le rempart de la foi, qu'Il leur concède les joies de la paix et le bonheur de ceux qui dominent leur époque. Car cette nation est celle qui, brave et vaillante, a secoué de ses épaules le joug très dur des Romains et ce sont eux les Francs qui après avoir professé la foi et reçu le baptême, ont enchâssé, dans l'or et dans les pierres précieuses, les corps des saints martyrs que les Romains avaient brûlés par le feu, mutilés par le fer, et livrés aux dents des bêtes féroces. » Tout y est, l'exaltation du peuple franc, l'affirmation de l'orthodoxie des rois, la glorification des martyrs de Saint-Denis. Ce texte annonce déjà les *Laudes regiae*, ces louanges royales qui, à la fin du VIIIᵉ siècle, associeront dans une même gloire, le Christ, le pape et le roi franc.

Pépin III tombe malade pendant l'été de 768 alors qu'il vient de soumettre les Aquitains. Il se fait transporter à Saint-Denis et meurt le 24 septembre 768 à cinquante-quatre ans.

Celui à qui les historiens donneront le sobriquet de « Bref » en raison sans doute de sa petite taille, eut un très grand règne. Sans lui le règne de Charlemagne est impensable. Pépin dut son succès autant aux circonstances qu'à sa culture et à son caractère. L'aristocratie qui s'était déjà ralliée à son père Charles Martel vit en lui le prince qui pouvait le mieux servir ses intérêts. L'Église, aussi bien celle du royaume que la papauté, trouve en lui un défenseur et associe pour des siècles son destin à celui de la famille élue par Dieu. Pépin est un prince pieux, mais également un guerrier réaliste et tenace, les Aquitains l'ont compris. Il défend les intérêts matériels de son royaume, il réforme les structures qui vont lui permettre de régner avec efficacité, il reçoit à sa cour aussi bien les ambassadeurs du pape que ceux des empereurs byzantins ou du calife de Bagdad, s'affirmant déjà comme un prince européen. La veille de sa mort, il se sent assez fort pour sacrifier à la coutume franque et avec l'accord des grands laïcs et ecclésiastiques, partager son royaume entre ses deux fils, ce qui est sans doute courir un risque, mais la bonne politique n'est-elle pas qu'une suite de risques calculés ?

# CHAPITRE II

## CONDITIONS ET CARACTÈRES
## DES CONQUÊTES DE CHARLEMAGNE

### Le règne des deux frères

Pépin mort et enterré à Saint-Denis, la Gaule est donc divisée en deux parties. Le royaume de Charles est disposé en un vaste arc de cercle qui enveloppe celui de Carloman. Il va de la Thuringe à la Gascogne en passant par la Frise et comprend l'Austrasie, berceau de la famille, et la Neustrie. Carloman a le reste, Massif Central, Languedoc, Provence, Bourgogne, région parisienne, sud de l'Austrasie, Alsace et Alémanie. Les deux capitales sont très proches l'une de l'autre puisqu'il s'agit de Noyon et de Soissons d'autre part. On a vainement recherché les raisons d'un tel partage : si le royaume de Carloman formait un bloc, il était en fait composé de régions assez disparates. Bien que Charles possède les pays les plus riches en fisc et abbayes, il lui était difficile de gouverner un royaume ainsi dessiné.

Les deux princes ne s'entendaient pas, tous les témoignages concordent sur ce point. Charles, l'aîné, avait vingt et un ans. Il était né, non pas en 742, comme on l'a trop longtemps dit, mais en 747, trois ans après le mariage de Pépin et de Bertrade. La bâtardise de Charlemagne est donc une légende dont il faut maintenant se débarrasser. Charles avait été très tôt intéressé par les affaires politiques, puisqu'en 753, il avait eu l'honneur d'aller au-devant du pape Étienne II et qu'il avait accompagné son père dans ses campagnes d'Aquitaine. De son éducation à la cour et de sa jeunesse, nous ne savons rien. Éginhard lui-même avoue tout ignorer. Carloman a dix-sept ans. Dès son avènement, il montre son hostilité à son frère aîné en refusant de l'aider à mater une révolte des Aquitains. En effet, dès la mort de Pépin III, un certain Hunald, peut-être fils de Wai-fre, se soulève contre les Francs. Charles, qui connaît bien le territoire aquitain, intervient seul, fonde une forteresse sur la Dordogne, le château des Francs, aujourd'hui Fronsac, poursuit Hunald jusqu'en Gascogne et oblige Loup, « duc des Wascons », à livrer le fugitif.

La mésentente des frères oblige leur mère, Bertrade, à intervenir dans la politique. Elle imagine de renforcer la puissance du royaume en réalisant une alliance d'une part avec le duc bavarois Tassilon III et d'autre part avec le roi des Lombards Didier.

Tassilon en 757 avait prêté serment de vassalité à Pépin, mais six ans après, il s'émancipa de cette tutelle. Ce jeune homme de vingt et un ans était désireux de faire de son royaume un État puissant. Il est aidé par les clercs, les évêques Virgile de Salzbourg et Arbeo de Freising, par les moines des abbayes de Mondsee, Nieder-Altaich, Kremsmünster, peuplées de moines irlandais et anglo-saxons. A l'imitation des princes francs, ses bureaux de Ratisbonne s'inspirent comme ceux de Pépin des méthodes de l'administration lombarde, sa cour accueille des lettrés et des artistes. Le calice qui porte son nom et celui de son épouse Liutberge, et qui est conservé à Krems-münster est le plus célèbre témoignage de cette activité artistique. Grâce à Bertrade et à l'abbé de Fulda, Sturm, d'origine bavaroise, grâce également à la papauté, Tassilon se rapproche de Charlemagne. En même temps que par son mariage avec une fille de Didier, roi des Lombards (cf. tableau V), il poursuit la politique traditionnelle des Bavarois, alliés des princes lombards.

Didier, roi des Lombards depuis 757, n'a pas renoncé à reprendre Ravenne et les territoires de saint Pierre. Pour cela, il intrigue dans les milieux romains peu favorables au faible Étienne III. C'est alors que Bertrade imagine de resserrer les liens entre les royaumes franc et lombard par des mariages, sa fille Gisèle est fiancée au fils de Didier et Charles est promis à Désirée, la fille du roi lombard. Bien que Charles ait eu à cette époque un fils de sa concubine Himiltrude, il accepte d'épouser en noces légitimes, Désirée, que sa mère va chercher en Italie.

Didier est alors à son apogée. Venu en pèlerin à Rome, il réussit à se débarrasser des conseillers du pape, le primicier Christophe et son fils Serge et à se faire passer pour le sauveur d'Étienne III. Le mariage de sa fille avec le duc de Bénévent lui permet de prendre pied dans le sud de la péninsule. Mais deux événements contrarient sa fortune, la mort d'Étienne III et celle de Carloman (janvier 772, décembre 771).

Carloman avait deux fils et sa femme Gerberge pouvait prétendre à gouverner au nom de ses enfants. Mais Charlemagne ne l'entend pas ainsi. Ayant rallié à sa cause une partie des fidèles de Carloman — entre autres son cousin Adalard, l'abbé Fulrad, le comte Warin — il annexe à son royaume les possessions de Carloman. Gerberge et ses enfants s'enfuient à la cour de Didier. D'autre part il rompt avec le roi des Lombards et, épris d'une jeune fille de treize ans, la future Hildegarde, il renvoie Désirée à son père, ce qui ne peut que réjouir le nouveau pape Hadrien Ier. Ces premières décisions indiquent assez que ce jeune prince de vingt-quatre ans est décidé à pratiquer une politique personnelle. Dans les premières guerres hors des frontières qui suivent de peu la mort de Carloman, se dessine bien vite la figure du conquérant.

## Conditions des conquêtes de Charlemagne

Seul maître de la Gaule, Charles occupe la plus grande partie de son règne à des guerres de conquête. Lorsqu'il meurt, son empire a une superficie de plus d'un million de kilomètres carrés, ce qui représente une grande partie de l'ancien Occident romain. Résumant les conquêtes de Charles et voulant caractériser la *dilatatio regni*, Éginhard écrivait : « Telles sont les guerres que ce roi tout-puissant au cours des quarante-sept années de son règne fit dans les diverses parties du monde avec autant de prudence que de bonheur. Aussi le royaume des Francs que son père Pépin lui avait transmis déjà vaste et fort sortit-il de ses mains glorieuses accru de près du double. Avant lui en effet ce royaume, abstraction faite du pays des Alamans et de celui des Bavarois, qui en formaient une dépendance, comprenait seulement la partie de la Gaule sise entre le Rhin, la Loire, l'Océan et la mer Baléare et la partie de la Germanie habitée par les Francs dits orientaux entre la Saxe, le Danube, le Rhin et la Saale qui sépare le pays des Thuringiens de celui des Sorabes. A la suite des guerres que nous venons de rappeler il y annexa l'Aquitaine, la Gascogne, toute la chaîne des Pyrénées et le pays jusqu'à l'Ebre... Il y ajouta toute l'Italie qui, d'Aoste jusqu'à la Calabre inférieure où se trouve la frontière entre les Grecs et les Bénéventins, s'étend sur une longueur de près d'un million de pas. Il y joignit encore les deux Pannonies, la Dacie, l'Istrie, la Liburnie, la Dalmatie... Enfin entre le Rhin, l'Océan, la Vistule et le Danube, il dompta et soumis au tribut tous les peuples barbares et sauvages de Germanie... » Le tableau est brillant mais ne rend pas bien compte des conditions dans lesquelles s'est réalisée la conquête.

En premier lieu, si Charles est perpétuellement en route dirigeant ses armées ou inspectant ses domaines, il n'a parcouru qu'une petite partie de l'Occident. La carte de ses itinéraires établie par les historiens allemands est à ce sujet éloquente. En dehors d'un séjour en Aquitaine et de quatre séjours en Italie, le terrain d'action du roi est la France du Nord, l'Austrasie, la Germanie. Charles n'est jamais allé ni dans les régions occidentales du royaume, ni en Bourgogne ni même dans le Lyonnais où pourtant l'archevêque Leidrade lui avait préparé une résidence. Ses résidences favorites se trouvent dans les régions de la Meuse, de la Moselle et du Rhin, terres de ses ancêtres: Francfort, Mayence, Worms, Thionville et surtout Herstal, sont, avant Aix-la-Chapelle, les palais où il demeure le plus volontiers. Le centre de gravité du royaume se déplace donc à l'est (Cf. carte V).

En second lieu, les conquêtes de Charlemagne se sont faites progressivement, sans plan préétabli. Par les événements qu'il créait le roi a été entraîné à entreprendre d'autres actions, et nous le dirons plus loin, n'a pas connu que des succès. Pour surmonter les crises, il a dû faire appel autant à la diplomatie qu'à la force des armes. Il sait reconnaître ses échecs, écouter ses amis, revenir sur telle décision trop brutale, exploiter la faiblesse de ses adversaires.

Pourtant, Charles est resté jusqu'à la fin fidèle à quelques principes directeurs. Il veut d'abord protéger le royaume que lui a légué son père. En conquérant la Saxe, il évite les incursions que ces païens effectuaient depuis des siècles en Hesse, en Thuringe et en Austrasie. Mais en occupant la Saxe, il doit alors se garantir des attaques des Slaves. Maître de la Bavière, il est ainsi amené à intervenir en Bohême ou dans la plaine danubienne contre les Avars qui, depuis le VIIe siècle, faisaient régner la terreur sur l'Europe centrale. Sa politique aquitaine le met en contact avec les princes musulmans et il établit entre eux et son royaume ce qu'on appelait la marche d'Espagne. D'autre part, le roi est un prince profondément croyant et conscient de sa responsabilité religieuse. Il doit protéger son royaume contre les attaques des païens, des Saxons ou des infidèles, les musulmans. La guerre prend alors l'allure d'une expédition religieuse autant que politique. Avant de partir combattre les Avars en 791, l'armée prie et jeûne pendant trois jours. Chacun doit s'abstenir de vin et de viande sauf les malades, les vieillards et les jeunes guerriers. Les clercs se promènent pieds nus en récitant leurs psaumes. Étrange tableau d'une armée à la veille du combat. Charles veut étendre le règne du Christ le plus loin possible et rétablir la Cité de Dieu. Patrice des Romains comme l'était son père, il doit protéger le pape, d'où son intervention en Italie lombarde.

Enfin, et c'est sans doute là le caractère prédominant de la conquête, Charles est un prince ambitieux et un guerrier. Il veut régner seul en Occident et doit donc abattre ses rivaux, les ducs de Bavière et le roi lombard. C'est un homme de guerre qui se plaît au combat, il ne peut rester inactif. Au printemps il convoque l'*ost* et se dirige vers un théâtre d'opérations. Ne pas partir à la guerre est noté par les chroniqueurs comme un fait exceptionnel. La guerre, « institution nationale des Francs », permet d'accroître les richesses, de les distribuer aux églises et aux fidèles. En 772 le trésor de l'Irminsul en Saxe, en 774, le trésor de Didier, en 795, celui des Avars ou encore le tribut exigé des Bénéventins et combien d'autres arrachés aux ennemis viennent grossir le trésor de la « chambre » du roi. Tant que durent les conquêtes, le roi est certain de tenir en main son aristocratie et assuré de son concours. Lui-même issu de cette aristocratie, il connaît les besoins, les désirs voire la cupidité des grandes familles carolingiennes.

## L'armée de Charlemagne

Les succès militaires de Charles dépendent de la force de son armée. On a beaucoup discuté sur ce point, soit pour s'étonner de la puissance militaire du roi, soit pour expliquer les difficultés de Charles par la précarité de ses forces guerrières. En principe, tous les Francs, c'est-à-dire tous les hommes libres, sauf les clercs, doivent le service militaire. Le comte convoque à l'*ost* les hommes de sa circonscription, les vassaux du roi, laïcs et ecclésiastiques, ceux qui vivent sur leurs bénéfices territoriaux. Bien souvent citée est la lettre que Charles écrivit à l'abbé Fulrad de Saint-Quentin et dont voici quelques extraits : « Sache que nous tiendrons notre plaid général cette année en Saxe orientale... Nous te prions de t'y rendre le 15 des calendes de janvier avec tout l'effectif de tes hommes bien armés et équipés... avec armes et outils nécessaires, vivres et habillement. Que chaque cavalier ait donc son bouclier, sa lance, son épée, son coutelas, son arc, son carquois garni de flèches. Qu'il y ait

dans vos chariots des outils à toutes fins... Le ravitaillement
sera prévu... pour la durée de trois mois à partir de la date du
rassemblement, les armes et l'équipement pour un semestre...
Aucune prestation ne doit être exigée, sauf le fourrage, le bois
et l'eau. » Les manquements à l'appel, et ils furent nombreux,
sont punis, soit qu'on refuse, soit qu'on prenne du retard, soit
qu'on déserte. Les coupables paient une lourde amende, l'héri-
ban, ou même en cas de désertion, sont tués. En fait Charles se
rend compte que convoquer annuellement tous les hommes
paralyse l'administration et désorganise la vie économique. Le
moment des campagnes militaires correspond à celui des travaux agricoles. Si les esclaves ne vont pas à la guerre, il faut
que les hommes libres puissent les diriger. Alors Charles imagina le système ingénieux des aidants et des partants. Il répartit la charge militaire selon la richesse en terres, en tenant
compte du nombre des tenures, les manses que possédait chaque homme libre : « Que tout homme libre qui possède quatre
manses en pleine exploitation et les ait en propre ou en bénéfice de quelqu'un, assume son équipement et se rende à l'*ost*,
soit avec son seigneur s'il y va aussi, soit avec le comte. Quiconque possède trois manses sera associé au possesseur d'un
manse qui l'aidera afin que celui-ci puisse assurer le service
pour les deux hommes. Celui qui ne possède qu'un manse
s'associera avec trois possesseurs d'un manse. Celui qui ira à
l'*ost* sera aidé par les trois autres, lesquels resteront chez eux. »

L'organisation de l'armée nous est connue par les capitulaires c'est-à-dire par des règlements dont il est difficile d'évaluer l'application. Les rappels à l'ordre, les menaces d'amendes
élevées prouvent que Charles eut bien du mal à se faire obéir.
Pour échapper au service, beaucoup d'hommes cherchent à rentrer dans le clergé. D'autres paient le comte ou l'abbé afin de
rester chez eux.

De quels effectifs disposait alors Charlemagne ? Il est difficile de répondre à la question et les chiffres avancés sont invéri-
fiables. Pour quelques historiens, Charles n'avait que cinq mille
hommes, ce qui expliquait les difficultés qu'il rencontra, surtout en Saxe. Pour d'autres qui tiennent compte du nombre des
fiscs, des évêchés et des abbayes dont dispose le royaume, le roi
pouvait grouper trente-six mille cavaliers, sans parler des fantassins et des auxiliaires qui représentaient en gros cent mille
hommes. En fait la force des armées de Charlemagne dépend
moins du nombre que de l'armement et de la stratégie. Un chef
de guerre peut réussir avec peu d'hommes à condition qu'ils
soient bien armés et qu'ils soient bien utilisés. L'élément principal de l'armée carolingienne est la cavalerie lourde qui pro-

gresse nous l'avons dit depuis le temps de Charles Martel. Les plus riches vassaux du roi qui possèdent des milliers de domaines peuvent équiper des cavaliers cuirassés, accumuler les armes de fer, les provisions, les vêtements. Parmi eux se distinguent les guerriers d'élite qui forment ce que l'on appelle une *scara*, capables d'exécuter de petites expéditions rapides et d'occuper des forteresses. Dans la conquête de la Saxe, les *scarae* ont joué un rôle déterminant. Les cavaliers apparaissent comme des « hommes de fer », redoutables. Dans un passage de sa chronique, passage qui a un ton d'épopée, Notker de Saint-Gall évoque l'arrivée de Charlemagne à Pavie : Didier et le duc Audgar installés en haut d'une tour voient les machines de guerre, puis les troupes des fantassins, puis la garde du roi, les abbés, les évêques, enfin le roi bardé de fer, portant brogne et jambières, portant lance et épée. Le soleil fait briller les armes dans les places et les champs : partout le fer, le fer qui ébranle la force des murs et le courage des jeunes, le fer qui abat l'expérience des anciens. Il est certain que dans une civilisation où domine le bois, celui qui possède le fer l'emporte sur les autres. Donc l'épée franque est réputée pour son efficacité au combat, si bien que les peuples étrangers cherchent à la posséder et que Charles doit lutter contre les contrebandes d'armes dans les pays scandinaves ou chez les Slaves. Dès 779, Charles interdit l'exportation de la brogne, chemise de cuir recouverte d'écailles de métal ; elle seule coûte autant que quatre juments ou six vaches. A côté de la cavalerie lourde, d'autres cavaliers portant bouclier, lance, épée et la grande masse des fantassins jouent un rôle important mais certainement secondaire.

Le succès des opérations militaires dépendait de la rapidité de la mobilisation et de la concentration des troupes. Charles fait convoquer le nombre de guerriers nécessaires dans les pays voisins du théâtre de guerre. Il a suffisamment d'hommes pour les répartir en plusieurs armées qui convergent sur l'ennemi et qui réussissent à l'encercler. Charles veille à ce que les routes et les chemins soient bien entretenus et que les passages des fleuves soient assurés. La construction d'un pont de bois sur le Rhin à Mayence fut une des grandes entreprises du règne. Éginhard la célèbre, le moine de Saint-Gall en parle comme d'une entreprise qui intéresse toute l'Europe. Malheureusement le pont brûla en 813 et Charles n'eut pas le temps de le reconstruire en pierre comme il le projetait. Il imagina d'autre part un autre grand ouvrage d'art qui étonna par son ambition, un canal entre Rhin et Danube ou plus précisément entre les affluents de ces deux fleuves. Le chroniqueur officiel écrit : « Comme des gens qui se disaient compétents l'avaient persuadé que si on traçait entre la Regnitz et l'Altmühl un canal susceptible de porter des bateaux, on pourrait le plus commodément du monde naviguer depuis le Danube jusque dans le Rhin, car l'un de ces fleuves se mêle au Danube et l'autre au Main. Il se rendit immédiatement sur les lieux avec toute sa suite, ayant réuni une grande multitude, il passa toute la saison d'automne à y travailler. De fait on creusa entre lesdits fleuves un fossé de deux mille pas de long et de trois cents pieds de large mais sans résultat. Car en raison des pluies persistantes le terrain qui était marécageux et naturellement gorgé d'eau, ne put être stabilisé par l'ouvrage en cours. Quelle que fût la quantité de terre que les terrassiers avaient enlevée pendant le jour, il en revenait autant durant la nuit par glissement du sol réintégrant son ancien lit. » Ce canal fut donc entrepris en 793 au moment de la guerre contre les Avars, il ne put être mené à bien. Les archéologues en ont retrouvé des traces près des villages de Dethenheim et de Graben dans une région appelée *Fossa carolina*.

Ces quelques remarques montrent assez l'effort considérable que Charles demanda aux populations de son royaume pour réaliser ses conquêtes, mais également les difficultés qu'il eut à surmonter. Un rappel des étapes de la création de l'Empire carolingien est maintenant nécessaire pour comprendre l'œuvre du conquérant.

## Les étapes des conquêtes

Une première période, nous l'avons vu, qui va de 768 à 771 est occupée par des expéditions limitées au royaume, spécialement en Aquitaine. A partir de 772, après la mort de Carloman, le roi commence une politique conquérante. Ayant rompu avec l'alliance lombarde préconisée par sa mère, il décide de répondre à l'appel du nouveau pape Hadrien et de conquérir le royaume lombard. L'expédition se fait sans difficultés : Didier se rend, Charles devient roi des Lombards. De plus, pendant le siège de Pavie, il va en pèlerin à Rome et confirme la donation que son père avait faite à saint Pierre vingt ans auparavant.

Le deuxième terrain d'opérations est la Saxe. Charles commence la conquête en 772 et obtient la soumission des Saxons, nous verrons plus loin dans quelles conditions. En 777, dans sa nouvelle résidence de Paderborn, il reçoit les chefs des Saxons et espère leur conversion. C'est à Paderborn qu'il rencontre un chef musulman venant lui demander d'intervenir en Espagne du Nord. L'expédition de Saragosse tourne court, au retour l'arrière-garde de Charles est massacrée par les Basques à Roncevaux. L'année 778 est donc une année de difficultés pour Charles. L'affaire de Roncevaux durement ressentie s'accompagne d'une révolte des Saxons à l'appel du chef Widukind et, en Italie, de l'agitation du duc de Bénévent Arichis qui cherche à agrandir son duché aux dépens de l'État pontifical.

Après la crise de 778, Charles se reprend. En 779 à Herstal, Charles promulgue un capitulaire que l'historien Ganshof considère comme l'un des plus importants actes législatifs du règne. Le roi, reprenant les dispositions de son père Pépin, se préoccupe de faire régner l'ordre dans l'Église, dans l'État et de renforcer le pouvoir royal. Charles alors règle les problèmes en suspens, d'abord celui de l'Italie. Un deuxième pèlerinage à Rome lui donne l'occasion de faire proclamer son fils Pépin, roi d'Italie (781). Ainsi, non seulement l'ancien royaume lombard, mais une grande partie de l'Italie est-elle soumise à la loi carolingienne. Le pape Hadrien ne peut qu'accepter d'être le représentant de Charles dans l'Italie péninsulaire. Dans le sud, après la mort d'Arichis (787), Charles installe le fils aîné du duc défunt et l'oblige à se soumettre aux fonctionnaires carolingiens. Enfin l'Istrie, qui était terre byzantine, est conquise et annexée au royaume lombard.

Charles, pendant cette même période, en finit avec les palinodies de son cousin Tassilon, duc de Bavière. En 787 le duc renouvelle ses serments de fidélité, mais comme il ne les observe pas, son duché est supprimé. La Bavière est confiée au beau-frère de Charles, le préfet Gérold. Du côté de la Saxe, ces années sont décisives. Le roi fait plusieurs campagnes qui le mènent jusqu'à l'Elbe. Pour en finir avec les révoltes perpétuelles des Saxons, il inaugure une politique de terreur : massacres de Saxons, promulgation d'un capitulaire qui met les Saxons devant l'alternative : la soumission et la conversion ou la mort. En même temps, la Frise est soumise et christianisée. Enfin pour protéger le royaume aquitain confié à son fils Louis depuis 781, Charles s'empare de quelques places outre-Pyrénées et jette les bases de ce qui deviendra la Marche d'Espagne.

Cette période décisive s'achève par une nouvelle crise peut-être plus grave que celle de 778. Les musulmans franchissent les Pyrénées et pénètrent jusqu'à la rivière de l'Orbieu où ils battent les troupes franques (793). Le Bénévent se révolte et oblige Pépin à intervenir. Les Saxons se révoltent également contre les prêtres et les fonctionnaires alors que Charles se préparait à lutter contre le peuple avar. Bien plus, à l'intérieur, quelques membres de l'aristocratie franque groupés autour de

Pépin le Bossu, bâtard de Charlemagne, fomentent un complot contre le roi. Les intempéries provoquent une cruelle famine dans tout le royaume.

Charles à quarante-six ans doit une nouvelle fois réagir contre l'adversité. Il prend des décisions importantes qui vont le conduire au couronnement impérial de 800. En 794, il réunit un synode à Francfort qui, comme l'assemblée d'Herstal de 779, organise la vie de l'Église et de l'État. Non seulement Charles apparaît comme le chef de l'Église franque en prenant position sur la question de l'hérésie adoptianiste et des images, il rétablit l'ordre dans l'Église séculière et régulière mais il prend des dispositions de caractère économique et monétaire. La même année, il s'installe définitivement à Aix. Des événements imprévisibles favorisent la politique de Charles : la mort du pape Hadrien en 795 et son remplacement par le faible Léon III et la révolution de palais en 798 à Byzance. La marche vers l'Empire est amorcée. En 800, lors de son nouveau voyage à Rome, Charles reçoit de Léon III la couronne impériale. Pendant cette période le roi fait encore quelques expéditions. La Saxe est conquise définitivement après plusieurs campagnes ; en 796, une grande expédition est organisée contre les Avars qui se termine par la conquête du *Ring* et la prise du trésor des Avars ; en Espagne, la Marche est renforcée et en 801, après un siège de deux ans, Barcelone capitule.

Pendant la dernière période du règne, de 800 à 814, le temps des grandes conquêtes est passé. L'empereur vieillit à Aix, sans pourtant rester inactif. Il se préoccupe de défendre son Empire contre les attaques de nouveaux adversaires : les Slaves au-delà de l'Elbe et en Bohême, les Danois qui ravagent la Frise et contre lesquels il organise une flotte, au sud, les pirates sarrasins qui débarquent en Corse et en Sardaigne. Il s'efforce de faire régner l'ordre à l'intérieur sans toujours y parvenir. Car s'il est exagéré de parler comme le fait F.L. Ganshof de « décomposition » pour caractériser la fin du règne de Charles, il est certain que l'empereur a bien du mal à faire fonctionner tous les rouages de son administration comme le montrent les capitulaires de l'époque. Charles généralise les missions des *missi dominici*, ces « envoyés du maître », qui doivent faire respecter la loi. Il convoque en 813 cinq conciles réformateurs à Mayence, Tours, Reims, Chalon et Arles. En 806, reprenant la tradition des rois francs, il prévoit le partage de son Empire entre ses trois fils, Pépin, Charles et Louis. Mais les deux premiers étant morts, Louis est associé à l'Empire en 813 et il est couronné par son père à Aix-la-Chapelle. Le 28 janvier 814, Charles meurt après un règne de quarante-sept ans, le plus long de tous les règnes des souverains carolingiens. Telles sont les étapes de l'œuvre de Charlemagne qui aboutissait à créer l'esquisse de l'Europe médiévale. Mais peut-on vraiment comprendre le rôle de Charles dans la création de cette Europe sans préciser région par région la politique du roi conquérant ?

# CHAPITRE III
## LES CONQUÊTES DE CHARLEMAGNE

### *L'Italie*

L'alliance entre Francs et papauté a sauvé Rome sans régler le destin de l'Italie. Didier, roi des Lombards, règne depuis 756 sur la plaine septentionale. D'autres princes lombards sont maîtres des duchés de Spolète et de Bénévent et sont quasiment indépendants. Les papes ont obtenu de Pépin des terres autrefois byzantines, mais la donation à saint Pierre reste plus théorique que réelle. Ils n'ont pas réussi à se faire remettre les villes promises et ils ont vu avec effroi le rapprochement entre Francs et Lombards préconisé par la reine Bertrade et momentanément scellé par le mariage entre Charles et Désirée. Dans le sud, le duché de Bénévent est depuis 758 dirigé par le duc Arichis, gendre de Didier. Ce prince remarquable a été loué par Paul Diacre pour sa piété, sa culture, les réalisations architecturales de son règne. Le duc est riche, son administration est perfectionnée, il entretient de bonnes relations avec les grandes abbayes situées dans son duché, Saint-Vincent du Volturne et le Mont-Cassin. Enfin les Byzantins possèdent toujours quelques places sur la côte, Gaète, Terracine, Naples, Amalfi et au sud la terre d'Otrante et la Calabre soumises à l'autorité du patrice de Sicile.

Deux événements consécutifs vont mettre fin à une situation dangereuse pour la papauté : la mort de Carloman (déc. 771) et l'avènement d'un nouveau pape Hadrien (janv. 772). Charles, seul maître de la Gaule, a renvoyé Désirée à son père. Il sait que la veuve de Carloman et ses deux fils ont trouvé refuge dans le royaume lombard et l'on dit même que Didier cherche à faire sacrer roi le fils de Carloman. Ainsi Didier apparaît un homme dangereux pour le roi des Francs. De son côté, Hadrien envoie par la mer (les cluses des Alpes sont bloquées) une ambassade pour rappeler que Charles est patrice des Romains et protecteur de la papauté. Le roi franc, se rendant compte que toute négociation avec Didier est impossible, décide d'agir malgré l'opposition de quelques aristocrates francs toujours favorables à l'alliance lombarde.

La conquête risquait d'être difficile car l'armée lombarde était redoutable. Deux armées franques sont dirigées outre-monts et réussissent à enfermer Didier dans sa capitale, Pavie. Le siège commence, il devait durer près de dix-neuf mois. Adalgis, fils de Didier, et la famille de Carloman se réfugient à Vérone : Charles s'empare de la ville, de Gerberge et de ses enfants et accepte la soumission du duc Audgar.

Tout en laissant son armée assiéger Pavie, Charles décide d'aller en pèlerinage à Rome pour les fêtes de Pâques de 774. C'est là un événement sans précédent : c'est la première fois qu'un roi franc vient à Rome. Ce roi pèlerin arrive avec ses évêques, ses abbés, ses comtes et son armée. On peut imaginer l'émotion de Charles arrivant vers Rome, vers la terre de saint Pierre, le chef des apôtres dont le culte s'est répandu dans tout l'Occident. Pour sa part, le pape Hadrien s'inquiète de voir arriver Charles. Car depuis quelque temps il pratique une politique qui a réussi à réunir le duché de Rome et celui de Spolète. Tout en reprenant le cérémonial de l'entrée des exarques ou patrices byzantins, le pape prend des précautions et exige de Charles un serment pour l'admettre à l'intérieur de la Ville. Après les fêtes pascales, Charles repart vers Pavie. Lors d'une dernière entrevue avec Hadrien, lecture est donnée de la donation que Pépin avait faite à saint Pierre vingt ans auparavant.

Le *Liber pontificalis* nous rapporte l'événement : « Les stipulations qui s'y trouvaient annexées furent approuvées par le roi et par tous ses fonctionnaires, puis de sa propre volonté, librement, spontanément, Charles, roi très chrétien des Francs, fit rédiger par Itier, son chapelain et notaire, une autre promesse de donation à l'instar de la précédente ; il y concédait au bienheureux Pierre et promettait au pape les mêmes cités et les mêmes territoires englobés dans la même ligne frontière qui était mentionnée dans ladite donation. » On précise alors la frontière qui sépare le futur État pontifical du royaume lombard : partant de Luna près de La Spezia, elle englobe Parme, Mantoue, l'exarchat de Ravenne, la Vénétie et l'Istrie. La Corse, les duchés de Spolète et de Bénévent sont énumérés dans la nouvelle promesse. On a pu s'étonner de la générosité de

Charles et l'on a remarqué que seules les sources pontificales mentionnaient son engagement. Et c'est bien là la source du malentendu entre Charles et Hadrien. Le roi, pressé de retourner à Pavie, ému par les prières du pape, intimidé par l'entourage pontifical et la grandeur de Rome, sous le coup de l'émotion de son pèlerinage, a sans doute fait une promesse très vague. Le pape, de son côté, a obtenu confirmation d'une donation à laquelle il tient. Cet aristocrate romain ne se sent pas seulement successeur de saint Pierre mais il a l'étoffe d'un chef d'État et veut soumettre à son autorité une grande partie de l'Italie péninsulaire. Le voyage de Rome se termine ainsi dans l'ambiguïté.

A Pavie, Didier ne peut plus résister et en juin il se rend au vainqueur. Charles alors n'hésite pas, il entre dans la ville, s'installe au palais, distribue le trésor à ses hommes et le 5 juin 774 décide de prendre la place du roi des Lombards en se faisant appeler roi des Francs et des Lombards. Pour être certain que Didier ne songera pas à une revanche, il le fait enfermer comme moine à Corbie. Sans coup férir, la royauté qui depuis deux siècles avait régné sur l'Italie est transmise à un nouveau prince. Les contemporains sont étonnés par la facilité de la victoire et par la générosité du vainqueur qui, « alors qu'il aurait pu tout détruire, se montra clément et indulgent, laissa aux Lombards leurs lois et pardonna à ceux qui avaient trahi ».

Pourtant tous les Italiens n'ont pas accepté de tomber sous la domination soit du roi soit du pape. L'archevêque de Ravenne rêve de se tailler une principauté à l'imitation de celle de Rome ; il s'empare de plusieurs villes, du duché de Ferrare, de Bobbio. Le duc de Frioul, Rodgaud, en qui Charles avait confiance, se révolte et rêve de reprendre la couronne lombarde à son profit. Le fils de Didier, Adalgis, qui s'était échappé à Constantinople, rallie des Lombards et semble s'entendre avec Arichis de Bénévent, Hildebrand de Spolète et même les Grecs du Sud italien. Le pape souhaite rencontrer à nouveau le roi franc afin que la promesse de 774 puisse être suivie d'effets. Pourtant Charles se contente d'une intervention rapide en Frioul au printemps 776, peut-être même en Istrie qui, en principe, avait été promise au pape.

Ce n'est qu'en 780, que Charles accompagné de la reine Hildegarde, de sa fille Gisèle, de ses fils Carloman et Louis décide d'aller célébrer les fêtes de Pâques à Rome. Le voyage cette fois n'est pas un simple pèlerinage ; il a un autre but. Le jour de Pâques, Charles fait baptiser son fils Carloman par le pape.

L'enfant, âgé de quatre ans, prend alors le nom de son grand-père Pépin. Puis le pape, à la demande du roi, sacre Pépin roi d'Italie, tandis que Louis est sacré roi d'Aquitaine. Un pas de plus est franchi, Pépin n'est pas seulement roi des Lombards mais roi d'Italie. Charles l'installe à Pavie, avec auprès de lui, son cousin Adalard et des fonctionnaires francs. Le jeune roi a sa cour, son personnel administratif, sa diplomatie, il promulgue des capitulaires ; mais en fait, il est vice-roi et n'agit que par délégation de son père. Des comtes et des soldats francs sont installés dans les villes, les abbayes d'outre-monts reçoivent des terres en Italie. Ainsi commence cette implantation franque que E. Hlawitschka a si bien étudiée.

Dans ce royaume d'Italie l'État pontifical, ou ce qu'on appelle la République de Saint-Pierre, est en principe indépendant, mais les fonctionnaires carolingiens ne se gênent pas pour intervenir. Le pape multiplie les réclamations, proteste contre les empiétements des représentants du roi, se plaint que les fonctionnaires romains en appellent à Charles, mais ne peut rien contre ce protecteur envahissant. Charles, patrice des Romains et surtout héritier des rois lombards, veut réaliser l'unité de l'Italie à son profit.

Cette politique bien déterminée le conduit même à intervenir dans la partie méridionale de la péninsule, dans le duché de Bénévent. Arichis, qui s'est proclamé prince des Lombards après la chute de Didier, est un adversaire de taille ; il compte sur son prestige, sa richesse, son alliance avec Byzance. Charles ne brusque pas les choses, profite des événements de Byzance pour intervenir. En effet, depuis septembre 780, l'impératrice Irène règne au nom de son fils Constantin VI. Cette femme intelligente et ambitieuse rompt avec la politique iconoclaste de ses prédécesseurs et cherche à se rapprocher de l'Occident. Elle envisage même un mariage entre son fils et Rotrude, fille de Charlemagne, ce qui ne peut que plaire au roi des Francs désireux d'unir sa famille à l'illustre maison de Constantinople. Arichis ne peut plus compter sur Byzance et lorsqu'en 787, Charles vient à nouveau à Rome, il tente d'empêcher l'invasion du Bénévent. Peine perdue, Charles prend la route du sud, s'arrête au Mont-Cassin, puis pénètre à Capoue. Arichis doit se soumettre et promettre de payer tous les ans sept mille sous d'or au roi franc. Mais à peine Charles retourne-t-il en France, qu'Arichis, oubliant son serment, cherche à se libérer de la tutelle franque. Il renoue avec la versatile Irène qui lui promet le titre de patrice. La mort empêche ce projet d'aboutir, mais la veuve d'Arichis, Adelperge, qui veut venger son père Didier, maintient l'alliance. Charles malgré les objurgations d'Hadrien préfère la négociation à la force. Il accepte que Grimoald, le fils cadet d'Arichis, devienne duc de Bénévent à condition qu'il inscrive le nom du roi franc dans ses diplômes et sur sa monnaie et qu'en signe de soumission... les Lombards se rasent le menton à la manière franque. Grimoald accepte et le duché de Bénévent qui, en principe, aurait dû revenir au pape, devient un État tampon entre l'Italie carolingienne et le monde byzantin. Pour montrer à Byzance qu'il tient à rester maître de la situation, Charles annexe l'Istrie, possession byzantine au flanc de l'Italie lombarde. Le duc Jean remplace l'*hypatos* byzantin. Et seule Venise reste fidèle à l'Empire byzantin.

Ainsi Charles est-il maître d'une grande partie de l'Italie. Après des siècles d'anarchie, la péninsule est réunifiée et rattachée à l'ensemble franc. C'est un événement d'une grande importance non seulement pour la vie politique de l'Europe mais pour la civilisation européenne.

## Charles et la Germanie

### Annexion de la Bavière

Lorsque Charles devient roi, une partie de la Germanie fait partie du royaume. La Thuringe, la Hesse, l'Alémanie, les pays rhénans sont incorporés et christianisés. Les liens entre les familles austrasiennes de ces régions et celles de l'Austrasie sont tels que Charles à aucun moment n'eut à redouter de révolte.

Au sud, au contraire, le duché de Bavière qui forme un quadrilatère compris en gros entre le Danube, l'Enns et le Lech, est quasiment indépendant. Sans doute le duc Tassilon III avait-il accepté en 757 d'être le vassal de son oncle Pépin, mais il reprend vite son indépendance et est bien décidé à échapper à la tutelle franque. L'héritier des Agilolfing qui ont fait la gloire du duché peut compter sur l'appui des monastères qui disposent d'immenses domaines. Il pratique même une politique annexioniste en envoyant des missionnaires en Carinthie, pays slave parcouru par la Drave et la Save. Les Slovènes menacés par les Avars deviennent les protégés des Bavarois. Après la rupture entre Charles et les Lombards, Tassilon a la sagesse de ne pas intervenir pour secourir son beau-père Didier, ce dont Charlemagne dut lui savoir gré. Mais Charles se méfie de son cousin et voit en lui un rival dangereux. Peut-être même est-il jaloux de ce prince qui a réussi à faire de sa cour de Ratisbonne un centre prestigieux de culture et de civilisation.

La position de Tassilon n'est pas aussi solide qu'il y paraît ; en effet, depuis l'annexion de l'Italie lombarde et celle du Frioul, Charles encercle le duché. En 781, le roi franc demande au duc de renouveler les serments faits jadis à Pépin. Le duc accepte de venir à Worms à condition qu'on lui remette des otages « qui lui permettraient de ne point craindre pour sa sécurité ». Cette méfiance n'est pas de bon augure pour les relations futures. En 787, sentant venir l'orage, Tassilon tente de faire intervenir la papauté qui, depuis toujours, était favorable à la catholique Bavière. Mais cette fois, Hadrien prend le parti de Charles et déclare à l'ambassade que « si le duc opposait aux paroles du Souverain Pontife un cœur endurci, Charles et son armée seraient absous de tout péché et déclarés innocents des incendies, homicides et méfaits de diverses natures qu'ils pourraient accomplir au détriment de Tassilon et de ses complices ». Charles, ayant les mains libres, convoque Tassilon à Worms et, devant le refus de ce dernier, décide une expédition. Trois armées venues par le Lech, le Danube et le Tyrol ont vite raison du duc bavarois. Le 3 octobre 787 au Lechfeld près d'Augsbourg, Tassilon renouvelle l'hommage qu'il avait prêté à Pépin. Pourtant, revenu à Ratisbonne, le duc sous l'instigation de sa femme, la Lombarde Liutberge, reprend ses intrigues et négocie même avec les Avars. Le parti bavarois, dévoué à Charles, avertit le roi qui cette fois convoque le vassal rebelle à Ingelheim pour le juger. Tassilon, abandonné des siens, reconnaît sa trahison et avoue tout ce qu'on veut lui faire avouer. Il est donc condamné à la peine capitale (788). Mais peut-on faire périr un membre de la famille royale ? Le roi accorde sa grâce et oblige Tassilon à faire pénitence dans le monastère de Jumièges. Sa femme et ses enfants sont également relégués dans différents monastères du royaume.

Charles s'installe alors à Ratisbonne, exile les chefs bavarois hostiles, supprime la fonction de duc et fait administrer le pays par des comtes. Son beau-frère, l'Alaman Gérold, est chargé de l'administration militaire avec le titre de *praefectus* (*cf. tableau V*). Quelques années après, pour éviter toute nouvelle résistance, Charles fait venir Tassilon au concile de Francfort de 794 et l'oblige à renoncer officiellement à tout pouvoir. Ainsi cet ancien duché et son annexe la Carinthie sont rattachés au royaume franc. Charles est maître de la vallée du Danube et des défilés des Alpes du Sud. Ratisbonne devient une des capitales carolingiennes et son abbaye Saint-Emmeran un grand centre religieux. L'évêque de Salzbourg Arn obtient en 798 le titre d'archevêque avec autorité sur les évêchés de Freising, Passau, Ratisbonne, Säben. Les abbayes qui avaient été long-temps le soutien du duc sont données à des évêques francs, Mondsee à Hildebald de Cologne, Chiemsee à Angilram de Metz. La Bavière est annexée mais ce pays garde dans l'ensem-ble franc un caractère original. Pendant toute leur histoire, les Bavarois se souviendront de ces vingt-quatre ans d'autonomie que les Agilolfing leur ont donnés.

## Conquête de la Saxe

Au-delà du Rhin, passée la zone franque de cinquante kilo-mètres, s'étend le pays des Saxons. Cette région qui correspond à la Basse-Saxe actuelle va depuis l'Ems jusqu'à l'Elbe et la Saale et de la mer du Nord aux hauteurs du Harz. Le pays recouvert de moraines glacières, de nappes sablonneuses et de tourbières, est parcouru par de nombreuses rivières et couvert de forêts. Les peuplades, d'origine maritime et maintenant ter-rienne, s'adonnent à l'agriculture et à l'élevage des chevaux et des bovins. L'historien allemand Martin Lintzel a essayé d'étu-dier l'organisation politique des Saxons en s'appuyant sur des textes législatifs et des chroniques postérieures, celle de Widu-kind, sans pourtant arriver à un résultat certain. On sait du moins que les tribus dispersées s'étaient regroupées au début du VIIIᵉ siècle en trois grands peuples, les Westphaliens du Rhin à la Weser, les Angariens à l'est de ce fleuve et les Ostpha-liens dans le Harz. Dans les plaines du nord au sud de l'Elbe, nous trouvons les Saxons de Wihmodie et de Nordalbingie. La répartition sociale de la Saxe est tripartite : une aristocratie qui tient les châteaux et les enceintes fortifiées, une masse d'hommes libres, les Laz, à mi-chemin entre l'état d'affranchis et d'esclaves. L'existence d'une assemblée annuelle du peuple saxon, à Marklô sur la Weser, évoquée par la *Vie* tardive de saint Lebin, est sans doute légendaire. Les auteurs carolin-giens, Eginhard en particulier, insistent sur le paganisme farouche des Saxons. Non loin de la Weser, près du *castrum* d'Heresburg, s'élève un tronc en forme de colonne censé soute-nir la voûte céleste, l'Irminsul. Les Saxons enterrent là des tré-sors d'or et d'argent et s'adonnent à des sacrifices sanglants. Mais leur haine des Francs est peut-être autant politique que religieuse. Depuis le VIIᵉ siècle, les Saxons, qui avaient aidé les Francs à conquérir la Thuringe, n'acceptent pas d'être tribu-taires des Francs et d'être refoulés vers la Bode. Ils cherchent à progresser le long de la route traditionnelle depuis l'Antiquité,

le Hellweg, qui suit la Lippe vers le Rhin et se heurtent périodiquement aux Francs qui défendent l'Austrasie et la Hesse.

Dès 772, Charlemagne veut en finir avec ces rebelles, il
s'empare des forteresses de Syburg sur la Ruhr et d'Heresburg
sur la Diemel puis il pille l'Irminsul et renverse les idoles. Les
Saxons répondent en dévastant la Hesse et en transformant la
basilique de Fritzlar en écurie pour leurs chevaux. De retour
d'Italie en 774, Charles engage une nouvelle campagne et pendant l'été 775, il décide non seulement de combattre les Saxons,
« race perfide et infidèle », mais de les convertir, ce qui était un
moyen de les pacifier. Il reprend Syburg et Heresburg, y crée
des églises et par la Diemel, il atteint la Weser. En 776, nouvelle
expédition. La terreur est telle qu'une grande partie des Saxons
arrive aux sources de la Lippe, remettent des otages et demandent le baptême. Alors Charles organise une marche le long de
la Lippe pour défendre la Hesse et installe son quartier général
à *Padrabrunnen* qui devient Paderborn, dans une région de
forêts et de sources, non loin de l'endroit où Arminius avait
détruit l'armée d'Auguste en l'an IX après J.-C. Lors de la
grande assemblée de Paderborn pendant l'été 777, il confie à
l'abbé de Fulda, Sturm, disciple de Boniface, le soin d'organiser une mission chez les Saxons. Ainsi se terminait avec succès
la première campagne de Saxe *(Cf. carte VI)*.

Pourtant les Saxons profitent des difficultés de l'année 778
pour reprendre leurs expéditions. A l'appel du chef westphalien
Widukind, toute la Saxe se soulève contre les Francs. Ils avancent vers le Rhin et vont même piller Fulda. Jusqu'en 782,
Charles multiplie les expéditions, traverse tout le pays jusqu'à
l'Elbe, installe des missionnaires et des comtes pour pacifier le
pays. L'Anglo-Saxon Willihad fonde une Église en Wihmodie et
Liudger, disciple de Grégoire d'Utrecht, en Frise du Nord. En
782, à l'assemblée de Lippspringe, Charles organise sa conquête
et confie des charges de comte à quelques aristocrates saxons.
Pourtant Widukind, réfugié chez les Danois, prépare sa
revanche. Les jeunes Églises sont détruites et Willihad et Liudger doivent partir en Italie. Bien plus, l'armée franque est sur-
prise dans le massif du Süntelgebirge et ses chefs, le chambrier
Adalgise, le connétable Geilon, quatre comtes et vingt officiers
sont massacrés. Ce désastre connut un grand retentissement
dans tout le royaume. La riposte de Charles est bien connue :
arrivé au confluent de la Weser et de l'Aller à Verden, il se fait
livrer quatre mille cinq cents Saxons et les fait décapiter.
Ce massacre est comme une préface au capitulaire « terro-

riste » qui suivit en 785. Pour Charles, la meilleure façon de soumettre les Saxons est de les christianiser par la force. Ainsi la
*Capitulatio de partibus Saxoniae* de 785 déclare :

« Quiconque entrera par la violence dans une église, et de
force et par vol en enlèvera quelque objet ou bien incendiera
l'édifice, sera mis à mort.

« Quiconque par mépris pour le christianisme refusera de
respecter le saint jeûne de Carême et mangera alors de la chair,
sera mis à mort.

« Quiconque tuera un évêque, un prêtre ou un diacre, sera
mis à mort.

« Quiconque livrera aux flammes le corps d'un défunt suivant le rite païen et réduira ses os en cendres, sera mis à mort.

« Tout Saxon non baptisé qui cherchera à se dissimuler
parmi ses compatriotes et refusera de se faire administrer le
baptême, sera mis à mort.

« Quiconque manquera à la fidélité qu'il doit au roi sera
mis à mort. » Etc.

Charles veut en finir, multiplie les expéditions, hiverne
même en 784 à Heresburg où il fait venir sa femme et ses fils, et
obtient enfin la soumission de Widukind. Ce dernier accepte de
recevoir le baptême à Attigny, prenant son vainqueur pour parrain.

La Saxe est soumise et tous s'en réjouissent. Dans une lettre, Alcuin écrit que la paix règne en Europe grâce à la conversion des Saxons et des Frisons. Le pape Hadrien félicite
Charles « d'avoir avec le secours du Seigneur et l'intervention
de Pierre et de Paul, princes des Apôtres, fait plier sous sa puissance le cœur des Saxons et conduit toute leur nation à la
source sacrée du baptême ». Il ordonne que les 23, 26 et 28 juin
un *triduum* soit célébré dans tous les territoires où habite le
peuple chrétien y compris ceux qui se trouvent au-delà de la
mer. On n'oublie pas l'Angleterre anglo-saxonne. C'était pourtant se faire illusion. La christianisation forcée n'eut aucun
résultat souhaité, les Saxons baptisés retournèrent à leurs pratiques anciennes. De plus, les prêtres envoyés sont trop peu
nombreux ou mal formés. On impose aux Saxons la dîme alors
qu'il faudrait leur enseigner les rudiments de la foi. Alcuin,
dans une lettre fameuse, écrit : « Ah ! si l'on avait prêché au peuple le joug léger du Christ et son suave fardeau avec autant de
chaleur qu'on a exigé le paiement des dîmes et puni les plus
petites fautes peut-être ne se serait-il pas dérobé au serment du
baptême... Est-ce que les Apôtres que le Christ avait enseignés
et envoyés prêcher à travers le monde levaient des dîmes et
demandaient des cadeaux ? Certes, la dîme est une bonne

chose, mais il faut mieux la perdre que de perdre la foi. » Et plus loin il s'en prend à ceux « qui ne sont pas des prédicateurs mais des déprédateurs ». Après avoir vécu sous le régime de la terreur, les Saxons se révoltent de nouveau, en profitant de la crise de 793.

Une troisième période de conquêtes commence. Alors que Charles se prépare à lutter contre les Avars, on apprend que toute la Saxe a fait défection : « Comme le chien qui retourne à son vomissement, les Saxons retournèrent au paganisme mentant et à Dieu et à leur Seigneur le roi qui les avait pourtant comblés de bénéfices et entraînant avec eux les peuples païens d'alentour... Toutes les églises qui se trouvaient sur leur territoire furent détruites ou incendiées ; ils rejetèrent leurs évêques et leurs prêtres, se saisirent même de quelques-uns d'entre eux, en tuèrent d'autres et se replongèrent dans le culte des idoles. »

Pendant cinq ans, de 794 à 799, la guerre reprend avec encore plus d'ardeur que les précédentes : dévastations, remises d'otages de plus en plus nombreux, tout l'ordre franc s'impose avec brutalité. En 797, Charles hiverne dans un camp qu'il aménage et auquel il donne le nom de Herstel peut-être en souvenir de sa résidence d'Herstal. Toute la cour royale est réunie ; on s'adonne au plaisir de la chasse, on reçoit les ambassades avare et wisigothe, on se prépare à de nouvelles attaques. Pour soumettre les Saxons du nord en Wihmodie et en Nordalbingie, Charles imagine d'arracher les populations à leur sol natal et de les déporter en Francie. Les terres sont distribuées aux fidèles du roi, évêques, prêtres, comtes et autres vassaux.

Charlemagne se rend compte pourtant que ces mesures extrêmes doivent s'accompagner d'une organisation politique du pays. Il installe des fidèles saxons dans des comtés qu'il crée et, en octobre 797, il promulgue le *Capitulaire saxon* qui remplace celui de 785. Des amendes et non plus la peine de mort, punissent les rapts, les incendies et la violence. Les coutumes juridiques des Saxons sont mises par écrit et forment la *loi des Saxons* qui resta pendant longtemps le code officiel du pays. Mais si les Saxons ont un droit privé particulier, ils sont rattachés politiquement au reste du royaume. Comme le dit Eginhard avec un peu d'optimisme : « Unis aux Francs, les Saxons forment désormais un seul peuple. »

Ainsi se termine cette première « guerre de Trente Ans » que certains considèrent comme une des gloires du roi conquérant et d'autres comme une des pages les plus noires de son histoire. Les historiens nazis, qui accusaient Charles d'avoir christianisé de force les Saxons, ont encore de nos jours des héritiers et Widukind dont la légende s'est emparée apparaît comme le héros national du germanisme. Quoi qu'il en soit, par sa brutalité et par sa ténacité, Charles a réussi ce que les armées romaines n'avaient pas pu réaliser. La soumission et la christianisation de la Saxe permettront par la suite la création d'un ensemble d'où sortira l'Allemagne médiévale.

Pour le moment, cette nouvelle partie du royaume voit arriver fonctionnaires, prêtres et moines dans les postes fortifiés, le long des routes qui mènent de la Ruhr à l'estuaire de la Weser puis vers l'Elbe moyen. Les premiers évêchés sont fondés ; l'évêque Willihad est installé à Brême en 789 où il meurt en 804, laissant l'épiscopat à son disciple Willerich. Paderborn, où est construite l'église du Saint-Sauveur, est confiée au Saxon Hathumar, ancien otage élevé dans un monastère franc. Verden et Minden sur la Weser deviennent également des évêchés. Les évêques, chefs de mission, sont en liaison avec les nouveaux monastères, celui de Werden sur la Ruhr, celui de Helmstedt au centre du pays saxon, en attendant qu'en 815, des moines de Corbie créent la nouvelle Corbie, Corvey.

Les Frisons, qui sont également pacifiés et christianisés et pour qui Charles fait rédiger l'ensemble de coutumes appelé *loi des Frisons*, reçoivent eux aussi un clergé qui dépend de l'évêché de Münster. C'est là que l'évêque Liudger avait fondé un monastère — d'où le nom de cette bourgade —, avant de devenir évêque en 805. Lorsque Charlemagne meurt, la christianisation de la Saxe est en bonne voie mais n'est pas achevée ; son fils, nous le verrons, créera les évêchés d'Halberstadt, d'Hildesheim et d'Osnabrück.

## L'Europe centrale et orientale

L'annexion de la Bavière avait mis les Francs au contact des régions danubiennes occupées par le peuple avar, et la conquête de la Saxe a repoussé de près de quatre cents kilomètres les frontières orientales du royaume et mis les Francs en relation avec d'autres barbares, les Slaves. Un autre secteur de la future Europe s'ouvre donc à l'influence franque.

### Fin du péril avar

Les Avars, peuple asiatique installé dans la cuvette danubienne depuis 570, font régner la terreur sur toute l'Europe centrale. Ces nouveaux Huns, comme on les appelle, sont dirigés par des chefs qui répondent aux noms de Khagan, de Jugur et de Tarkan. Leur capitale, si l'on peut appeler ainsi le *Ring*, camp fortifié que certains chroniqueurs représentent formé de neuf enceintes concentriques, est installée entre le Theiss et le Danube. Cavaliers redoutables au physique mongoloïde, ils pillent les églises, exigent des tributs et amassent ces trésors dans leur repaire. Bien plus, ils accueillent sur leur territoire les ennemis de Charlemagne, les Lombards et les Bavarois.

La collusion entre Tassilon III et les Avars oblige Charlemagne à intervenir à partir de 788. De Ratisbonne, Charles se prépare à la guerre, une guerre qui, selon Eginhard, fut « la plus considérable après celle de Saxe, et menée par le roi avec une ardeur et des moyens plus grands que les autres ». Une fois la Bavière soumise, Charles prépare en 791 une grande expédition précédée par des messes, des jeûnes et des prières pour obtenir « le salut de l'armée, l'aide de Notre Seigneur Jésus-Christ et la défaite et le châtiment des Avars ». Deux armées, l'une sur la rive droite du Danube commandée par Charles, l'autre sur la rive gauche sous les ordres du comte Thierry et du chambrier Magnefred et sur le Danube une flotte de vivres et de troupes commandée par le préfet Gérold s'avancent vers le pays des Avars. Bien plus, Pépin arrive d'Italie par le Frioul et la Carniole. Les fortifications que les Avars ont établies dans la forêt de Vienne ne peuvent tenir et Charles parvient au confluent du Danube et de la Raab, mais une épizootie qui s'abat sur les chevaux interdit d'aller plus loin. Le roi, revenu à Ratisbonne, se prépare à une nouvelle expédition et fait entreprendre le canal entre Rhin et Danube dont nous avons parlé plus haut. Pourtant la révolte des Saxons oblige Charles à quitter Ratisbonne. Pépin en Italie est chargé de préparer une nouvelle expédition. En 795, aidé du duc de Frioul Éric et également du chef croate Woynimir, Pépin arrive jusqu'au *Ring* et il s'empare d'une partie du trésor. L'année suivante, il revient, rase le *Ring* et entasse sur quinze chars tirés chacun par quatre bœufs les richesses fabuleuses des Avars. Comme le dit Eginhard : « Pas une guerre, de mémoire d'homme, ne rapporta aux Francs un pareil butin et un pareil accroissement de richesses. Ceux qui jusque-là pouvaient presque passer pour pauvres trouvèrent dans le palais du Khagan tant d'or et tant d'argent, tant de dépouilles précieuses conquises par la force des armes qu'on ne se tromperait guère en disant que ce fut une juste reprise de ce que les Huns avaient injustement enlevé aux autres peuples. »

Accompagnant les soldats, les missionnaires partis de Salzbourg se mirent au travail pour édifier une nouvelle Église.

Mais Alcuin et Paulin d'Aquilée les mettent en garde contre une trop grande célérité, leur rappellent les déboires qu'ils eurent à supporter en Saxe. Le peuple avar est « un peuple barbare, inaccessible au raisonnement, sans instruction, d'esprit borné, lent à s'initier aux saints mystères ». Il faut donc procéder par étapes, prêcher avant que de baptiser, ne pas exiger les dîmes. Ces sages conseils ne furent pas toujours entendus, si bien qu'en 799, une nouvelle révolte provoqua la mort du préfet Gérold et du duc Éric. Charles doit organiser quelques expéditions au début du IXe siècle pour en finir avec le péril avar. En 805, le Khagan accepte le baptême et devient le vassal de Charlemagne.

Charles annexe à la Carinthie le territoire compris entre l'Enns et la forêt de Vienne, territoire qui, sous le nom de *limes avaricus*, devient la base de la future Ostmark ou Autriche. Au-delà du Raab jusqu'aux rives du lac Balaton, des colons bavarois et slaves se mêlent aux Avars. Les comtes francs règlent les conflits entre les populations diverses. Quelques églises sont créées sous le contrôle d'Arn de Salzbourg. Une partie des Avars qui refusent de se soumettre à la loi franque s'enfuit vers l'est et est alors installée dans le royaume bulgare que le Khan Kroum (803-814) est en train de construire.

## Charles et le monde slave

Les Slaves ne sont pas totalement inconnus des Francs puisque, nous l'avons vu, Dagobert avait lutté contre des peuplades un moment unifiées par le marchand Samo. Depuis le VIIe siècle, les Slaves ont progressé vers l'ouest butant contre la Thuringe, la Saxe, la Bavière tandis que leurs frères de l'est s'engageaient dans les Balkans où étaient organisées les « slavonies ». De plus les Slovènes de Carinthie ont été christianisés par les Bavarois. Parmi les Slaves qui sont installés au-delà de l'Elbe et de la Saale et qui forment des dizaines de peuplades, on distingue quelques groupes : entre l'Elbe et la Warnow, les Abodrites se sont installés le long des lacs et des rivières du Holstein et du Mecklembourg occidental. A l'est de la Warnow, nous trouvons les Wilzes ou Welatabes, plus au sud les Linons, les Smelindges, et aux frontières de la Thuringe, les Sorbes ou Sorabes. Ces populations sont réparties en tribus, en clans, peut-être en confédérations. Une assemblée populaire des Wilzes se serait réunie régulièrement à Rethra. Les Slaves vivent de la pêche, de l'agriculture, de l'élevage, mais aussi du commerce le long des grandes rivières navigables. Les places fortes servent de refuges ou de résidences à leurs chefs mili-

taires entourés de leur clientèle, la *druzina*. Ce sont ces châteaux qu'un chroniqueur appelé le « géographe bavarois »,
nomme les *civitates*. Une cinquantaine chez les Sorabes, cin-
quante-trois chez les Abodrites et quatre-vingt-quinze chez les
Wilzes. Toutes ces peuplades sont en perpétuel conflit entre
elles, si bien que Charlemagne a su utiliser au mieux leurs rivalités *(Cf. carte VI)*.

Les Abodrites, menacés par les Wilzes, sont assez tôt des
alliés fidèles. Ils aident Charles à lutter contre les Saxons de
Nordalbingie et, au début du IX<sup>e</sup> siècle, lors de la déportation
des Saxons, ils reçoivent les terres au-delà de l'Elbe. Contre les
Wilzes et les Linons, Charles organise plusieurs expéditions.
Ainsi en 789, avec l'aide de Saxons, de Frisons et de contingents
abodrites et sorabes, il passe l'Elbe, remonte la Havel et arrive
vers la Baltique. Les ravages de l'armée obligent le chef wilze
Ragovit à remettre des otages au roi. Des missionnaires songent à convertir les Wilzes. Dès 780, certains d'entre eux avaient
demandé le baptême. Mais l'entreprise signalée par Alcuin est à
peine connue. Contre les Sorabes qui pillent régulièrement les
frontières de la Thuringe et de la Saxe du Sud, Charles envoie
en 782 une armée mais, nous l'avons vu, cette armée fut
détruite au Süntelgebirge. En 806, les Sorabes s'agitent de nouveau et doivent livrer des otages. Leur duc Milibwich est tué.
Pour faire sentir son autorité dans les pays slaves, Charles établit des châteaux et des têtes de pont sur l'Elbe et la Saale.
L'une en aval de Magdebourg, l'autre à Halle. Ce que l'on
appelle le *limes sorabicus*, « marche des Slaves », est encore
modeste mais sera renforcé sous les successeurs de Charles
pour devenir, au X<sup>e</sup> siècle, le point de départ du *Drang nach
Osten* des rois saxons.

Maître de la Bavière, Charles doit garantir ses frontières
contre les Slaves du centre et du sud. En 805, il envoie son fils
dans le quadrilatère de Bohême soumettre les Tchèques. Trois
armées se concentrent vers la vallée de l'Eger, puis remontent
l'Elbe supérieur. Le chef des Tchèques est tué, ses troupes se
replient dans les montagnes. En 806, une nouvelle expédition
donne peu de résultats, ce qui n'empêche pas Eginhard de dire
que la Bohême est soumise à l'Empire franc. Enfin, au sud de la
Carinthie, les Croates sont surveillés par le duc de Frioul. On
distingue les Croates pannoniens de part et d'autre de la Save
et les Croates dalmates ou Guduscanes, accrochés aux montagnes de Liburnie. Ce sont ces derniers qui, en liaison avec les
Avars, auraient en 799 tendu une embuscade au duc Éric. Son

successeur, le Lombard Aio, est chargé de contenir ces populations qui se christianisent peu à peu.

## L'Europe inachevée

Quelle qu'ait été l'importance de la *dilatatio regni*, elle eut
pourtant des limites volontaires ou involontaires. La puissance
franque ne s'exerça ni dans les pays anglo-saxons, ni dans les
pays celtes, ni dans les pays scandinaves, ni dans la péninsule
ibérique à l'exception de la Marche d'Espagne. Avec toutes ces
régions, Charles se contenta d'établir des relations plus ou
moins pacifiques.

### Les Celtes

Les Celtes d'Armorique n'avaient jamais été soumis par les
Mérovingiens, quelques ouvrages fortifiés, les « guerches », mot
qui vient du germanique *Werki*, barrant les voies fluviales leur
avaient interdit l'accès au royaume franc. Les Carolingiens héritèrent de cette situation et établirent contre les Bretons une
Marche militaire. En 778, le comte Roland était un des responsables de la défense de la région située entre Tours, Rennes et
Angers. Après une campagne sans grands résultats en 789,
Charles confia à son fils aîné le gouvernement des pays de
l'Ouest et la direction de la Marche de Bretagne *(Marca Britan-
nica).* En 799, le comte Guy, représentant d'une grande famille
de Moselle, celle des Widonides, profite de la rivalité entre les
chefs bretons, les *machtierns*, pour envahir et ravager la Bretagne. Un commentateur officieux écrit à ce sujet : « Il sembla
que la Province fut tout entière soumise et elle l'eût été si l'ins-
tabilité de ce peuple perfide ne l'avait incitée selon sa coutume
à un prompt revirement. » Une nouvelle expédition en 811
n'obtient pas les résultats souhaités : les Bretons demeurent
indépendants, conservent leurs coutumes religieuses et continuent à regarder davantage vers les pays celtes d'outre-Manche
que vers le monde franc.

De leur côté, les Celtes de Cornouaille, du pays de Galles et
même d'Écosse, contrairement à ce que dit Eginhard, ignorent
Charlemagne. Si les Carolingiens furent en contact avec
l'Irlande, c'est par l'intermédiaire des savants scots venus à la
cour, nous le verrons plus loin, ou grâce à l'Anglo-Saxon Alcuin.
Ce dernier en effet écrivit en 792 « aux fils de la Sainte Église
qui s'adonnent dans l'île d'Irlande à la vie religieuse et aux
études de la sagesse ». Peut-être est-il au courant du travail des

copistes et des peintres irlandais — le *Livre d'Armagh* et le *Livre de Kells* sont composés à cette époque — et du mouvement réformateur des Culdées qui a débuté à Tallaght au milieu du VIIIᵉ siècle, précisément à l'époque où l'Église se réformait en Angleterre et en Gaule.

## Les Anglo-Saxons

Alcuin est l'agent de liaison entre les royaumes anglo-saxons et Charles. Il n'a pas oublié sa patrie où il revient en 786, puis en 790. Parmi tous les royaumes qui se disputaient la prédominance, la Mercie l'emporte grâce au roi Offa (757-796). Ce grand prince, connu pour le rempart qu'il avait fait construire pour se protéger des Gallois, est un admirateur de Charlemagne. En annexant le Kent, le Sussex, l'East-Anglie, en s'unissant par un mariage au Wessex, il réussit à unifier l'Angleterre méridionale. Il gouverne avec l'aide des évêques et réorganise son Église avec l'accord des légats du pape Hadrien. En 787, il associe son fils au trône et le fait sacrer à la manière des Francs. Enfin, il introduit dans son royaume un système monétaire imité de celui de Charlemagne et qui restera en vigueur jusqu'en... 1971. Des lettres échangées entre Charlemagne et Offa prouvent l'existence d'un commerce et particulièrement la vente de vêtements anglo-saxons sur le continent.

La mort d'Offa, qui s'était intitulé « roi de toute la patrie des Angles », fut suivie d'une révolte des royaumes vassaux. Le roi de Northumbrie, beau-frère d'Offa, fut assassiné et son successeur Eardwulf trouva refuge à la cour de Charlemagne. Le roi franc et le pape intervinrent pour le faire rétablir sur le trône d'York. Charles n'a pas, comme on l'a dit, dû établir un « protectorat franc » en Northumbrie mais il tient à garder de bonnes relations avec ce royaume d'où viennent les Anglo-Saxons qui travaillent avec lui, Alcuin, Lull, Liudger de Münster, Willihad de Brême ou l'archevêque de Sens Beornred. D'autre part, il cherche à avoir un allié contre leurs ennemis communs les Danois.

## Les Scandinaves

C'est en effet à la fin du VIIIᵉ siècle que débutent les attaques scandinaves en Angleterre et sur le continent.

La Scandinavie avait été à l'origine des invasions germaniques pendant la basse Antiquité ; elle était, pour reprendre l'expression de Jordanès, « la matrice des nations ». Pourtant, depuis le VIᵉ siècle, les Scandinaves sont assez isolés ; ils n'entretiennent que des relations épisodiques avec les Frisons et les Anglo-Saxons. Le fameux roman de *Beowulf* et les trouvailles archéologiques prouvent la communauté de civilisation entre l'Angleterre et le Danemark. Vers le VIII<sup>e</sup> siècle, trois peuples commencent à se différencier : les Danois, les plus proches du monde occidental, sont des navigateurs, des marchands et des pirates, ils occupent la péninsule danoise et la Scanie, ils échangent des produits avec les Frisons dans l'île d'Héligoland et accumulent leur butin dans le camp d'Hedeby mentionné pour la première fois en 804. A l'origine du peuple suédois, nous trouvons deux groupes, les Svears autour du lac Mälar et les Gotars plus au sud. Birka est déjà un centre commercial et l'île de Gotland permet le passage des Suédois vers la Courlande. Enfin en Norvège dont le nom signifie le « chemin du Nord », quelques peuples isolés s'organisent autour des fleuves d'Oslo et de Trondheim.

En utilisant avec prudence les sagas rédigées à la fin du XII<sup>e</sup> siècle et surtout le résultat des fouilles archéologiques qui, ces dernières années, se sont multipliées, on peut imaginer l'organisation politique et sociale des Scandinaves. Des assemblées populaires, les *things*, regroupent périodiquement tous les hommes libres et sont dirigées par les riches propriétaires ruraux, les *laendr*. Les plus riches de ces propriétaires sont à l'origine de dynasties royales signalées par les sagas et dont les sépultures conservées dans les tumulus révèlent la magnificence. Les aristocrates sont également les prêtres d'une religion très proche de celle des anciens Germains. En Suède, le sanctuaire d'Uppsala, près de Stockholm, est consacré aux dieux Thor, Odin et Freyr.

Les Scandinaves, longtemps isolés, commencent à multiplier leurs expéditions maritimes à la fin du VIII<sup>e</sup> siècle, soit en Angleterre, soit sur les côtes du monde franc. Il est vraisemblable qu'une nouvelle technique maritime, l'invention d'un bateau pourvu d'un mât central et d'une grande voile rectangulaire, favorisait l'expansion de ceux que l'on appelle les Vikings, c'est-à-dire les « hommes qui fréquentent les baies ». Les Norvégiens arrivent dès 787 sur la côte anglaise. Alcuin, dans une lettre bien souvent citée, évoque avec douleur le pillage du monastère de Lindisfarne ; la côte irlandaise est à son tour attaquée. Les Danois de leur côté pillent la Frise et menacent le port de Duurstede. Charlemagne suit de près la progression danoise d'autant plus que pendant la conquête de la Saxe, le chef danois Godfred s'allie aux Wilzes et aux Linons pour s'attaquer aux Abodrites et que Widukind a trouvé un moment refuge chez les Danois. A en croire Eginhard, Godfred « était plein du fol espoir de placer toute la Germanie sous sa domination ; il traitait aussi la Frise et la Saxe comme des provinces de ses États... Il se flattait même d'arriver en force à Aix où était la cour du roi. » Pour protéger la Saxe, Charles organise au nord de l'Elbe un système de fortifications dont les points d'appui sont Itzehoe sur la Stoer et Schissbek près d'Hambourg. Ainsi est créée ce qu'on appelle la Marche des Normands ou Marche des Danois d'où le nom de Danemark. Après l'assassinat de Godfred, Charlemagne négocie avec ses successeurs mais en même temps renforce ses défenses maritimes. En 811, il inspecte lui-même ses flottilles de Gand et de Boulogne. Il fait restaurer dans cette dernière ville le phare romain qui avait été abandonné depuis longtemps. Un capitulaire promulgué alors demande aux chefs locaux de se tenir prêts à embarquer si le danger l'exige. Charlemagne, prince terrien, se rend compte un peu tard que ses armées ne sont pas entraînées à la défense des côtes.

## Les Espagnes

De l'extrême nord, passons au sud, dans cette Espagne que les Romains avaient occupée mais que Charles put à peine conquérir. Deux gouvernements d'inégale puissance se partagent l'Espagne, d'une part, les rois wisigoths, les Asturies, d'autre part, les émirs musulmans de Cordoue.

Le petit royaume des Asturies fondé au lendemain de la conquête arabe de 711 par les réfugiés goths a progressé sous Alphonse Ier (739-757) et ses successeurs. Les territoires de Galice, de la Rioja et du León sont repris par les chrétiens. La *Reconquista* est en marche. Alphonse II le Chaste (791-842) réussit même à reprendre Lisbonne en 797 et entreprend le repeuplement du territoire abandonné par les musulmans. La Castille commence à se hérisser de châteaux d'où le nom qu'on lui donna plus tard. Alphonse installe sa capitale à Oviedo où il fait construire un ensemble d'églises et de palais grandioses. Comme Charles, il gouverne avec des évêques, dirige des conciles, protège les lettrés. Il envoie plusieurs ambassades au roi franc ; mais, contrairement à ce que dit Eginhard, il n'a jamais cherché à être le vassal de Charles.

Charlemagne reçoit également des ambassades venues de l'Espagne arabe. Le gouverneur de Saragosse, révolté contre l'émir omeyyade Abd al-Rahman (756-788), vient en 777 à Paderborn et invite Charles à intervenir. Le roi a l'imprudence d'accepter. Peut-être rêve-t-il de reprendre l'Espagne à ces Arabes contre qui son grand-père et son père avaient lutté. On sait comment l'expédition se termina : après avoir échoué à Saragosse par suite d'un revirement des Arabes, Charles revient en France et son arrière-garde est massacrée à Roncevaux non pas par des musulmans comme le dit la *Chanson de Roland* mais par des Basques qui refusent toute autorité qu'elle soit wisigothique ou franque. Là périrent le comte du palais Anselme, le sénéchal Eggihard et le marquis de Bretagne Roland dont la célèbre *Chanson* du XIe siècle exaltera la mort héroïque. Ce désastre fut durement ressenti à la cour carolingienne. Il risquait d'avoir des contrecoups dans une Aquitaine mal remise de sa « pacification » récente. C'est pourquoi en 781 Charles décida de satisfaire le particularisme aquitain en créant un royaume et en le confiant à son fils Louis. Une autre conséquence de cette défaite est l'arrivée en Septimanie de chrétiens qui fuient la domination musulmane. Parmi ces *Hispani* se trouvent quelques lettrés tels Agobard et Théodulf qui mettront leur plume au service des Carolingiens.

Louis et ses conseillers sont donc chargés de défendre l'Aquitaine contre les attaques musulmanes. En 785, ils répondent à de nouvelles offres de petits princes locaux et occupent Gérone, Urgel et la Cerdagne. Mais l'émir de Cordoue réagit et, en 793, inflige une défaite au duc Guillaume, cousin de Charlemagne. Curieusement, la légende s'empara également du héros de cette défaite qui, plus heureux pourtant que Roland, devait finir sa vie à Gellone qui prendra le nom de Saint-Guilhem-du-Désert. Peu après, les Francs réussirent à reprendre pied au sud des Pyrénées et constituèrent ce que l'on appelle la Marche d'Espagne. En 801, Barcelone est prise par le prince Louis, tandis qu'à l'est Pampelune et la Navarre tombent sous contrôle franc, malgré l'hostilité persistante des Basques. Charles aurait voulu poursuivre sa conquête jusqu'à l'Èbre mais il ne le put. Néanmoins, la création de cette Marche fut pour l'Espagne un grand événement puisqu'elle est à l'origine la Catalogne.

# CHAPITRE IV

# CHARLEMAGNE EMPEREUR

## Préparation du couronnement

A la fin du VIIIᵉ siècle, s'il n'a pas soumis toute l'Europe, Charles est le prince le plus puissant de l'Occident. Le regroupement des terres de Gaule, de Germanie, d'Italie et des régions voisines le fait apparaître comme un roi au-dessus des autres rois. Charles a nommé ses fils, rois d'Aquitaine, d'Italie, son beau-frère préfet de Bavière, il a confié des Marches à de grands aristocrates issus de sa parenté, il répond bien à une définition que l'on trouve dans les textes de l'époque : « Est empereur celui qui domine dans le monde entier, sous lui se trouvent les rois des autres royaumes. » Lorsque dans la *Vie de saint Willibrord*, Alcuin parle de l'expansion du royaume, il qualifie d'« empire » l'État franc.

Charles n'est pas seulement un roi politiquement puissant, c'est un prince chrétien qui a mis ses forces au service de la foi, il lutte contre les païens saxons, contre les Infidèles d'Espagne ; par ses capitulaires il s'efforce de faire respecter la loi chrétienne dans son royaume. Dans la préface de l'*Admonitio generalis* de 787, Charles se compare au roi Josias qui tentait de ramener le royaume qui lui avait été confié par Dieu au vrai culte divin en circulant, corrigeant et exhortant. Charles s'en prend aussi aux hérétiques même s'ils ne font pas partie du royaume. Ainsi combat-il l'adoptianisme, hérésie née à Tolède, passée en Asturies et dans la vallée d'Urgel. Si Charles agit ainsi, c'est qu'il en a reçu mission le jour du sacre. Tel un nouveau Moïse, législateur religieux, tel un nouveau David qui triomphe des ennemis d'Israël, le roi franc conduit le nouveau peuple élu à son salut. Les papes, en faisant alliance avec les rois francs, en leur demandant de protéger l'Église romaine, ont affirmé la prédestination de la famille carolingienne et du peuple franc. Le pape Hadrien, lorsqu'il réclame les territoires promis par Charlemagne, n'hésite pas à souhaiter que celui-ci devienne un « nouveau Constantin ».

Mais il y a un empire qui, depuis 476, est le seul empire, celui de Byzance. Le basileus Léon IV étant mort en 780, sa femme Irène règne au nom du jeune Constantin VI. Au début Charles cherche l'entente avec Irène et prévoit même un mariage entre sa fille et le jeune prince byzantin. Mais bientôt, en raison de la politique italienne de Constantinople, les rapports s'enveniment. Bien plus, en 787, Irène décide de restaurer le culte des images. Si un légat du pape est invité à participer au concile de Nicée, on néglige d'informer le prince des Francs. Ce dernier ne connaît les *Actes* de Nicée que par une mauvaise traduction latine. Or, à cette date, Charles et ses conseillers ecclésiastiques sont de plus en plus persuadés de leur mission religieuse en Occident. Charles fait rédiger par Théodulf les *Libri carolini* qui critiquent les décisions de Nicée en accusant à tort les Byzantins d'adorer les images et d'être idolâtres. Il s'en prend à Irène : « Car la faiblesse de son sexe et la versatilité de son cœur féminin ne permettent pas à une femme d'exercer l'autorité suprême en matière de foi et de rang. »

En 794, Charles réunit un concile à Francfort, en réplique au concile de Nicée ; non seulement des évêques de tout le royaume, des représentants du pape, mais également des clercs venus d'Angleterre participent à ce synode que préside le roi en personne. On y traite de la réforme générale du royaume, de l'hérésie adoptianiste et enfin de l'affaire des images. Les prétentions de Charles à concurrencer l'impératrice sont de plus en plus grandes. En 794, il s'est installé à Aix où il a fait construire un palais qui veut rivaliser avec le palais sacré de Constantinople. Il se fait appeler « chef du peuple élu » ; même, à l'exemple du basileus, roi et prêtre *(rex et sacerdos)*. Les *Laudes* royales rédigées vers 796 et chantées au roi lors des grandes fêtes liturgiques exaltent le pape, le roi, sa descendance et toute l'armée des Francs. Charles apparaît comme le chef d'un empire chrétien, expression que l'on trouve de plus en plus sous la plume d'Alcuin.

Deux événements vont précipiter la marche vers l'empire. D'abord la mort d'Hadrien auquel succède le faible Léon III (795). Ce pape d'origine modeste est en butte à l'aristocratie romaine, il a besoin de la protection de Charles. Dès son couronnement, il a envoyé au roi l'étendard de la ville de Rome : il lui délègue le gouvernement de la ville. Plus tard il fait représenter dans la salle de réception du Latran, d'une part saint Pierre qui remet les clefs au pape et l'étendard au roi Charles, et d'autre part Constantin et Sylvestre Ier de part et d'autre du Christ. La remise de l'étendard, le parallélisme entre Charles et Constantin, modèle des empereurs chrétiens, sont clairs. Léon III pousse Charles vers l'Empire. De son côté, Charles distribue les rôles. Il écrit au nouveau pape : « A moi il m'appartient avec l'aide de la divine pitié de défendre en tous lieux la sainte Église du Christ par les armes : au-dehors contre les incursions des païens et les dévastations des infidèles ; au-dedans en la protégeant par la diffusion de la foi catholique. A vous Très Saint Père il appartient, élevant les mains vers Dieu avec Moïse, d'aider par vos prières au succès de nos armes. » Dans une autre lettre il recommande au pape de vivre honnêtement, d'observer les canons de l'Église. Ces conseils ne semblent pas vains. En effet, en 799, le pape, que l'on accuse d'actes « criminels et scélérats », est victime d'un attentat à Rome et doit se réfugier à Paderborn auprès de Charles.

Le deuxième événement qui va favoriser le couronnement impérial est une révolution de palais à Constantinople. En 797, l'impératrice Irène fait aveugler son fils et prend le pouvoir. Si cette révolution intérieure n'eut pas de répercussion sur les relations franco-byzantines, elle permet pourtant d'affirmer qu'il n'y a plus d'empereur en Orient et que la place est libre. C'est bien ainsi que l'entend Alcuin qui, dans une lettre bien souvent citée, datée de juin 799, écrit : « Jusqu'alors trois personnes ont été au sommet de la hiérarchie dans le monde : d'abord le représentant de la Sublimité apostolique, vicaire du bienheureux Pierre, prince des apôtres, dont il occupe le siège. Ce qui est advenu au détenteur actuel de ce siège, Votre Bonté a pris soin de me le faire savoir. En second lieu, vient le titulaire de la dignité impériale qui exerce la puissance séculière dans la seconde Rome. De quelle façon impie le chef de cet empire a été déposé, non par des étrangers mais par les siens et par ses concitoyens, la nouvelle s'en est partout répandue. Vient en troisième lieu la dignité royale que Notre Seigneur Jésus-Christ vous a réservée pour que vous gouverniez le peuple chrétien. Elle l'emporte sur les deux autres dignités, les éclipse en sagesse et les surpasse. C'est maintenant sur toi seul que s'appuient les Églises du Christ, de toi seul qu'elles attendent le salut, de toi vengeur des crimes, guide de ceux qui errent, consolateur des affligés, soutien des bons. » Peu après, à la cour franque, un poète anonyme exalte le roi Charles, « tête du monde et sommet de l'Europe, le nouvel Auguste qui règne dans la nouvelle Rome », c'est-à-dire Aix-la-Chapelle. Tous ces textes témoignent suffisamment que les conseillers de Charles attendent le couronnement impérial.

## Le couronnement

Pourtant Charles prend son temps comme s'il redoutait cette promotion. Il fait raccompagner Léon à Rome par des évêques et des comtes, et demande que l'on entreprenne une enquête sur les accusations portées contre le pape. Pendant l'année 800 qui, selon certaines prédictions, devait marquer la fin du monde, Charles entreprend une tournée sur les côtes du Nord, s'arrête à Saint-Bertin, célèbre Pâques à Saint-Riquier, puis vient à Tours vénérer la tombe de saint Martin et conférer avec Alcuin. Il aurait voulu qu'Alcuin l'accompagne en Italie, mais ce dernier, hostile à toute action entreprise contre le pape, prétexte son état de santé et se contente d'envoyer un poème à son « cher David » dont le ton rappelle la lettre précédente : « Dieu t'a fait le maître de l'État... les vœux de tes serviteurs t'accompagnent... Rome, tête du monde dont tu es le patron, et le pape, premier prêtre de l'Univers, t'attendent... Que la main de Dieu te conduise pour que tu règnes heureusement sur le vaste globe... Reviens vite David bien-aimé. La Francie joyeuse s'apprête à te recevoir victorieux au retour et à venir au-devant de toi les mains pleines de lauriers. »

Parvenu à Rome, Charles est reçu en triomphe et le 1er décembre, réunit à Saint-Pierre une assemblée d'archevêques, d'évêques, d'abbés et des représentants de la noblesse romaine pour régler la situation du pape. Bien que certains aient affirmé que nul n'avait le droit de juger le Siège apostolique, Charles, après trois semaines de pourparlers, oblige Léon III à se soumettre à un serment purgatoire à la façon germanique et à se déclarer innocent. Cette cérémonie, fort humiliante pour Léon III, eut lieu le 23 décembre. Ce qui se passa ensuite n'est pas très clair et diffère selon les témoignages. Pour le rédacteur des *Annales de Lorsch*, certainement bien informé, cette même assemblée, après avoir recueilli le serment de Léon III, délibère du rétablissement de l'Empire : « Comme dans le pays des Grecs il n'y avait plus d'empereur et qu'ils étaient tous sous l'emprise d'une femme, il parut au pape Léon et à tous les pères qui siégeaient à l'assemblée, ainsi qu'à tout le peuple chrétien qu'ils devaient donner le nom d'empereur au roi des Francs, Charles qui occupait Rome où toujours les Césars avaient eu l'habitude de résider, et aussi l'Italie, la Gaule et la Germanie. Dieu tout-puissant ayant consenti à placer ces pays sous son autorité il serait juste conformément à la demande de tout le peuple chrétien qu'il portât lui aussi le titre impérial... » Pour Robert Folz qui suit de très près ce témoignage, Charles aurait donc été proclamé empereur dès le 23 décembre.

Le pape, voulant effacer l'humiliation qu'il vient de subir, reprend l'initiative. Il prépare à sa façon la cérémonie du couronnement qui a lieu le jour de Noël 800, selon le rituel utilisé à Byzance. Mais tandis qu'à Byzance le couronnement impérial comportait trois étapes : acclamations de la foule et de l'armée, couronnement puis adoration ou *proscynese* du nouvel empereur par le patriarche, Léon décide d'inverser l'ordre et pour avoir le premier rôle, impose la couronne, invite l'assemblée à acclamer trois fois « Charles, auguste, couronné par Dieu grand et pacifique empereur » puis s'agenouille devant le nouvel empereur. Il dut d'ailleurs regretter par la suite ce dernier geste car le compte rendu du *Liber pontificalis* n'en parle pas. Contrairement à cette version romaine, les *Annales* rédigées par les clercs de la chapelle royale ne donnent pas au pape le premier rôle. Elles rappellent que le roi est venu à Rome pour examiner les crimes dont était accusé le pontife et pour « d'autres affaires », ce qui laisse supposer que Charles préparait le couronnement. D'autre part ces mêmes *Annales* mentionnent l'arrivée de représentants du patriarche de Jérusalem chargés des clefs du Saint-Sépulcre et de l'étendard de la ville. Comme son père, Charles avait noué des relations avec l'empire abbasside dont dépendait Jérusalem. Il s'intéressait au sort des chrétientés orientales, particulièrement aux communautés qui vivaient auprès du Saint-Sépulcre, lieu de pèlerinage toujours fréquenté. L'arrivée à Rome des envoyés du patriarche de Jérusalem semble bien avoir été attendue, comme si Charles voulait contrebalancer le poids du clergé romain par celui du vénérable patriarcat de Jérusalem. Enfin, à en croire Eginhard, Charles aurait été mécontent de l'initiative de Léon III : « Il affirmait qu'il aurait renoncé à entrer dans l'église ce jour-là, bien que ce fût jour de grande fête s'il avait pu connaître d'avance le dessein du pontife. »

Ainsi le couronnement de 800 se réalise dans une certaine ambiguïté. Pour les clercs de Rome, Charles est « empereur des Romains » par la volonté du pape. La « Donation de Constantin » lui permettait en quelque sorte de disposer de la couronne impériale. Pendant tout le Moyen Age, les papes se souvinrent du précédent de Noël 800 et affirmèrent qu'on ne pouvait devenir empereur qu'en venant à Rome et en recevant la couronne des mains du pontife romain. Pour les Francs, la conception de l'idée impériale est différente. Sans doute Charles abandonne son titre de patrice, mais il ne veut pas être « empereur des Romains », simplement « auguste et empereur gouvernant l'empire romain », une titulature qu'il emploie dès le mois de mai 801. « Nouveau Constantin », il dirige un empire chrétien. L'inscription *renovatio romani imperii* que l'on trouve sur une de ses bulles indique assez qu'il s'agit d'un nouvel empire, renouvelé par la religion chrétienne, bien différent de l'empire romain antique. De plus, il reste « par la miséricorde de Dieu, roi des Francs et des Lombards », sa capitale n'est pas Rome où il ne reviendra jamais, mais Aix en plein domaine austrasien. Il n'oublie pas qu'il est Franc, que ce sont les Francs qui ont conquis l'Occident. Il le rappelle encore en 806, dans une titulature : « Empereur, César, Charles, très invaincu roi des Francs, recteur de l'empire romain, pieux, heureux, vainqueur et triomphateur ainsi que toujours Auguste. » Lorsqu'en 813, il décide d'associer son fils Louis à l'empire, il le couronne lui-même à Aix sans que le pape intervienne. Ici s'opposent deux conceptions de l'empire qui portent en elles les conflits entre papes et empereurs pendant toute l'histoire de l'Occident médiéval.

Il reste à savoir comment les Byzantins ont accepté l'événement de 800. Il est évident qu'ils ne pouvaient admettre cette usurpation et que le couronnement impérial d'un barbare devait leur paraître scandaleux. Pourtant, des négociations s'ouvrirent et, fait à peine croyable rapporté par un chroniqueur byzantin, un éventuel mariage entre Irène et Charles, veuf depuis 799, aurait même été imaginé. Mais en 802, la « pieuse et orthodoxe impératrice » fut renversée et remplacée par l'énergique Nicéphore Ier. Pour obliger ce dernier à le reconnaître, Charles sut frapper où il fallait. Il fit envahir la Vénétie qui était pour Byzance une place commerciale de tout premier ordre et qui lui permettait de garder contact avec l'Occident.

Après plusieurs années de luttes, un compromis fut conclu entre Charles et le successeur de Nicéphore, Michel Ier. En 812, le basileus reconnut comme son frère l'empereur d'Occident, lui abandonna toute l'Italie en dehors de la Vénétie et de la Dalmatie. Cette paix fut considérée par les Francs comme un grand succès, mais elle ne pouvait pas faire oublier les griefs accumulés de part et d'autre. En rétablissant l'empire, Charles avait encore davantage éloigné l'Orient de l'Occident. Il avait également séparé un peu plus l'Église latine de l'Église grecque. On le voit, lorsque au conflit sur les images s'ajoute l'affaire du *Filioque*. En effet, alors que le concile de Constantinople de 381 avait confessé que « le Saint-Esprit procède du Père », les clercs d'Occident, influencés par la liturgie wisigothique, avaient ajouté : « Il procède du Père et du Fils. » Ce qui nous paraît aujourd'hui une variante qui n'engage pas la foi en la Trinité provoqua de violentes discussions. Si Léon III qui, pour une fois, s'était montré intransigeant, refusa cette formulation, elle resta en usage en Occident jusqu'à nos jours.

Ainsi, en 800, s'opposent deux Empires : d'un côté le vieil empire byzantin qui n'a plus que quelques bases territoriales en Italie et qui méprise les barbares de l'ouest ; de l'autre, le nouvel empire qui regroupe une grande partie de l'Occident et qui apparaît comme la première forme de l'Europe. Les contemporains ont conscience qu'il ne suffit plus de marquer sur les cartes l'expression géographique Europe en face de l'Afrique et de l'Asie, mais que l'Europe est une réalité qui se forme. Certains d'entre eux le disent pour la première fois. Le poète qui raconte l'entrevue entre le roi franc et le pape à Paderborn, un an avant le couronnement qui se prépare, célèbre Charles « phare de l'Europe qui rayonne d'une lumière plus resplendissante que le soleil », et « Charles, père de l'Europe ». Vision d'un poète que l'histoire ratifiera.

# CHAPITRE V

## CHARLEMAGNE,
## EMPEREUR OU CHEF DE CLAN ?

L'événement du 25 décembre 800, qui reste encore aujourd'hui dans toutes les mémoires, a-t-il provoqué une modification du comportement politique de Charles ? Le nouvel empire est-il un ensemble cohérent ? A-t-il cet aspect unitaire centralisé et organisé que pendant longtemps on a décrit ? Ou bien Charles est-il resté jusqu'à sa mort en 814 un chef barbare, un Austrasien fidèle aux traditions léguées par ses ancêtres et gouvernant avec l'aristocratie franque dont il était issu ? La question vaut d'être posée si l'on veut comprendre les destinées de l'empire carolingien au IXe siècle.

### *Les structures politiques et administratives de l'empire*

A la tête de l'empire est le prince qui a toute autorité dans les domaines politique, judiciaire, législatif, militaire. Non seulement cette autorité lui vient du droit franc de *ban* mais également de la tradition des empereurs chrétiens du Ve siècle dont quelques lois sont connues par les législateurs carolingiens. Lorsque Charles légifère en matière scolaire, nous le verrons plus loin, lorsqu'il dirige l'Église, lorsqu'il intervient dans la vie économique, imposant le juste prix, et perfectionnant le système monétaire, il est dans la ligne des Constantin et Théodose.

Mais l'empereur n'est pas un tyran, sa monarchie n'est pas totalitaire comme celle de Byzance, il veut garder le contact entre ses sujets et lui-même en maintenant les assemblées générales telles qu'on les connaissait avant lui. Tous les ans avant les campagnes d'été, le *Conventus generalis* que l'on appelle le « plaid général » est invité à discuter des grandes affaires de l'État. Sans doute l'assemblée regroupe-t-elle essentiellement les grands laïcs et ecclésiastiques, des chefs militaires, des fonctionnaires, des notables, en tout plusieurs centaines de personnes. Le programme des questions posées préparées à l'avance est soumis à l'approbation de l'assemblée divisée en deux groupes, celui des clercs et des laïcs. Aussi en 811, Charles demande-t-il à chacun d'entre eux : « A quelle cause attribuer ce fait qu'on refuse de s'entraider tant aux marches frontières qu'à l'armée quand il y a nécessité d'agir pour la défense de la patrie ? D'où viennent ces perpétuels procès dont la cause est qu'on revendique ce qu'on voit posséder par un des égaux ? On demandera en quoi et en quels lieux les laïcs sont gênés par les ecclésiastiques et les ecclésiastiques par les laïcs dans l'exercice de leur charge, etc. » A l'issue de ces assemblées sont rédigés les fameux capitulaires, ces ordonnances comprenant une série d'articles *(capitula)*, d'où leur nom, grâce auxquels nous devons une grande part de nos connaissances sur la vie de l'Empire, sans malheureusement savoir le degré de leur application. L'assemblée générale apparaît comme l'extension du conseil qui aide le roi dans son gouvernement et qui réside au palais. Charles a autour de lui ses amis à qui il confie différentes tâches. D'un côté, ceux qui sont chargés des « offices » de la maison royale et dont les charges survivront pendant tout le Moyen Age : bouteiller, échanson, sénéchal, connétable, maréchaux, etc. De l'autre, trois hauts fonctionnaires dont les pouvoirs sont de plus en plus grands. Le comte du palais préside le tribunal du roi en l'absence de ce dernier. A mesure que le volume des procès augmente, surtout à partir de 800, il voit sa compétence élargie. Le chambrier *(camerarius)* a la responsabilité de la « chambre » où sont entassées toutes les richesses qui proviennent des impôts indirects, des dons annuels fournis au moment des assemblées, des tributs, du butin de guerre, etc. Enfin le chef des bureaux, le chancelier met en forme et valide les diplômes royaux. Cette dernière charge est très importante, car Charles renouant avec une pratique antique veut redonner à l'écrit un rôle qu'il avait perdu : il multiplie les lettres, demande des rapports, fait rédiger des aide-mémoire pour ses fonctionnaires. Comme les agents des bureaux royaux sont des clercs depuis le milieu du VIIIe siècle, la chancellerie est très liée à la chapelle du roi. Cette dernière est dirigée par le grand chapelain qui est le conseiller ecclésiastique permanent de l'empereur. Après la mort de Fulrad de Saint-Denis en 784, l'évêque de Metz, Angilram († 791), puis celui de Cologne Hildebald occupent cette importante charge.

Les décisions prises par le roi dans le palais ou lors de

l'assemblée générale sont transmises aux agents locaux, les comtes. On compte environ trois cents comtés dans l'empire, les uns installés dans les anciennes cités romaines, d'autres qui correspondent à une partie de la cité, le *pagus* ou *gau*, enfin certains, créés de toutes pièces, après les conquêtes en Frise ou en Saxe. Représentant du roi, le comte a des pouvoirs étendus, il fait appliquer les capitulaires, veille au maintien de l'ordre, perçoit les impôts et amendes, convoque l'*ost* des hommes libres, préside le *mallus*, assemblée populaire qui rend la justice. Pour assurer un meilleur fonctionnement de la justice comtale, Charles limite le nombre des assemblées et en renforce la compétence. Il place auprès du comte des juges spécialisés, les *scabins* d'où le nom d'« échevins ». Le comte et les scabins sont chargés de ce qu'on appelle la haute justice, tandis que les agents vicaires, d'où le mot *viguier*, ou *centenarius* (centenier) désignés parmi les notables des communautés villageoises, règlent les « causes légères ». Si Charlemagne décide de réformer la justice locale c'est qu'il sait que le comte abuse souvent de ses pouvoirs. En effet, en dehors de quelques terres qu'il reçoit pour l'exercice de sa charge, sa rémunération provient essentiellement du tiers des amendes dues pour infraction au ban royal.

En cas de mauvaise gestion, le roi peut révoquer le comte, mais il le fait rarement. Il préfère le surveiller par ses envoyés personnels, les *missi dominici*. Cette institution apparue dès 789 devient vraiment effective après 800. Charles prévoit des zones d'action, les *missatica*, groupant six à dix comtés, où les *missi* vont faire leur inspection. En général, il choisit un laïc et un ecclésiastique pour ces tournées temporaires, et avant leur départ, leur donne ses instructions. Ainsi en 802, il écrit : « Faites pleinement et équitablement justice aux églises, aux veuves et aux orphelins et à tous les autres, sans fraude, sans corruption, sans délai abusif, et veillez à ce que tous vos subordonnés en fassent autant... Faites surtout bien attention qu'on ne vous surprenne pas, vous ou vos subordonnés, à dire aux parties, avec l'idée de déjouer ou retarder l'exercice de la justice : " Taisez-vous jusqu'à ce que les missi soient passés, nous nous arrangerons ensuite entre nous. " Employez-vous au contraire à hâter le jugement des affaires pendantes avant notre venue... Lisez et relisez cette lettre et gardez-la bien pour qu'elle serve de témoignage entre vous et nous... »

Tous les sujets de l'empire ne sont pas soumis à l'administration comtale. Charlemagne, qui veut favoriser l'Église, a généralisé une institution qui existait dès l'époque mérovingienne, l'immunité. Il accorde aux chefs des domaines ecclésiastiques, particulièrement des abbés, un privilège par lequel ils ne relèvent que du roi. L'immuniste convoque l'*ost*, exerce lui-même la justice, perçoit les amendes, lève les impôts indirects à charge de reverser au roi une partie des sommes reçues. Pour éviter que l'abbé immuniste soit trop occupé des tâches matérielles, mais également pour le surveiller, Charles met auprès de lui un laïc appelé avoué *(advocatus)* dont la fonction essentielle est de diriger le tribunal de l'immuniste.

Enfin Charlemagne, toujours soucieux de créer entre lui et ses sujets des liens personnels, décide de soumettre tous les hommes libres à un serment de fidélité, et d'autre part, invite les fonctionnaires qui le servent à entrer dans sa vassalité. Même si ces deux institutions ne s'adressent pas à des catégories sociales identiques, on ne peut les séparer car elles sont toutes les deux fondées sur l'engagement personnel envers le roi.

En 789, puis en 792, Charles demande que les hommes de son royaume promettent de rester fidèles au roi et à ses fils. Après son couronnement en 800, il envoie ses *missi* recueillir, auprès de tous les hommes libres âgés de plus de douze ans, un serment prêté sur les reliques : « A mon seigneur Charles, le très pieux empereur, fils du roi Pépin et de Berthe, je suis fidèle comme un homme par droit doit l'être à son seigneur pour le bien de son royaume et de son droit. Et ce serment que j'ai juré, je le garderai et je veux le garder dans la mesure de ce que je sais et comprends, dorénavant à dater de ce jour, si m'aide Dieu qui créa le ciel et la terre et ces reliques des saints. » Néanmoins, cette institution est une arme à double tranchant, car ceux qui n'avaient pas juré pouvaient s'estimer libérés de toute obéissance et il est vraisemblable qu'une grande partie de la population n'a jamais vu les *missi*.

On remarque que, dans la formule, Charles met en relation le serment exigé et l'engagement vassalique réservé aux aristocrates, à la seule différence que celui qui se commande met ses mains entre les mains de son seigneur comme l'avait fait Tassilon en 757. Pour établir des liens personnels et directs entre lui et les grands, Charles invite des aristocrates à devenir ses fidèles. Le premier intérêt est d'ordre militaire car le roi peut compter sur l'aide immédiate de ses vassaux, alors que le comte pouvait tarder à amener les contingents militaires à l'ost. D'autre part, le roi est certain d'avoir auprès de lui des hommes fidèles qui peuvent l'aider à tout moment, si bien qu'il encourage des évêques, des abbés et même des comtes à entrer dans sa vassalité. En contrepartie Charles remet à ses fidèles un bénéfice, en général sous forme de terres. En Aquitaine, en

Bavière, en Italie, les vassaux disposent même de domaines importants pour assurer l'autorité royale et à leur tour, peuvent concéder en arrière-bénéfice des terres à leurs propres vassaux et se constituer ainsi une clientèle. La pratique vassalique, dont nous avons vu plus haut les origines, va donc se généraliser à la fin du VIIIe siècle et au début du IXe siècle, à l'initiative du roi. Il est bien évident que l'engagement vassalique reste viager, c'est-à-dire qu'il se rompt à la mort du vassal ou de son seigneur et que par suite le bénéfice retourne dans la possession du roi. L'autorité de Charles est telle que le système fonctionne assez bien sous son règne mais nous verrons que, sous ses successeurs, les vassaux essaieront de garder pour eux et pour leur descendance les terres concédées.

Enfin Charles compte sur les évêques pour l'aider dans sa tâche. Il est maître du recrutement épiscopal et, en général, il choisit les candidats parmi les clercs de son palais. Les évêques, qu'ils soient ou non vassaux du roi, sont appelés à aider le comte dans la gestion de sa circonscription, à assurer des charges au palais et des missions à l'étranger. Plus d'un se plaint de n'avoir plus le temps de satisfaire ses devoirs pastoraux. Charles, chef du peuple chrétien, s'appuie sur les évêques pour appliquer l'essentiel de son programme de gouvernement qui est le respect de l'ordre, de la justice, la concorde, la paix et l'unanimité. Comme l'a bien montré Louis Halphen une nouvelle idée d'État, bien éloignée de celle de l'Antiquité, est maintenant définie. Le Carolingien qui tient son autorité de Dieu est un nouveau David qui doit faire respecter la loi de Dieu, loi qui surpasse toutes les législations en place. Ses capitulaires s'occupent autant des questions religieuses que des questions profanes : on y parle du repos dominical, de l'assiduité des fidèles à l'office, de la liturgie, des baptêmes, de la discipline monastique, de la formation des clercs, de l'instruction religieuse des laïcs, etc. Le roi préside les conciles, s'occupe des affaires ecclésiastiques et même des problèmes de dogmes qu'il s'agisse de l'adoptianisme ou de l'affaire des images. Les évêques lui savent gré de prendre en main les destinées de l'Église. En 813, ils remercient le Ciel « d'avoir donné à l'Église un chef aussi pieux, aussi dévoué au service de Dieu et qui, faisant jaillir à la source de la puissance sacrée, dispense la sainte nourriture aux brebis du Christ pour les former aux enseignements divins. Un chef qui s'efforce par un labeur inlassable d'accroître le peuple chrétien, qui honore dans l'allégresse les Églises du Christ et s'emploie à arracher le plus d'âmes possible de la gueule de l'affreux dragon pour les ramener dans le giron de notre sainte mère l'Église et les diriger toutes ensemble vers les joies du

Paradis et le royaume des Cieux. Un chef enfin qui dépasse tous les autres rois de la terre par sa sainte sagesse et son zèle pieux ». Rarement pareille confusion entre les domaines temporel et spirituel a été réalisée et acceptée de tous, clercs et laïcs. Charles, lecteur de la *Cité de Dieu*, rêve d'établir sur terre cette cité, sorte d'État sacral ou théocratique qui assure à l'Occident la paix entre les hommes et leur salut éternel.

Tels sont, dans leurs grandes lignes, les moyens de gouvernement dont dispose Charlemagne et la haute ambition politique de l'empereur. Mais il ne faudrait pas se contenter d'un si beau programme pour rendre compte de la réalité. Sans aller jusqu'à parler comme l'a fait F.L. Ganshof de l' « échec de Charlemagne », il faut mentionner les obstacles que l'empereur a rencontrés dans son gouvernement et les solutions auxquelles il a dû recourir.

## Les obstacles à l'unité de l'empire

L'Europe carolingienne s'étend sur plus d'un million de kilomètres carrés. Elle est constituée de régions qui se sont regroupées rapidement autour d'une même autorité, mais qui ont leur propre histoire, leur législation, leur culture, leur mentalité particulière. La *Francia* est le centre de l'empire où l'on trouve les palais, les fiscs royaux, les grandes abbayes. Elle s'étend de l'océan au-delà du Rhin et, au sud, jusqu'à la Loire et jusqu'au plateau de Langres. On peut déjà la diviser en Francie proprement dite, entre Seine et Loire, l'ancienne Neustrie, Francie occidentale entre Seine et Meuse, Francie médiane entre Meuse et Rhin englobant les pays de la Bourgogne franque et Francie orientale au-delà du Rhin, qui comprend la Hesse, la Thuringe, l'Alémanie, c'est-à-dire une partie de l'ancienne Austrasie. Au nord et au sud de cette Francie sont venus s'ajouter les pays saxons et frisons, d'une part, et le duché de Bavière d'autre part. La Saxe, soumise et christianisée par la terreur, garde ses lois et sa hiérarchie sociale. La Bavière, restée longtemps indépendante sous la direction des ducs nationaux, cherche à maintenir son originalité face aux Francs et aux Italiens. Au sud de la Loire, l'Aquitaine forme un monde à part que les conquêtes de Pépin et de Charlemagne n'ont pas pu soumettre réellement. Les Francs n'ont que mépris pour les Aquitains qu'ils accusent de versatilité et de mollesse. A l'intérieur de l'Aquitaine même des particularismes s'exercent : la région longtemps dominée par les Goths, puis par les Arabes et reconquise par les Carolingiens, la future Catalogne, commence à créer sa propre personnalité. Les réfugiés venus d'outre-Pyrénées, les *Hispani*, y sont installés avec un statut particulier. A l'ouest, les Gascons sont loin d'être assimilés ; les comtes de Toulouse et de Bordeaux ont mission de protéger l'Aquitaine contre leurs incursions, car dans les montagnes pyrénéennes, les Basques, encore païens, résistent et surprennent, nous l'avons vu, les armées carolingiennes. Plus au nord les ducs gascons sont apparemment ralliés aux Carolingiens, mais ils gardent leur originalité jusque dans le costume. Quand Louis, roi d'Aquitaine, arrive en 787 à Paderborn, il est revêtu du costume gascon, petit manteau arrondi, manches bouffantes, large pantalon et bottes munies d'éperons.

A l'est de l'Aquitaine, la Bourgogne et la Provence forment des ensembles sans unité. Le pays provençal est une annexe lointaine où les rois carolingiens ne pénètrent jamais depuis que Charles Martel a conquis le pays. La Lyonnaise ou Viennoise, cœur de l'ancien royaume burgonde, joue un rôle stratégique important. Vienne et Lyon sont des grands centres politiques et religieux. L'archevêque Leidrade, qui a transformé sa ville, avait espéré recevoir la visite de Charlemagne, mais l'empereur ne vint jamais à Lyon. Une troisième Bourgogne, que la Saône sépare de la Bourgogne franque, est également une région de carrefour comprenant le grand diocèse de Besançon et l'ancien duché de Transjurane, que traverse la grande route d'Italie.

Pour les Francs, l'Italie est toujours un domaine étranger par la langue et par les mentalités, que l'on ne gagne pas sans de grandes difficultés de voyage, ni sans risques pour sa santé. Charlemagne a voulu unifier l'Italie sous son autorité, mais il doit tenir compte des caractères originaux de chaque région. A côté de l'ancien royaume lombard, le territoire de Saint-Pierre, les duchés de Spolète et de Bénévent ont chacun leur particularisme.

Le voyageur qui parcourt l'empire carolingien est gêné par la diversité des langues. Sans parler des Basques et des Bretons qui conservent leur propre langue, les Aquitains et une grande partie des habitants de la Francie parlent la *lingua romana*, mais la prononciation varie suivant les régions. Dans le domaine linguistique germanique, des îlots de parler roman résistent ; ainsi en Bavière, dans la région de Salzbourg, on parle encore roman, de même dans la région de Coire, dans le Tyrol occidental, au Frioul, le rhéto-roman appelé aussi ladin va survivre pendant des siècles. La langue germanique que l'on appelle dans les textes *lingua theotisca* d'où vient le mot *Deutsch*, langue du peuple, offre bien des diversités dialectales. Il est certain que les Saxons ne devaient pas comprendre les Bavarois. Le francique qui est la langue de la cour carolingienne se divise lui-même, selon les régions, en dialectes dont certains textes nous ont conservé la forme écrite. Il était donc indispensable aux gouvernants et à leurs fonctionnaires d'être bilingues ou même trilingues. Charlemagne soucieux de donner une norme à la langue germanique ébaucha une grammaire qui ne nous est pas parvenue.

A la diversité des mentalités et des langues, s'ajoute celle des droits. Le principe de la personnalité des lois, qui fut suivi depuis l'installation des barbares en Occident, a été respecté par les Carolingiens. A chaque peuple sa loi. Charlemagne « a fait recueillir et consigner par écrit les lois transmises jusqu'alors par tradition orale de tous les peuples placés sous sa domination ». Cette phrase d'Eginhard est confirmée par d'autres textes. Charles a fait réviser les lois salique, alamane, bavaroise, a fait rédiger la loi des Saxons et celle des Frisons. A partir de 802, il fait travailler des commissaires pour compléter les lois en vigueur. Le roi rappelait aux juges qu'ils devaient dans chaque procès poser la question relative à la loi nationale qui doit être appliquée. Cela supposait que les juges avaient connaissance des différentes lois et en possédaient des textes.

## Régionalisation du pouvoir

A mesure que s'étendent les conquêtes, la diversité de l'État carolingien oblige Charles à reprendre le système des principautés des VIIᵉ et VIIIᵉ siècles. Il établit des unités régionales qu'il confie aux membres de sa famille. Après l'expédition malheureuse d'Espagne, craignant que les Aquitains n'en profitent pour s'agiter, il nomme son fils Louis, né en Poitou, roi des Aquitains. La même année, il décide de faire sacrer son deuxième fils Pépin roi d'Italie. Après la mort de Pépin, son bâtard Bernard hérite à son tour du royaume (813). Après la déposition de Tassilon, Charles confie le duché à son beau-frère Gérold allié à la famille des Agilolfing *(cf. tableau V)* avec le titre de *praefectus* et fait de l'évêque de Salzbourg un archevêque qui dirige toute l'Église bavaroise. Gérold étant mort en 799, Charles nomme deux préfets en Bavière.

En Aquitaine et en Italie, les rois ont chacun leur palais, leur chapelle, leur chancellerie, leur trésor, leurs ateliers moné-

taires. Sans doute Charles surveille de très près le gouvernement de ces vice-rois. Des comtes installés en Aquitaine sont
pour la plupart d'origine franque en dehors de quelques Goths
qui ont la charge de quelques comtés de Septimanie. Mais à
mesure que Louis grandit, il inaugure une politique plus personnelle surtout en ce qui concerne la réforme des monastères
confiée à Benoît d'Aniane. Il distribue même des fiscs royaux à
des aristocrates aquitains, non sans inquiéter Charlemagne. En
Italie, Pépin, installé à Pavie, est aidé dans son gouvernement
par Adalard, cousin de Charlemagne. Il promulgue des capitulaires particuliers pour son royaume qui reprennent les décisions adoptées à la cour carolingienne. Au sud, le duché de
Bénévent a reconnu l'autorité de Charles et le duché de Spolète
est confié à une dynastie locale contrôlée par des fonctionnaires francs.

En dehors de ces *regna*, Charles établit dans les régions
frontières, des préfets appelés plus tard *marchiones* ou marquis, qui ont des responsabilités militaires et autorité sur les
comtes. Pour protéger le royaume contre les attaques des Bretons, on organise une Marche de Bretagne qui est confiée à
Roland, neveu de Charlemagne, puis en 790, un « duché » du
Maine dirigé par Charles le Jeune, fils aîné de Charlemagne,
enfin nous trouvons entre 799 et 802 un aristocrate issu de la
famille des Widonides appelé « préfet du *limes* de Bretagne ».
En Aquitaine, Guillaume, cousin de Charlemagne, est duc de
Toulouse et protège le royaume aussi bien contre les Arabes
que contre les Gascons. A l'est de la Bavière, un certain comte
Werner est responsable de l'*Ostmark*. Des comtes dotés de pouvoirs spéciaux sont également installés dans les Marches pour
protéger l'empire contre les attaques des Danois et des Slaves.

Cette tendance à la régionalisation du pouvoir est illustrée
par le projet de partage de 806 que les *Annales royales* appellent
« Constitution pour la conservation de la paix ». Réunissant ses
grands à l'assemblée de Thionville, Charles, qui sent la vieillesse arriver, décide qu'après sa mort son empire serait partagé
entre ses trois fils. Il se souvenait sans doute des désaccords
nés après la mort de Pépin entre lui et son frère et voulait éviter les conflits entre ses héritiers qui devaient, selon la tradition franque, se partager l'ensemble carolingien. « Pour ne pas
laisser à nos fils une situation confuse, non réglée, donnant lieu
à contestation, controverse et litige dans tout ce qui est notre
royaume, nous avons divisé le corps de tout le royaume en trois
parts et nous avons fait écrire et désigner la part que chacun

d'entre eux doit protéger et diriger, ceci de manière à ce que chacun soit content de sa part déterminée par ordonnance et que, avec l'aide de Dieu, il s'efforce de défendre les frontières de son royaume qui sont au contact de l'étranger et de mainte-nir avec ses frères paix et charité. » Ces quelques lignes indi-quent bien l'objectif de l'empereur. Louis devait avoir, en dehors de l'Aquitaine, toute la région méridionale depuis le pla-teau de Langres jusqu'aux Alpes ; à Pépin étaient attribuées en plus de l'Italie, la Bavière et ses annexes de Carinthie et la moi-tié de l'Alémanie. A Charles, fils aîné de Charlemagne, était donné tout le reste du territoire. Si ce dernier mourait avant ses frères, ceux-ci se partageaient l'empire, selon le partage de 768, entre Charles et Pépin. Charlemagne va plus loin et demande que les fils des trois rois héritent des royaumes qui sont ainsi prévus. Quant à ses filles, elles pourraient choisir entre la vie monastique et un mariage honorable.

En lisant le projet de partage, on remarque que Charles ne fait pas mention de la dignité impériale. Joseph Calmette expli-que cette omission par la guerre qui oppose l'empire carolin-gien et l'empire franc et suppose que Charles attend la fin du conflit pour régler la succession impériale. Pourtant d'autres historiens ont plus justement pensé que Charles considérait son titre d'empereur comme une sorte d' « apothéose person-nelle » et estimait qu'il devait disparaître après sa mort. Charles aurait ainsi agi en père de famille, en roi franc, ce qui est d'ailleurs conforme à son tempérament.

## Charlemagne, chef franc

### Ses habitudes de vie

En effet Charlemagne, même après son couronnement, reste un Franc austrasien qui compte sur sa famille et ses parents autant que sur les institutions qu'il a mises en place pour gouverner l'empire. Même après 800, Charles reste fidèle à son genre de vie traditionnel. Le portrait qu'Eginhard nous a laissé de l'empereur est à ce sujet éclairant : Charles est un Franc avec toutes les qualités et les défauts de ce peuple. Cet homme de haute stature (1,92 m) est d'une santé de fer, il aime les exercices physiques violents, l'équitation, la chasse qui est un entraînement à la guerre, il excelle au plaisir de la natation et convie ses fils, les grands, ses amis, ses gardes du corps à se retrouver dans la piscine d'Aix-la-Chapelle. Son appétit est grand, et vif son goût pour les viandes rôties en dépit des recommandations de ses médecins. En dehors des grandes cérémonies, il porte le costume des Francs qui « diffère peu de celui des hommes du peuple et du commun ». Il se sent proche de ce peuple dont il est issu au point, nous dit Eginhard, « qu'il transcrivit pour que le souvenir ne s'en perdît pas les très antiques poèmes barbares où étaient chantées l'histoire et la guerre des vieux rois. Il ébaucha en outre une grammaire de la langue nationale ».

Comme beaucoup de ses compatriotes, comme son grand-père et son père, Charles ne peut vivre dans la chasteté. Marié quatre fois, il eut de nombreuses concubines jusqu'à un âge avancé. Alcuin met en garde un de ses disciples contre « les colombes couronnées qui volent dans la chambre du palais » et un poète loue une cousine de Charles d'avoir gardé sa vertu « parmi les ardeurs amoureuses du palais et la beauté des jeunes gens ».

Qu'il s'agisse du mariage germanique connu sous le nom de *Friedelehe* ou du mariage chrétien, Charles choisit ses femmes non seulement pour des raisons sentimentales mais aussi pour des motifs politiques. La Souabe Hildegarde lui donna huit enfants, sa troisième épouse Fastrade était fille d'un comte de Francie orientale, et sa quatrième femme Liutgarde était d'origine alamane. Charles montra autant d'affection à ses enfants légitimes qu'à ses bâtards. La révolte de l'un d'entre eux, Pépin le Bossu en 792, le peina particulièrement. Après avoir fait condamner les rebelles qui avaient soutenu le jeune prince, il fit enfermer ce dernier dans le monastère de Prüm.

Charles aime vivre en famille, s'occupant de l'éducation de ses fils et de ses filles : « Il ne soupait jamais sans eux et ne se mettait jamais en route sans eux », écrit Eginhard. Le biographe ajoute même : « Comme ses filles étaient très belles et qu'il les aimait beaucoup, il n'en voulut donner aucune en mariage à qui que ce fût, pas plus à quelqu'un des siens qu'à un étranger ; il les garda toutes auprès de lui dans sa maison jusqu'à sa mort disant qu'il ne pouvait se passer de leur société. Et, heureux par ailleurs, il dut à cette conduite d'éprouver la malignité du sort. » En effet, Rotrude s'unit secrètement au comte du Maine Rorico, et Berthe qui ressemblait beaucoup à son père fut la maîtresse d'Angilbert dont elle eut plusieurs enfants parmi lesquels l'historien Nithard. Charles aime vivre en patriarche avec ses épouses, ses enfants, sa mère qui mourut en 783, sa sœur Gisèle, son oncle Bernard, ses cousins Wala, Adalard, Bernard, Théodrade *(cf. tableaux IV et VI)*, etc.

## Les domaines du roi

C'est toute la tribu que l'on retrouve se déplaçant de *villa* en *villa*, de palais en palais. C'est là un autre aspect du caractère franc de l'empereur. Jusqu'à son installation à Aix en 794, et même après, Charles ne peut renoncer à ce nomadisme que connaissaient déjà ses ancêtres pour des motifs politiques, mais également pour des raisons économiques. Car le roi « vit du sien », comme on dira plus tard pour les rois capétiens. Il tire toutes ses ressources de ses propriétés, de ses fiscs qui sont situés dans la vallée de l'Aisne et de l'Oise (Quierzy, Attigny, Verberie, Compiègne etc.), dans la vallée de la Meuse et de la Moselle (Herstal, Thionville), dans la vallée du Rhin (Ingelheim, Francfort, Worms), mais également en Saxe (Paderborn) et sur le bas Rhin (Nimègue). On a pu compter plusieurs centaines de palais et de *villae* royales qui malheureusement en dehors du palais d'Aix ne sont connues que par des textes. Un inventaire du début du IXe siècle nous décrit ainsi une des grandes exploitations rurales : « Nous avons trouvé dans le fisc d'Annapes [près de Lille] un palais royal construit en très bonnes pierres, trois chambres, la maison tout entourée d'une galerie, avec onze petites pièces ; au-dessous un cellier, deux porches ; à l'intérieur de la cour dix-sept autres maisons construites en bois avec autant de chambres et les autres dépendances en bon état : une étable, une cuisine, une boulangerie, deux granges, trois magasins ; une cour munie de portes palissades avec une sorte de pierre surmontée d'une galerie. Une petite cour elle aussi entourée d'une haie bien ordonnée et plantée d'arbres de diverses espèces. »

Comme un « gentilhomme campagnard », Charles veille à la bonne exploitation de ses domaines. Il exige de ses intendants, les *judices*, des comptes détaillés sur leur situation et leur revenu. On a gardé le fameux capitulaire *De villis* qui nous donne une idée de la minutie avec laquelle Charles fait gérer ses grands domaines. Tout est prévu : entretien des bâtiments, mobilier des chambres, travaux des ateliers des femmes, exploitation des bois, fabrication du vin, préparation des salaisons, utilisation des surplus, élevage, lutte contre les loups, jusqu'aux plantes que le souverain veut voir cultiver dans les potagers et les vergers, avec cette incidente : « Que le jardinier ait sur sa maison de la joubarbe. » Un passage de ce capitulaire *De villis* donne une idée de l'ensemble : « Chaque année nos intendants nous adressent à Noël sur des états séparés des comptes clairs et méthodiques de tous nos revenus pour que nous puissions connaître ce que nous avons et combien nous avons de chaque chose, c'est à savoir : le compte de nos terres labourées avec les bœufs que nos bouviers conduisent et de nos terres labourées par les possesseurs des manses qui nous doivent le labour ; le compte des porcs, des redevances, des obligations et des amendes ; celui du gibier pris dans nos bois sans notre permission et celui des diverses compositions ; celui des moulins, des forêts, des ponts, des champs, des navires... Le compte du foin, du bois à brûler, des torches, des planches et des autres bois d'œuvre ; celui des terres incultes ; celui du millet, des légumes, du panic, de la laine, du lin, du chanvre ; celui des fruits des arbres, des noyers, des noisetiers, des arbres greffés de toute espèce et des jardins ; celui des navets, celui des viviers ; celui des cuirs, des peaux, des cornes d'animaux, celui du miel, de la cire, de la graisse, du suif et du savon ; du vin de mûres, du vin cuit, de l'hydromel, du vinaigre, de la cervoise, du vin nouveau et du vin vieux ; du blé nouveau et du blé ancien ; celui des poules et des œufs, celui des oies ; le compte des pêcheurs, les ouvriers en métaux, des fabricants d'écus et des cordonniers ; celui des huches et des boîtes ; celui des tourneurs et des selliers ; celui des forges, des mines de plomb, de fer et autres mines ; celui des tributaires et celui des poulains et des pouliches. »

## Charles et l'aristocratie franque

Non seulement Charles, en tant que chef de famille, on pourrait dire chef de clan, confie à ses enfants des charges politiques et leur attribue des monastères royaux, mais il recherche le concours de l'aristocratie franque qui est le plus souvent liée à la famille carolingienne par des liens de parenté. Il ne fait que suivre l'exemple de ses ancêtres. L'aristocratie qui avait aidé les premiers Carolingiens à fonder leur puissance nous est déjà connue. Elle est composée d'un petit nombre de familles, une trentaine, riches en terres, ambitieuses, détentrices de charges. Les historiens allemands, Gerd Tellenbach et ses disciples, ont bien étudié le destin de la *Reicharistokratie*, disons l'aristocratie d'empire, et ont montré qu'elle avait été installée par Charles dans toute l'Europe carolingienne. Ainsi en Italie non seulement nous trouvons des Francs à la tête des comtés, des abbayes, des évêchés dans l'ancien royaume lombard, mais nous en trouvons également dans le duché de Spolète. Warin de la famille des Widonides est le gendre du duc de Spolète. Or d'autres membres de cette même famille sont installés dans l'ouest de la France, Guy, fils de Lambert, est marquis de Bretagne, tandis qu'un autre Warin sert Louis d'Aquitaine *(cf. tableau XVI)*. Cette famille est alliée aux Robertides qui renforcent leur parenté avec la famille impériale par le mariage de Louis d'Aquitaine et d'Irmingarde, fille du comte Ingramn, neveu de Chrodegand de Metz. Les Unrochides d'où vient sans doute Audgar qui, nous l'avons vu, avait été un des partisans de Carloman prennent une grande place dans l'empire *(cf. tableau XXI)*. Unroch est un des cinq comtes qui est chargé de conclure une trêve avec les Danois en 811 et finit ses jours à Saint-Bertin. Son frère Autchar est comte en Alémanie. Cette famille, nous le verrons, fera fortune en Italie. Du clan des Etichonides, originaires d'Alsace comme nous l'avons vu *(cf. tableau XIII)*, sort Hugues le Peureux qui fut comte de Tours, aida Louis à conquérir Barcelone et devint le beau-père du fils aîné de Louis. En 811, il est envoyé comme ambassadeur à Byzance ; il possède des biens en Italie. Les Wilhelmides sont également apparentés aux Carolingiens ; Thierry II est comte en pays ripuaire et en Autunois, son frère Guillaume est duc de Toulouse, une fille de Guillaume, Rolinde, épouse Wala, cousin de Charlemagne *(cf. tableau XXIII)*. On peut encore citer la famille du comte Girardi dont les fils sont l'un Étienne, comte à Paris, et l'autre Leuthard, comte de Fezensac en Aquitaine *(cf. tableau XIV)*. Charles choisit ses comtes et ses vassaux dans d'autres familles moins connues qui, à leur tour, fondent des dynasties. Ainsi Rorico, fils de Gauzlin installé dans le Maine, amant de Rotrude, fille de Charlemagne, est à l'origine de la grande famille des Rorgonides *(cf. tableau XIX)*. Éric, originaire d'Alsace, est envoyé diriger la Marche de Frioul. La grande aristocratie, originaire du cœur de l'empire, s'allie aux familles locales et forme une véritable aristocratie européenne d'où sortiront au IXe siècle les chefs des grandes principautés.

Charlemagne, en dehors de la révolte de Pépin le Bossu et celle du comte thuringien Hardrad, n'eut jamais à se plaindre de ces hommes à qui il confie des postes de responsabilité et à qui il remet des terres. Il essaie de leur donner le sens des affaires politiques et de les élever au-dessus des querelles de familles, des intérêts immédiats et de la brutalité des mœurs traditionnelles dans ces groupes. Les clercs exaltent les guerriers qui par leur courage et leur foi méritent autant le salut que les hommes d'Église. Alcuin envoie à Guy de Bretagne un livre « sur les vertus et les vices », Paulin écrit pour Éric de Frioul un « livre d'exhortation », et après la mort du duc fait l'éloge de cet aristocrate, père des pauvres, généreux pour ses amis et grand capitaine. Lorsqu'en 806, Charlemagne projette le partage de son empire, il pense à cette aristocratie car il se rend compte que, possédant des biens personnels en Austrasie et des bénéfices dans les différentes régions de l'Empire, les grands et leur clientèle risquaient de troubler la vie politique. Il demande que chaque vassal reste attaché au prince qui est son seigneur et ne cherche pas à passer dans un autre royaume. Ainsi Charles devine à l'avance les problèmes qui se poseront sous ses successeurs.

La mort de Charlemagne

Le danger dans l'immédiat fut évité car le partage ne put être réalisé par suite de la mort des deux fils de l'empereur, Charles et Pépin. C'est à Louis, roi d'Aquitaine, que devait revenir la succession. En 813, Charles « qui pliait sous le poids de la maladie et de la vieillesse », — il avait presque 70 ans — influencé sans doute par son cousin Wala, qui est alors son principal conseiller, décide d'associer son fils à l'empire, comme l'avait fait le basileus Michel Ier lorsqu'il avait nommé son fils Théophylacte comme régent. Il fait venir Louis à Aix et le 11 septembre, après lui avoir exposé les devoirs de sa charge, il lui remet la couronne impériale, cette fois sans l'intermédiaire du pape. Louis est acclamé « Auguste et Empereur » au milieu du peuple franc. Après avoir entendu la messe, les deux empereurs quittent la chapelle, le père appuyé sur le fils. Louis retourne en Aquitaine et, quelques mois après, Charles atteint d'une pleurésie meurt le 28 janvier 814 au matin. Le jour même il fut enterré dans un sarcophage antique sous le sol de la chapelle d'Aix.

La mort de Charlemagne provoqua une stupeur dans l'empire, comme si l'on pensait qu'un tel homme était destiné à vivre éternellement. Un moine de Bobbio dans une *Déploration* met en scène toutes les parties de l'empire qui pleurent l'empereur défunt : « Des régions où naît le soleil jusqu'aux rives occidentales de la mer... pleure l'Italie, s'attristent les Francs, pleurent l'Aquitaine et également la Germanie... » Les quatre principales régions de l'Europe carolingienne s'associent dans une même plainte. Charles était bien, comme l'avait déjà dit le poète de 799, le « phare de l'Europe ». Quelques années après, Nithard évoque Charlemagne qui « laissa l'Europe entière remplie de félicité ». Charles apparaît donc très rapidement comme le « père de l'Europe », de cette Europe faite de régions très diverses et qu'il a su réunir sous son autorité. Construction fragile, dira-t-on, que ses successeurs ne sauront maintenir, mais un premier rassemblement territorial de l'Occident avait été réalisé. Tous ceux qui par la suite cherchèrent à faire l'unité européenne se recommandèrent de Charlemagne, qu'il s'agisse de Napoléon ou de ceux de nos contemporains qui tentent d'œuvrer pour l'unité européenne.

## TROISIÈME PARTIE

# DESTINÉES
# DE L'EUROPE CAROLINGIENNE
(814-877)

De la mort de Charlemagne à la mort de Charles le Chauve, son petit-fils (877), pendant plus de soixante ans, l'Europe carolingienne subit bien des transformations. Sous Louis le Pieux, la tentative de maintenir l'unité impériale tourne court et les rois carolingiens, sous la pression de l'aristocratie, reviennent à la politique traditionnelle des Francs. Le partage de Verdun de 843 est l'aboutissement de toute une série de projets de partage. Il crée trois royaumes qui eurent chacun leur propre histoire. En vain, les évêques et particulièrement la papauté, qui se rendent compte que la dislocation de l'empire risque de provoquer le déclin de l'Église, cherchent à sauver l'unité impériale. Charles le Chauve couronné en 875 est véritablement le dernier empereur carolingien.

# CHAPITRE PREMIER

# LE RÈGNE DE LOUIS LE PIEUX
## TENTATIVE ET ÉCHEC
## D'UN EMPIRE UNITAIRE (814-840)

### Les débuts d'un règne prometteur

C'est dans son palais de Doué-la-Fontaine que Louis apprend la mort de son père. Le nouvel empereur a déjà quarante-six ans. Marié depuis 794 avec Irmingarde, fille du comte Ingramn, il a trois fils, Lothaire né en 795, Pépin qui est deux ans plus jeune et Louis qui n'a que huit ans. En dehors des expéditions auxquelles il avait pris part à l'instigation de son père, Louis a vécu comme un grand seigneur en Aquitaine, s'adonnant à la chasse, se déplaçant avec sa cour dans ses différentes résidences de Doué, Anjac, Chasseneuil et Ébreuil. Pour l'aider dans son gouvernement, Louis a auprès de lui quelques conseillers, son gendre le comte Bégon, son chancelier Hélisachar, et le Goth Benoît d'Aniane à qui il a confié la réforme de plusieurs monastères d'Aquitaine. Car Louis, très influencé par la règle bénédictine, se fait remarquer par sa profonde piété. Les contemporains l'appellent déjà Louis le Pieux tandis que les historiens modernes lui ont donné le surnom un peu péjoratif de Débonnaire. Très souvent Louis a été dépeint comme un dévot voire un bigot, un homme soumis aux influences des moines, écoutant le dernier venu. Il est vrai qu'avec l'âge, nous le verrons après son deuxième mariage, son caractère évoluera et sa tendance cyclothymique s'accentuera. Mais au début de son règne, ses biographes, soit Thégan, évêque de Trèves, soit celui que l'on appelle « l'Astronome » en raison de ses connaissances scientifiques, présentent Louis comme un prince intelligent, cultivé et énergique. Ses premiers actes montrent que son règne, du moins les débuts de son règne, doivent être « reconsidérés » comme le dit l'historien F.L. Ganshof.

En arrivant à Aix, Louis est décidé comme tout chef d'État inaugurant son règne à opérer des changements et des réformes. Il se fait appeler : « Louis par ordre de la Providence divine, Empereur et Auguste » et fait dater ses actes de « l'an I de notre règne ». Ainsi, dès le début, oubliant les titres de roi des Francs et des Lombards, il affirme l'unité de l'empire. Réagissant contre le relâchement moral qui avait marqué la fin du règne de Charlemagne, il chasse d'Aix-la-Chapelle les prostituées et renvoie ses sœurs dans les monastères qu'elles avaient reçus de leur père. Les anciens conseillers de Charlemagne sont écartés : Adalard et Wala son frère, tous deux cousins de Charles, doivent se retirer au monastère de Noirmoutier et à celui de Corbie, tandis que leur sœur Gundrade part pour Poitiers. Louis appelle auprès de lui son gendre Bégon de la famille des Girardides, et le fait comte de Paris. Hélisachar cumule les abbayes de Saint-Maximin de Trèves, de Saint-Riquier, de Saint-Aubin d'Angers et de Jumièges, Hilduin est abbé de Saint-Denis. L'empereur installe Benoît d'Aniane dans le monastère d'Inden, à quelques kilomètres d'Aix.

Sous l'influence de Benoît, Louis poursuit l'œuvre de réforme de l'Église commencée par les conciles de 813. Réunies à Aix entre 813 et 818, plusieurs assemblées religieuses répriment les abus trop criants, reprennent la règle de Chrodegand pour les chanoines, établissent un statut des chanoinesses, garantissent les biens ecclésiastiques.

Vis-à-vis de Rome, Louis innove en rendant au pape une certaine liberté d'action. Après la mort de Léon III en 816, Étienne IV son successeur étant venu en France, il couronna à Reims, pour la première fois ville du sacre, l'empereur et l'impératrice Irmingarde. A son successeur, Pascal Ier (817-824), Louis octroie un « privilège » dans lequel il énumère tous les territoires qui appartiennent au pape et qui reconnaît la souveraineté du pape sur ces terres.

Louis entreprend également quelques réformes pour renforcer les institutions ; il nomme des *magistri* à la tête des grands services, maîtres des huissiers, maîtres des marchands, maîtres des juifs, il perfectionne le système des *missi dominici*, précisant les circonscriptions dans lesquelles ils doivent agir, il renforce l'efficacité des bureaux, fait établir une collection de tous les capitulaires par l'abbé de Saint-Wandrille, Anségise, bref il cherche à redonner un sens au service de l'État ou comme on dit de la *res publica*.

Trois ans après son avènement, comme pour couronner ses premières réformes, Louis prend une décision importante.

Pour maintenir l'unité de l'Empire qu'il dirige, il décide d'associer son fils aîné Lothaire au gouvernement en lui donnant le droit de succession. Les raisons de ce qu'on appelle l'*Ordinatio imperii* ne sont pas bien connues. Louis redoute-t-il une mort prématurée après qu'il eut été victime d'un accident dans le palais d'Aix et craint-il que ses fils ne se disputent l'héritage qu'ils devraient se partager conformément à l'usage ancestral ? Dans le préambule de cet acte, il rappelle cet usage, et dit : « quoique cette requête ait été présentée avec dévouement et fidélité, il ne nous apparut point ni à nous, ni à ceux qui jugent sainement qu'il fût possible par amour pour nos fils de laisser rompre en procédant à un partage l'unité d'un empire que Dieu a maintenu à notre profit. Nous n'avons pas voulu courir le risque de déchaîner ainsi un scandale dans la sainte Église et d'offenser ceux en la puissance de qui reposent les droits de tous les royaumes ». Ainsi après trois jours de jeûne et de prière il décide de couronner empereur son fils Lothaire, établissant un droit d'aînesse que les traditions franques ne connaissaient pas. Ses frères ont le titre de roi, Pépin en Aquitaine, Louis en Bavière, mais ils sont soumis à l'autorité de leur aîné. Si l'un des frères meurt, son fils lui succède et s'il n'a pas d'enfant Lothaire hérite du royaume. Si Lothaire meurt, un de ses deux autres frères est choisi par les fidèles. Tout est prévu pour que l'empire ne subisse aucune division. Le royaume d'Italie qui avait été confié à Bernard, neveu de Louis, est laissé à ce dernier mais également sous l'autorité de Lothaire. Quant à Arnulf, bâtard de Louis, âgé de vingt-trois ans il se contente du comté de Sens.

Ainsi Louis le Pieux a-t-il trouvé une heureuse solution pour limiter au maximum les inconvénients de la coutume des partages et pour garantir l'unité de l'empire et de l'Église. Car l'un ne va pas sans l'autre : Louis, comme le dit un contemporain, est, « par la grâce divine Empereur, Auguste et Maître de toute l'Église de l'Europe ». Certains clercs même, tel l'archevêque de Lyon Agobard, rêvent de la fusion des peuples et de l'abolition des différentes lois barbares : « Il n'y a plus ni gentils, ni juifs..., ni Barbares, ni Scythes, ni Aquitains, ni Lombards, ni Burgondes, ni Alamans, ni serfs, ni libres, tous ne sont qu'un en Christ. » L'unité de l'empire ne peut être assurée que par le christianisme.

L'*Ordinatio imperii* n'est pas acceptée par tous les sujets de l'empire. Si Pépin et Louis sont encore jeunes, les partisans de la tradition des partages entre héritiers se groupent autour de Bernard d'Italie âgé de vingt ans. La riposte de Louis est rapide et efficace : Bernard est fait prisonnier, jugé à Aix, condamné à mort. L'empereur lui fait grâce et le fait aveugler. Malheureusement, le prince mourut deux jours après des suites de son supplice. Pour éviter que les bâtards de Charlemagne ne se révoltent à leur tour et réclament une part de l'empire, Louis les fait tonsurer : Drogon est envoyé à Luxeuil, Hugues à Charroux et Thierry dans un autre monastère. Enfin Louis le Pieux marie son fils Lothaire à Ermengarde, fille du comte de Tours Hugues de la famille des Étichonides (cf. tableau XIII) et son fils Pépin à Rigarde, fille du comte Teudbert. Pour resserrer ses liens avec les aristocrates de l'empire, Louis multiplie les assemblées en Neustrie et en Austrasie et invite les grands à jurer respect aux décisions de 817.

Pourtant pour se concilier toutes les tendances, Louis rappelle Adalard et son frère Wala. Ce dernier remplace au palais Benoît d'Aniane qui vient de mourir (821). L'évêché de Metz étant vacant, il le confie à son demi-frère Drogon. Enfin pour attirer sur son empire les bénédictions du Ciel, il convie les aristocrates, clercs et laïcs, à une pénitence générale à l'assemblée d'Attigny (822). Puis il invite les évêques à regretter leur négligence et lui-même confesse ses péchés vis-à-vis de Bernard livré au bourreau, d'Adalard et de Wala exilés et de ses frères envoyés autrefois dans un monastère. Étrange abaissement d'un empereur qui s'humilie publiquement et distribue des aumônes pour racheter ses fautes et qui, sans s'en rendre compte, risque de tomber sous la puissance des clercs. Mais, pour le moment, tous célèbrent la réconciliation générale et comme le dit l'abbé Adalard : « Jamais on n'avait autant travaillé pour la cause du bien public. » Pourtant deux événements allaient troubler cette belle harmonie : la naissance d'un quatrième héritier mâle et l'ambition grandissante de Lothaire.

## L'organisation des partis rivaux

Louis étant veuf depuis 818, et ne pouvant supporter cet état, s'était fait présenter quelques mois après les plus belles héritières de l'empire, et avait décidé d'épouser Judith. Cette dernière était fille du comte Welf (cf. tableau XXII) qui possédait d'immenses biens en Bavière, en Alémanie, au nord du lac de Constance, dans l'Argengau, dans l'Ammergau, etc. Judith dont chacun loue la beauté et l'intelligence eut dès le début une toute-puissante influence sur l'empereur beaucoup plus âgé qu'elle. Elle réussit à faire donner à sa mère l'abbaye de Chelles, à son frère Rodolphe les abbayes de Saint-Riquier et de

Jumièges, à un autre frère Conrad l'abbaye de Saint-Gall. Elle fit épouser à ce dernier Adélaïde, fille d'Hugues de Tours, beau-père de Louis le Pieux. Enfin la sœur de Judith, Emma, épousa en 827 Louis de Bavière troisième fils de Louis le Pieux. Ainsi l'empereur était beau-frère de son fils, tandis qu'un autre de ses beaux-frères avait épousé la sœur de sa bru... Pendant quatre ans Judith n'a pas eu d'enfant, mais le 13 juin 823, elle donne naissance à un fils qui reçoit le nom de son grand-père Charles. C'est le futur Charles le Chauve. Il était inévitable qu'entre les trois garçons nés du premier mariage et cette belle-mère ambitieuse, toute fière d'avoir donné un autre fils à l'empereur, un conflit éclatât.

Celui qui se sent le plus menacé est l'aîné Lothaire, l'empereur associé. Alors âgé de vingt-huit ans, il cherche à jouer un rôle dans le gouvernement impérial. Dès 822, l'empereur s'en inquiète et l'envoie avec son conseiller Wala en Italie. Lothaire montre de réelles qualités politiques, réunit des assemblées, publie des capitulaires et le jour de Pâques 823, alors que l'on sait l'impératrice enceinte, il est couronné empereur par le pape Pascal. Puis il profite de l'avènement d'un nouveau pontife Eugène II pour replacer la papauté sous le contrôle impérial, reprenant ainsi la politique de Charlemagne. Après la naissance du petit Charles, Lothaire accepte d'être le parrain du jeune prince, mais il se rend compte bien vite que l'impératrice intrigue pour que l'empereur Louis prévoie une part de son héritage pour son nouveau fils, selon la coutume franque. Lothaire pour qui l'acte de 817 est irrévocable est bien décidé à défendre ses droits. Il groupe autour de lui quelques grands laïcs et ecclésiastiques heureux, au nom de l'unité impériale, de jouer un rôle politique dans l'empire.

Dans le camp des « impérialistes », nous trouvons Matfrid, comte d'Orléans qui se vante d'être l'homme de confiance de l'empereur et Hugues, comte de Tours, beau-père de Lothaire. On trouve également Hilduin représentant la famille des Gérold et des Gérard et surtout Wala le conseiller de Lothaire et Jonas évêque d'Orléans. Ce dernier qui, dès 825, avait, dans la *Vie de saint Hubert*, exalté la famille carolingienne, a présenté son programme politique soit dans son livre de l'*Instruction des laïcs* adressé au comte Matfrid, soit surtout dans l'ouvrage de l'*Institution royale* écrit pour le roi Pépin d'Aquitaine. Il est le porte-parole des évêques qui se réunissent à Paris en 825, puis en 829 et qui rappellent à l'empereur les devoirs de sa charge. Comme les prophètes de l'Ancien Testament, les évêques doivent conseiller les rois, leur « autorité » est au-dessus du « pouvoir » royal, ils peuvent juger le roi s'il se comporte en tyran, car « le ministère royal c'est de gouverner et de diriger le peuple de Dieu avec équité et selon le droit et de s'efforcer de lui procurer la concorde et la paix ». Si cette paix est menacée, les évêques qui représentent une puissance politique n'hésiteront pas à intervenir. Pour le moment, le programme des évêques reste très théorique, mais il est certain que Lothaire, qui lui aussi invoque le maintien de la paix, trouvera dans le corps épiscopal un appui puissant.

De son côté, Judith, qui ne songe qu'à l'intérêt de son jeune fils, groupe autour d'elle quelques fidèles. Parmi eux, figure le marquis de Septimanie, Bernard, filleul de l'empereur. Bernard est le fils de Guillaume qui, sous Charlemagne, avait été duc de Toulouse, donc, le cousin de Louis *(cf. tableau XXIII)*. En 824, dans la chapelle d'Aix, il a épousé Dhuoda, issue d'une grande famille austrasienne. Comme son père, Bernard est chargé de défendre l'Aquitaine méridionale contre les attaques musulmanes. L'occasion de montrer ses qualités militaires lui est donnée en 826, au moment où les troupes de l'émir de Cordoue, Abd al-Rahman II, viennent assiéger Barcelone. Louis le Pieux décide d'envoyer des renforts à Bernard, mais ni Hugues de Tours, bien surnommé le Peureux, ni Matfrid d'Orléans ne se mettent à temps en route. Bernard délivre seul Barcelone. Hugues et Matfrid, accusés de trahison, sont condamnés à mort puis graciés sous l'influence de Wala. Ils perdent leur comté et leurs biens. Ainsi Bernard devient l'homme du jour, le conseiller de Louis le Pieux et le protecteur de Judith.

C'est alors qu'à l'assemblée de Worms en août 829, le couple impérial prétextant l'entrée du jeune Charles dans sa septième année décide de donner au prince le pays alaman, berceau de la famille welf, la Rhétie, l'Alsace et une partie de la Bourgogne. En même temps, Louis oblige Lothaire à repartir en Italie, Wala à s'exiler dans son abbaye de Corbie, et de plus il donne à Bernard la place de chambellan, une des premières charges de l'empire et il lui confie l'éducation du jeune Charles. Cette révolution de palais, accompagnée de ces mesures énergiques, allait déchaîner les premières révoltes des fils contre leur père. Pourtant l'empereur Louis paraît alors à son apogée. Walafrid Strabon dans son *Panégyrique* fait l'éloge de Louis, « nouveau Moïse, créateur de l'âge d'or, guide de son peuple dans les ténèbres ». A ses côtés, il évoque Josué (Lothaire), le doux Jonathan (Louis de Bavière), puis Pépin troisième perle de la couronne et enfin la « belle Rachel », Judith qui conduit par la main Benjamin (le petit Charles). Charmant tableau de famille qui cache les luttes qui vont éclater.

## *Échec de la première révolte*

Wala retiré à Corbie ne peut s'avouer vaincu. Il rallie les partisans de l'unité impériale et, ayant gardé quelques informateurs au palais, il déclenche contre Judith une campagne de calomnies. A l'en croire, Judith et Bernard — son complice et même son amant — sont coupables d'adultère, de magie et même de tentative d'assassinat. Lisons ce que Paschase Radbert, le biographe de Wala, écrit à ce sujet : « Ô quel jour que celui qui apporta à l'univers les ténèbres presque éternelles de la crise, qui brisa l'empire pacifique et unitaire et le divisa en parcelles, qui viola la fraternité, rompit les liens du sang, engendra partout les inimitiés, dispersa les compatriotes, bannit la foi, détruisit la charité, viola tout autant les églises et corrompit tout... Hélas jour de malheur, jour qu'une nuit pire encore a suivi. Et aucun n'a été plus importuné que le jour où cette canaille de Bernard a été appelé d'Espagne, ce misérable qui abandonnait tout honneur à quoi le vouaient ses origines. Il se vautra dans sa fatuité, dans les plaisirs de la table. Il vint tel un sanglier furieux ; il renversa le palais ; il démolit le conseil ; il rejeta tout ordre de droit et de raison ; il chassa, il piétina tous les conseillers divins et humains ; il occupa le lit impérial. ... Le palais devint un bouge où la honte domine, où l'adultère règne, où les crimes pullulent, où l'on use des sortilèges et des maléfices de tous genres et défendus ; l'empereur allait comme un agneau innocent à l'holocauste. Il allait cet empereur grand et clément, trompé par celle dont Salomon a conseillé de se garder, illusionné bien plus encore par les intrigues de cet être immoral qui le menait à la mort. » Sur quoi reposent ces accusations, il est difficile de le dire. Sans doute Nithard, cousin de Charles et bien renseigné, écrivit-il simplement : « Bernard abusait inconsidérément de son pouvoir dans l'État, bouleversa de fond en comble ce qu'il aurait dû au contraire consolider. » Bernard était marié mais avait relégué à Uzès sa femme Dhuoda. Les accusations de magie ne sont pas gratuites car nous sommes à une époque où, non seulement dans le monde populaire mais même chez les aristocrates, cet art néfaste compte de plus en plus d'adeptes.

Quoi qu'il en soit la campagne de Wala porte ses fruits. La révolte se prépare et éclate à l'occasion d'une expédition que

Louis organise contre les Bretons en avril 830. Pépin d'Aquitaine, les comtes Hugues et Matfrid, puis Louis de Bavière sont décidés à « libérer » l'empereur de la toute-puissance de Judith et de Bernard. Ce dernier alors s'enfuit à Barcelone et Judith se réfugie au monastère de Laon. Pépin et Louis auraient souhaité que l'empereur se retire dans un monastère, mais Lothaire revenu vite d'Italie se contente d'annuler les dispositions de l'assemblée de Worms et de régner au nom de son père. Les partisans de Bernard perdent leur place, son frère Herbert est aveuglé, Judith et ses frères sont enfermés dans des monastères d'Aquitaine. Quant au petit Charles il est confié à des moines qui doivent « l'initier à la vie monastique ».

N'a-t-on pas été trop loin et Lothaire est-il capable de diriger un État aussi troublé ? Comme l'écrira plus tard Nithard : « L'état de l'empire dans lequel chacun, guidé par sa cupidité, cherchait son propre avantage, s'aggravait de jour en jour. » Louis, en « liberté surveillée », trouva néanmoins des appuis du côté du clergé d'outre-Rhin. Un certain Gombaud fut l'intermédiaire entre Louis et ses deux fils à qui l'on promit une augmentation de territoire. Cette offre fut bien reçue et rompit le front des coalisés. A l'assemblée de Nimègue, le palais choisi étant proche de la Germanie, Louis retrouve sa liberté... et sa femme, qui doit pourtant se libérer des accusations portées contre elle par un serment purgatoire. Lothaire pardonné repart en Italie, ses partisans clercs et laïcs sont enfermés dans des monastères.

Il ne restait plus qu'à récompenser les autres fils : à Aix-la-Chapelle, en février 831, Louis prévoit un partage de l'empire entre Pépin, Louis de Bavière et Charles de façon à ce que chacun ait des parts à peu près égales, Lothaire ne gardant que l'Italie. Jusqu'à la mort de l'empereur, les rois lui doivent obéissance et soumission absolues, mais après son décès, les trois royaumes seront indépendants, les rois se concertant simplement pour défendre leurs frontières et pour protéger l'Église romaine. Ainsi, l'on en revient aux conditions du projet de partage de 806 que Charlemagne avait imaginé. Il n'est question ni de l'unité de l'empire, ni du titre impérial, les partisans de la tradition germanique ne peuvent qu'être satisfaits.

## La grande révolte de 833 et son échec

Le projet de partage d'Aix n'a pas fait disparaître les raisons profondes de la crise. D'une part, les partisans de l'unité impériale rêvent de revenir à l'*Ordinatio* de 817, d'autre part les deux frères Pépin et Louis se disputent la première place auprès de l'empereur. Bernard de Septimanie pousse Pépin à la révolte, si bien que Louis confisque l'Aquitaine pour augmenter la part du fils de Judith. Louis se révolte à son tour et est enfermé dans un monastère. Judith imagine alors de partager l'empire entre le petit Charles et Lothaire. C'était mal connaître Lothaire qui, rentré en grâce, reforme une coalition contre Louis à laquelle se joignent ses deux frères. Bien plus, il réussit à convaincre le pape Grégoire IV d'intervenir au nom de l'unité impériale et de l'entente familiale.

C'est pour le pape l'occasion d'affirmer la supériorité du pouvoir spirituel garant de l'unité et de la paix. Car, dit Grégoire IV, « il ne faut pas ignorer que le gouvernement des âmes qui appartient au pontife est plus important que le gouvernement temporel qui appartiennent à l'empereur ». Quant à aller jusqu'à dire, avec certains historiens, que le pape veut réaliser un véritable programme théocratique, c'est certain que pour la première fois, et ce ne sera pas la dernière, la papauté intervient directement dans le domaine politique.

Avec beaucoup de dignité Louis rappelle alors à ses fils ses droits de père et de suzerain ; il accuse Lothaire d'entraîner à la rébellion ses frères et de détourner ses vassaux. Lothaire répond point par point et demande une entrevue avec l'empereur. Que peut faire ce dernier devant la coalition de ses fils, d'une partie du clergé et de l'intervention du pape ? La rencontre qui a lieu en Alsace à cinquante kilomètres de Colmar, dans un endroit qui, par la suite, s'appellera le « Champ du mensonge », tourne à son désavantage. Le biographe Thegan dépeint l'entrevue : « Les fils allèrent au-devant de Louis avec le pape Grégoire. Mais à leur démarche leur père ne voulut en rien consentir. Quelques jours après il y eut un colloque entre l'empereur et ledit pape : ils ne parlèrent pas longtemps. Alors des fidèles en nombre sont débauchés et quittèrent l'empereur passant à ses fils : d'abord ceux qui l'avaient déjà offensé, ensuite les autres ; cette nuit-là la plupart le quittèrent, abandonnèrent leur tente et parvinrent auprès des fils. Le lendemain matin quelques-uns qui étaient restés vinrent à l'empereur. Il leur donna cet ordre : " Allez vers mes fils, je ne veux pas qu'à cause de moi l'un de vous perde sa vie ou quelque membre. " Eux en larmes s'éloignèrent. » L'empereur est alors séparé de sa femme qui part avec le pape en Italie. Charles est enfermé dans le monastère de Prüm et Lothaire date ses actes : « An I de son règne impérial. »

Que va-t-on alors faire de Louis ? Une partie des clercs dirigés par Agobard de Lyon, Ebbon de Reims, Jessé d'Amiens reprennent les thèses qui avaient été formulées déjà en 829. Un souverain qui a manqué à ses devoirs n'est plus un roi mais un tyran et doit être déposé. Celui qui a violé les clauses du pacte de 818 et qui a été privé de sa puissance par ce « jugement de Dieu » que représente l'entrevue d'Alsace, doit avouer ses fautes publiquement et faire pénitence. Lothaire réunit une assemblée à Soissons et dans le monastère de Saint-Médard, en octobre 833, devant une foule de clercs et de laïcs, il oblige son père à reconnaître ses fautes. L'empereur s'humilie, fait son autocritique, avoue tout ce qu'on veut lui faire avouer, se dit coupable de sacrilège et d'homicide, fauteur de scandale, perturbateur de la paix, violateur des serments, et des lois divines et humaines, responsable des tueries, des rapines, et de tous les pillages des biens d'Église, de tous les partages arbitraires, etc. Ayant renoncé « spontanément » à la dignité impériale, il est dégradé et soumis à une pénitence perpétuelle. Samuel avait déposé Saül.

Mais encore une fois le scandale de la dégradation de l'empereur provoqua un revirement de l'opinion et beaucoup s'aperçurent que l'on avait « chambré » un homme démoralisé. « Il est inadmissible, comme l'écrit Raban Maur dans un Traité adressé à Louis, que les fils se révoltent contre leur père et les sujets contre leur souverain. » Bientôt la discorde naquit dans le camp des vainqueurs. Nithard décrit ainsi en quelques lignes l'évolution des esprits : « Pépin et Louis, voyant que Lothaire revendiquait tout l'empire pour lui seul et voulait les réduire en état d'infériorité, s'y résignaient difficilement ; en outre Hugues, Lambert, Matfrid qui briguaient ensemble le second rang dans l'empire, commençaient à se quereller. Chacun recherchant son avantage personnel on négligeait les affaires publiques et le peuple s'en apercevant se montrait mécontent. Au surplus les fils sentaient la honte et le repentir les gagner d'avoir deux fois privé leur père de son rang et la nation entière d'avoir deux fois abandonné son empereur. »
La guerre civile reprit : d'un côté Pépin aidé par Bernard de Septimanie qui veut se venger de Lothaire, Louis le Pieux qui fait sa jonction avec le roi de Bavière près de Langres ; de l'autre Lothaire et ses partisans toujours fidèles, Hugues et Matfrid et même Lambert de Nantes allié aux Bretons. Lothaire prend Chalon, fait périr quelques aristocrates parmi lesquels Gaucelme frère de Bernard et Gerberge sa sœur qu'il

accuse d'être coupable de sorcellerie. Mais devant les forces supérieures, Lothaire s'avoue vaincu et promet de repartir en Italie.

Comme par enchantement, les fidèles accourent à nouveau vers Louis le Pieux. L'empereur se rend à Saint-Denis où, à sa demande, les évêques qui l'avaient dégradé lui restituent ses armes, puis à Aix où il retrouve Judith et enfin à Metz, la ville de ses ancêtres où, devant quarante-quatre évêques et plusieurs dignitaires ecclésiastiques, son demi-frère Drogon replace la couronne impériale sur sa tête. Les principaux responsables de la pénitence de Saint-Médard, Ebbon de Reims et Agobard de Lyon sont déposés (février 835).

## La fin du règne de Louis le Pieux

L'empereur, à l'instigation de Judith, cherche à créer pour son fils Charles maintenant majeur, un royaume vaste et cohérent. En 837, à l'assemblée d'Aix, il décide de lui attribuer tous les territoires depuis la Frise jusqu'à la Meuse et la Bourgogne et oblige tous les évêques, abbés, comtes, à lui prêter serment de fidélité. En 838, à la mort de Pépin, sans égard pour ses héritiers, Louis augmente ce royaume de toute l'Aquitaine. Ces décisions mécontentent, et les héritiers de Pépin soutenus par une partie de l'aristocratie aquitaine, et Louis de Bavière qui se révolte à plusieurs reprises et est à chaque fois battu.

Mais comme Louis « approchait de la vieillesse et que la décrépitude le menaçait » pour reprendre le mot de Nithard, Judith imagine une réconciliation entre son fils et Lothaire qui depuis 834 se tenait tranquille en Italie. Lothaire n'était-il pas le parrain de Charles ? Ne pourrait-on pas partager l'empire en deux à l'exception de la Bavière où était relégué le roi Louis ? L'accord fut conclu le 30 mai 839 à l'assemblée de Worms. Lothaire, tel l'enfant prodigue, vint demander le pardon de son père et reçut toute la partie à l'est de la Meuse, tandis que le reste était donné à Charles. Les deux princes promettaient de s'entraider mais étaient placés sur un pied de parfaite égalité.

Onze mois après, Louis mourait près de Mayence alors qu'il s'apprêtait à lutter contre son fils Louis de Bavière une nouvelle fois révolté. Son demi-frère Drogon le fit enterrer à Metz dans l'abbaye de Saint-Arnoul où reposait l'ancêtre de la famille.

Ainsi se terminait ce règne de vingt-sept ans qui avait si bien commencé et finissait si peu glorieusement. Louis déposé, rétabli, renversé, de nouveau rétabli ne donne pas l'image d'un grand souverain. Il ne manque pas de courage mais il avait été trop souvent le jouet de son entourage et en particulier de sa femme Judith. L'ambition de Lothaire, impatient de faire reconnaître son titre impérial, la jalousie des autres frères, l'irréalisme des clercs doctrinaux, l'ambition de quelques aristocrates proches du palais, l'égoïsme des grands qui cherchent à profiter des circonstances pour se donner au plus offrant, tout concourt à l'affaiblissement de la monarchie carolingienne. Ajoutons que Louis fut un roi pacifique qui, à aucun moment, à la différence de son père, n'a cherché à conquérir des terres, donc il s'est privé du moyen de doter ses fidèles de quelque nouveau bénéfice ; son seul souci a été la défense des frontières contre des ennemis qui s'enhardissent d'année en année.

Du côté des Slaves on voit se constituer quelques principautés menaçantes. Dès 819, un chef croate regroupe les Slovènes de Carinthie et de Carniole et cherche à esquisser une première fédération « yougoslave ». Tandis que les Bulgares d'Ormotag (814-831) prennent pied entre Drave et Save, les Moraves, qui apparaissent en 822 pour la première fois dans l'histoire, se regroupent sous l'autorité du duc Mojmir entre 830 et 840. A l'est de l'Elbe, les Wilzes, les Abodrites, les Sorabes, les Linons tentent de pénétrer en Saxe. Du côté scandinave, Louis cherche à neutraliser les attaques danoises en convertissant ce peuple au christianisme. En 826, le chef Harald vient à Ingelheim, reçoit le baptême et devient le vassal de Louis. Un moine de Corvey Anschaire, chargé d'organiser une mission en terre danoise, est installé en 831 dans le nouvel évêché de Hambourg. Pour renforcer cette action missionnaire, Louis crée deux autres évêchés en Saxe, Hildesheim et Halberstadt. D'autres Scandinaves, des pirates que l'on appellera Vikings, pillent les côtes de l'Atlantique. Dès 820, l'abbaye de Noirmoutier est atteinte et les moines doivent l'abandonner en 836 ; la Frise est ravagée, le port de Duurstede est pillé quatre fois entre 834 et 837. Les pirates profitent de la crise politique pour s'enhardir progressivement.

En Méditerranée, le danger le plus immédiat vient d'autres pirates, les Sarrasins, qui attaquent les Baléares, la Corse, la Sardaigne. D'autre part, les Arabes d'Afrique du Nord commencent leurs attaques contre les possessions byzantines. En 840, ils sont maîtres d'une partie de la Sicile et profitent des luttes entre le prince de Bénévent et le duc byzantin de Naples pour intervenir en Italie du Sud. Le danger arabe aurait pu amener un rapprochement entre Carolingiens et Byzantins. Les deux empereurs ne s'ignorent pas. Michel II le Bègue partisan d'un iconoclasme modéré envoie une ambassade à Louis en lui demandant d'intervenir auprès du pape. Le concile de Paris de 825 élabore une doctrine assez favorable aux thèses de Michel, mais le pape se refuse à tout compromis. De plus les incidents entre les évêques francs d'Istrie et le patriarche byzantin de Grado rendent difficiles les relations entre les deux Églises grecque et latine.

# CHAPITRE II

# LE PARTAGE DE VERDUN (843)

L'empereur Louis le Pieux est mort en 840. Trois ans après, l'empire est divisé en trois royaumes indépendants. Le traité de Verdun, premier grand traité européen dont les conséquences furent durables, ne dut pas surprendre les contemporains. En soi l'idée de partage de l'empire n'est pas neuve. Conformément à la tradition franque, Charlemagne y pensa en 806, et Louis le Pieux, nous l'avons vu, avait à plusieurs reprises imaginé un partage en trois ou deux parties. Pourtant la disparition de Louis a supprimé l'obstacle au règlement qui se dessinait. Il a fallu trois ans de combats et de négociations pour qu'enfin les trois frères, Lothaire, Charles et Louis, arrivent à trouver une solution à leur différend.

## Circonstances et préparation

Louis mort, Lothaire oublia ses engagements de Worms et réclama toute la succession. Comme l'écrit Nithard : « Il envoya des messagers partout, principalement dans toute la Francie, annonçant qu'il allait venir prendre possession de l'empire qui lui avait été jadis donné et promettant de conserver à chacun les bénéfices concédés par son père, voire de les accroître. Il prescrivit aussi qu'on fît prêter serment à ceux dont la fidélité était douteuse ; enfin il ordonna qu'on vînt au plus vite sur son passage, menaçant de la peine capitale ceux qui s'y refuseraient. » La position de Lothaire semble forte. En face de lui, Louis de Bavière ne dispose que de quelques troupes et doit lutter contre les révoltes des Saxons. Lothaire peut compter sur l'aide de Pépin II qui, avec une partie des aristocrates d'Aquitaine, s'est révolté contre Charles le Chauve.

Ce dernier, alors âgé de dix-sept ans, est installé en Aquitaine où réside sa mère Judith et cherche à obtenir l'adhésion des fidèles dont les terres sont situées au nord de la Loire et à l'ouest de la Meuse. Pour cela il doit parcourir son royaume, mais à peine est-il parti que les aristocrates, séduits par les promesses de Lothaire, se donnent à ce dernier. Ainsi, nous dit Nithard, lorsque Lothaire arrive sur la Seine, Hilduin, abbé de Saint-Denis, Girard, comte de Paris, Pépin fils de Bernard d'Italie, et bien d'autres « préfèrent comme des esclaves oublier leur devoir de fidélité et renier leur serment », pour conserver leurs biens. Lothaire envoie partout des émissaires jusqu'en Provence et en Bretagne pour recueillir le serment des grands. En menaçant ou en flattant, il promet à Charles sa protection, imagine un nouveau partage, multiplie les messagers vers son frère tout en débauchant ses fidèles et souhaite des trêves pour attendre le résultat de ses tractations. Charles va reprendre la route ; on le voit à Orléans recevoir la fidélité du comte de Mâcon Warin, à Bourges où il cherche à détacher Bernard de Septimanie du parti de Pépin II, au Mans où Lambert de Nantes se rallie à lui. Mais toutes ces démarches sont précaires ; Charles ne peut être partout à la fois. Pour obtenir un succès durable, il faudrait battre les forces de Lothaire supérieures en nombre. Pour cela Charles va s'entendre avec son frère Louis de Bavière qui, lui aussi, abandonné par bien des fidèles, s'est replié dans son royaume.

Au printemps 841, la fortune sourit aux deux frères : Charles a réussi à forcer le passage de la Seine, et Louis, vainqueur du duc d'Austrasie Adalbert, arrive vers l'ouest. Les deux princes réussissent à faire leur jonction près d'Auxerre. Cette fois, avec l'accord des évêques, ils en appellent au « jugement de Dieu », c'est-à-dire à la décision des armes. Le 25 juin 841, l'armée de Lothaire et de Pépin d'Aquitaine d'un côté, celle de Charles et de Louis de l'autre, engagement le combat à Fontenay-en-Puisaye près d'Auxerre : « Ce fut une grande bataille » dit Nithard qui y participa. Ce combat fut en effet une des plus grandes batailles de l'époque carolingienne. Plusieurs milliers de morts, nous disent les témoignages, « un tel massacre qu'on ne se souvenait pas en avoir vu de pareils chez les Francs ». Un certain Angilbert a laissé dans un poème rythmique l'écho de cette lutte fratricide : « Que ni la rosée, ni l'averse, ni la pluie ne tombent jamais sur les prés où les guerriers les plus exercés au combat ont péri pleurés par leur père, leur mère, leurs frères, leurs sœurs et leurs amis... J'ai regardé la vallée du sommet de la colline quand le vaillant roi Lothaire repoussait ses ennemis et les faisait fuir jusque de l'autre côté du torrent. Du côté de Charles et de Louis pareillement, les champs sont blancs de vêtements de lin des morts comme en automne et sont souvent blancs d'oiseaux. Cette bataille n'est pas digne d'être célébrée dans un chant mélodieux. Que l'est, le sud, l'ouest et le nord pleurent tous ceux qui ont été tués ainsi. »

En fait, quoi qu'en dise Angilbert qui combattait dans les rangs de Lothaire, ce dernier fut battu et s'enfuit à Aix-la-Chapelle. Charles et Louis, après avoir célébré une messe sur le champ de bataille pour remercier Dieu, virent arriver à eux quelques aristocrates qui attendaient l'issue du combat pour se déterminer. Ainsi Bernard de Septimanie qui s'était tenu dans l'expectative à quelques kilomètres de Fontenay, confie à Charles son fils Guillaume, âgé de seize ans, qui devint un otage autant qu'un vassal. C'est à cette occasion que Dhuoda, épouse de Bernard et mère de Guillaume, écrivit pour ce dernier son fameux *Manuel* dans lequel elle présente un programme d'éducation pour un jeune aristocrate chrétien.

Malgré sa défaite, Lothaire continue ses intrigues et renouvelle ses offres de partage à Charles en souhaitant le détacher de l'alliance avec Louis. Mais les deux princes, certains de leur bon droit ratifié par la miséricorde de Dieu, renforcent au contraire leur alliance et, solennellement à Strasbourg le 14 février 842, échangent devant leurs troupes des serments que l'historien Nithard nous a rapportés. Après avoir rappelé que Lothaire « mécontent du jugement de Dieu » continue à porter la désolation chez le peuple, les frères s'engagent devant leurs fidèles en ces termes :

« Pour l'amour de Dieu et pour le peuple chrétien et notre salut commun, à partir d'aujourd'hui et tant que Dieu me donnera savoir et pouvoir, je secourrai ce mien frère par mon aide en toute chose comme on doit secourir son frère, selon l'équité, à condition qu'il fasse de même pour moi, et je ne tiendrai jamais avec Lothaire aucun plaid qui, de ma volonté, puisse être dommageable à mon frère. »

Afin que tous les comprennent, Louis prononce ce serment en langue « romane » tandis que Charles le dit en langue « tudesque ». A leur tour, les vassaux s'engagent à abandonner leur seigneur si l'un ou l'autre n'observe pas les serments échangés.

Les serments de Strasbourg ne sont pas seulement importants pour l'histoire politique et diplomatique de l'Europe mais également pour l'histoire linguistique. En effet si quelques manuscrits nous avaient déjà donné des textes en langue germanique, pour la première fois nous avons le témoignage de la langue « romane », lorsque Louis s'écrie : « *Pro Deo amur et pro christian poblo et nostro commun salvament, d'ist di in avant, in quant Deus savir et podir me dunat, si salvarai eo cist meon fadre Karlo et in aiudha et in cadhuna cosa, si cum om per dreit son frada salvar dift*, etc. »

Pour faire participer les armées à cet événement capital, on organise des joutes entre les guerriers. Ainsi nous dit Nithard, « on s'assemblait dans un lieu pouvant convenir à ce genre de spectacle et toute la foule se rangeait de chaque côté. Tout d'abord les Saxons, les Gascons, les Austrasiens, les Bretons se précipitaient en nombre égal d'une course rapide les uns contre les autres comme s'ils voulaient en venir aux mains ; puis une partie d'entre eux faisait volte-face et, se protégeant de leur bouclier, ils feignaient de vouloir échapper à leurs camarades qui les poursuivaient ; en renversant les rôles, ils se mettaient à poursuivre à leur tour ceux devant lesquels ils avaient fui d'abord ; et finalement les deux rois à cheval avec toute la jeunesse s'élançant au milieu des grandes clameurs et brandissant leur lance, chargeaient parmi les fuyards tantôt les uns, tantôt les autres. Et c'était un spectacle digne d'être vu tant à cause de la noblesse si nombreuse qui y prenait part que de la belle tenue qui y régnait ; personne en effet dans cette multitude de races diverses ne s'avisait de faire aucun mal et de proférer aucune injure à l'égard de quiconque comme on le voit arriver trop souvent entre personnes peu nombreuses qui se connaissent ».

Enfin les deux frères marchent sur Aix, occupent le palais d'où Lothaire a retiré le trésor et, après avoir reçu l'avis des évêques, ils proclament Lothaire indigne de gouverner et se disposent à partager l'empire en deux. Douze commissaires de part et d'autre sont désignés pour établir les parts respectives. Ainsi Lothaire devait être bien certain qu'une alliance indéfectible unissait Louis et Charles et que rien ne saurait la rompre. Après le jugement de Dieu, après les Serments de Strasbourg, après la prise d'Aix, Lothaire ne pouvait que s'incliner. Il le fit en abandonnant Pépin, son allié d'hier. Avec beaucoup de générosité, Charles et Louis acceptèrent de reprendre les négociations sur la base d'un partage de l'empire en trois parties égales, mettant à part l'Aquitaine, la Bavière et la Lombardie, ces trois régions étant considérées comme les domaines respectifs de Charles, Louis et Lothaire.

## Les négociations (printemps 842 - août 843)

Il était temps de s'entendre car les pirates normands s'enhardissaient de plus en plus : Quentovic et même Rouen furent pillées, les moines de Saint-Wandrille durent payer un lourd tribut pour éloigner les pirates, un petit État danois se créait à Walcheren et en Frise. En Provence, les Sarrasins s'en prenaient à Marseille et à Arles tandis qu'au sud les Arabes attaquaient le Bénévent. De plus les Aquitains poursuivaient leur résistance contre Charles, le comte Lambert III faisait défection et s'alliait au chef breton Nominoé, enfin les Saxons étaient toujours en révolte et les Slaves menaçants.

Pourtant les négociations durèrent plus d'un an, tant les difficultés à résoudre étaient grandes. Il fallut organiser des réunions entre les trois frères pour discuter et pour désigner des commissaires devant recenser les ressources de l'empire. Le travail de ces experts fut difficile même s'ils disposaient des projets de partages précédents, de cartes plus ou moins rudimentaires et surtout d'inventaires *(descriptiones)* qui donnaient la liste des évêchés, abbayes, collégiales, comtés et fiscs royaux. Le 15 juin 842, les trois frères se réunissent dans une île à quatorze kilomètres au sud de Mâcon et tombent d'accord pour un partage. Ils doivent se retrouver le 30 septembre mais Lothaire n'est pas au rendez-vous. Nouvelles discussions. On se méfie réciproquement. Le 19 octobre 842, les uns et les autres se retrouvent à Coblence, le Rhin séparant les deux camps et l'abbaye de Saint-Castor servant de lieu de conférence. La discussion avance pas à pas et l'on doit renouveler les trêves. Charles et Louis proposent même à Lothaire de choisir le premier entre les trois parts et ils lui offrent tout ce qui se trouve entre le Rhin d'une part, la Meuse, la Saône et le Rhône d'autre part. Mais Lothaire veut davantage et revendique la région de la Forêt charbonnière à l'ouest de la Meuse, berceau de la famille carolingienne.

Pendant ce temps Charles consolide sa position dans son royaume en épousant Ermentrude, fille du comte Eudes d'Orléans (14 décembre 842). Eudes était issu d'une famille originaire du Rhin moyen, alliée sans doute à celle de Gérold, beau-frère de Charlemagne *(cf. tableau V)*. Or, Eudes avait épousé la sœur du comte Girard et du sénéchal Alard, l'un des plus puissants seigneurs de la Francie occidentale (cf. tableau XIV). Nithard écrit à ce sujet que Louis le Pieux « avait eu tant d'amitié en son temps pour cet Alard que tout ce que celui-ci voulait dans l'administration de l'empire, il le faisait. Mais Alard, peu soucieux de l'intérêt public, s'était proposé de plaire à tout le monde ; il avait conseillé de distribuer à l'usage des particuliers, ici les libertés, là les revenus publics et ainsi en faisant exécuter ce que chacun demandait, il avait ruiné complètement l'État. De cette manière, il arriva qu'il pouvait facilement à cette époque diriger le peuple comme il voulait ». C'est bien pour se concilier les faveurs d'Alard, son frère Girard étant passé au parti de Lothaire, que Charles épousa Ermentrude, car, nous dit encore Nithard, « Charles fit surtout le mariage en question pour ce motif qu'il pensait pouvoir par là attirer à lui la plus grande partie du peuple ».

Tandis que Charles part avec sa jeune épouse en Aquitaine pour lutter contre Pépin II, après un hiver particulièrement rude, on apprend tour à tour la mort de l'impératrice Judith (13 avril), la prise de Nantes par les Normands (24 juin) et la défaite du comte Renaud qui luttait contre les Bretons de Nominoé. Il est temps pour le roi d'avoir les mains libres, d'en finir avec les négociations du partage. Les trois frères décident de se retrouver à Dugny près de Verdun en août 843. C'est là que fut signé le fameux traité de Verdun.

## Les clauses du traité

Nous n'avons plus le texte du traité, mais grâce à des témoignages indirects nous pouvons délimiter les trois royaumes situés autour de l'Aquitaine, la Lombardie et la Bavière. Lothaire qui garde le titre d'empereur a un royaume qui s'étend de la mer du Nord aux frontières du Bénévent, afin de réunir dans un même territoire les deux capitales de l'empire, Aix et Rome. A Charles échoit toute la partie occidentale d'une ligne qui en gros suit la Meuse, l'Escaut, la Saône et le Rhône. Louis reçut les territoires orientaux à l'est du Rhin et au nord des Alpes.

Pourtant il ne suffit pas de dessiner la carte des trois royaumes de Verdun, il faut chercher à comprendre les raisons profondes de la répartition. Depuis le XIXe siècle, les historiens surtout en Allemagne et en France ont cherché à expliquer chacun à leur façon la constitution des trois royaumes. Au temps où le principe des nationalités était à l'ordre du jour, certains tels Michelet ou Augustin Thierry ont pensé que les négociateurs avaient voulu respecter les sentiments nationaux et les diversités linguistiques. Ainsi la France et l'Allemagne seraient nées à Verdun tandis que la part de Lothaire était destinée à se fractionner en plusieurs États qui donneraient le jour à la Hollande, la Belgique, la Suisse et l'Italie. Cette idée n'a pas été totalement abandonnée puisque encore en 1942, dans son livre *L'Effondrement d'un Empire et la naissance d'une Europe* qui est par bien des côtés une bonne synthèse, Joseph Calmette pensait que les négociateurs de Verdun avaient « violenté la nature » en créant un vide entre la France et l'Allemagne. Ils avaient taillé dans « la chair vive de la France et de la Germanie, et les blessures ainsi faites ne se sont jamais cicatrisées et même se sont périodiquement rouvertes ». Ferdinand Lot est plus nuancé dans son livre *Naissance de la France* (1948). Tout en notant que « nul concept de race ou de langue n'avait jamais présidé aux partages, pas plus carolingiens que mérovingiens », il remarque que la « future France et la future Allemagne ont vu couper le lien qui les unissait et ont pu prendre conscience de leur personnalité, confuse jusque-là, et vivre d'une vie indépendante » et, reprenant la comparaison empruntée au vocabulaire médical, il estime que « sans cette amputation du flanc oriental la France n'eût pu se constituer : elle ne pouvait vivre qu'amputée d'un bras. »

En fait il n'existe à l'époque ni France, ni Allemagne. Le royaume de Charles est composé de populations sans cohérence, parlant des langues très différentes. Qu'y a-t-il de commun entre les Goths de la Marche d'Espagne, les Gascons, les Aquitains, les Celtes d'Armorique, les peuples de Neustrie ou de Flandre ? Quant au royaume de Louis qui apparaît plus cohérent, il n'a, nous le verrons, aucune unité quoi qu'en aient dit les historiens allemands du XIX<sup>e</sup> siècle ou de la première moitié du XX<sup>e</sup> siècle.

Pour expliquer les raisons du partage, il faut chercher ailleurs. Quelques historiens ont pensé que les négociateurs avaient voulu respecter l'équilibre économique de chaque royaume. Henri Pirenne, dans son *Histoire de l'Europe* écrite en 1917 et publiée bien plus tard, pense que « le point de vue auquel les négociateurs se pliaient leur fut imposé par la constitution économique du temps ». Il fallait donc à chaque copartageant une région de revenus à peu près égaux. Reprenant cette idée, Roger Dion en 1948 note que chaque lot coupe en bandes est-ouest les différentes zones de végétation de l'Europe occidentale : régions de pâturages dans les alluvions marines du Nord, plaines céréalières, zones forestières et de vignobles, régions de salines et d'oliveraies. Ces hypothèses hardies n'ont pas convaincu. Les princes n'avaient pas lu Aristote qui estimait que chaque pays devait se suffire à lui-même...

Pour comprendre les raisons réelles des partages, il faut reprendre les témoignages de l'époque. C'est ce qu'a fait F. L. Ganshof et nous le suivrons dans sa démarche. Lorsque Nithard, à propos de partages, écrit : « On tint moins compte de la fertilité et de l'égalité des parts que des affinités et des convenances de chacun », lorsqu'il nous dit que Lothaire se plaignait « du sort des fidèles qui l'avaient suivi en prétendant que dans la part qu'on lui offrait il n'avait pas de quoi pouvoir les dédommager de ce qu'ils perdaient », il nous donne l'explication la plus satisfaisante. Ce qui préoccupe le plus les princes est en effet le sort de leurs fidèles ; privés de leur aide ils ne peuvent rien faire, ils doivent donc maintenir les bénéfices des vassaux dans leur propre royaume car il est interdit à un vassal de faire hommage à plusieurs rois. Déjà en 806, pour éviter les conflits, Charlemagne s'était préoccupé de la question en demandant que « les hommes de chaque roi reçoivent des bénéfices chacun dans le royaume de son maître ». De même, en 817, Louis le Pieux souhaitait que « chaque vassal ne tienne ses bénéfices que dans la puissance de son seigneur et non dans celle d'un autre ». Ce souci explique par exemple que les frontières du royaume de Charles dépassent la Saône et englobent une partie de la Bourgogne où se trouvaient les bénéfices de Warin, comte de Mâcon, d'Autun, de Chalon et abbé de Flavigny. De même Louis de Bavière obtint une partie de la rive gauche du Rhin avec les évêchés de Mayence, de Worms et de Spire non pas tant en raison des vignobles qui s'y trouvaient, comme le pense un chroniqueur postérieur, mais pour maintenir dans son royaume les grands vassaux épiscopaux.

Ainsi le problème des terres et des fidélités pesa-t-il certainement très lourd dans les négociations qui précédèrent Verdun. Comme l'avait déjà dit Fustel de Coulanges « le partage de Verdun ne fut pas fait pour les peuples mais pour les vassaux ». En regardant la carte, on se rend compte que les trois frères ont voulu avoir les fiscs, les abbayes et les évêchés situés dans la Francie, terre des ancêtres et tenus par les grandes familles austrasiennes. C'est également là que se trouvent les palais principaux des princes dont ils veulent garder jouissance et revenus. Les trois frères sont « rois des Francs » et règnent chacun sur une fraction de ce « royaume des Francs », en même temps qu'ils sont rois d'Aquitaine, de Bavière et de Lombardie.

Ceux qui ont partagé l'empire ne pouvaient évidemment prévoir que les limites fixées à Verdun dessinaient la carte de l'Europe médiévale et que, particulièrement, la frontière entre le royaume de France et celui de Lothaire était destinée à se maintenir des siècles. Pendant tout le Moyen Age, l'Escaut sépare le Royaume des terres d'Empire, la Saône coupe la Bourgogne en deux, à l'ouest le duché, à l'est le comté, ce qu'on appellera la Franche-Comté. Jusqu'à la fin du Moyen Age, il faudra franchir le Rhône pour passer du royaume, le « Riau », dans l'Empire. Les Pyrénées ne sont pas une frontière puisque Charles possède des terres « espagnoles » qui, jusqu'à saint Louis, resteront dans le royaume. Nous retrouvons même aujourd'hui la marque de la frontière dans la ligne qui, à travers l'Argonne, délimite en suivant la Biesme les départements de la Meuse et de la Marne. Les frontières entre le royaume de Lothaire et celui de Louis furent moins stables, nous le verrons, par suite des partages entre les fils de l'empereur et les ambitions territoriales des rois de Germanie. Mais là encore se dessine l'esquisse de la Germanie future. Pour nous, le traité de Verdun est bien l'acte de naissance de l'Europe moderne.

Pour les contemporains, cet événement capital fut surtout la fin du grand rêve unitaire. Le poète Florus de Lyon écrit :

*« Monts et collines, forêts et fleuves, fontaines,*
*Et rivières jaillissantes, vallées profondes,*
*Pleurez sur la race des Francs qui, par don du Christ,*
*Élevée au rang d'Empire, est réduite ce jour en poussière.*

*« Le nom et la gloire de l'Empire sont également perdus. Les royaumes, jusqu'alors unis, ont été déchirés en trois parts.*

*Au lieu d'un roi, un roitelet ; au lieu d'un royaume, des fragments de royaume. »*

Cette *Déploration sur la division de l'Empire* exprime le point de vue des clercs qui avaient souhaité le maintien de l'unité et qui redoutaient que le partage n'entraîne l'affaiblissement de l'Église. De fait dans la province métropolitaine de Cologne, une partie des évêchés dépend de Lothaire, une autre de Louis. L'évêque de Strasbourg, qui relève de l'autorité de Lothaire, est suffragant de l'archevêque de Mayence situé dans le royaume de Louis. Les églises d'un même évêché, celui de Münster et celui de Brême, sont partagées entre deux souverains. Que dire des possessions territoriales ecclésiastiques qui se trouvent disséminées dans des territoires dont les rois sont différents ?

Pourtant, il faut bien reconnaître que le maintien de l'unité était impossible, que le réalisme politique rendait nécessaire la division en royaumes que les princes et leurs fidèles pourront réellement gouverner.

# CHAPITRE III

## L'EMPIRE DISLOQUÉ
### (843-869)

Après Verdun chaque roi regagne son royaume pour s'occuper des affaires les plus urgentes. Mais si l'empire est divisé en trois, les princes, au lendemain de l'accord, ne peuvent ignorer les problèmes qui se posent à l'Occident. Ils décident pour les régler de se réunir périodiquement, c'est ce qu'on appelle le « régime de la confraternité ». Après la mort de Lothaire (855), l'Europe passe de trois royaumes à cinq si bien que la confraternité entre princes de différentes générations se réalise plus difficilement. Dans ces conditions, le haut clergé, les évêques de France, puis celui de Rome viennent au secours de l'unité de l'Occident chrétien ; tandis que les clercs affirment que l'empire n'est pas mort, les rois, chacun dans leur royaume, règlent les problèmes concrets en ignorant bien souvent l'idéal unitaire de l'Église.

## La défense de l'idée d'unité

### La confraternité

L'idée de confraternité entre princes d'une même famille avait déjà été émise par Charlemagne en 806 lorsqu'il projeta le premier partage de son empire. Elle a été reprise par Louis le Pieux en 817, puis dans les projets de partages successifs. Maintenant que le partage est réalisé, il est temps qu'elle s'applique. Les troubles qui ont précédé le traité de Verdun nécessitent une réforme religieuse et morale, réforme qui, on l'espère, atténuera le courroux de Dieu. Ne voit-on pas en effet les ennemis des chrétiens se faire de plus en plus audacieux ? En 844, les Normands sont aux abords de Toulouse, en 845 ils pillent Paris, en 848 Bordeaux, en 853 Orléans, tandis qu'en Italie les Arabes mettent à sac Saint-Pierre de Rome et Saint-Paul-hors-les-Murs en 846.

Une première conférence est réunie à Yütz, près de Thionville, en octobre 844 sous la présidence de Drogon, oncle des rois, qui non seulement était évêque de Metz mais que le pape Serge II venait de faire vicaire du Saint-Siège en Francie. Les trois rois, assistés par les évêques de l'Occident, s'engagent à maintenir entre eux « un régime de fraternité et de charité mutuelles ». Ils enverront une délégation à Pépin d'Aquitaine, révolté contre Charles le Chauve, ainsi qu'au duc des Bretons, Nominoé.

Les attaques incessantes dont l'Europe est l'objet obligent les trois rois à se retrouver, le 28 février 847, à Meersen près de Maëstricht. Pendant quinze jours on discute des possibilités d'entraide, des moyens de lutter contre les fauteurs de guerre en interdisant leur fuite d'un royaume dans un autre. A la fin, chaque roi fait une déclaration comme il est d'usage dans toute assemblée internationale. Lothaire rappelle les principes généraux de la confraternité, Louis annonce l'envoi de messagers à Pépin, aux Bretons et aux Normands, et Charles notifie le renvoi à une prochaine conférence prévue pour la Saint-Jean (24 juin) qui examinera les problèmes que l'on n'a pu résoudre encore.

En fait il faut attendre quatre ans pour qu'une nouvelle conférence des princes ait lieu à Meersen (851). Entre-temps pourtant, Lothaire avait rendu visite à Charles, Charles à Louis, Louis à Lothaire, chacun souhaitant renforcer ses liens fraternels. A Meersen en 851, oubliant leurs torts réciproques, ils souhaitent que leur unité survive à leur mort et que leurs fidèles s'entendent pour restaurer l'Église et le royaume. Il faut remarquer que l'on parle du « royaume des Francs » comme si, malgré Verdun, l'unité carolingienne était toujours réalisée. En fait, le résultat de cette nouvelle conférence a surtout été de renforcer l'alliance entre Lothaire et Charles, tandis que Louis de Bavière pratiquait une politique personnelle quelque peu hostile à ses deux frères. L'aîné et le benjamin réalisent ainsi le rêve de Judith en se retrouvant tous les ans en 852, 853 et 854, et même en luttant ensemble contre les Normands dans la basse Seine. A Liège, en février 854, ils invitèrent en vain Louis à les rejoindre et, en son absence, nouent pour eux et leurs successeurs une alliance dirigée en fait contre le roi de Germanie. Ce dernier est forcé de laisser ses intrigues et de réaliser à nouveau une sorte d'équilibre à trois. Difficile équilibre européen jusqu'au moment où, le 29 septembre 855, Lothaire meurt au monastère de Prüm.

La mort du frère aîné compromet le régime de la confraternité, car avant de mourir Lothaire avait décidé de partager son royaume entre ses trois fils. Ainsi le champion de l'idée unitaire se rendait compte qu'il fallait revenir au système germanique des partages. Son fils Louis, l'aîné, hérite du titre impérial et règne sur l'Italie. Lothaire II a toute la région de la Frise au Jura, pays qui par la suite, nous le verrons, s'appellera Lotharingie ou Lorraine. Enfin le troisième enfant, Charles, a le reste, c'est-à-dire la Bourgogne transjurane et la Provence.

L'Occident carolingien est partagé en cinq royaumes, dirigés par des princes représentant deux générations et qui ne s'entendent pas. Les trois fils de Lothaire n'ont pas l'idée de confraternité, bien au contraire. Louis II d'Italie réclame une partie de la *Francia* et Lothaire II cherche à étendre son influence sur le Lyonnais et la Provence. A Orbe, dans le Jura, en 856, les trois rois s'accordent difficilement sur un statu quo, les deux oncles jouent le rôle d'arbitres mais d'arbitres intéressés surtout par la part de Lothaire II comme nous le verrons. De plus à l'ancienne confraternité se substituent des alliances entre oncles et neveux : Lothaire II reprend à son compte l'accord réalisé entre son père et Charles le Chauve (entrevue de Saint-Quentin) tandis que Louis de Bavière rencontre son neveu Louis II d'Italie à Trente. Le roi de Germanie, qui se présente de plus en plus comme l'homme fort de l'Occident, profite du redoublement des invasions normandes, de la révolte des aristocrates aquitains pour intervenir en 858 dans la *Francia occidentalis*. Ainsi les guerres fraternelles reprennent, l'Église doit intervenir pour sauver l'unité.

## L'Église au secours de l'unité

Dès le règne de Louis le Pieux, une partie du haut clergé avait soutenu l'idée de l'unité impériale. Depuis 843, les évêques ont aidé les rois à pratiquer la politique de confraternité. Maintenant qu'un frère envahit le royaume de son frère, qu'il débauche ses fidèles, qu'il s'empare des biens d'Église, l'épiscopat reprend l'initiative de l'intervention politique.

En effet Louis envahit le royaume de Charles le Chauve en 858. A Ponthion, puis à Attigny, il reçoit les aristocrates qui se rallient à lui et qui se font attribuer comtés, évêchés, abbayes.

Il accueille également l'archevêque de Sens Ganelon — un nom de traître destiné à être repris par l'épopée — et décide de convoquer à Reims tout le haut clergé de *Francia occidentalis* peut-être pour se faire sacrer roi. Ne date-t-il pas déjà ses actes de « l'an Ier de notre règne en France » ? Mais ce haut clergé dont la figure la plus représentative est celle d'Hincmar, archevêque de Reims, non seulement refuse de venir mais envoie une lettre à Louis dans laquelle il rappelle le roi à ses devoirs et il représente ceux qui doivent veiller au salut et à l'unité du peuple chrétien. Le roi Louis ne peut s'allier avec ces laïcs qui ont pillé les biens d'Église, qui ne songent qu'à leur intérêt en passant d'un prince à un autre, qui excitent le frère contre le frère et qui font du palais non un palais sacré mais un palais sacrilège. Si Louis est venu pour remettre de l'ordre dans le royaume de son frère, qu'il commence par écouter les évêques, qu'il se souvienne des châtiments dont a été victime l'un de ses ancêtres, Charles Martel, pour avoir violé les droits des Églises. Les évêques de France ne sont pas disposés à abandonner Charles, sacré roi par eux, car « celui qui porte la main sur un oint du Seigneur s'en prend au Christ lui-même, Seigneur de tous les oints, et périt sous les coups du glaive spirituel ». Que Louis quitte le royaume et l'on organisera une conférence entre les rois et les évêques qui « successeurs des Apôtres ont reçu du Christ le gouvernement de l'Église, c'est-à-dire de son Royaume ».

Dans cette lettre assez étonnante, Hincmar, éminent canoniste et habile politique, ne fait que reprendre les principes que les évêques avaient émis en 829 sous le règne de Louis le Pieux. Il profite de la situation politique pour actualiser ces thèses au nom de la paix et de la concorde et il est entendu.

En effet, Louis, surpris par la résistance de l'épiscopat, doit se replier à l'est, abandonnant les aristocrates qui retournent au parti de Charles. Lothaire II, qui avait abandonné momentanément Charles le Chauve, se reprend et accepte qu'un concile soit réuni à Metz dans son royaume afin d'examiner les conditions dans lesquelles le roi de Germanie pourrait obtenir le pardon de l'Église. Louis en effet, qui avait été l'auteur d'un « schisme dans la sainte Église et dans la Chrétienté », devra faire pénitence comme l'avait fait autrefois Louis le Pieux.

Il est évident que le roi de Germanie ne ressemble pas à son père et n'est pas décidé à s'humilier. Au concile de Savonnières près de Toul, en 859, quarante-cinq prélats de France, Lorraine, Provence, appartenant à douze des provinces ecclésiastiques, s'engagent à rétablir l'unité du peuple chrétien :

« Les évêques, comme le veulent leur ministère et l'autorité sacrée dont ils sont investis, devront s'unir pour diriger et corriger les rois, ainsi que les grands des divers royaumes et le peuple à eux confié en leur prêtant l'appui de leur conseil. » Devant cette unanimité et après l'entremise de Lothaire II, Louis accepte de rencontrer son frère à Coblence dans l'église Saint-Castor. Après cinq jours de conversations, un accord est conclu qui reprend les clauses du traité de l'entrevue de Meersen de 851. Le 7 juin 860, les rois prononcent chacun un serment, comme à Strasbourg, mais cette fois la procédure n'est plus la même. Louis s'adresse en germanique à ses fidèles et Charles en roman aux siens. Ils approuvent le texte rédigé par les évêques et promettent de garantir à chacun dans leur royaume respectif, sa loi, son droit et sa sécurité.

Ainsi les évêques dirigés par Hincmar de Reims ont-ils rétabli l'unité de la Chrétienté. Ils l'ont fait au nom de leur autorité religieuse qui s'appuie sur une tradition remontant au Ve siècle. Ils sont encouragés d'autre part par des textes qui, depuis le milieu du IXe siècle, circulent en Gaule et qui exaltent la toute-puissance de l'épiscopat et la défense de la propriété ecclésiastique. Il s'agit de faux attribués à un certain Isidore qui ont été rédigés en France du Nord ou de l'Est. Or le faussaire ou les faussaires ne se contentent pas de fabriquer des textes qui renforcent le pouvoir des évêques, mais ils attribuent un pouvoir juridique au pape, pouvoir qu'il n'a en fait jamais détenu. Ils rendent compte à leur façon du réveil de la papauté qui elle aussi va bientôt intervenir pour sauvegarder l'unité de la Chrétienté.

Sous le règne de Charlemagne, au début du règne de Louis le Pieux, la papauté vit dans l'ombre des empereurs et est soumise à leur loi. Pourtant devant les divisions des princes, sentant que l'unité impériale était en danger, les papes font entendre leur voix. En 833, Grégoire IV intervient à la demande de Lothaire pour rétablir l'entente entre Louis et ses fils. Mais il se rend bien vite compte qu'il n'a fait que favoriser la révolte du fils aîné de l'empereur. Si, à notre connaissance, les papes n'ont pas protesté contre les clauses du traité de Verdun, ils vont avoir par la suite l'occasion de s'exprimer, de dire qu'eux aussi ils sont garants de l'unité de l'Occident. Le pape Serge II (844-847) n'écrivait-il pas : « Il n'est pas tolérable que la société de trois frères germains unis dans la même foi en la Trinité s'écarte de la dilection mutuelle et de la commune équité. Si l'un d'eux préférant suivre le Prince de discorde se dérobe à la paix générale, c'est à juste titre qu'avec l'aide de Dieu et conformément aux canons nous prendrons soin de le châtier de notre mieux. »

Léon IV son successeur (847-855) couronne empereur Louis II en 850 et se montre bien décidé à faire entendre sa voix. Pour lui, deux hommes dirigent l'Occident : le pape et l'empereur. Les métropolitains n'ont pas à agir sans en référer à Rome : Hincmar de Reims, ayant déposé les clercs ordonnés par son prédécesseur Ebbon, se voit reprocher son initiative. De plus Léon IV qui, nous le verrons, a fortifié le Vatican contre les attaques arabes, appelle les chrétiens à lutter contre ces ennemis de la foi. Sans faire de ce pape un lointain ancêtre d'Urbain II, prédicateur de la croisade, il faut noter que pour la première fois un pape promet une récompense céleste à ceux qui meurent pour « la vérité de la foi, le salut de la patrie et la défense des chrétiens ».

Après le bref pontificat de Benoît III (855-858), Nicolas Ier commence son règne. Le mot n'est pas trop fort pour désigner la période de neuf ans pendant laquelle ce pape dirige l'Église romaine. Certains historiens ont même vu avec un peu d'exagération en Nicolas Ier le premier pape théocrate. Dans ses lettres rédigées par Anastase abbé de Sainte-Marie-au-Transtévère et plus tard bibliothécaire au Latran, le pape affirme que, par l'autorité de Pierre et de Paul, le siège apostolique a un pouvoir suprême : « Qu'il a le droit de régler la vie de toutes les Églises, que tous les synodes doivent être convoqués sur l'ordre du pape, que les évêques métropolitains sont sous son autorité, que le pape peut créer un droit lorsque les canons sont muets, etc. » On comprend que Nicolas Ier soit entré en conflit avec l'archevêque Hincmar qui, lui, représente le point de vue des métropolitains jaloux de leur indépendance. Nicolas Ier va plus loin et intervient en Orient lorsqu'il apprend que l'empereur byzantin a déposé le patriarche Ignace et l'a remplacé par le laïc Photius. Le conflit avec Photius s'envenime lorsque le prince bulgare Boris, baptisé par les Byzantins, se tourne vers Rome pour obtenir des évêques qui organiseraient son Église. Dans ses lettres aux Bulgares, Nicolas Ier parle de la « dilatation de la Chrétienté », ce qui de plus en plus commence à avoir un sens social, voire politique.

Nicolas Ier, qui veut restaurer la plénitude des pouvoirs de l'Église romaine, n'hésite pas à intervenir dans le domaine temporel, non pas comme on l'a dit quelquefois pour réclamer une soumission des princes à son autorité, mais pour rappeler les princes au respect de la loi morale et à leurs devoirs de chefs d'État. Il s'inspire de la politique de Gélase qui, dès le Ve siècle, avait parlé de l'*auctoritas* du pape face à la *potestas* de l'empereur. Le pape reconnaît le pouvoir du prince dans son domaine mais il sait que ce prince a reçu par le sacre des responsabilités particulières qui l'obligent à œuvrer au bien de l'Église. S'il n'est pas fidèle à sa mission, il doit être rappelé à l'ordre. C'est ainsi que Nicolas intervient pour réconcilier Charles le Chauve et ses fils Louis et Charles, pour empêcher le conflit entre Charles et son frère Louis et surtout pour interdire à Lothaire II de répudier sa femme légitime.

L'affaire du divorce de Lothaire, qui relève tout autant de la morale que de la politique, donne au pape l'occasion de s'affirmer comme l'arbitre de l'Occident. Rappelons-en les circonstances. En 855, Lothaire a épousé pour des raisons politiques Theutberge, fille du comte Boson et sœur de l'abbé de Saint-Maurice en Valais Hubert *(cf. tableau XII)*. Mais il avait une maîtresse, Walrade, à laquelle il tenait beaucoup car elle lui avait donné un fils. N'ayant pas eu d'enfants de sa femme, Lothaire II veut faire annuler son mariage et épouser Walrade afin que son royaume puisse être transmis à un héritier. En 860, après avoir accusé Theutberge d'avoir eu des relations incestueuses avec son frère, un homme d'ailleurs capable de tout, après avoir obtenu par la contrainte les aveux de la reine, il fait reconnaître son « bon droit » par quelques évêques de Lorraine et des autres royaumes.

Invité à en faire autant, Hincmar refuse et fait paraître un écrit défavorable au divorce. On a prétendu que l'archevêque était intervenu pour soutenir les intérêts de Charles le Chauve. En effet, le roi de France occidentale espérait que si Lothaire mourait sans héritier, il pourrait s'emparer de la Lotharingie. En fait Hincmar se prononce surtout au nom de la morale chrétienne qui interdit à un homme de répudier sa femme ; de plus il estime que lorsque cet homme est roi, sa responsabilité est encore plus grande, car il doit montrer l'exemple à ses sujets. Cette affaire du divorce est si grave qu'il n'hésite pas à dire qu'il faut en appeler à Rome. En 862, fort de l'appui des évêques lorrains, Lothaire épouse sa maîtresse et la fait couronner reine. Mais devant la réaction de ses oncles, Louis et Charles, il accepte de présenter sa cause au pape.

Nicolas Ier est aussi intransigeant qu'Hincmar en ce qui concerne la morale chrétienne. De plus, il va profiter de l'occasion pour affirmer aux yeux de tous son autorité apostolique. En 862, il demande qu'un synode soit réuni à Metz en présence des évêques de France, de Germanie, de Provence et de deux légats pontificaux. Mais Lothaire réussit à acheter les légats.

Les archevêques de Trèves et de Cologne, venus à Rome pour rapporter les décisions du synode, sont immédiatement déposés. Ils tentent de résister en faisant appel à Louis II et en écrivant, contre le pape qui se pose en « empereur du monde », une lettre d'injures envoyée dans tout l'Occident. Rien n'y fait ; Nicolas tient bon et même convoque à Rome un concile général qui examinera toutes les questions touchant la Chrétienté, aussi bien celles d'Orient que d'Occident.

Les rois carolingiens sont alors inquiets de ces initiatives auxquelles ils ne sont pas habitués. Charles et Louis se rencontrent à Tusey sur la Meuse au nom de l'unité de la Chrétienté, cette Chrétienté qui, disent-ils, est faite de différents peuples. Ils conseillent à Lothaire de reprendre sa femme légitime et interdisent à leurs évêques d'aller à Rome. Nicolas Ier envoie alors l'évêque Arsène auprès des rois Charles le Chauve, Louis le Germanique, Lothaire, et oblige ce dernier à se séparer de sa maîtresse. Le monde politique est divisé en deux camps : d'un côté Charles et Louis « le Germanique », de l'autre, Lothaire et Louis II.

La mort de Nicolas Ier (867) ne clôt pas pour autant l'affaire du divorce. Lothaire part pour l'Italie où il espère convaincre le nouveau pape Hadrien II supposé moins rigoriste que son prédécesseur. Une entrevue a lieu au Mont-Cassin par l'entremise de l'épouse de Louis II l'impératrice Engelberge. Lothaire II qui prétendait n'avoir pas repris auprès de lui sa maîtresse fut admis à la communion, la réconciliation était en bonne voie, lorsque, à Plaisance, Lothaire mourut de fièvre paludéenne (8 août 869). Les contemporains y virent un jugement de Dieu : « Au Mont-Cassin, le roi avait mangé et bu sa propre condamnation. »

Ainsi de 855 à 869, l'épiscopat de France puis la papauté ont cherché à remédier aux querelles des princes carolingiens. Comme l'écrivait Hincmar dans son *Traité sur le divorce* : « L'empire qui provenait de mains diverses s'était constitué dans la main des souverains en une puissante unité puis s'était divisé par leur faute. L'Église reste alors le seul royaume qu'on ne puisse diviser. »

## Les rois dans leurs royaumes

Si l'Église était contrainte de prendre en main la sauvegarde de l'unité chrétienne, si la papauté devient une puissance internationale, c'est que les rois carolingiens ne pensent qu'à réaliser leurs projets politiques et familiaux et que d'autre part ils sont occupés à régler les nombreux problèmes intérieurs dans leur propre royaume. Ils sont continuellement aux prises avec les invasions, les révoltes et les ambitions de leur aristocratie.

## Louis II, premier souverain d'Italie

Depuis 844, Lothaire Ier a confié le royaume d'Italie à son fils Louis II. Il le fait couronner roi en 844, puis empereur en 850. Ce prince d'une vingtaine d'années est intelligent et énergique. Il va, pendant tout son règne qui se termine en 875, s'occuper activement de ce royaume qu'il ne quitte que trois fois. Un capitulaire, promulgué en 850 à Pavie, nous montre que le royaume d'Italie a besoin de réformes : « Le brigandage sévit, les comtes et les officiers royaux profitent de leur puissance pour exploiter les pauvres, les palais menacent ruines, les ponts s'écroulent, etc. » Le roi met tout en œuvre pour faire régner l'ordre carolingien. Grâce aux nombreux actes que l'on a conservés, on le voit aller de palais en palais, édicter des capitulaires, donner les diplômes d'immunité à des abbayes dont Saint-Sauveur de Brescia où sa sœur Berthe est abbesse.

Il peut compter sur les aristocrates qui l'entourent et avec qui il a noué des liens de parenté. L'Unrochide, Eberhard marquis de Frioul est son oncle par alliance, puisqu'il a épousé Gisèle, fille de Louis le Pieux (cf. tableau XXI). Cet homme instruit, ami des lettrés, disposant d'une belle bibliothèque qu'il léguera à ses huit enfants, possède des biens en Flandre, en Alémanie, en Hesbaye, en Toxandrie, en Ostrevent, etc., mais il réside le plus souvent en Italie. Lorsqu'il meurt en 863, son fils, Unroch, lui succède, puis la Marche passe à son deuxième fils Bérenger qui, par son mariage, est allié à la famille des Supponides.

C'est dans cette famille que Louis II a choisi son épouse Engelberge. L'ancêtre Suppo Ier avait été comte de Brescia et duc de Spolète jusqu'à sa mort en 822. Son fils Adalgise Ier fut comte de Parme. Son petit-fils Suppo II épousa une fille de Wilfred, comte d'origine franque qui dirigea le comté de Plaisance de 843 à 870. Nous trouvons également auprès du roi son neveu Cunithard, fils de sa sœur Berthe et le comte Boson, frère du fameux abbé Hubert et de Theutberge, la malheureuse épouse de Lothaire II. Plus au sud, les ducs de Toscane et de Spolète se considèrent comme des vassaux du roi. Adalbert Ier descendant d'une famille bavaroise se trouve à la tête de la Marche de Toscane de 847 à 884, il a autorité sur la Ligurie et sur la Corse. Son beau-frère Lambert, duc de Spolète, descend de ce comte de Nantes qui avait suivi Lothaire en Italie, alors que toute une partie de la famille était restée dans la Marche de Bretagne *(cf. tableau XVI)*.

Louis, roi d'Italie, a été couronné empereur par le pape Serge II. La papauté qui, nous l'avons dit, cherche à s'affirmer après un long effacement, travaille en liaison étroite avec l'empereur. Pour mettre le Vatican à l'abri des attaques sarrasines, Léon IV fait restaurer l'enceinte d'Aurélien et surtout construire à partir de la forteresse Saint-Ange, la Cité léonine, grâce à des subventions venues du pouvoir royal et des fermes pontificales. Des inscriptions gravées sur les portes de cette Cité rappellent l'importance de la construction : « Ô toi Romain, Franc, Lombard, ou passant qui tournes ton regard vers cet ouvrage, prête ta voix à de dignes cantiques, (et célèbre) la Rome d'or splendeur, espérance du monde. » Léon IV établit une colonie de Corses à Porto, fonde une ville fortifiée, « Léopolis », pour remplacer Civita Vecchia ruinée. Selon la constitution de 824 toujours en usage, deux *missi* impériaux résident à Rome. L'un d'eux est Arsène issu d'une grande famille romaine dont les fils Éleuthère et Anastase, le futur Anastase le Bibliothécaire, ne manquent pas d'ambition. Léon IV se méfie d'Anastase, cardinal prêtre de Saint-Marcel et protégé par Louis.

Lorsque Léon IV meurt en 855, le « parti romain » désigne Benoît III. Anastase cherche en vain à se faire couronner pape. Louis II se contente de faire surveiller Benoît par Arsène et Anastase, devenu abbé de Sainte-Marie-au-Transtévère. A la mort de Benoît III, Louis II fait élire Nicolas Ier dont il espère le concours et la docilité. Il entoure le pape de conseillers à son service, Arsène évêque d'Orte et Anastase qui devient le secrétaire du pontife. Mais, nous l'avons vu, Nicolas se révèle une très forte personnalité et à plusieurs reprises se heurte à l'empereur Louis II. Ainsi en 864, le pape convoque l'archevêque de Ravenne, un véritable despote, coupable d'opprimer les sujets du pape en Émilie. Malgré le soutien de l'empereur et des *missi* impériaux, Jean de Ravenne doit se soumettre. Lors de l'affaire du divorce de Lothaire II, Louis cherche en vain à obtenir de Nicolas une sentence en faveur de son frère.

Avec le successeur de Nicolas Ier, Hadrien II, Louis a un pape à sa dévotion. Borgne et boiteux, sans grand prestige ni caractère, au demeurant fort pieux, Hadrien II eut des malheurs familiaux qui troublèrent profondément son pontificat. Ayant été marié avant d'entrer dans les ordres, il avait une fille, et cette dernière et sa mère vivaient au Latran. Or Éleuthère, le fils de l'évêque Arsène, enleva en plein carême 868 la fille du pape et l'épousa. Bien plus dans un accès de fureur, il égorgea et la fille et la femme d'Hadrien II. Cette affaire entraîne un moment l'éloignement d'Anastase, frère du meurtrier, mais le bibliothécaire du Latran ne tarda pas à reprendre sa place auprès du pape. C'est lui qui en fait gouverne l'Église romaine dans la tradition léguée par Nicolas Ier. Quant à Hadrien il ne tarit pas d'éloges à l'égard de Louis II qui se dépense sans compter pour la cause du Christ et qui protège son État et l'Italie du Sud contre les musulmans.

Le péril arabe est en effet pour l'État de Saint-Pierre et pour toute l'Italie méridionale le danger le plus grave. Rappelons que l'Italie du Sud est divisée en deux zones politiques, d'une part ce qui reste des territoires byzantins, duché de Calabre et duché d'Otrante qui sont des dépendances du Thème de Sicile. Le duché de Naples commence à se libérer de la tutelle byzantine et les ducs datent leurs actes de leur propre règne. Enfin à Amalfi se crée une petite principauté héréditaire aux dépens de Naples.

A côté des principautés, possessions byzantines ou anciennement byzantines, nous trouvons les principautés lombardes. D'abord le duché de Bénévent, dirigé par celui qui se fait appeler prince des Lombards et qui représente l'espoir de tous ceux qui rêvent au passé de ces glorieux barbares. Les fonctionnaires qui entourent le duc portent encore les titres d'autrefois, les galtalds dirigent les immenses domaines royaux et perçoivent les redevances. La monnaie bénéventine est bien reçue dans le monde méditerranéen. Malheureusement le pouvoir de Radelchis de Bénévent est disputé par son rival Sikolnof. En 844, Louis II intervient ; son arbitrage permet la création de la petite principauté de Salerne destinée à une brillante histoire. De leur côté, les gastalds de Capoue deviennent indépendants. La ville antique de Capoue ayant été détruite par les Sarrasins en 841, ils reconstruisent une nouvelle ville sur le Volturne. Lando (843-860) et son frère l'évêque-comte Landolphe (863-879) réussissent à tenir tête aux Bénéventins et aux princes de Salerne.

Les rivalités entre petits princes profitent aux musulmans qui ont pris pied en Italie du Sud, enlèvent Bari en 841 et étendent leurs raids dévastateurs jusqu'aux riches abbayes du Mont-Cassin et de Saint-Vincent du Volturne. Appelé par les abbés, Louis II entreprend une expédition en 851-852, mais ne peut reprendre la ville de Bari. Les abbés et le prince de Béné-

182 DESTINÉES DE L'EUROPE CAROLINGIENNE

vent doivent régulièrement payer des tributs pour échapper aux pillages. En 866, Louis II appelle tous les hommes libres de la péninsule à lutter contre les musulmans ; les moins riches sont mobilisés sur place et gardent les forteresses, les autres doivent se tenir prêts avec des armes pour un an. Le pape est invité à rendre une partie des offrandes envoyées par le khan bulgare Boris. Louis II ne va plus quitter le sud de la péninsule de 866 à 871. Pour en finir avec les musulmans, il imagine de faire alliance avec les Byzantins.

Depuis 842, règne Michel III. Sa mère Théodora a réussi à rétablir la paix religieuse : le 11 mars 843 est instituée la « fête de l'Orthodoxie » que certains considèrent comme l'acte de naissance de l'Église orthodoxe. Michel III laisse gouverner son oncle Bardas, puis son favori Basile jusqu'au moment où ce dernier fait assassiner l'empereur (867). Avec Basile Ier commence la dynastie macédonienne qui allait marquer l'apogée de l'empire byzantin. Louis II aurait voulu épouser une princesse byzantine mais on lui refusa. En 869, il envoie alors Anastase le Bibliothécaire à Constantinople négocier un mariage entre une de ses filles et le fils de Basile Ier. En même temps, il accepte le concours de la flotte byzantine pour reprendre Bari où s'était installé un émir musulman (871).

Le lendemain de la victoire, Byzantins et Carolingiens s'attribuent chacun l'essentiel du succès. Des lettres échangées entre Basile et Louis révèlent les prétentions des deux empereurs. D'un côté Basile, fier de ses succès sur les musulmans, désireux de restaurer la grandeur byzantine, traite Louis d'« empereur des Francs » et remarque même qu'il ne règne que sur une petite partie de l'ancienne Francie. De l'autre, Louis se dit « empereur auguste des Romains », appelé à être empereur parce que le pape, nouveau Samuel, lui a versé l'huile sainte sur le front. Citons quelques lignes de ce passage où percent les liens étroits entre papauté et Empire : « La décision de Dieu nous a fait assumer le gouvernement du peuple de la Ville ainsi que la défense et l'exaltation de la Mère de toutes les Églises qui a conféré au premier prince de notre dynastie l'autorité royale d'abord, puis impériale. En effet ceux-là seulement des princes francs ont porté le titre royal puis le titre d'empereur, qui furent sacrés à cette fin par le pontife romain au moyen de l'huile sainte. C'est aussi par l'onction que lui dispensa le souverain pontife que notre trisaïeul, Charles le Grand, premier de notre nation et de notre famille, a été dit empereur et est devenu le Christ du Seigneur en raison de sa grande piété. Chez vous, par contre, on a vu des individus s'emparer de la dignité impériale en dehors de toute opération divine accomplie par les évêques mais par la seule désignation du Sénat et du peuple qui ne se souciaient point des pontifes... » Suit un éloge de la nation des Francs qui a converti au salut divers autres peuples : « De même que Dieu a pu faire naître de pierres des fils à Abraham, ainsi put-il susciter dans ce peuple rocailleux des Francs des successeurs à l'Empire romain... » Louis estime que sa dignité impériale lui donne une sorte de prééminence sur ses parents, ses oncles et ses frères : « A ton objection que nous ne tenons pas l'empire de toute la Francie, je répondrai : notre empire s'étend bien sur toute la Francie car il n'y a pas de doute que nous ne tenions ce que tiennent ceux avec lesquels nous ne sommes qu'une chair et qu'un sang et un esprit dans le Seigneur. » Sur ce dernier point, Louis se fait sans doute illusion, lui qu'Hincmar appelait dédaigneusement « l'empereur d'Italie ».

Cette exaltation de l'empire, même si, comme on le pense, elle est due à la plume d'Anastase le Bibliothécaire, est importante. Comme l'a bien montré R. Folz, on assiste à une « romanisation de l'idée d'empire ». La papauté est maintenant détentrice de cette dignité. Lorsque Louis II, après avoir été capturé par le prince de Bénévent, revient à Rome, Hadrien le délie de son serment prêté au vassal infidèle et le couronne à nouveau dans la basilique Saint-Pierre du Vatican. Mais Louis II n'a pas d'héritier mâle et l'on s'agite déjà autour de sa succession. L'empereur meurt le 12 avril 875 près de Brescia. La disparition de ce premier grand souverain italien a été considérée par quelques chroniqueurs comme la fin d'une époque et le début de la « grande tribulation » pour l'Italie.

Royaume de Lotharingie et royaume de Provence

Peu avant de mourir l'empereur Lothaire Ier a partagé en 855 son royaume en trois parts. En dehors de l'Italie dont nous venons de parler, deux autres royaumes se sont constitués : la Lotharingie ou Lorraine et le royaume de Provence.

Lothaire II qui a donné son nom à la Lorraine a donc reçu une région qui va de la Frise jusqu'au plateau de Langres et au Jura. Comme son père qui, depuis 843, avait peu quitté la *Francia media* et sa capitale Aix, Lothaire II réside dans cette ville et gouverne avec l'aide des deux archevêques : Gunther de Cologne, son archichapelain, et Theutgard de Trèves ; il a également auprès de lui son oncle Liutfrid, comte d'Alsace, et quelques fidèles sans envergure politique qui ne songent qu'à flatter le roi et à le pousser au divorce. Comme son père, Lothaire II tente de contenir l'expansion normande dont quelques chefs, tel Roric, sont installés en Frise.

Roi à dix-sept ou dix-huit ans, Lothaire a épousé Theutberge, sœur de l'abbé Hubert qui, avec l'abbaye de Saint-Maurice en Valais, tient les régions entre Jura et Alpes. Cet abbé laïc, véritable bandit, domine la haute vallée du Rhône jusqu'à ce que le Welf Conrad II *(cf. tableau XXII)* réussisse à le battre et à le tuer en 864 et à hériter de ses domaines. Pendant tout son règne, nous l'avons dit, Lothaire II est préoccupé par l'affaire de son divorce. Dans ces conditions, il ne peut s'occuper vraiment de l'administration de son royaume, et laisse l'aristocratie laïque et ecclésiastique agir à sa guise. Les grands se partagent les abbayes et les dignités épiscopales. Lorsque Lothaire II meurt en 869, il n'a pas réussi à faire reconnaître son mariage avec sa concubine, ni à faire légitimer son bâtard Hugues.

Charles de Provence n'est encore en 855 qu'un enfant, le véritable maître du royaume est son précepteur Girard II. Girard, ancien comte de Paris, avait choisi en 843 le camp de Lothaire son beau-frère. Ce grand aristocrate, cousin des princes carolingiens, avait en effet épousé Berthe, fille d'Hugues le Peureux de la famille des Étichonides *(cf. tableaux XIII et XIV)*. Il possède des domaines en Bourgogne, dans l'Avallonais, en particulier la terre de Vézelay et celle de Pothières où en 858 il fonde deux monastères. Pour éviter que Charles le Chauve ou quelque autre laïc ne s'emparent de ces monastères, Girard demande au pape de les prendre sous sa protection, initiative dont nous dirons plus loin l'importance.

Comte de Vienne, Girard est « régent » de Provence et il défend avec énergie le royaume contre les Normands qui remontent le Rhône jusqu'à Arles. Girard les oblige à quitter la Camargue et, à cette occasion, reçoit une lettre de félicitations de l'abbé Loup de Ferrières.

L'abbé de Ferrières profite de cette lettre pour recommander son disciple Adon qui venait d'être élu archevêque de Vienne. Cet Adon (860-875), dont l'œuvre mériterait une étude particulière, est le type des évêques carolingiens lettrés et réformateurs. Il veut rendre à sa métropole sa gloire d'antan et trouve en Nicolas Ier un pape prêt à l'aider à rétablir son autorité sur ses suffragants, particulièrement l'évêque de Tarentaise dont le siège était situé dans le royaume de Louis II.

Girard de Vienne doit également défendre le royaume contre Charles le Chauve qui prétexte un appel du puissant comte d'Arles, Fourrat, pour intervenir. Pourtant Charles ne dépasse pas Mâcon, Girard ayant menacé de confisquer les terres que l'église de Reims possédait à Saint-Remi-de-Provence.

Charles de Provence n'ayant pas d'héritier, Girard négocie avec Lothaire II et prévoit que le royaume de Provence sera réuni après la mort du roi à la Lotharingie, rétablissant ainsi les liens entre la vallée du Rhône et la vallée du Rhin. Mais, à la mort de Charles en 863, Louis II d'Italie revendique lui aussi l'héritage. Un compromis est trouvé dans le palais de Mantaille près de Vienne : le royaume est partagé en deux, la partie occidentale correspondant aux évêchés de Lyon, de Vienne et de Grenoble, est donnée à Lothaire II et est gouvernée par Girard, la partie orientale c'est-à-dire les provinces ecclésiastiques d'Arles, d'Aix et d'Embrun sont réunies au royaume d'Italie. De fait, Louis II retenu continuellement en Italie ne pourra guère s'occuper de cette annexe provençale.

Royaume de Louis dit « le Germanique »

En 843, le royaume de Louis que l'on appellera plus tard « le Germanique » et qu'il vaut mieux appeler Louis de Bavière s'étend du Rhin à l'Elbe, de la Baltique aux Alpes bavaroises. C'est une région peu peuplée, sans villes importantes en dehors des cités rhénanes, menacée par les Danois et les Slaves. Louis, roi des « Francs orientaux », règne sur des régions très hétérogènes. La base de son pouvoir est en Bavière qu'il gouverne depuis 817 et dont la capitale est Ratisbonne. Les Bavarois se sentent bien différents par leur passé et leur culture des autres peuples, Souabes, Franconiens, Thuringiens, Saxons.

La Saxe qui avait été soumise par Charlemagne est encore mal remise des dévastations de la « première guerre de Trente Ans ». Louis le Pieux avait accepté de rendre à quelques chefs les biens qui leur avaient été confisqués et avait fait progresser l'évangélisation en fondant plusieurs évêchés et l'abbaye de Corvey. Mais les Saxons continuaient à s'agiter et à profiter des luttes entre les fils de Louis le Pieux. A en croire Nithard, le peuple saxon est divisé en trois groupes : les Éthelings, les Frilings et les Laz, c'est-à-dire les nobles, les libres et les esclaves. Lothaire Ier au temps où il combattait contre Louis de Bavière s'était allié aux libres qui avaient pris le nom de Stellings en leur promettant le rétablissement de leurs anciennes coutumes. Une partie des aristocrates avait alors soutenu Louis de Bavière et avait réussi à soumettre ces révoltés. La famille qui

se distingue entre beaucoup d'autres est celle des Liudolfides
*(cf. tableau XXIV)*. Pendant longtemps Liudolf qui avait lutté
contre les Normands ne peut exercer son autorité au-delà de la
Weser. Pourtant en 852, le duc saxon et sa femme Oda fondent
le monastère de Brunhausen qui, en 858, est transféré à Gandersheim. Cette abbaye dirigée tour à tour par trois filles du
couple ducal est en liaison étroite avec Corvey sur la Weser où
les deux fils de Liudolf sont moines. Quant à Warin, le beau-
père du duc, il est évêque d'Hildesheim. Après sa mort en 866,
Liudolf est remplacé par son fils Bruno à la tête du duché. Ces
grands aristocrates sont alliés à la famille carolingienne puisque une des filles du duc a épousé Louis le Jeune, fils de Louis
de Bavière. C'est de cette illustre famille saxonne que sortent
plus tard les Ottoniens.

Dans les autres régions du royaume, les grandes familles
se partagent les commandements. Les descendants de Gérold,
beau-frère de Charlemagne, sont comtes dans le pays alaman et
établissent les bases de la future Souabe. Charles, plus tard
Charles le Gros, fils de Louis de Bavière, épouse Richarde, fille
du comte alaman Erchangar. Au nord, ce qui deviendra la Franconie, n'est encore qu'un ensemble de *gau* et de comtés sous
l'autorité de quelques aristocrates. Le roi qui réside volontiers
à Francfort sur le Main semble avoir de bonnes relations avec
eux.
Dans l'ensemble, Louis a réussi à faire respecter son autorité. Sans doute ne dispose-t-il pas des moyens de gouvernement qui lui permettent de tout contrôler : pas de *missi*, pas
d'assemblées générales, des comtés en général de vaste superficie. Il s'appuie sur l'Église et sur les grands monastères, véritables cités abbatiales. Fulda, déjà puissante sous Louis le Pieux
au temps de l'abbé Raban Maur († 856), voit son temporel
s'accroître considérablement. Saint-Gall et Reichenau en pays
alaman sont des puissances foncières autant que des centres de
culture intellectuelle. En 852, l'abbé de Nieder-Altaïch reçoit du
roi le droit de haute justice. D'autre part, Louis doit lutter
contre les raids normands sur la basse Weser et surtout contre
les Slaves au-delà de l'Elbe. Le comte thuringien Tharkulf est
nommé duc du *limes sorabicus* jusqu'à sa mort en 873.

C'est du côté de la Moravie que le danger slave est le plus
grand. Tandis que les Tchèques de Bohême ne réussissent pas à
s'organiser véritablement, les Moraves sous l'autorité du duc
Mojmir forment un État entre 830 et 840. Mojmir commence
par battre un autre seigneur morave Pribina qui avait accepté

le christianisme et à qui Louis de Bavière avait concédé une partie de la Pannonie. Nitra tombe entre ses mains et arrête toute possibilité d'expansion franque. Mais ici encore l'Église franque a jeté ses bases : Nitra a une église, d'autres églises sont établies en Moravie. En 846, Louis réussit à remplacer Mojmir par son neveu le chrétien Ratislav.

Pourtant Ratislav supporte difficilement l'autorité du roi de Bavière et la présence du clergé bavarois. Il se révolte en 861 soutenu par le fils aîné de Louis. En 862, il se tourne vers Byzance pour demander des missionnaires. Le patriarche Photius qui était déjà en assez mauvais termes avec la papauté voit l'occasion d'intervenir aux confins de l'empire carolingien et envoie deux Grecs, Constantin, connu plus tard sous le nom de Cyrille, et son frère Méthode. Les missionnaires, qui parlaient le slavon, inventent une écriture à partir du grec, écriture dite cyrillique mais qu'il faut plutôt appeler glagolithique ; ils traduisent en langue slavone les textes sacrés ; ainsi leur succès est-il assez rapide. Pour constituer les bases administratives de l'Église, Cyrille et Méthode se rendent à Rome et sont d'autant mieux reçus qu'ils apportent avec eux les reliques de saint Clément. Le pape Hadrien II accepte que la langue liturgique soit le slave. Après la mort de Cyrille, Méthode est sacré archevêque de Sirmium avec mission de représenter la papauté dans les pays slaves. Ainsi l'Église de Rome espère rétablir son influence dans l'ancienne Illyricum, ce qui n'est pas du goût du clergé bavarois craignant de voir ruiner l'œuvre entreprise par Charlemagne.

L'autorité de Louis est contestée à l'intérieur même de sa propre famille (cf. tableau IX). Son fils Carloman qui a épousé la fille du duc Ernst, un des plus importants des *Optimates*, se soulève en 861 et s'allie au duc des Moraves. Nouvelle révolte en 864. Alors Louis, en 865, sacrifiant au système des partages carolingiens, prévoit qu'après sa mort son royaume sera divisé entre ses trois fils : Carloman est roi de Bavière avec les Marches danubiennes, Louis le Jeune a la Franconie, la Thuringe et la Saxe, enfin Charles un royaume composé des duchés d'Alémanie et de Rhétie, la future Souabe. Ce projet de partage se réalisa en 876 à la mort de Louis de Bavière.

Royaume de Charles le Chauve

En 843, Charles a vingt ans. C'est un jeune homme de belle allure malgré une calvitie précoce, sportif, courageux, cultivé. Il n'est pas sans appui bien que plusieurs aristocrates aient préféré quitter la *Francia occidentalis*, tel son beau-frère Eberhard qui s'installe dans le Frioul, son parent Girard qui se met au service de Lothaire, Matfrid qui s'installe en Rhénanie et Guy en Italie. Pour assurer son pouvoir, pour lutter contre son rival Pépin II d'Aquitaine et contre les Normands, Charles peut compter sur quelques fidèles : ses oncles welfs, Rodolphe et Conrad, son cousin Nithard, le sénéchal Alard, oncle de sa femme, le comte Warin, etc.

Mais le jeune roi se rend compte qu'il doit composer avec les grands. Au retour d'une expédition contre les Bretons, il réunit en novembre 843 dans le grand domaine de Coulaines près du Mans une assemblée dont on a depuis longtemps noté l'importance pour les relations entre royauté et aristocratie. Le roi s'adresse à ses fidèles clercs et laïcs, il reconnaît ses fautes dues à son jeune âge et il « renonce aux mesures qu'il a prises par inexpérience du pouvoir, par jeunesse, sous l'empire de la nécessité ou sous une influence trompeuse ». Il s'engage à garantir les biens ecclésiastiques et à respecter la loi de chacun : « J'accorde que Dieu m'aidant je respecterai la loi particulière de chacun telle que l'ont connue ses ancêtres au temps de mes prédécesseurs pour toute dignité ou tout ordre. » En échange de ces engagements, il souhaite que l'épiscopat et les laïcs lui apportent *concilium* et *auxilium* pour que sa puissance royale demeure inébranlable. Notons l'apparition de cette expression qui fera fortune. Ainsi ce pacte de « concorde et d'amitié » qui lie le roi à ses fidèles est une nouveauté dans le système politique carolingien. Le roi promet solennellement de garantir l'ordre, la justice et la paix et les aristocrates l'assurent de leur aide et de leurs conseils.

Malheureusement pour Charles, l'aristocratie est versatile et ne songe qu'à ses intérêts. Les grands vassaux laïcs cherchent à multiplier les honneurs que constituent les charges comtales et ont de plus en plus tendance à les confondre avec leurs bénéfices. On parle même dans les textes d' « honneurs bénéficiaires ». Installés dans une région, ils peuvent agrandir leur sphère d'influence, transmettre à leurs héritiers ce qui leur paraît relever de leurs droits, enfin ils doivent tenir compte de leurs propres fidèles, les aider dans leurs expéditions guerrières. La vassalité que Charlemagne avait mise à son service est de plus en plus difficilement contrôlée par le roi. En 847, Charles et ses frères à Meersen légifèrent pour régler les relations entre seigneurs et vassaux : ils interdisent à un vassal de changer de seigneur et à un seigneur de débaucher le vassal d'autrui. Peine perdue, chacun agit à sa guise.

Quant à l'aristocratie ecclésiastique, elle ne songe qu'à récupérer la totalité des biens qu'elle n'a pas pu recouvrer. Elle se plaint que Charles continue à aliéner des grandes abbayes au profit des laïcs. Ainsi Loup, abbé de Ferrières, multiplie ses requêtes auprès du roi Charles et de ses familiers pour récupérer le petit monastère de Saint-Josse près de Montreuil. En 846, à l'assemblée d'Épernay, les évêques présentent leurs revendications ; devant la protestation des laïcs, ils sont sacrifiés. Comme le dit l'évêque Prudence de Troyes : « On fit si peu de cas des avertissements si justifiés donnés par les évêques du royaume au sujet des affaires ecclésiastiques qu'on n'avait peut-être jamais eu d'exemple à l'époque chrétienne d'un tel manque de respect à l'égard des pontifes. »
Pris entre les laïcs et les ecclésiastiques, devant les défections et les trahisons, Charles use tour à tour de la manière forte et de la diplomatie. Il n'hésite pas à exécuter les traîtres, mais il cherche également à rallier les hésitants en leur promettant de sauvegarder leurs droits. En mars 858, sous l'influence d'Hincmar, archevêque de Reims depuis 845, Charles précise les promesses faites à Coulaines. Mais quelques mois après, lorsque Louis de Bavière envahit le royaume, bien des grands abandonnent le roi ; il faut l'intervention énergique d'Hincmar pour que Charles le Chauve sorte victorieux de cette crise.

Si l'archevêque de Reims a joué à cette occasion un rôle décisif, tant s'en faut, comme on le dit très souvent, qu'il ait été le conseiller le plus écouté pendant tout le règne. Jean Devisse l'a bien montré, les bonnes relations entre les deux hommes ont subi bien des éclipses. Charles le Chauve est en fait un homme seul qui ne peut compter ni sur ses amis, ni sur ses fidèles, ni sur sa famille (cf. tableau X). Ses propres enfants lui ont causé bien des déceptions. Sa fille aînée Judith avait hérité et du nom et du tempérament de sa grand-mère. Mariée d'abord pour des raisons politiques à des princes anglo-saxons, elle s'enfuit avec le comte de Flandre Baudouin. Louis, né en 846, affligé de troubles de la parole, d'où son nom Louis le Bègue, est influençable et peu sûr. Son second fils Charles, né un an après, devient débile mental à la suite d'une blessure et meurt prématurément. Le quatrième Lothaire est né boiteux et pour cette raison destiné au cloître. Quant au benjamin Carloman, entré dans la cléricature, tour à tour abbé de Saint-

Médard, de Saint-Germain-d'Auxerre, de Saint-Amand, de Saint-Riquier, de Lobbes, de Saint-Arnoul, il se révolta en 870 contre son père, devint un véritable chef de bandes et, après avoir été condamné à l'aveuglement, finit misérablement dans un monastère.

Grâce à son courage, sa ténacité, son intelligence et son habileté, malgré les défections des laïcs et des clercs, malgré les invasions normandes, Charles lutte sur tous les fronts. Après la crise de 858, en affirmant par les paroles et par les actes son autorité, il confie à quelques aristocrates sûrs, ou du moins dont il espère la fidélité, des grands commandements de différentes régions de son royaume.

Le problème le plus urgent était d'obtenir le ralliement des Aquitains. Or les partisans de Pépin II n'avaient pas accepté les décisions du traité de Verdun et pendant près de vingt ans, ils s'opposèrent au roi de France. Parmi eux, dès 844, figurait Bernard de Septimanie qui une fois de plus avait rompu son accord avec le roi et s'était installé à Toulouse. Charles, venu faire le siège de la ville en 844, n'avait pu en venir à bout, mais il avait réussi à s'emparer de Bernard et l'avait fait décapiter. La résistance de Toulouse, l'échec d'une armée de secours conduite par l'abbé de Saint-Quentin Hugues, bâtard de Charlemagne, forcèrent Charles à conclure avec Pépin II le traité de Saint-Benoît-sur-Loire en 845. Pépin recevait la maîtrise de toute l'Aquitaine, en dehors du Poitou, de la Saintonge et de l'Angoumois, et promettait d'être fidèle à son oncle. Ce n'était qu'une trêve. Trois ans après, Charles se fait sacrer roi des Aquitains à Orléans puis, reprenant la route du sud, réussit à se faire livrer Toulouse par le comte Frédelon. Ce dernier, puis son frère Raymond qui lui succéda dans le comté de Toulouse, sont à l'origine de la famille des Raymondins qui s'imposèrent dans la région jusqu'au XIIIe siècle. Guillaume, le fils de Bernard de Septimanie, tente de résister en Catalogne en s'appuyant sur le comte Aléran, allié à la famille des Robertides. Les partisans de Charles réussissent à s'emparer du jeune homme et le roi le fait exécuter. Ainsi se termine tragiquement la carrière de cet aristocrate pour qui Dhuoda avait écrit son *Manuel*. Quant à Pépin II, après avoir erré, il est capturé par Sanchez, duc de Gascogne, et fait prisonnier à Saint-Médard de Soissons (852). Il s'en échappera bientôt, continuera à errer et à conspirer jusqu'à sa mort en 864.

Pour satisfaire le particularisme des aristocrates aquitains, Charles le Chauve crut habile de rétablir un royaume d'Aquitaine en faisant sacrer à Limoges son fils Charles l'Enfant alors âgé de huit ans. Pouvoir simplement nominal entre les mains d'un prince débile qui ne pouvait satisfaire les Aquitains. Pourtant Charles le Chauve maintint la fiction d'un royaume autonome et, après la mort de son fils en 866, plaça son fils aîné Louis, le futur Louis le Bègue, à la tête du royaume d'Aquitaine.

Pendant ces années difficiles, l'Aquitaine commence à se diviser en grands ensembles. Le comté de Toulouse et ses annexes sont dirigés par la famille des Raymondins, jusqu'au moment où le fils de Raymond est assassiné en 872. Bernard Plantevelue, fils de Bernard de Septimanie, rêve de reprendre la politique de son père et de créer une vaste principauté. Pourtant la Gothie est confiée en 865 à un autre Bernard, fils d'un comte de Poitiers et allié à la famille des Rorgonides. Bernard de Gothie chercha à étendre son autorité sur les comtés de la Marche d'Espagne, future Catalogne, dominés par la famille de Bello, comte de Carcassonne. En Auvergne, le grand personnage est un autre Bernard ; il existe à cette époque onze aristocrates qui portent le même nom, les historiens ont beaucoup de difficultés à l'identifier. Ce Bernard d'Auvergne semble allié à la famille de Warin ; il reste en fonction jusqu'en 868 comme comte d'Auvergne, de Velay et abbé de Brioude. Son fils lui succède puis Bernard Plantevelue réussit à le supplanter. En Aquitaine centrale, le comte de Poitou est un carolingien, Ramnulf né du mariage entre Hildegarde, fille de Louis le Pieux, et Gérard, comte d'Auvergne (cf. tableau XXXIV). Une autre famille issue d'Alleaume, oncle de Bernard de Septimanie, tient les comtés d'Angoulême et de Périgueux. Après bien des difficultés, la famille de Ramnulf réussit à se maintenir et même à étendre son autorité dans cette région.

En Bourgogne, la situation n'est pas moins complexe. Trois comtés, ceux d'Autun, de Chalon, de Mâcon, sont en 843 entre les mains de Warin, fidèle inconditionnel de Charles. Par la suite, Bernard Plantevelue dont la famille possédait des biens en Bourgogne et qui avait épousé la petite-fille de Warin, devient comte d'Autun. Une autre famille revendique les comtés bourguignons, celle d'Eccard, fils de Childebrand, donc descendant d'un frère de Charles Martel. Cet homme puissant dont le testament nous donne une idée de la fortune mobilière et immobilière, avait épousé en secondes noces Richilde, mère de Boson, dont il n'eut pas d'enfant. Nous verrons comment Boson, homme particulièrement ambitieux, réussira à s'installer solidement dans les comtés bourguignons.

Entre Seine et Loire, nous retrouvons un même regroupement territorial entre les mains de quelques hommes puissants. Cette politique est d'autant plus nécessaire que dans cette région Charles doit lutter contre les Normands et les Bretons. Sans raconter par le détail les invasions normandes, rappelons que depuis le milieu du siècle, les pirates attaquent périodiquement le royaume. L'Aquitaine n'est pas épargnée, mais c'est surtout entre la Loire et l'Escaut qu'ils font leurs ravages. En 845, Ragnar Lotbrok remonte la Seine et prend Paris le jour de Pâques. Bien que Paris ne soit pas une résidence royale, ces événements ont eu beaucoup de répercussions. Paschase Radbert interrompit son *Commentaire sur les Lamentations de Jérémie* en écrivant : « Qui eût jamais cru, je vous prie, qu'un ramassis de brigands oseraient de semblables entreprises ? Qui eût pu penser qu'un royaume si glorieux, si fortifié, si étendu, si peuplé, si vigoureux, serait humilié, souillé de l'ordure de pareils gens ?... Non je ne pense pas qu'il y a peu d'années encore aucun roi de la terre eût imaginé, aucun habitant de notre globe eût consenti à ouïr que l'étranger entrerait dans Paris. » Charles le Chauve dut alors verser sept mille livres d'argent pour faire partir les Normands. En 847 les Normands sont sur la Loire, en 858, ils s'installent en l'île d'Oscelle près de Mantes, tandis qu'une autre bande pille Saint-Martin de Tours.

A partir de 856 commence ce qu'on a appelé la « Grande Invasion ». En 858, les Normands réussissent à capturer l'abbé de Saint-Denis, Louis, archichancelier du roi et petit-fils de Charlemagne par sa mère Rotrude. Il faut alors verser une énorme rançon pour le racheter. Charles le Chauve assiège l'île d'Oscelle mais ne peut l'emporter en raison de l'invasion du royaume par son frère Louis de Bavière. Les invasions normandes créent partout la panique, provoquent l'évacuation de moines chargés de leurs trésors et de leurs reliques, obligent les chefs à lever des impôts exceptionnels pour verser les tributs. Les populations, qui voient dans les Normands un instrument de la vengeance divine, n'ont qu'une arme, la prière : « De la nation cruelle, délivre-nous des Normands qui ravagent, Ô Dieu, notre pays. » Il faut attendre 860, pour que Charles reprenne l'offensive en construisant des ponts sur la Seine, en implantant ici et là des fortifications et en confiant à quelques fidèles des grands commandements.

Les Bretons de leur côté n'ont jamais accepté la domination carolingienne. Louis le Pieux avait sans doute fait quelques expéditions punitives et avait même nommé le chef Nominoé comme *missus*. Profitant du changement de règne et des luttes entre les trois frères, Nominoé s'émancipe en s'alliant aux Lambertides qui avaient été chargés de la Marche de Bretagne. Charles intervient ; après avoir été battu à Ballon au nord de Redon (22 novembre 845), il est forcé de reconnaître à Nominoé l'autorité sur les comtés de Rennes et de Nantes. Mais Nominoé veut davantage : il souhaite émanciper les villes bretonnes de la tutelle du métropolitain de Tours et demande en vain au pape d'ériger Dol en archevêché. A-t-il voulu, comme on le suppose, prendre le titre de roi ? Cela n'est pas certain, mais peut-être a-t-il pensé suivre l'exemple de ces princes carolingiens qui recevaient le titre royal pour satisfaire les aspirations particularistes des populations. En 851, son fils Érispoé lui succède à la tête de la principauté bretonne. Vainqueur de l'armée de Charles le Chauve à Juvardeil près de Segré, il est maître de Rennes, de Nantes et prend le titre royal. Le roi Charles le fait alors entrer dans la famille carolingienne, négociant un projet de mariage entre son fils Louis et la fille du duc breton. Il se peut que ce rapprochement ait été favorisé par la famille des Rorgonides, alliée, nous l'avons vu, aux Carolingiens. Louis reçut alors le titre de roi et régna sur le duché du Mans et une partie de la Neustrie. Le rapprochement entre Érispoé et les Carolingiens, dont témoigne l'introduction d'institutions carolingiennes en Bretagne, n'était pas du goût de tous les Bretons : Érispoé est assassiné en 857. Son cousin Salomon le remplace et conspire avec des aristocrates et même avec le fils de Charles, Louis le Bègue.

A cette date, les Rorgonides n'ont plus la faveur de Charles le Chauve, les Robertides prennent leur place. Robert, surnommé plus tard le Fort, dont on a discuté longtemps l'origine mais qui semble se rattacher à la famille de Chrodegand, renforça ses liens avec les Carolingiens en épousant Adélaïde, la veuve du Welf Conrad Ier et fille d'Hugues le Peureux *(cf. tableau XVIII)*. En 852, Robert est comte et abbé laïc de Marmoutier. En 853, il est *missus* dans plusieurs comtés du Maine, de la Touraine et de l'Anjou. Révolté contre Charles pendant l'année des défections de 858, il rentre en grâce et en 861, il reçoit le titre de duc avec la mission de défendre la région entre Seine et Loire contre les Bretons. Il lutte alors contre les Rorgonides alliés à Salomon et même contre Louis le Bègue qui s'était révolté contre son père. En 863, Salomon doit demander la paix. Robert, qui avait eu l'imprudence d'enrôler sous ses ordres quelques troupes normandes, doit empêcher les agissements des Scandinaves et défendre l'abbaye de Saint-Martin de Tours quand il devient abbé laïc. En automne 866, il remporte une brillante victoire à Brissarthe au nord d'Angers, mais il est mortellement blessé.

Ainsi se termine la courte carrière de celui que les *Annales* de Fulda appellent le « Macchabée de notre temps » et qui est considéré comme l'ancêtre le plus prestigieux des Capétiens. Ses fils Eudes et Robert étant trop jeunes pour le remplacer, son duché d'entre Seine et Loire est confié au Welf Hugues l'Abbé, oncle de Charles le Chauve et beau-fils de Robert le Fort. Il devait garder cette charge jusqu'à sa mort en 883.

Au nord de la Seine, un autre personnage est chargé de défendre cette région particulièrement exposée contre les Normands : il s'agit de Baudouin de Flandre. Comme l'a montré Jan Dhondt, la famille de Baudouin vient de la région du Rhin moyen et de l'Alsace. Il s'était installé en Flandre et avait reçu des charges comtales. Baudouin, surnommé plus tard Bras de Fer, enlève en 862 Judith la fille de Charles le Chauve avec la complicité de Louis le Bègue et se réfugie chez Lothaire II. Il faut l'intervention du pape Nicolas Ier pour que le roi de Francie pardonne au couple. Il confie à Baudouin toute une série de comtés et lui donne même l'abbaye de Saint-Bertin. Baudouin fut digne de la mission confiée par le roi et réussit à repousser toute attaque normande jusqu'à sa mort en 879.

# CHAPITRE IV

# CHARLES LE CHAUVE
# DERNIER GRAND EMPEREUR CAROLINGIEN

## Les ambitions de Charles

La décennie 860-870 est une période capitale pour Charles le Chauve. Le roi est quadragénaire, il a réussi à surmonter intrigues intérieures et dangers extérieurs. Les décisions qu'il a prises en 862 à Pîtres concernant la construction de ponts et de châteaux commencent à porter leurs fruits. Deux ans après, dans un autre capitulaire, il interdit que des forteresses soient construites sans son autorisation et rappelle aux comtes qu'ils lui doivent obéissance. Dans le même capitulaire, il tente de mettre de l'ordre dans le système monétaire et affirme son monopole en cette matière. Entre 860 et 864, il réorganise les douze circonscriptions qu'il avait confiées aux *missi dominici*. Bref, à cette époque, il semble décidé de régner en maître. La mort successive de ses fils Lothaire et Charles l'Enfant en 865 et 866 l'affecte beaucoup. Il tente de se rapprocher de sa femme Ermentrude en la faisant sacrer reine à Saint-Médard de Soissons. Mais le lendemain de la cérémonie, le propre frère d'Ermentrude, Guillaume, complote contre le roi et Charles le fait décapiter. Un an après les deux époux se séparent ; Ermentrude se retire dans un monastère.

Charles le Chauve est alors occupé par les affaires de Lotharingie et suit de très près la question du divorce de Lothaire II. Lors d'une rencontre à Metz en 862, il s'entend avec Louis de Bavière pour se partager la Lotharingie après la mort de Lothaire. Cet événement tant attendu se produisit en 869. Lothaire meurt, son bâtard Hugues, n'étant qu'un enfant, est écarté. Louis II aurait donc dû hériter du royaume de son frère. Mais l'empereur est loin, il est occupé à lutter contre les

Arabes, il n'a pas de partisans en Lotharingie. Les plus proches sont les oncles qui ont surveillé l'évolution de la situation. Or Louis le Germanique est gravement malade à Ratisbonne, et ses fils guerroient contre les Slaves. Charles sait qu'il peut compter sur quelques évêques : Advence de Metz, Francon de Liège qui est issu de la famille carolingienne, Arnoul de Toul, etc. Il n'hésite pas à rentrer en Lotharingie et à se faire couronner à Metz.

Si Charles a choisi cette ville plutôt qu'Aix-la-Chapelle, c'est qu'il y compte davantage de partisans et que Metz représente pour lui le berceau de la famille carolingienne. C'est à cette époque que se fixe l'histoire légendaire de saint Arnoul et que des généalogies en vers et en prose rattachent les Arnulfiens à la famille mérovingienne. D'ailleurs Hincmar, le grand ordonnateur de la cérémonie, rappela le souvenir de Clovis « ancêtre » de Charles et inventa à cette occasion la légende du sacre du premier roi franc par Remi archevêque de Reims. D'autre part Charles savait que son père Louis le Pieux avait été une nouvelle fois couronné à Metz après son rétablissement sur le trône et avait choisi le monastère de Saint-Arnoul comme lieu de sépulture : celui qui régnait en Francie occidentale pouvait bien occuper la place de roi de Lorraine.

Peu de temps après le sacre, Charles apprend la mort d'Ermentrude à Saint-Denis. Il prend alors comme concubine Richilde, de la famille de Lothaire II. Richilde était en effet fille du comte Bivin (cf. tableau XII) et nièce de la reine Theutberge. Le 22 janvier 870 à Aix-la-Chapelle, il épouse solennellement Richilde et compte sur son beau-frère Boson pour rallier les hésitants. Charles, tout rajeuni par ce nouveau mariage, semble alors au faîte de sa puissance. Sur la Bible conservée à Saint-Paul-hors-les-Murs et que le roi fit faire peu après le *Sacramentaire du couronnement*, Charles apparaît dans toute sa gloire entre ses gardes et sa femme, le regard dominateur, le menton volontaire, le geste de commandement. Même allure dans le *Codex aureus* de Ratisbonne qui date de la même époque, où le roi est entouré de deux provinces, les mains chargées de cornes d'abondance.

Mais Louis de Bavière, une fois sa santé rétablie, rappelle son frère à ses promesses, tandis que le pape Hadrien revendique l'héritage pour Louis II. Afin de couper court à ces réclamations, Charles s'entend avec Louis et dans la *villa* carolingienne de Meersen sur la Meuse, il accepte d'abandonner une partie de la Lorraine. S'il perd Metz et Aix-la-Chapelle, il obtient la vallée de la Meuse et un tiers de la Frise. Bien plus, Louis laisse le Lyonnais, le Viennois, le Vivarais que Lothaire avait occupés après la mort de Charles de Provence en 863.

Le comte Girard, qui était le véritable maître de ces régions, refuse le règlement de Meersen et entre en rébellion contre le roi de France. Fort de l'appui des archevêques Remi de Lyon et Adon de Vienne, Charles vient assiéger la ville défendue par Berthe, l'épouse de Girard. Dès la prise de Vienne, il laisse le comte et sa femme se retirer à Avignon qui appartenait à Louis II, où ils mourront peu après. Ainsi se terminait la carrière politique de ce grand aristocrate dont la légende devait s'emparer plus tard sous le nom de Girard de Roussillon. Maître du Lyonnais et du Viennois, Charles y installe son beau-frère le comte Boson qui saura profiter de cette promotion.

## Charles le Chauve empereur

Maître du Sud-Est de la France, l'ambitieux Charles le Chauve songe à la succession de Louis d'Italie. Ce dernier n'ayant pas de descendant mâle, Charles et Louis de Bavière sont ses seuls héritiers. D'ailleurs, dès 817, Louis le Pieux avait prévu que, si son fils décédait sans enfant légitime, l'empire reviendrait à un des frères du défunt. Louis étant roi et empereur, la succession à cette double dignité se prépare donc. Charles comme Louis de Bavière suivent de très près les événements outre-alpins. Tandis que l'impératrice Engelberge, une des grandes femmes politiques de ce temps, fait miroiter aux yeux de chacun des frères l'espoir de la succession italienne, le pape Hadrien II a déjà choisi son candidat pour l'empire. Dans une lettre adressée à Charles le Chauve en 872, il écrit : « Nous vous confions sous le sceau du secret et ceci ne devra être communiqué à personne sinon à des gens très sûrs que... si Votre Noblesse survit à notre Empereur, nous donnerait-on des monceaux d'or, nous n'agréerons, ne solliciterons ou n'accueillerons jamais de notre plein gré dans ce royaume et dans l'empire romain, nul autre que toi-même... Si tu survis à notre Empereur, c'est toi que nous souhaitons... comme chef, comme roi, comme patrice, comme empereur. » Si le pape fait cette promesse assez étonnante, c'est qu'il tient, comme son prédécesseur, Nicolas Ier, à disposer lui-même de la couronne impériale et qu'il cherche un homme suffisamment fort pour défendre les États pontificaux contre les Sarrasins. Son successeur Jean VIII respecta cet engagement.

Jean VIII qui devient pape en 872 est un vieillard doué d'une énergie peu commune. Comme Nicolas Ier, il s'affirme le chef de la « Chrétienté », expression qui revient souvent sous sa plume et il exalte la grandeur de l'Église romaine. Lorsque Louis II meurt en août 875, Jean VIII, après avoir réuni un synode à Rome, offre la couronne à Charles le Chauve. Comme il l'expliquera plus tard, « Charles se distingue par sa vertu, ses combats pour la religion et le droit, son souci d'honorer les clercs et de les instruire, Dieu le désignait pour l'honneur et l'exaltation de la sainte Église romaine ». Ce choix ne pouvait que satisfaire l'orgueil et l'ambition du roi de France.

Pourtant dans le royaume, tous n'étaient pas aussi enthousiastes. Hincmar, dans le traité intitulé *De la fidélité à garder au roi Charles*, est hostile à l'aventure italienne. Il ne comprend pas que l'on songe à la couronne impériale alors que le royaume doit être défendu contre les ennemis extérieurs normands et même bretons ; il redoute l'influence trop grande de la papauté dans les affaires du royaume ; il craint enfin que Louis de Bavière ne profite de l'absence de Charles pour envahir le royaume comme en 858, ce qui d'ailleurs se produira. Néanmoins, même si le roi se trompe, il faut lui être fidèle. Pourtant Charles n'écoute pas le vieil archevêque, pas plus que d'autres conseillers et sans tarder, il prend le chemin de l'Italie.

Refoulant les troupes que son frère avait envoyées contre lui, Charles est accueilli par Jean VIII à Saint-Pierre le 17 décembre 875. Le jour de Noël, soit soixante-quinze ans après le fameux couronnement de son grand-père, il est sacré, couronné et acclamé empereur des Romains. Il y a remise de cadeaux : Charles offre au pape une précieuse Bible conservée aujourd'hui à Saint-Paul-hors-les-Murs et le trône dit de saint Pierre, toujours en place dans un reliquaire de la basilique du Vatican et qui a fait récemment l'objet d'étude. Enfin regagnant le nord, il déjoue les intrigues de l'impératrice Engelberge qui aurait voulu appuyer la candidature de Carloman, fils de Louis de Bavière, et il se fait élire roi d'Italie à Pavie. S'adressant aux grands laïcs et ecclésiastiques, une trentaine en tout, venus l'acclamer, Charles leur recommande d'honorer l'Église romaine, de respecter ses terres et d'aider le pape Jean.

Pour Charles, il était temps de revenir en France. Le jour même du couronnement, Louis de Bavière était venu s'installer dans le palais d'Attigny. Mais, grâce à Hincmar et à Richilde, les grands l'avaient fort mal accueilli et l'avaient forcé à regagner son royaume. Pour faire reconnaître sa nouvelle dignité par ses fidèles, Charles réunit une grande assemblée dans son palais de Ponthion où se retrouvèrent une cinquantaine d'évêques venus de toutes les régions du royaume et de nombreux laïcs. Le procès-verbal de cette importante assemblée, qui dura près de trois semaines, nous permet de voir comment Charles, accompagné des légats pontificaux, ayant près de lui l'archevêque Anségise qu'il considère comme le vicaire pontifical en France et en Germanie (au grand déplaisir d'Hincmar), fit connaître à tous les conditions de son accession comme empereur et roi. Le dernier jour il se présente revêtu du costume impérial à la mode byzantine, ce qui en impose à l'assemblée mais est fort critiqué de l'autre côté du Rhin. L'annaliste de Fulda qui reflète l'opinion des sujets de Louis de Bavière écrit : « Il se mit à revêtir des habits nouveaux et insolites : enveloppé d'une dalmatique à traîne, ceint d'une écharpe précieuse qui lui tombait jusqu'aux pieds, la tête entourée d'un voile de soie serré par un diadème, il s'avançait processionnellement... méprisant la coutume des rois francs, il n'avait plus d'admiration que pour les lourdes cérémonies à la grecque. Pour prouver sans doute l'élévation de son esprit, il rejetait son titre royal et voulait être appelé empereur et auguste de tous les rois régnant en deçà de la mer... » Il est vrai que même si l'on tient compte de la malveillance de l'annaliste, Charles prend au sérieux sa nouvelle dignité, renoue avec les traditions anciennes et inscrit dans ses bulles la fière devise : « *Renovatio imperii romanorum et francorum.* » Enfin pour compléter son succès, une nouvelle qu'on attendait depuis un certain temps arrive : Louis de Bavière vient de mourir. Alors Charles va-t-il reprendre le projet qu'il n'avait pas pu réaliser en 870, compléter ses conquêtes et faire d'Aix-la-Chapelle sa capitale ?

On peut justement s'étonner de cette ambition démesurée qui ne correspond pas à la réalité politique du moment. La sagesse aurait été de se contenter de la nouvelle dignité et de gouverner ses royaumes de France et d'Italie. Mais Charles croit à son étoile, il est persuadé que Dieu a favorisé ses entreprises et il rêve de reconstituer l'empire de Charlemagne. Les événements vont lui démontrer l'impossibilité d'une telle réalisation.

## La fin du règne de Charles le Chauve

Négligeant une nouvelle attaque des Normands sur la Seine, n'écoutant aucun conseil, Charles reçoit favorablement l'appel de quelques aristocrates de Lorraine. Accompagné de deux légats pontificaux, il entre à Aix-la-Chapelle, puis à Cologne et s'installe dans la vallée du Rhin. Mais Louis le Jeune, le troisième fils de Louis de Bavière, à qui son père avait promis la partie occidentale du royaume, intervient alors et défait complètement les troupes de Charles à Andernach. L'empereur malade doit s'enfuir, laissant aux mains de l'ennemi ses trésors et de nombreux prisonniers. Il rejoint la reine et apprend qu'elle a donné le jour à un fils mort-né.

Enfin à peine est-il remis de la pleurésie qu'il avait contractée pendant sa déplorable campagne que Charles reçoit des lettres angoissées de Jean VIII. Le pape l'appelle à son secours : les Sarrasins pillent la Campanie et la Sabine, détruisent les basiliques et menacent la ville de Rome ; les ducs Lambert et Guy que Charles avait chargés de défendre le territoire de saint Pierre sont inactifs. Le comte Boson que Charles avait installé comme vice-roi à Pavie fait la sourde oreille. D'ailleurs, on le saura plus tard, Boson avait épousé la fille de l'impératrice Engelberge et, revenu en France, rêvait d'un destin plus grand que celui de vice-roi. Jean VIII se fait pressant, multiplie les lettres et déclare : « Ô vous le plus éminent des Césars, venez au secours de nos calamités, soulagez les misères de notre peuple, tendez-lui la main de votre puissance et cette terre dont nous vous avons signalé les besoins dès le début de notre mission, libérez-la, pour éviter, si elle était perdue, d'avilir votre empire et d'engendrer la perte de toute la Chrétienté. »

Encore une fois, Charles n'hésite pas. Son honneur d'empereur et de roi l'oblige à repartir pour l'Italie. Décision irréaliste vu son état de santé, les nouvelles incursions des Normands, le mécontentement des grands, les menaces que font peser ses neveux sur son royaume. Mais il est poussé soit par l'espoir d'un succès qui renforcera son prestige, soit par la résignation, une sorte de suicide en beauté. Il fait lever un tribut de cinq mille livres en argent pour neutraliser les Normands et il réunit à Quierzy une assemblée afin de prendre avec les grands les mesures nécessitées par son absence.

Charles confie la régence à son fils Louis le Bègue et comme il se méfie de lui, il l'entoure d'évêques, d'abbés et de comtes sur qui il peut compter. Il lui conseille même de se tenir prêt à aller recevoir la couronne impériale en Italie après la victoire de l'empereur sur les Sarrasins. Il fait promettre aux grands de respecter les biens des églises et ceux de sa famille. Il prévoit dans le détail la bonne marche des services administratifs : entretien des châteaux, surveillance des forêts, inventaire des têtes de gibier tuées par son fils pendant les chasses.

Les articles les plus célèbres de ce capitulaire et qui ont souvent été mal interprétés concernent les honneurs et les bénéfices qui viendraient à vaquer pendant l'absence de l'empereur. L'administration d'un évêché privé de son titulaire est provisoirement confiée à un conseil de gestion en attendant la décision de l'empereur. De plus si un comte meurt, on prévoit que son fils aidé des officiers du comté et de l'évêque gère la circonscription. Si un vassal meurt, sa veuve et ses enfants disposeront provisoirement de ses bénéfices. Enfin, si l'empereur vient à mourir et qu'un fidèle veuille se retirer du monde pour prier pour lui, que son fils ou un parent hérite de ses « honneurs ». Ces décisions, contrairement à ce qu'on a dit, ne légitiment pas l'hérédité des « honneurs » et des bénéfices mais sont des mesures exceptionnelles. Elles n'en montrent pas moins l'évolution des institutions vassaliques. Le droit des fils des comtes et des vassaux sont réservés, ce qui ne peut que satisfaire les grands assemblés à Quierzy. Ces concessions étaient d'autant plus nécessaires que le roi avait décidé la levée d'un tribut de cinq mille livres pour éloigner les Normands et que beaucoup de grands avaient manifesté leur mécontentement contre la nouvelle expédition italienne.

Charles quitte alors le royaume accompagné de sa femme et est accueilli par le pape à Verceil. Mais on apprend que Carloman, fils aîné de Louis de Bavière, arrive par le Brenner avec une grande armée pour couper la route à l'empereur. Charles se replie au sud du Pô, fait couronner sa femme impératrice et attend impatiemment les renforts venus de France. Non seulement ils ne viennent pas mais on annonce que les chefs de l'aristocratie qui n'étaient pas présents à Quierzy s'étaient soulevés. Il s'agissait de Boson, d'Hugues l'Abbé, de Bernard Plantevelue et de Bernard de Gothie. Louis le Bègue semble même avoir fait partie du complot. Ainsi les grands répondaient à leur façon à la « désertion » royale. Charles alors n'insiste pas, il fait demi-tour. Mais gravement malade, à peine avait-il passé le col du Mont-Cenis, qu'il mourait le 6 octobre 877 dans un hameau de la Maurienne à l'âge de cinquante-quatre ans.

Ainsi se terminait un long règne de trente-sept années. Charles le Chauve, qui a été bien souvent mal jugé par les historiens, fut l'un des plus grands rois carolingiens. Malgré des circonstances politiques défavorables, malgré les invasions, la révolte des grands, il a su faire face avec une étonnante énergie. Les défaites, les complots ne l'ont pas découragé. Il n'hésite pas à verser des tributs aux uns, à négocier avec les autres, avant de reprendre la lutte et de frapper fort quand il le faut. A l'exemple de son grand-père, il veut réorganiser son royaume dans tous les domaines, comme en témoignent ses 470 capitulaires. Il se fait aider par les ecclésiastiques sans se laisser dominer par eux. Sa culture profane et religieuse dont nous reparlerons lui a permis de s'élever au-dessus des intrigues passagères et de voir plus loin et plus haut que ses contemporains. En mêlant dans leurs récits les souvenirs de Charlemagne et de Charles le Chauve, les auteurs des chansons de gestes ont rendu au dernier grand empereur carolingien le meilleur hommage auquel il pouvait prétendre.

*QUATRIÈME PARTIE*

# EFFONDREMENT DE L'EMPIRE CAROLINGIEN ET NAISSANCE DES PREMIÈRES NATIONS EUROPÉENNES

La mort de Charles le Chauve ne signifie pas la fin de l'histoire carolingienne. Pendant quelques décennies, ses successeurs se maintiennent au pouvoir. Bien plus, l'unité territoriale de l'empire est restaurée par Charles le Gros et le titre impérial est porté par quelques princes jusqu'en 924. Enfin la famille carolingienne de Francie occidentale réussit à se maintenir au pouvoir jusqu'en 987. Pourtant, après la mort de Charles le Chauve, l'empire connaît les soubresauts qui le conduisent à son effondrement à la fin du IXᵉ siècle. L'Europe est alors dirigée par de grands aristocrates issus directement ou non de la famille carolingienne, qui gouvernent leur État d'une façon indépendante mais qui gardent le souvenir des princes prestigieux qui les ont précédés et qui s'en inspirent pour mener leur politique.

# CHAPITRE PREMIER

## LA FIN DU RÊVE IMPÉRIAL
### (877-888)

*Le pape Jean VIII à la recherche d'un empereur*

Jean VIII avait mis tous ses espoirs en Charles le Chauve. La mort de l'empereur le laisse désemparé. Le fils de Charles n'est plus un jeune homme puisqu'il a trente et un ans, mais c'est un prince maladif, sans grande personnalité et qui, du vivant de son père, s'était montré peu digne des charges qu'on lui avaient confiées. En 862, sans le consentement de Charles le Chauve, il avait épousé sa concubine Ansgarde, fille du comte Harduin, dont il avait eu deux fils, Louis et Carloman. En 878, il la répudie pour épouser Adélaïde, fille du comte Adalard *(cf. tableau X)* qui lui donna un an après Charles, le futur Charles le Simple. A peine Charles le Chauve était-il mort que Louis distribue abbayes, comtés et domaines à tous les fidèles qui se présentent, ce qui suscite une levée de boucliers. Les grands qui reviennent d'Italie se voient injustement dépossédés de leurs « honneurs ». Il faut toute l'habileté du vieil Hincmar pour éviter la guerre civile. Dans une lettre qu'il écrit au nouveau roi, l'archevêque lui conseille de négocier avec les grands de son parti, de relire le capitulaire de Quierzy qui avaient établi une sorte de contrat entre roi et fidèles et il lui expose en six points ce qu'il doit faire. D'abord s'occuper de ses biens propres pour entretenir sa cour et sa maison, puis respecter les biens des églises, ne pas les surcharger d'exactions qui, dit-il, pèsent sur elles depuis vingt ans et qui n'existaient pas au temps de Pépin, de Charles ou de Louis le Pieux ; que les grands du royaume ne soient pas dépouillés de leurs biens sous divers prétextes, que l'on cesse de lever des tributs sous le prétexte de lutter contre les Normands car « depuis plusieurs années, il n'y a pas eu de défense dans le royaume mais rien que rançons et tributs qui ont non seulement appauvri les hommes mais aussi ruiné les églises qui étaient autrefois riches ». Le prince doit maintenir la concorde entre les clercs et les grands et accepter les conseils d'hommes sûrs ; enfin, Louis doit faire la paix avec ses cousins, les fils de Louis de Bavière.

L'entremise d'Hincmar et celle de l'impératrice Richilde, qui transmit au jeune roi les insignes de son pouvoir, permirent l'organisation du sacre le 8 décembre 877 à Compiègne. Les évêques, les abbés et les grands aristocrates se commandent au roi et lui promettent fidélité. Louis de son côté « constitué roi par la grâce de Dieu et l'élection du peuple » s'engage à respecter les règles religieuses et à maintenir la loi. C'est un véritable contrat établi entre le roi et ses sujets qui n'est pas sans conséquences pour l'avenir de la dynastie carolingienne.

De son côté Jean VIII est aux abois. Il est menacé par les Sarrasins qui pillent la campagne romaine, par les clercs partisans de l'archevêque Formose, par Lambert de Spolète et Adalbert de Toscane, son beau-frère. Jean VIII alors renouvelle ce qu'avait fait son lointain prédécesseur Étienne II en 754 : il décide de se réfugier en France. Arrivé par la mer en Provence, il est accueilli par Boson et sa femme Ermengarde. Cette dernière — la fille de l'ancien empereur Louis II — rêve du titre impérial pour son époux. Jean VIII, séduit par leur accueil, se déclare tout prêt « à élever Boson et Ermengarde à une situation plus considérable et plus haute ». Pour le moment, son premier but est de réunir un grand concile en Occident où siégeraient tous les princes carolingiens et où l'on réglerait les affaires en cours et le sort de l'empire. Le concile qui s'ouvre à Troyes, le 11 août et réunit une cinquantaine d'évêques, commence, en attendant l'arrivée des princes, par régler différentes questions ecclésiastiques et par excommunier ceux qui troublent l'ordre carolingien : les laïcs qui se sont emparés des biens ecclésiastiques, les ennemis italiens de Jean VIII, Hugues le bâtard de Lothaire II et Bernard, marquis de Gothie, qui s'est révolté contre Louis le Bègue. Ce dernier finit enfin par arriver mais ses cousins ne sont pas au rendez-vous. Carloman de Bavière est frappé de paralysie, son frère, Louis le Jeune, va le rejoindre pour préparer sa succession, quant à Charles le Gros, le troisième fils de Louis de Bavière, il ne bouge pas. Jean VIII qui a fait relire les promesses faites à saint Pierre par Pépin et Charles, et qui a sacré à nouveau Louis le Bègue, aurait souhaité que celui-ci puisse l'accompagner en Italie pour être couronné empereur. Mais Louis doit lutter contre la révolte de Bernard de Gothie qui, maître de la Septimanie, du Berry, de l'Autunois et de plusieurs comtés de la Marche d'Espagne, « se comporte en roi ». Le pape doit retourner en Italie, accompagné de Boson avec qui après le refus de Louis il a négocié une « convention secrète ». Il espère réunir une assemblée à Pavie qui reconnaîtrait Boson comme roi d'Italie et comme empereur. Mais les évêques et les grands seigneurs italiens ne sont pas au rendez-vous, Boson doit reprendre le chemin de la France.

Si Jean VIII n'obtint pas ce qu'il voulait au concile de Troyes, Louis le Bègue se rendit compte qu'il devait se rapprocher de ses cousins carolingiens. Il rencontra Louis le Jeune à Fouron près d'Aix-la-Chapelle et confirma les clauses du traité de Meersen sur la Lotharingie. Les deux princes s'engageaient à lutter ensemble contre les Normands et à protéger réciproquement leurs enfants. De plus, ils donnaient rendez-vous aux deux autres princes carolingiens pour le printemps 879. Le régime de la confraternité semblait de nouveau rétabli. Malheureusement Louis, qui se préparait à une campagne contre Bernard de Gothie, tomba gravement malade et mourut à Compiègne à l'âge de trente-trois ans.

La succession de Louis ouvrit une nouvelle crise, et ce n'était pas la dernière, dans la Francie occidentale. Une partie de l'aristocratie dirigée par le Welf Conrad et Gauzlin, abbé de Saint-Denis, offrit la couronne à Louis le Jeune. Gauzlin qui, en dehors de l'abbaye de Saint-Denis, possédait les abbayes de Jumièges et de Saint-Amand, appartenait à la famille des Rorgonides *(cf. tableau XIX)*, il était de plus oncle de Bernard de Gothie. Il voulait profiter de la mort de Louis le Bègue pour récupérer l'abbaye de Saint-Germain-des-Prés qui avait été donnée à Hilduin, son rival, pour jouer le premier rôle dans le royaume de France. Les aristocrates, fidèles à la mémoire du défunt roi, Bernard Plantevelue, le chambrier Thierry, Hugues l'Abbé, parèrent le coup en abandonnant à Louis le Jeune la partie de la Lotharingie que Charles le Chauve avait reçue en 870. Ils firent alors couronner rois les deux héritiers, Louis III âgé de seize ans et son frère Carloman, qui n'avait que treize ans, à Ferrières-en-Gâtinais. Les deux rois se partagèrent le royaume, suivant la tradition franque, Louis eut la Neustrie et ses Marches et Carloman l'Aquitaine et la Bourgogne.

Peu après le sacre, on apprit avec stupeur la révolte de Boson. En effet le beau-frère de Charles le Chauve, qui n'avait pas réussi à obtenir la couronne en Italie, réunit le 15 octobre 879 à Mantaille près de Vienne six métropolitains et sept évêques et se fit proclamer roi « pour le bien de l'Église et du peuple privés du secours d'un souverain et sous l'inspiration de Dieu ». Cette usurpation, par un prince simplement allié aux Carolingiens, est un événement très important. Il ne s'agit pas simplement de la rébellion d'un grand, mais de l'élection d'un homme qui bafoue les droits de la dynastie carolingienne et de la création d'un royaume indépendant. Pour expliquer cet acte audacieux, il faut tenir compte non seulement de l'ambition de Boson et de sa femme, mais des sentiments particularistes de l'aristocratie locale. Cette partie de l'empire avait déjà été constituée en royaume en 855, Girard de Vienne l'avait administrée et les aristocrates se rendaient compte qu'il valait mieux un roi qui résidât à Vienne qu'un souverain lointain qui ne pouvait défendre leurs intérêts.

Le couronnement de Boson eut pour conséquence de resserrer les liens entre les Carolingiens. Louis III et Carloman d'une part, Charles le Gros et Louis le Jeune d'autre part se réunirent à Gondreville sur la Moselle et s'entendirent pour lutter contre Boson mais aussi contre le bâtard Hugues qui cherchait à conquérir la Lotharingie.

La dynastie carolingienne garde encore beaucoup d'atouts. Les deux rois de France sont jeunes mais énergiques. Hincmar de Reims malgré son âge continue à jouer le rôle de mentor politique. Il rappelle le temps où Charlemagne régnait sur l'empire entouré de ses conseillers : « Prenez modèle sur cet exemple illustre si vous voulez faire revivre dans ce royaume les traditions de justice et les vertus ancestrales qui seules permettront de le sauver des désordres et des païens... » Pour Carloman, il écrit le *De ordine palatii*, tableau idéal de la cour carolingienne. Mais le vieil homme n'est plus guère écouté. Les rois subissent l'influence de conseillers plus jeunes et moins désintéressés. De plus leur souci immédiat n'est pas de restaurer le royaume en suivant l'exemple de leurs ancêtres, mais de lutter contre une nouvelle invasion normande.

En effet les Danois, qui depuis 862 avaient ralenti leurs attaques et avaient accepté les tributs que leur versait Charles le Chauve, envahissent à nouveau le continent à partir de 879. La Flandre, le Brabant, la Saxe du Nord sont pillés. A partir de Gand et de Courtrai ils s'avancent dans la région de l'Escaut. Louis III se porte à leur devant et réussit à les battre à Saucourt-en-Vimeu, brillante victoire qu'un moine anonyme célèbre en langue germanique dans le *Ludwigslied*. Louis continue la lutte en se portant sur la Loire pour arrêter d'autres bandes normandes lorsqu'il tombe malade et meurt le 5 août 882 à l'âge de vingt ans.

Son frère Carloman qui devient roi de toute la Francie occidentale poursuit la lutte pendant deux ans. A partir de leur base de Condé-sur-l'Escaut, les Normands s'infiltrent partout. Les *Annales de Saint-Bertin* rédigées par un secrétaire d'Hincmar nous disent qu'en 882 ils menacent Reims. L'archevêque, emportant avec lui les reliques de saint Remi et le trésor de l'église, s'échappe « transporté dans une chaise-litière comme l'exigeait sa faiblesse corporelle, chanoines, moines et moniales dispersés de tous les côtés. L'archevêque parvint après une pénible fuite au-delà de la Marne dans une *villa* appelée Épernay ». Reims tient bon, mais l'archevêque meurt à Épernay en 882. Carloman vainqueur ici, vaincu là, pendant toute l'année 883, réussit à se délivrer du péril en versant aux Normands un tribut énorme de douze mille livres d'argent. Quelques mois après, alors qu'il chasse dans la forêt de Bézu près des Andelys, il meurt accidentellement à l'âge de dix-sept ans. Le sort s'acharne contre la dynastie carolingienne.

Louis II le Bègue avait eu un troisième fils de sa seconde épouse, le futur Charles le Simple. Mais l'enfant n'avait que cinq ans, il n'était pas question, en raison des circonstances, de le choisir comme roi. Les aristocrates firent alors appel au Carolingien qui leur paraissait le plus apte à diriger et à défendre le royaume, Charles le Gros.

## *Le règne de Charles le Gros ou les illusions perdues*

Roi d'Alémanie depuis 876, Charles, troisième fils de Louis de Bavière, connaît un brillant début de carrière. Son frère Carloman que les aristocrates italiens auraient voulu voir régner à Pavie, étant trop malade, se désiste pour Charles (879). Jean VIII, toujours à la recherche d'un empereur, se résigne à négocier avec lui. Il le rencontre à Ravenne et lui fait promettre de respecter « les pactes et privilèges de la sainte Église romaine ». Jean VIII établit là le principe d'une tradition qui se maintiendra pendant tout le Moyen Âge : avant de recevoir la couronne impériale, le roi d'Italie, que l'on appellera plus tard le « roi des Romains », doit promettre de respecter les privilèges de la papauté. Charles qui ne veut pas, semble-t-il, devenir l'homme du pape, ne se presse pas et attend février 881 pour arriver brusquement à Rome sans même s'être fait annoncer. Jean VIII, ayant reçu les assurances qu'il réclamait, couronne empereur Charles et sa femme Richarde, le 12 février 881. Le pape espérait bien que le nouvel empereur l'aiderait à lutter contre les Sarrasins toujours menaçants. En fait Charles le Gros revient en Italie du Nord, puis passe les Alpes à la nouvelle de la mort de son frère Louis le Jeune qui lui laissait l'ensemble de la Germanie. Le malheureux Jean VIII, livré à lui-même, ne devait pas tarder à mourir, sans doute assassiné par quelque clerc de son entourage.

Charles le Gros est donc empereur, roi d'Italie et roi de Germanie. Il semble bien décidé à organiser la lutte contre les Normands et à les déloger de leur camp d'Elsloo sur la basse Meuse. Une armée, composée de Francs, d'Alamans, de Thuringiens, de Saxons et de Lombards assiègent la place fortifiée. Mais, à la déception de tous, douze jours après, Charles traite avec les Normands et leur permet de s'installer en Frise. Leur chef Godfried accepte le baptême et épouse même Gisèle une fille de Lothaire II. Si l'empereur n'est pas un brillant soldat, il paraît bon diplomate. Les grands de France semblent lui faire confiance puisque, à la mort de Carloman, ils lui offrent la couronne : en juin 885, dans le palais royal de Ponthion, l'empereur Charles le Gros reçoit les serments de fidélité de l'aristocratie laïque et ecclésiastique.

La restauration territoriale de l'empire est donc réalisée. En Charles le Gros doit revivre Charlemagne. C'est ainsi que pense le moine Notker de Saint-Gall lorsqu'il écrit ses *Gesta Caroli* pour le nouvel empereur. Charles le Gros est, d'après Réginon de Prüm, un homme très généreux dans ses aumônes, plongé sans cesse dans la prière et le chant des psaumes, confiant dans la Providence. Cela suffit-il pour gouverner cet immense empire, le défendre contre l'ennemi normand toujours présent ?

Un mois après l'assemblée de Ponthion, le chef Siegfried dirige une « grande armée » et sept cents navires vers Paris. La ville est un obstacle qu'il faut franchir pour pousser plus loin les pillages. Commence alors à partir de novembre 885 le célèbre siège que le moine Abbon de Saint-Germain-des-Prés, témoin oculaire, a raconté dans un poème de six cents vers intitulé *Les Guerres de la ville de Paris*.

Paris, c'est-à-dire l'île de la Cité, représente huit hectares défendus par des murs antiques et ces tours que l'on avait restaurées quelque temps auparavant. L'évêque qui la dirige est Gauzlin de la famille des Rorgonides qui, nous l'avons vu, avait tenté d'écarter les héritiers de Louis II en 879, alors qu'il était simplement abbé de Saint-Denis. Gauzlin refuse de laisser passer les troupes de Siegfried et organise la résistance. A côté de lui sont les deux fils de Robert le Fort qui, depuis la mort d'Hugues l'Abbé, assurent la direction du duché de France *(cf. tableaux XVIII et XIX)*. Eudes, l'aîné âgé de vingt et un ans, est comte de Paris. La population parisienne lui fait confiance mais espère également beaucoup dans la protection de saint Germain et de sainte Geneviève dont les reliques ont été installées dans la Cité. La tour qui défend le grand pont sur la rive droite, à l'emplacement du Châtelet actuel, tient bon. Mais celle qui interdit l'entrée du petit pont sur la rive gauche tombe malgré l'héroïsme de douze combattants dont Abbon nous a conservé les noms.

Le comte Eudes fait appel à Charles le Gros alors en Bavière. L'empereur envoie le comte Henri, un brillant soldat qui s'était rendu célèbre quelques mois auparavant en tuant le chef normand Godfried que Charles le Gros avait installé en Frise et en capturant son complice, le bâtard Hugues. Cette fois, Henri eut moins de chance et fut tué par l'ennemi. Charles décide alors de venir lui-même et campe en octobre 886 sur les hauteurs de Montmartre. Les Parisiens espèrent leur délivrance. Elle arrive mais autrement qu'ils l'auraient souhaitée. En effet, l'empereur verse un tribut de sept cents livres d'argent aux Normands et leur permet d'aller hiverner en Bourgogne, c'est-à-dire de piller cette région. Lui-même ne tarde pas à repartir pour échapper à l'armée de Siegfried.

La crainte des Normands n'est pas la seule cause du départ inopiné de Charles. L'empereur est malade, il souffre de maux de tête et ne peut plus guère gouverner. En 887, il subit une trépanation et à l'âge de quarante-sept ans sent la mort venir. Il a l'imprudence de se séparer de son archichapelain, l'évêque Liutward et de l'impératrice Richarde soupçonnée de le tromper. Les aristocrates de Germanie se révoltent un peu partout et invitent Arnulf, bâtard de Carloman, à se joindre à eux. L'empereur convoque une assemblée à Tribur près de Mayence, mais abandonné de tous, il doit abdiquer. Il meurt en Souabe dans une résidence de la Forêt-Noire, oublié de tous, le 13 janvier 888.

Le rêve de la restauration impériale a vécu. L'empire réunifié territorialement une dernière fois se disloque. La tendance au partage qui, depuis le milieu du IXe siècle, l'avait emporté sur l'idée unitaire, triomphe définitivement. Mais cette fois ce ne sont pas les princes carolingiens qui s'attribuent les morceaux de l'empire, ce sont les chefs des grandes familles qui, suivant l'exemple que leur a donné Boson en 879, se font élire par l'aristocratie.

## L'élection des nouveaux rois

Commentant les événements qui suivirent la mort de Charles le Gros, le chroniqueur Réginon de Prüm écrit : « Après sa mort, les royaumes qui avaient été soumis à sa domination se désagrègent et s'émiettent comme s'ils avaient été privés d'un héritier légitime. N'ayant plus à attendre un souverain donné par la nature, chacun d'eux cherche à se créer un roi tiré de ses entrailles, ce qui cause de grands troubles et des guerres. Ce n'est pas qu'on fût dépourvu de princes francs dignes par leur noblesse, leur courage et leur sagesse de gouverner les royaumes mais l'égalité même qui régnait entre eux au point de vue de la noblesse, de la dignité, de la puissance envenimait la discorde, car il n'y avait parmi eux aucun qui ne l'emportait assez sur les autres pour qu'ils daignassent se soumettre à sa domination. La Francie aurait produit bien assez de princes capables de tenir le gouvernail de l'État si une noble émulation ne les avait entraînés à leur perte en les armant les uns contre les autres. » Cette phrase célèbre, bien souvent citée, rend compte de la situation : élection des princes par les aristocraties régionales, qualités de ces princes et conflits que leurs rivalités font naître.

Nous avons vu comment une partie de l'aristocratie de Germanie a élu le bâtard de Carloman, Arnulf de Carinthie. Ce prince est âgé d'une trentaine d'années ; il s'était fait remarquer dans ses luttes contre les Moraves. En France, il n'était pas question de donner le trône au petit Charles, alors entre les mains du comte Ramnulf de Poitiers. En attendant la majorité de l'héritier carolingien, les grands du nord de la France élisent l'homme du jour, c'est-à-dire l'héroïque défenseur de Paris, le comte Eudes. C'était, nous dit Réginon, « un homme énergique qui l'emportait sur les autres par sa beauté, sa prestance physique, sa grande puissance et sa sagesse ». Ce que Réginon ne nous dit pas, c'est qu'un autre compétiteur se présente en la personne de Guy de Spolète (cf. tableau XVI). Cet aristocrate descendant de l'illustre famille des Guy-Lambert est appelé par Foulques, l'archevêque de Reims et par l'évêque Geilon de Langres. Foulques de la famille des Widonides rêvait sans doute de jouer auprès du jeune prince le rôle que son prédécesseur Hincmar avait joué auprès des Carolingiens. Guy est sacré à Langres mais n'est pas reconnu en dehors de quelques fidèles. Foulques alors se rend compte de son faux pas et se rallie à Eudes. Pour-

tant ce n'est pas lui qui sacre le roi mais son collègue l'archevêque de Sens dont l'évêque de Paris était le suffragant. Eudes au
moment du sacre doit s'engager, comme l'avaient fait Louis le
Bègue en 877 et Carloman en 882, à défendre les églises et à respecter la loi religieuse. Il reçoit alors le serment de fidélité des
grands ecclésiastiques et laïcs.

Dans le royaume d'Italie, les candidats à la couronne
royale ne manquent pas. Comme l'écrivait quelques années
auparavant l'évêque de Brescia à Salomon de Constance : « Les
Italiens sont la proie tantôt des uns, tantôt des autres et attendent avec impatience que l'on se soit mis d'accord sur le point
de savoir à qui appartiendra le pays. » Au début de 888, les aristocrates italiens, dont les plus actifs sont les Supponides, élisent à Pavie le marquis de Frioul Bérenger. Leur choix n'est pas
simplement dicté par la personnalité du candidat mais par
l'appartenance de Bérenger à la famille carolingienne. En effet,
fils d'Éberhard de Frioul, Bérenger descendait par sa mère de
Louis le Pieux *(cf. tableau XXI)*. Pourtant l'appartenance à la
famille carolingienne ne suffit plus pour assurer le succès. En
effet, peu de temps après l'élection de Pavie, un compétiteur
apparaît en la personne de Guy de Spolète revenu de France et
appelé par Adalbert de Toscane et quelques aristocrates. Commence alors une guerre qui se termine par le triomphe de Guy.
Le « jugement de Dieu » ayant été contraire à Bérenger, ce dernier se retire dans le Frioul tandis que Guy est couronné à
Pavie. Mais, nous le verrons, Bérenger ne se résigne pas et,
jusqu'à sa mort en 924, il luttera avec plus ou moins de succès
contre Guy et d'autres compétiteurs qui se présenteront.

En cette même année 888, un autre grand aristocrate se
présente aux suffrages des grands de Bourgogne transjurane : il
s'agit du Welf Rodolphe, petit-fils de Conrad l'Ancien qui était
le frère de l'impératrice Judith *(cf. tableau XXII)*. Le père de
Rodolphe, Conrad II, avait été comte d'Auxerre et après la
révolte et la mort de l'abbé Hubert, beau-frère de Lothaire II,
avait reçu le duché de Transjurane et l'abbaye de Saint-Maurice
en Valais. Les grands laïcs et ecclésiastiques se réunissent dans
cette abbaye prestigieuse et élisent roi le marquis Rodolphe.
Mais ce dernier ne semble pas vouloir se contenter de ce
royaume de Burgondie, il rêve de reconstituer à son profit la
Lotharingie.

Enfin le problème de la succession se pose également dans
le royaume de Provence que Boson avait créé en 879. Les
princes carolingiens qui s'étaient un moment coalisés contre
Boson n'avaient pu reprendre que les territoires septentrio-
naux du royaume. Le frère de Boson, Richard, resté fidèle à la

dynastie carolingienne, avait même dû abandonner la ville de Vienne qu'il avait occupée un moment. Boson meurt en 887 en laissant deux enfants, une fille Engelberge qui épousa Guillaume le Pieux, fils de Bernard Plantevelue, et un fils Louis, né peu de temps avant la mort de son père (cf. tableau XII). La reine Ermengarde avait demandé à Charles le Gros d'adopter le jeune garçon, en sorte qu'en 890, Louis fut élu par les grands et les évêques et couronné à Valence.

Ainsi en dehors d'Eudes, les rois qui succèdent à Charles le Gros se rattachent à la famille carolingienne. Élus par les grands, ils règnent dans des royaumes dont les frontières ne sont pas bien déterminées. Leur autorité est fragile et, comme nous le verrons, ils devront se tourner vers Arnulf de Germanie pour la renforcer. En cette fin du IXᵉ siècle, la réalité des pouvoirs est entre les mains des chefs des principautés qui se sont formées dans la deuxième moitié du siècle. C'est vers elles que nous devons nous tourner maintenant.

# CHAPITRE II

## NOUVEAUX ROYAUMES ET PRINCIPAUTÉS

Abandonnant les Carolingiens à leur sort et même à leur mauvaise fortune, tournons-nous vers ceux qui prennent en main les destinées de l'Europe, les nouveaux rois et les grands princes qui depuis quelques décennies voient leur puissance grandir. Ces grands descendaient des aristocrates qui s'étaient ralliés aux Carolingiens, qui avaient reçu des terres, des commandements, des honneurs, des privilèges d'immunité, qui s'étaient liés au roi par des serments de vassalité. Dans la deuxième moitié du IX<sup>e</sup> siècle, ils ont fait souche dans des régions bien déterminées, ils ont regroupé des comtés, les ont transmis à leurs héritiers, en ont tiré des ressources importantes ; ils se sont constitué des clientèles de vassaux locaux, ce qui leur a permis soit d'aider les princes carolingiens, soit de s'opposer à eux ; ils se sont emparés d'abbayes et de sièges épiscopaux qu'ils ont distribués à leurs fidèles. En quelque sorte, ils n'ont fait qu'imiter ce que les premiers Carolingiens avaient fait au VIII<sup>e</sup> siècle.

Les circonstances ont favorisé leur ambition. En 879, avant même que les Carolingiens n'aient abandonné le pouvoir, Boson s'est emparé de l'autorité qu'exerce le roi, le *ban* royal : « Moi Boson, qui suis ce que je suis par la grâce de Dieu », dit-il en citant I Corinthiens XV, 10. Dix ans après l'exemple est suivi par d'autres grands. A l'intérieur même des royaumes qui se créent, les aristocrates se taillent des principautés et se conduisent de manière plus ou moins indépendante. A la fin du IX<sup>e</sup> siècle et au début du X<sup>e</sup> siècle, le pouvoir est entre les mains de quelques grandes familles qui se rattachent ou non à la souche carolingienne et qui donnent à l'Europe un nouveau visage.

## Les princes italiens

En Italie les dynasties princières tirent essentiellement leur origine des familles carolingiennes établies sous Charlemagne et Louis le Pieux. Dans le nord, la Marche de Frioul est entre les mains des Unrochides, Éberhard, gendre de Louis le Pieux, a laissé ses possessions à son fils Unroch qui a épousé une fille du comte de Trente, de la famille des Étichonides et dont la sœur était mariée avec Guy II de Spolète. Mort vers 875, il laisse la Marche à son frère Bérenger qui lui aussi est allié par mariage à des grandes familles. Sa femme appartenait au clan des Supponides, maîtres des comtés de Parme, de Plaisance et de Brescia. Le marquis de Frioul doit non seulement protéger l'Italie du Nord contre les Slaves mais surveiller la route qui va de la Bavière en Italie par le Brenner et la vallée de l'Adige. A l'ouest, celui qui tient d'autres débouchés des vallées alpestres est le marquis d'Ivrée Anscar, fils d'un seigneur bourguignon et lui aussi lié à Guy de Spolète. Plus au sud, la Marche de Toscane est entre les mains d'une famille d'origine bavaroise. Adalbert Ier, fils du marquis Boniface II, a épousé une sœur de Lambert de Spolète ; son fils Adalbert II, appelé Adalbert le Riche, lui succède. En Italie centrale, le duché de Spolète est entre les mains de la famille des Guy-Lambert, originaire de France comme nous l'avons vu ; cette famille dispose non seulement de cet ancien duché lombard mais intervient dans les affaires de Naples, de Capoue et de Rome. Le patrimoine de saint Pierre peut lui aussi être considéré comme une principauté. Depuis la mort tragique de Jean VIII (882), des papes sans envergure se sont succédé. En 885, Étienne V est élu et cherche à remettre de l'ordre dans une Église troublée par les intrigues des clercs et des aristocrates laïcs.

Nous avons vu comment comme en 888 Bérenger de Frioul s'est fait élire roi à Pavie par une partie de l'aristocratie. Le nouveau roi, qu'un poète anonyme a célébré dans les *Gesta Berengarici*, a des atouts pour lui. Il a l'appui des Supponides et il s'est fait reconnaître par le roi Arnulf de Germanie. A peine a-t-il commencé à régner que Guy de Spolète, évincé de France, réussit à le battre et à s'emparer de la couronne. Soutenu par une partie de l'aristocratie ecclésiastique, Guy II veut renouer avec la tradition carolingienne et obtenir la couronne impériale qui lui permettra de mettre la main sur le patrimoine de saint Pierre. Étienne V se méfie des Spolétains et espère que le roi

Arnulf, le dernier des Carolingiens, viendra « reprendre le royaume d'Italie que des mauvais chrétiens se sont approprié et que les païens menacent ». En attendant l'arrivée d'Arnulf qui tarde, le pape couronne Guy empereur le 21 février 891.

Roi à Pavie, empereur à Rome, Guy II est bien décidé à remettre de l'ordre en Italie. Dans l'un de ses capitulaires, il parle même dans un style très carolingien de la *renovatio regni Francorum*. Comme Lothaire I<sup>er</sup>, il fait couronner son fils aîné Lambert roi et même empereur par le nouveau pape Formose, le 30 avril 892. Marié à Agiltrude, fille d'Adalgise de Bénévent, qui avait osé en 871 emprisonner l'empereur Louis II, il veut unir Bénévent et Spolète. En 894, il empêche Arnulf, qui s'était décidé à descendre en Italie, de venir jusqu'à Rome. Mais malheureusement Guy meurt l'année suivante.

Arnulf de Germanie reprend le chemin de l'Italie, déjoue les manœuvres de l'impératrice mère qui gouverne au nom de son fils et, arrivé à Rome, se fait couronner empereur le 22 février 896 par le pape Formose. Mais Arnulf ne peut soumettre les Spolétains ; atteint de paralysie comme l'avait été son père Carloman, il retourne en Bavière et meurt en 899. Les Spolétains sont de nouveau maîtres à Rome et obligent le successeur de Formose, Étienne VI, à organiser ce qu'on a appelé le « concile cadavérique ». Le cadavre desséché du pape Formose tiré de son sépulcre, jugé après avoir été dépouillé de ses insignes, est jeté au Tibre. Odieuse cérémonie macabre qui dit assez dans quelle situation se trouvait le clergé romain. Le pape qui avait présidé le lugubre synode fut déposé par une émeute et, pendant plusieurs années, formosiens et anti-formosiens se disputèrent le siège pontifical. Les Romains espéraient que le pape Jean IX et que le jeune empereur Lambert rétabliraient l'ordre, mais Lambert, victime d'un accident de chasse, mourut le 15 octobre 898. Le nouveau « Constantin », le nouveau « Théodose » comme l'appelle son épitaphe mourait au moment où l'Italie allait subir la première invasion des Hongrois.

Pendant que se déroulaient ces sombres événements à Rome, Bérenger s'était réinstallé à Pavie. Pourtant il ne put empêcher les Hongrois de dévaster la Marche de Frioul et la Lombardie. Modène, Reggio, Plaisance sont brûlés, l'abbaye de Nonentola détruite. Les aristocrates d'Italie cherchent donc un roi qui les protège et le trouvent dans la personne de Louis, roi de Provence, le fils de Boson. Louis avait autant de raisons de prétendre à la couronne italienne que Bérenger ou que Guy puisqu'il se rattachait par sa grand-mère, l'impératrice Engelberge, à la famille carolingienne et que son père Boson avait été un moment candidat de Jean VIII *(cf. tableau XII)*. Devenu roi à Pavie, Louis revendique tout naturellement la couronne impériale et la reçoit des mains du pape Benoît IV en février 901. En Italie du Nord, Bérenger n'en continue pas moins à agir et force Louis à repartir en Provence. Pourtant le marquis de Toscane, Adalbert II, dit le Riche, le prince le plus puissant d'Italie, qui avait épousé Berthe, une fille de Lothaire II et de Walrade *(cf. tableau VIII)*, qui se considérait comme allié aux Carolingiens, rappelle Louis en 905. Bérenger, qui s'était enfui en Germanie, revient avec un contingent de Bavarois, s'empare de Louis et le fait aveugler.

Pour la troisième fois, Bérenger se réinstalle à Pavie et comme il n'y a plus d'empereur, revendique pour lui la couronne. Le pape Jean X ancien archevêque de Ravenne, qui espère que Bérenger l'aidera à lutter contre les musulmans, accepte de couronner le roi en novembre 915. Le poète anonyme, qui fit l'éloge de Bérenger, nous montre la foule qui acclame le nouvel élu. Mais Bérenger retourne comme ses prédécesseurs en Italie du Nord, rappelé par les invasions des Hongrois et les révoltes des grands. Cette fois, c'est le marquis Adalbert d'Ivrée qui dirige la révolte. Il fait appel à Rodolphe II, roi de Bourgogne transjurane dont nous reparlerons, tandis que Bérenger se retire à Vérone en attendant sa revanche. L'Italie partagée en deux royaumes continue à être dévastée par les Hongrois. En 924 Pavie est assiégée, prise et pillée. Bérenger cherchait peut-être à utiliser l'invasion hongroise, lorsqu'il est assassiné le 16 avril de la même année.

Le règne tumultueux de Bérenger n'a été qu'une suite de longs échecs. Il n'a pas réussi à délivrer l'Italie des envahisseurs, pas plus qu'à soumettre les princes. A lire les diplômes délivrés par Bérenger ou les autres rois d'Italie, on constate que les comtes et les évêques s'emparent des droits régaliens. A Modène, à Crémone, à Parme, à Plaisance, à Mantoue, les évêques sont quasi indépendants, disposent des pouvoirs comtaux et des bénéfices de la fiscalité. Les grands construisent des châteaux non seulement pour résister contre les Hongrois mais aussi pour affirmer leur autorité vis-à-vis du roi. Le seul titre de gloire de Bérenger est d'avoir été le dernier empereur carolingien, avant le rétablissement de l'empire en 962 par Otton Ier.

## Les principautés de la France médiane

Depuis 888, les deux royaumes de Provence et de Bourgogne transjurane sont dirigés respectivement par Louis, fils de Boson, et Rodolphe Iᵉʳ. En fait pendant la minorité de Louis, c'est la reine Ermengarde qui règne en Provence aidée par les archevêques de Lyon et de Vienne et par le comte Teutbert d'Avignon. Nous avons vu plus haut comment Louis, devenu majeur, a été tenté par l'aventure italienne. Un texte que l'on peut dater de 900, la *Vision de Charles*, nous permet d'expliquer le comportement de ce prince qui se prétendait le successeur des Carolingiens. Peu avant sa mort, Charles le Gros aurait été transporté dans l'autre monde, y aurait vu les évêques et les grands en proie aux tourments et même son père, Louis de Bavière, plongé un jour sur deux dans une cuve d'eau bouillante. Conduit dans le Paradis, Lothaire Iᵉʳ et Louis II lui auraient fait savoir la fin prochaine de la famille carolingienne et auraient désigné le jeune Louis, petit-fils de Louis II pour rétablir l'empire. De fait, Louis a été couronné roi à Pavie, et fait empereur. Mais vaincu et aveuglé par Bérenger, son rival, il dut regagner Vienne et fut dans l'incapacité de régner effectivement. Les grands aristocrates ecclésiastiques et laïcs en profitèrent. Les évêques d'Avignon, Apt, Grenoble, Lyon, Valence, Orange, Viviers bénéficièrent de diplômes royaux. L'archevêque d'Arles obtint le bénéfice des tonlieux sur le Rhône et le droit de frapper monnaie. Le comte d'Avignon Teutbert est le maître de la Provence. Le véritable chef de l'aristocratie est Hugues d'Arles qui par son père descend du fameux Hubert, abbé de Saint-Maurice et par sa mère de Lothaire II *(cf. tableau VIII)*. Lorsque Louis, après son supplice, revient d'Italie, le duc d'Arles règne en son nom et distribue à ses parents et alliés les honneurs et les bénéfices. Lui aussi est tenté par la couronne italienne d'autant plus que sa mère Berthe avait épousé en secondes noces Adalbert II de Toscane. Nous verrons comment, en 926, il accepta l'appel des seigneurs italiens.

Rodolphe Iᵉʳ, « roi de Bourgogne » c'est-à-dire maître de la Bourgogne transjurane, rêve dès le début de son règne de joindre la couronne de Lotharingie à celle qu'il a reçue à Saint-Maurice. Pourtant, sacré roi par l'évêque de Toul au printemps 888, il doit après l'intervention d'Arnulf regagner ses États et conclure avec le roi de Germanie un traité qui limite à l'Aar la frontière des deux royaumes. Du côté du sud, il ne semble pas

avoir cherché à s'étendre, et s'entendit même avec Louis l'Aveugle en lui donnant sa fille Adélaïde comme épouse. Une autre
de ses filles s'appelle Judith en souvenir de l'impératrice issue
de la famille des Welfs *(cf. tableau XXII)*. En effet, bien que
parent éloigné des Carolingiens, Rodolphe Ier se souvient de ses
« glorieux ancêtres », comme il le dit, Lothaire, Louis et
Charles. Il organise son palais à la façon carolingienne, avec
chancelier, comtes palatins ; il tire ses ressources de ses fiscs en
particulier de celui de Salins (Jura), riche mine de sel ; il garde
le monopole de la frappe des monnaies. Son fils Rodolphe II
devient roi en 912 et, nous l'avons dit, est appelé en 923 par les
aristocrates italiens révoltés contre Bérenger. Rodolphe règne
deux ans en Italie, conseillé par le marquis Adalbert d'Ivrée ou
plutôt, disent certains textes, par sa femme Ermengarde. En
926, les versatiles Italiens se révoltent contre leur nouveau roi
et offrent la couronne à Hugues d'Arles. Malgré l'aide que lui
apporte son beau-père Burchard de Souabe, il reprend la route
de sa Bourgogne où il meurt en 937.

## Les principautés du royaume de Germanie

Pour désigner les principautés de Germanie, les historiens
parlaient volontiers autrefois de duchés nationaux ou tribaux
créés par des chefs qui auraient été en quelque sorte les représentants de leur peuple *(Stämme)*. Actuellement il est admis
que les ducs ou marquis *(marchiones)* sont des chefs militaires
et des fonctionnaires royaux issus des familles carolingiennes
ou apparentés à ces familles. La constitution des futures principautés de Germanie eut souvent comme origine une décision
administrative carolingienne.

Ainsi le duché de Souabe ne doit pas sa création aux aspirations des populations alémanes ou suèves, mais à la décision de
Louis le Pieux de créer pour son fils Charles le Chauve un
ensemble constitué de trois anciens duchés mérovingiens : Alémanie, Rhétie et Alsace. Les principautés passées dans le lot de
Louis de Bavière en 843 avaient été remises par ce dernier à son
fils Charles le Gros. En 888, la grande famille des Hunfriding
représentée par Albert comte de Thuringe et son frère Burchard Ier comte de Rhétie est en lutte contre le puissant évêque
de Constance et abbé de Saint-Gall, Salomon III (890-919).
L'évêque réussit à faire tuer les deux aristocrates et à faire bannir leurs héritiers. La guerre qui éclata entre le nouveau prince
de Souabe Erchanger et Burchard II, venu occuper la terre de

ses ancêtres, favorisa l'intervention du roi Rodolphe II de Bourgogne transjurane. Vaincu à Winterthür en 919, Burchard dut accepter de donner en mariage sa fille Berthe au roi Rodolphe II. De ce mariage naîtra Adélaïde future femme d'Otton Ier.

Dans la Francie de l'Est que l'on appellera Franconie, des grandes familles se disputent également la suprématie. Les Popponides ou Babenberg, du nom de leur château, dominent dans la haute vallée du Main et cherchent à occuper la Marche de Thuringe. Plus au nord, ils considèrent que l'évêché de Wurzbourg leur appartient. Le comte Henri, héros des combats contre les Scandinaves, et qui mourut en venant délivrer Paris en 886, laisse trois fils Adalbert, Adalard et Henri. A l'ouest, dans la Franconie rhénane et la Hesse, sont les terres des Conradins, qui ont aidé Arnulf à prendre la couronne en 887. Le nouveau roi les a récompensés en donnant à Rodolphe, « aussi stupide que noble » dit un chroniqueur, l'évêché de Wurzbourg d'où une guerre atroce entre Babenberg et Conradins. Henri est tué, Adalard fait prisonnier, décapité. Leur frère Adalbert les venge en tuant Conrad l'Ancien mais, pris peu après, il est décapité...

Dans les « duchés » de Bavière et de Saxe, deux grandes familles réussissent à s'implanter plus solidement. La Bavière, patrimoine du roi Louis, avait été donnée à Carloman, puis à son fils, le bâtard Arnulf de Carinthie. Lorsque ce dernier devient roi, il nomme à sa place son neveu Liutpold « *Marchio* ». Liutpold meurt en 907 en combattant les Hongrois, laisse ses « honneurs » à son fils Arnoul qui, pour augmenter le nombre de ses vassaux, pratique une politique de sécularisation aux dépens des grands monastères, ce qui lui permet de lutter avec succès contre les Hongrois.

En Saxe, les fils du duc Liudolf († 866) défendent leurs terres contre les Scandinaves. Après la défaite et la mort de Bruno (880), son frère Otton continue la lutte et réussit même à prendre le duché de Thuringe *(cf. tableau XXIV)*. En 912 à sa mort, son fils qui portait le même nom que son grand-père, Henri de Babenberg, hérite du duché, avant de devenir roi de Germanie en 919.

Enfin, à l'ouest du royaume de Germanie, la Lotharingie forme une autre grande principauté. Hugues, le bâtard de Lothaire II, ayant été fait prisonnier par le comte Henri et après avoir été aveuglé ayant été enfermé dans le monastère de

Prüm, ses partisans se rallient au roi Arnulf. Pour satisfaire les sentiments particularistes de l'aristocratie de Lotharingie, Arnulf décide en 894 de créer un royaume et de le remettre à son bâtard Zwentibold en se réservant le pays frison toujours menacé par les Scandinaves. Mais le jeune roi a contre lui les grandes familles aristocratiques, les Matfrid possessionnés dans les Ardennes et les Rénier qui ont d'immenses domaines entre la Meuse et l'Escaut. A la mort d'Arnulf en 899, les grands préfèrent reconnaître son successeur Louis l'Enfant et abandonnent Zwentibold qui meurt l'année suivante en combattant. La Lotharingie incorporée au royaume garde un régime particulier, elle est dirigée par quelques grands et l'archevêque de Trèves. Les grands n'acceptent pas l'intrusion de familles étrangères telle celle des Conradins, possessionnés en Lorraine, et sont prêts, comme nous le verrons, à faire appel au roi de *Francia occidentalis* pour garder leur indépendance.

Enfin pour achever la présentation des grandes principautés orientales, nous devons dire quelques mots de la Moravie, bien que cet État ne fasse pas partie du royaume de Germanie. Nous avons vu plus haut comment était née la principauté morave. Ratislav (846-869) avait réussi à créer une Église nationale avec l'appui de la papauté. Jean VIII, qui n'avait pas obtenu que l'Église bulgare reste dans la mouvance de Rome, a vu dans la nouvelle chrétienté slave un moyen de regagner ce qu'il avait perdu en Bulgarie. Mais le nouveau roi Svatopluk a reconnu la suprématie de Louis de Bavière en 874 et il est influencé par les évêques allemands qui veulent reprendre en main l'organisation de l'Église morave. Après la mort de l'archevêque Méthode (885), ses disciples se réfugient en Bulgarie où ils aident la jeune Église gréco-slave à s'organiser. Les affaires religieuses n'empêchent pas l'État morave de se renforcer. Svatopluk est maître de la Slovaquie, d'une partie de la Hongrie orientale, de la Bohême et peut-être même de Cracovie. Son État prospère grâce aux commerçants qui empruntent la grande route de Ratisbonne à Kiev et grâce aux petits centres urbains qu'il a créés et dont des fouilles récentes à Stare-Mesto et à Mikoulcice ont révélé l'importance. Arnulf de Carinthie fait en 892 et 893 deux expéditions contre les Moraves mais sans résultat. Il tente de prendre à revers la principauté en faisant une alliance avec le prince bulgare Vladimir. Svatopluk, mort en 894, laisse deux fils Moimir et Svatopluk II, ils acceptent de traiter avec Arnulf qui reçoit à Ratisbonne des seigneurs moraves et tchèques. Malheureusement ce qu'on a appelé « l'empire de grande Moravie » est victime, au début du

Xe siècle, des attaques hongroises. En effet cette peuplade asiatique installée vers 895 en Pannonie, commence ses raids dévastateurs en détruisant la principauté morave et va terroriser
pendant plusieurs décennies toute l'Europe occidentale.

Que pouvaient donc faire les rois de Germanie affrontés
aux envahisseurs et aux progrès des grandes familles qui disposent des principautés ? Le roi Arnulf tente de régner en conti-
nuant la tradition carolingienne : il dispose d'importants biens
patrimoniaux dans les pays du Main, en Thuringe, en Bavière, il
réunit plusieurs assemblées à Mayence, Francfort, Tribur,
Worms ; il reçoit à sa cour les rois Eudes, Louis de Provence et
Rodolphe de Bourgogne transjurane ; il a même voulu comme
ses ancêtres se faire couronner empereur. Mais malade à son
retour d'Italie en 896, il ne peut que laisser les ducs agir librement. A sa mort en 899, son fils Louis l'Enfant n'a que six ans.
La reine Oda est écartée du pouvoir, tandis que les archevêques
Atton de Mayence, Adalbéron d'Augsbourg et quelques grands
laïcs gouvernent au nom du prince.

Pendant le règne de Louis l'Enfant (906-911), le royaume
est périodiquement envahi par les cavaliers hongrois. En 908,
Liutpold de Bavière, l'archevêque de Salzbourg et de nombreux
évêques bavarois meurent au combat ; l'année suivante, en Thuringe, le margrave Burchard et l'évêque de Wurzbourg connaissent le même sort, et la Souabe est à son tour dévastée. Dans
ces conditions, lorsque Louis l'Enfant meurt en 911, les grands
élisent l'un d'entre eux qui leur paraît capable de coordonner la
résistance. Il s'agit de Conrad de Franconie qui, disait-on, par
sa mère, se rattachait aux Carolingiens.

Le règne de Conrad Ier est une longue suite d'échecs. D'une
part, les aristocrates de Lotharingie dirigés par Rénier dit
Rénier au Long Col ne le reconnaissent pas et appellent le roi
des Francs occidentaux Charles le Simple. D'autre part, les
« ducs » de Souabe, de Bavière et de Saxe deviennent pratiquement indépendants. Conrad tente de s'allier à ces grandes
familles en épousant Cunégonde mère d'Arnulf de Bavière et
sœur d'Erchanger de Souabe. Mais ce mariage « diplomatique »
ne donne pas les résultats souhaités. Burchard Ier de Rhétie et
Erchanger triomphent des troupes royales tandis que Henri de
Saxe bat Eberhard, frère de Conrad Ier, et s'installe solidement
en Westphalie. Enfin, l'expédition que Conrad mène en Bavière
ne fait que renforcer l'hostilité des Bavarois contre le roi.

Conrad Ier tente alors comme l'avaient fait autrefois les
Carolingiens de s'appuyer sur les évêques. Le concile de

Hohen-Altheim réuni en 916 aux confins de la Bavière, de la Souabe et de la Franconie et même présidé par le légat du pape Jean X, tente non seulement de restaurer la discipline ecclésiastique, d'interdire aux laïcs de s'emparer des biens des églises, mais jette l'anathème contre les ennemis de la royauté. Malgré les efforts d'Eriger, archevêque de Mayence et de Salomon de Constance, les sanctions canoniques n'ont pas plus d'effets que la répression militaire. Les ducs agissent comme si le roi n'existait pas : ils ont leurs vassaux, leurs assemblées, leur propre politique. La Germanie semble être destinée à être constituée de grands ensembles territoriaux, héritiers des *regna* que les Carolingiens avaient imaginés et indépendants les uns des autres.

## Les principautés dans le royaume de France

En 888, les grands du nord de la France élisent Eudes au détriment de l'héritier carolingien. Cet événement imprévu s'explique non seulement par les circonstances — péril normand, minorité de Charles le Simple —, mais par les mentalités des aristocrates. Les fidèles de Charles le Chauve, ceux qui avaient servi son fils et ses petits-fils, ont quitté la scène politique et sont remplacés par les hommes de la nouvelle génération ouverts à des idées et à des aspirations plus audacieuses. Ce que Jan Dhondt a appelé la « révolution constitutionnelle » est leur œuvre. Les liens entre le pouvoir royal et les principautés d'Aquitaine et de Bourgogne qui existaient encore quoique ténus vont se rompre et même en France mineure où le roi conserve des fidèles, son autorité est fragile.

En 877, Louis le Bègue, roi d'Aquitaine, ayant succédé à son père Charles le Chauve, il n'y a plus de royaume au sud de la Loire. Bernard de Gothie, en révolte contre Louis le Bègue, refuse de le reconnaître et, nous dit un chroniqueur, « se comporte véritablement en roi ». Mais sa tentative est trop précoce et l'autorité des Carolingiens encore effective. Ses « honneurs » sont distribués entre plusieurs familles dont celle de Bernard Plantevelue et celle de Bello de Conflent. Bernard Plantevelue, héritier des Wilhelmides *(cf. tableau XXIII)*, possède des biens et des hommes dans le Berry, l'Auvergne, le Limousin, le Rouergue et même nous le verrons dans la Bourgogne. Moins audacieux que Bernard de Gothie ou que Boson, il meurt en 886, fidèle au souverain légitime. Son fils, Guillaume le Pieux, qui porte le même nom que son ancêtre Guillaume de Gellone, conserve la plus grande partie de l'héritage sauf le Toulousain et la Gothie qui reviennent à la famille raymondine. Pendant vingt ans, celui qu'on appelle le « duc des Aquitains » est le suzerain de la plupart des seigneurs d'Aquitaine. Un des seuls qui préfère se commander au roi est Géraud d'Aurillac, fils d'un grand seigneur d'Auvergne. Son biographe, Odon de Cluny, écrit : « Guillaume de plein droit duc des Aquitains, insistait de manière pressante, sans menace toutefois, et par des prières, pour que Géraud se détachât du service royal et se commandât à lui. Mais Géraud, qui s'était récemment installé dans la charge de comte, n'y consentit en rien. Il introduisit pourtant dans la " commande " du duc son neveu Raynaud accompagné d'un grand nombre de fidèles compagnons d'armes. » Ramnulf II de Poitou, parent des Carolingiens et cousin de Guillaume, aurait pu être un rival sérieux mais il meurt en 890, laissant un enfant en bas âge, Ebles Mancer *(le Bâtard) (cf. tableau XXXIV)*. Le frère de Ramnulf, Ebles, abbé de Saint-Germain qui s'est illustré pendant le siège de Paris, et Guillaume le Pieux, défendent les intérêts de l'héritier contre les interventions du roi Eudes. Guillaume n'ayant pas d'enfants laissa en 918 ses domaines à son neveu Guillaume le Jeune qui avait signé avec lui l'acte de fondation de Cluny en 909 *(cf. tableau XXIII)*.

Dans les régions méridionales de l'Aquitaine, une autre famille a bénéficié de l'échec de Bernard de Gothie. Le descendant de Bello, comte de Carcassonne sous Charlemagne, avait administré à l'époque de Charles le Chauve les comtés d'Ampurias, d'Urgel, de Cerdagne et ce qu'on appelait la Marche d'Espagne. Écarté un moment par des aristocrates venus du nord, il recouvre ses « honneurs » en 877. Guifred, petit-fils de Bello, reçoit les comtés d'Urgel, de Cerdagne, d'Ausona et sans doute celui de Barcelone. Il reste fidèle à la famille carolingienne et après 888 refuse de reconnaître l'élection d'Eudes en datant ses actes de la formule « sous le règne du Christ en attendant le roi ». En fait, sous couvert de loyalisme, ils sont pratiquement indépendants. Guifred surnommé *Pilosus*, que certains appellent curieusement Joffre le Poilu, est considéré comme le véritable fondateur de la « nation » catalane. Il protège ses comtés contre les attaques des musulmans et repeuple les régions désertées comme le faisaient à la même époque les rois d'Asturie. Il fonde des monastères (Ripoll, Sant Joan de les Abadeses) où il installe ses enfants abbé et abbesse. Afin de réorganiser la vie de l'Église et établir un nouvel évêché à Vich, Guifred se rapproche d'Eudes et de l'archevêque de Narbonne

Théodard. Ce ralliement aux Robertides ne l'empêche pas de rester pendant tout son « règne » fidèle à la tradition carolingienne. A sa mort en 897, ses fils se partagent les comtés : Guifred II Borrell hérite de Barcelone, Gérone, Vich, Sunifred II est comte d'Urgel, Mir II comte de Cerdagne et Radulf est évêque de Gérone *(cf. tableau XXX)*.

L'histoire du duché de Gascogne qui se constitue au nord-ouest des Pyrénées est moins connue que celle de la Catalogne. Le comte et marquis Garsie Sanche y figure dans des actes de la fin du IXᵉ et du début du Xᵉ siècle. Il est peut-être le fils de Sanchez qui avait livré Pépin II à Charles le Chauve en 852. Avec lui commence la lignée ducale de Gascogne qui s'éteint en 1032. Mais le duc n'est le maître que d'une petite principauté, toujours menacée par les Normands, qui ne comprend pas encore la région de Bordeaux. Là réside un certain comte Amauvin qui est en relation avec le puissant roi des Asturies Alphonse III le Grand (868-910).

Sur la Garonne domine la famille raymondine. Eudes, mort en 919, a deux fils : Raymond II qui administre le Toulousain, le Nîmois et l'Albigeois et Ermengaud qui a la Gothie et le Rouergue.

Si nous passons en Bourgogne, nous trouvons une région sans limites naturelles, s'étendant de la Seine moyenne au Beaujolais, de la Saône au Gâtinais. Jusqu'à sa mort en 887, Boson eut entre les mains la Bourgogne et l'a unie à son royaume de Provence. De Vienne, Boson ne peut défendre la Bourgogne contre les Normands qui, abandonnant le siège de Paris, se sont répandus sur les plateaux bourguignons. Après la mort de l'empereur Charles le Gros, les aristocrates du pays offrent, nous l'avons vu, la couronne royale à Guy de Spolète, puis abandonnent aussi vite le candidat malheureux pour se rallier à Eudes.

En fait, le véritable souverain en Bourgogne est Richard le Justicier, le frère de Boson qui hérite de tous ses « honneurs » : comtés d'Autun, de Sens, d'Auxerre, etc. Richard dispose des abbayes de Saint-Symphorien, d'Autun, de Saint-Germain d'Auxerre, de Sainte-Colombe de Sens et de beaucoup d'évêchés. Il s'empare de l'évêché de Langres et fait aveugler le titulaire ; sa fille épouse le fils de l'évêque d'Autun, etc. Richard tire de ses biens familiaux un prestige certain. Il est respecté de ses vassaux tels Manassès, possesseur de huit comtés, le comte de Troyes, le comte de Nevers, de Dijon, etc. A l'est, il est en bons termes avec le roi Rodolphe Iᵉʳ de Bourgogne transjurane dont il a épousé la sœur Adélaïde. Le marquis Richard, véritable fondateur du duché de Bourgogne, transmet en 921 ses pouvoirs à son fils Raoul, futur roi de France.

La création de la principauté bretonne est antérieure à celle du duché de Bourgogne. Salomon, qui a succédé à Erispoé en 857, se dit « prince par la grâce de Dieu de toute la Bretagne et d'une grande partie des Gaules ». Il a reçu la riche abbaye de Saint-Aubin d'Angers et des territoires entre Mayenne et Sarthe. Par suite de luttes de clans, Salomon meurt assassiné en 874. Ses parents Pascwethen et Gurwand se partagent la Bretagne, l'un ayant Rennes et la Domnonée, région septentrionale, l'autre le sud, la Cornouaille et le Poher. En 888, Alain comte de Vannes, frère de Pascwethen, aidé par Bérenger, comte de Rennes, organise la lutte contre les Normands et triomphe d'eux à Questembert. Alain dit le Grand devient duc de Bretagne et s'intitule aussi « roi des Bretons par la grâce de Dieu ». Les institutions de cette principauté empruntent bien de leurs traits au monde carolingien. Dans ses résidences de Rieux et de Seni près de l'abbaye de Redon, Alain s'entoure d'évêques dont son conseiller Foucher de Nantes († 912) et de vassaux, les *machtyerns*, chefs de clans, appelés en latin *principes plebis*, « maîtres du plou ». La Bretagne n'est pas alors un réduit isolé mais elle est en relation avec tout l'Occident comme en témoigne le trésor de Rennes (retrouvé en 1964), que l'on date des années 884-924. La plupart des cent trente-deux deniers ont été frappés à Tours, Orléans, Rennes, Bourges, Le Mans et même Brioude, Pavie, Metz, etc. Cette période de relative prospérité fut interrompue vers 919-920 par une nouvelle vague d'invasions normandes. Une grande partie des aristocrates laïcs et ecclésiastiques et beaucoup de moines s'enfuirent en France du Nord et même en Angleterre.

Dans le nord du royaume, la Flandre est également exposée aux attaques normandes. La mort de Baudouin Bras de Fer en 879 correspond à une grande offensive des Scandinaves. Son successeur Baudouin II en profite pour construire des châteaux en bois à Saint-Omer, Bruges, Gand, Courtrai et pour prendre les terres abandonnées par les fonctionnaires royaux et ecclésiastiques. Petit-fils de Charles le Chauve, il ne revendique pas la couronne en 888, mais il ne reconnaît pas Eudes. Son principal objectif est d'agrandir son comté vers le sud. Il réussit à s'emparer de l'Artois et de la riche abbaye de Saint-Vaast qui était depuis 879 entre les mains d'un Unrochide, Raoul, fils d'Eberhard de Frioul *(cf. tableau XXI)*. L'abbaye de Saint-Vaast ayant été donnée par la suite à l'archevêque Foulques de Reims, Baudouin fait assassiner l'archevêque. Sur la haute vallée de la Somme, il se heurte à Herbert I<sup>er</sup>, comte de Vermandois, qui était lui aussi descendant des Carolingiens *(cf. tableau XV)*. En effet, Bernard, roi d'Italie, qui avait été aveuglé sur l'ordre de Louis le Pieux, avait un fils Pépin qui possédait quelques comtés dans la région de la Somme. Son petit-fils Herbert I<sup>er</sup> a entre les mains Saint-Quentin et Péronne. Baudouin II se débarrasse de cet obstacle en faisant assassiner Herbert I<sup>er</sup> (907). Enfin le comte de Flandre veut obtenir la basse vallée de la Canche qui lui permettra d'établir des relations maritimes avec l'Angleterre. Il inaugure d'ailleurs l'alliance anglo-flamande en épousant une fille d'Alfred le Grand, roi du Wessex. En 918, son fils Arnoul, futur Arnoul le Grand, hérite d'un comté puissant et appelé à une brillante histoire.

La situation de ce qu'on appelle le « duché entre Seine et Loire » est différente puisque le duc Eudes devient roi en 888. Après la mort de Robert le Fort en 866, le duché avait été administré par Hugues l'Abbé, un Welf, cousin de Charles le Chauve, au nom des fils de Robert. En 886, l'aîné Eudes devient « marquis », comte d'Anjou, de Blois, abbé de Saint-Martin de Tours et de Marmoutier ; nous avons vu qu'il était également comte de Paris et qu'il avait défendu vaillamment la ville en 886. Devenu roi, il abandonne à son frère Robert ses « honneurs » entre Loire et Seine. Robert doit confier l'administration directe et la défense des comtés à quelques familles aristocratiques. A Angers s'implante celle des Foulques originaire du nord de la France et apparentée aux Guy-Lambert. Foulques I<sup>er</sup> le Roux, vicomte d'Angers en 898, a épousé Roscella, fille de Garnier de Loches et qui descend soit de Lambert II de Nantes, soit de son frère Garnier *(cf. tableau XVI)*. Comme Lambert II, il devient abbé de Saint-Aubin d'Angers et comme lui il donne à son fils le nom de Guy. Dans le Maine, la famille des Rorgonides est toujours en place. Gauzlin, qui porte le même nom que son oncle, l'évêque de Paris mort pendant le siège de 886, est comte du Maine entre 905 et 914. Après lui le comté est confié à Roger qui a épousé une fille de Charles le Chauve, Rothilde. Il transmet le comté à son fils Hugues I<sup>er</sup> tandis que sa fille épouse un Robertide *(cf. tableau XXXII)*. A Blois, un certain Garnegaud est vicomte entre 878 et 906 ; il est remplacé à cette date par Thibaud l'Ancien qui dut peut-être sa fortune à son mariage avec une parente des Rorgonides, Richilde *(cf.*

*tableau XXIX).* Les Rorgonides tiennent également en main Châteaudun, tandis qu'à Vendôme Bouchard Ier, père de Bouchard le Vénérable, est vicomte.

Le Robertide Eudes, représentant des grands aristocrates, est élu par ses pairs. Devenu roi, il se heurte aux problèmes que les successeurs de Charles le Chauve avaient eu à résoudre sans avoir cette fois le prestige d'un Carolingien. Il ne peut que reprendre la tradition des Carolingiens. Sacré dans le palais de Compiègne, servi par une bureaucratie déjà en place, il ne ménage pas ses forces durant les premières années de son règne. Sa brillante victoire de Montfaucon sur les Normands lui permet le ralliement des hésitants, du moins dans le nord du pays. On a fait remarquer que pendant les premières années de son règne, jusqu'en 893, Eudes avait délivré trente-cinq diplômes mais ce sont surtout des privilèges qui réduisent les pouvoirs régaliens du roi. Ces diplômes témoignent néanmoins que le nom du roi de France n'est pas oublié même dans les régions lointaines de la Catalogne. Eudes voyage, il rencontre à Saint-Mesmin, près d'Orléans, et à Meung-sur-Loire des aristocrates ecclésiastiques, mais il ne peut rien contre les grands laïcs au sud de la Loire. Guillaume le Pieux l'empêche d'installer son frère Robert dans le Poitou et défend les intérêts du fils de Ramnulf II. Richard le Justicier interdit toute activité du roi en Bourgogne. Au nord de la Loire, Eudes compte encore des fidèles, des domaines, des palais, mais il se heurte vite à Baudouin de Flandre et surtout à Foulques archevêque de Reims qui représente le parti carolingien. En 893, Charles III, fils de Louis le Bègue, qui avait été confié à Ramnulf II, a quatorze ans. Pendant que Eudes est en Aquitaine, Foulques n'hésite pas à faire couronner le jeune prince à Saint-Remi de Reims. Il s'ensuit une guerre entre les deux rois. Charles le Simple et ses partisans obtiennent l'appui d'Arnulf de Germanie au nom de la solidarité carolingienne. Mais à la fin, Charles est battu et reçoit la ville de Laon contre sa renonciation à la couronne. Pourtant, Eudes se rend compte de la puissance du parti carolingien et plutôt que de laisser à sa mort la couronne à son frère Robert, il a la sagesse de recommander Charles à l'élection des grands. Ce qui est fait en 898 : la dynastie carolingienne est rétablie.

## LES REGROUPEMENTS TERRITORIAUX DANS LA PREMIÈRE MOITIÉ DU Xe SIÈCLE

Les rois d'Occident qui se sont partagé l'empire, qu'ils soient d'origine carolingienne ou non, n'oublient pas la politique de leurs prédécesseurs. Arnulf de Germanie, nous l'avons dit, se considère comme investi d'une autorité particulière : il a reconnu Eudes, puis a soutenu Charles le Simple, il a interdit à Rodolphe Ier de devenir roi de Lotharingie et il a été couronné empereur. Louis de Provence et Rodolphe II ont répondu de leur côté à l'appel des aristocrates italiens à la recherche d'un roi. Malgré la dislocation de l'Occident, les projets d'union des différents territoires de l'ancien empire ne disparaissent pas. Ces tentatives sont plus ou moins réussies.

### Rétablissement de la royauté en Italie : le règne d'Hugues de Provence (924-947)

Après l'assassinat de Bérenger, en 924, les aristocrates italiens n'acceptent pas de reconnaître Rodolphe II, roi de Bourgogne transjurane. Leur choix se porte sur Hugues d'Arles, un homme, nous l'avons vu, apparenté aux Carolingiens et devenu le premier personnage du royaume de Provence. Ce prince, âgé d'une quarantaine d'années, est instruit, courageux, généreux pour les églises. Il fait l'unanimité des aristocrates qui l'élisent à Pavie. Hugues va conserver pendant plus de vingt ans la couronne et va tenter de restaurer l'autorité royale en Italie.

Il a trouvé l'administration désorganisée, le patrimoine dilapidé, le trésor vide. Pavie, qui avait été incendiée par les Hongrois, porte encore les traces du désastre. Hugues fait reconstruire la cité, l'entoure d'une nouvelle enceinte et réorganise le palais : tribunal dirigé par le comte, bureaux animés par les notaires et surtout la *camera regia*. Réagissant contre la prodigalité de ses prédécesseurs, Hugues tente de distinguer son patrimoine privé du patrimoine de la couronne. Contrairement à son prédécesseur, il limite les concessions de privilèges aux évêques et les distributions de domaines aux aristocrates. Il tente de redonner vie aux assemblées du peuple et convoque les grands pour certaines affaires : la lutte contre les Hongrois, l'association au pouvoir de son fils Lothaire. A l'extérieur, il renoue avec la politique des rois d'Italie carolingiens. Un traité signé avec Venise en 927 permet à Pavie d'être un centre de redistribution des produits venant de l'Orient. De plus, Hugues envoie une ambassade au basileus Romain Lécapène, dirigée par Liutprand de Crémone.

L'installation d'Hugues à Pavie a été saluée par le pape Jean X qui, nous l'avons vu, avait couronné Bérenger empereur en 915. Jean X est un homme énergique. Avec l'aide d'Albéric de Spolète et d'Adalbert de Toscane, mais aussi avec le concours des Byzantins, il a réussi à déloger les Sarrasins de leur repaire de Garigliano (916). A Rome, Jean X est dominé par la famille du sénateur Théophylacte *(cf. tableau XX)*. Ce dernier a la double charge de *uestarius* et de *magister militum*, c'est-à-dire qu'il contrôle et le trésor et les troupes militaires. Il est secondé par sa femme Théodora qui avait fait beaucoup pour l'élection de Jean X. Après la victoire du Garigliano, Théophylacte donne sa fille Marozie en mariage à Albéric de Spolète, brillant soldat qui, depuis 898, dirigeait la principauté lombarde. Jusqu'en 925, Marozie et Albéric furent les maîtres du Latran. Le pape Jean X vit dans l'avènement du roi Hugues un moyen de se libérer de l'influence de Marozie. Il vint le rencontrer à Mantoue pour lui expliquer sa situation. Mais Marozie épousa Guy, le fils d'Adalbert de Toscane et de Berthe, donc le demi-frère d'Hugues d'Arles. Lui et Marozie décidèrent d'en finir avec le pape Jean X, ils firent envahir le Latran et emprisonner le pape au château Saint-Ange où il mourut bientôt étouffé sous un oreiller. Trois ans après, et après deux pontificats très courts, Marozie fait élire le fils qu'elle avait eu du pape Serge III, sous le nom de Jean XI.

Marozie règne en maîtresse au Latran et rêve de dominer toute l'Italie. Son projet rejoint celui d'Hugues d'Arles. Marozie étant veuve de Guy depuis 929, et Hugues ayant lui-même perdu sa femme, la toute-puissante sénatrice offre sa main au roi d'Italie et peut-être lui fait-elle miroiter la couronne impériale. Le mariage eut lieu en 932 au château Saint-Ange en présence du pape Jean XI. Mais quelqu'un troubla la fête... Le fils que

Marozie avait eu d'Albéric de Spolète et qui avait pris le même nom que son père. Alors âgé de dix-huit ans, il ameute les Romains contre les « étrangers », il fait prisonnier Marozie et Jean XI tandis que Hugues d'Arles s'enfuit. Le règne d'Albéric « glorieux prince et sénateur de tous les Romains » commence ainsi par ce coup d'éclat. Avec lui, l'ordre et la décence sont rétablis dans Rome jusqu'en 954.

A partir de 932, Hugues est en proie à plusieurs sortes de difficultés. Il veut lutter contre les Hongrois qui continuent leurs raids et contre les Sarrasins qui, installés dans leur repaire de Fraxinetum, contrôlent les voies d'accès des Alpes. Hugues appelle même à son aide la flotte byzantine de Romain Lécapène. Pour avoir les mains libres en Italie, il signe avec Rodolphe II, roi de Bourgogne transjurane, un curieux traité par lequel il lui abandonne les terres provençales au détriment du roi Charles-Constantin, fils de Louis l'Aveugle. Pour neutraliser l'influence des aristocrates du Nord, après le complot que le comte de Vérone et l'évêque Rathier avaient fomenté contre lui, Hugues distribue à des Provençaux bénéfices et « honneurs ». Son neveu Manassès, ancien archevêque d'Arles, est maître des évêchés de Trente, de Vérone et de Mantoue, ce qui forme la « Marche Tridentine ». Les fils et les bâtards d'Hugues sont fort nombreux puisqu'on connaît neuf femmes et concubines du roi ; ils sont dotés, l'un de l'archevêché de Milan, l'autre de l'abbaye de Nonentola, un troisième de la Marche de Toscane, etc. Comme dit un chroniqueur, « les Italiens sont privés de toutes les dignités ». Du côté de Rome, Hugues perd tout espoir de revenir dans le Patrimoine de saint Pierre et, en 942, signe un traité avec Albéric qui devient son gendre.

Un des aristocrates italiens le plus menacé est le petit-fils de l'empereur Bérenger Ier, le marquis d'Ivrée, Bérenger, qui avait épousé une nièce du roi. En 941, il se réfugie à la cour du roi de Germanie, de là il reste en relations avec les aristocrates mécontents. Il peut en 945 descendre en Italie par la vallée de l'Adige et rallier à sa cause beaucoup de grands en promettant aux uns des évêchés et aux autres des dignités comtales. Hugues, se voyant abandonné, s'enfuit en Provence en laissant la couronne à son fils Lothaire. Bérenger s'installe à Pavie et « règne » au nom d'Hugues et de son fils.

Ainsi triomphe l'aristocratie italienne. Hugues n'a pas pu restaurer l'autorité royale et s'est fait détester pour avoir imposé en Italie du Nord les membres de sa famille. Ce qui était possible au IXe siècle ne l'est plus alors, car l'aristocratie italienne n'est pas seulement issue des grandes familles venues d'outre-monts. Les Supponides, les Ardouin, les Anschar et de petits nobles, leurs vassaux, se groupent autour des châteaux qui se construisent ici et là et les libèrent de la tutelle des grandes familles. Malgré tout, dans ces temps troublés, il est remarquable qu'un prince étranger ait pu régner vingt ans : Hugues sans le vouloir et le savoir prépare la venue d'Otton en Italie.

## Restauration de la monarchie en Germanie : Henri de Saxe, héritier des Carolingiens

En 918, revenant d'une expédition contre Arnulf de Bavière et sur le point de mourir, le roi de Germanie Conrad demande à son frère Eberhard de faire la paix avec Henri de Saxe et de lui remettre les insignes du pouvoir. Ce dernier accepte et est élu roi dans son palais de Fritzlar par les aristocrates franconiens et saxons. Henri est le plus puissant des princes de la Germanie ; il dispose de palais, de châteaux, de marchés qui bénéficient des échanges avec les pays scandinaves, il a également les profits qui proviennent des gisements d'argent de la Saxe méridionale. Même s'il n'est apparenté qu'indirectement à la famille carolingienne — sa tante a épousé un des fils de Louis de Bavière *(cf. tableau XXIV)* —, il va, dès le début de son règne, reprendre quelques principes de la tradition carolingienne. Certains historiens ont noté pourtant qu'Henri refusa d'être sacré par l'archevêque de Mayence et ils en ont conclu qu'il ne voulait pas tenir des évêques une partie de son pouvoir. D'autres ont expliqué son refus, comme le dit d'ailleurs Widuking, par l'humilité du roi et ont remarqué que le sacre n'avait pas chez les Francs orientaux l'importance qu'il revêtait en Francie occidentale.

Devenu roi, Henri eut suffisamment de force et d'habileté pour se faire reconnaître des différents ducs et accepte de leur laisser une certaine indépendance. Eberhard, frère du roi défunt, qui avait accepté à contrecœur l'élection de Fritzlar, est soumis par les armes et est confirmé dans sa possession de la Franconie. Burchard de Souabe est intimidé par une expédition et se soumet. Après sa mort en 926, la principauté est remise à Hermann, parent d'Eberhard. Il épouse la veuve de Burchard ; pour les Souabes, c'est un étranger qui représente en quelque sorte le roi de Germanie. Arnulf de Bavière, qui semblait vouloir refuser toute soumission et souhaitait devenir roi de sa principauté, est lui aussi forcé de se soumettre. Henri lui accorde la possibilité de continuer à nommer les évêques bavarois. Enfin, nous verrons plus loin comment Henri profita des difficultés des rois de Francie occidentale pour reprendre la Lotharingie. Il estime que cette région est, avec la Saxe, indispensable à la restauration de la monarchie en Germanie. Non seulement parce qu'elle possède le palais d'Aix-la-Chapelle, mais parce que, grâce à l'axe commercial du Rhin et de la Meuse, grâce aux villes et aux foyers culturels que sont les monastères et les évêchés, l'ancien royaume de Lothaire lui apparaît comme le plus riche et le plus évolué de l'Occident.

Henri, respecté des ducs, peut alors s'occuper de protéger la Germanie contre les ennemis qui l'attaquent au nord, au sud, à l'est. Comme l'avait fait Charlemagne, il reprend la Marche danoise et, en 934, impose son autorité au chef Knuba, maître de Hedeby, une place commerciale importante près de l'actuel Schlesvig. Comme l'avait fait également Charlemagne, il empêche les Slaves de passer l'Elbe et d'attaquer la Saxe. Pendant l'hiver 928-929, son armée s'avance sur les marais gelés de la Havel, soumet les tribus wilzes les plus proches du fleuve et transforme leur place forte de Brennabur, sur la Havel, en château fort qui prit plus tard le nom de Brandebourg. Il complète ce premier *Drang nach Osten* en s'emparant du château de Lenzen et plus au sud en construisant un fort sur l'Elbe à Meissen. Deux comtes saxons, que l'on appelait des « comtes de la frontière » *(Grenzgrafen)*, Bernard et Thietmar, sont chargés de surveiller les populations slaves toujours prêtes à la révolte.

Encore plus au sud, Henri intervient en Bohême comme l'avaient fait les Carolingiens. Ce pays protégé par les montagnes avait pu échapper aux invasions hongroises. Des chefs tchèques se partageaient la Moravie et protégeaient le pays. Parmi eux, Boris Boj de la famille des Premyslides qui avaient été convertis par un disciple de saint Méthode. Le clergé bavarois avait déjà organisé l'Église tchèque, et le premier sanctuaire de Prague avait été mis sous le patronage de saint Emmeran de Ratisbonne. Le petit-fils de Boris Boj, Vaclav, plus connu sous le nom de Venceslas, fut assiégé en 928 dans son château de Prague par l'armée d'Henri et dut accepter de se soumettre. Peu après, le roi lui remit une relique de saint Guy qui provenait de l'abbaye saxonne de Corvey. Le prince la déposa dans l'église de Prague espérant ainsi qu'il échapperait à l'influence des clercs bavarois.

Si les Hongrois ont épargné la Bohême, ils continuent de ravager la Germanie du Sud et exigent régulièrement des tributs. Le roi fortifia les résidences seigneuriales et les abbayes, il établit des châteaux à Mersebourg, Quedlinbourg, Ganders-heim, Corvey, Goslar, et il construisit au nord de Goslar dans le Harz le palais de Werla composé de deux enceintes circulaires qui résista victorieusement aux attaques hongroises en 924. De plus, il organisa le système militaire, recrutant ce que le chroni-queur Widuking appelle des *milites agrarii* qui étaient non pas des soldats paysans mais des troupes levées sur les domaines ruraux, ancêtres des *ministeriales* et qui furent installées dans les points fortifiés. Il recruta d'autre part des paysans saxons habitués à faire la guerre contre les Slaves et même des malfai-teurs condamnés qui devaient choisir entre l'exécution de leur peine et le service militaire. Enfin, il encouragea les ducs à imi-ter ce qu'il avait fait en Saxe et en Thuringe en construisant des points fortifiés.

Se sentant capable de résister, Henri convoque une assem-blée à Erfurt en 933 où il fait accepter un effort de guerre par les évêques et les aristocrates. Il aurait même, nous dit une tra-dition plus ou moins légendaire, envoyé aux Hongrois en guise de tribut un chien dont il avait préalablement fait couper les oreilles et la queue. Les résultats de tant d'efforts furent cou-ronnés de succès. Les Hongrois furent battus en Thuringe à Read sur l'Unstrut. Cette victoire eut une grande répercussion en Germanie et même en dehors puisque le Rémois Flodoard la mentionne dans sa chronique. Au soir de sa victoire, note Widu-king, Henri « fut proclamé par l'armée, père de la Patrie, Sei-gneur suprême et Empereur ». Cette expression sur laquelle on a beaucoup discuté rend assez bien compte du prestige du roi qui tel un *imperator* victorieux était acclamé par ses troupes.

Tout en restaurant son pouvoir à l'intérieur de la Germa-nie et en luttant contre les païens, Henri intervient dans le royaume de Bourgogne transjurane. En 926, il profite de la mort du duc de Souabe, Burchard, pour entrer en relations avec son gendre, le roi Rodolphe II. Il lui reconnaît les pays entre Aar et Rhin et le comté de Bâle et se fait remettre la Sainte Lance, relique insigne qui était considérée comme l'emblème de la monarchie bourguignonne et dont une copie exécutée au XIe siècle est conservée actuellement dans le trésor de Vienne. Ainsi, comme le dit Liutprand de Crémone, « par cette remise Rodolphe se donne à Henri ». Cette alliance qui ressemble bien à un acte de vassalité eut pour effet de protéger Rodolphe II contre les agissements du roi de France Raoul qui, nous le verrons, avait réussi à acquérir le Viennois et le Lyon-nais.

Henri a-t-il voulu intervenir plus loin, jusque dans l'Italie ? A en croire Widuking, le roi, « quand toutes les nations des alentours eurent été domptées, avait voulu se rendre à Rome ». Il est difficile de croire qu'Henri eût songé à une expédition contre Rome qui était alors entre les mains du sénateur Albéric ; il dut au moins penser à faire un pèlerinage au tombeau de l'apôtre. Mais il se peut qu'il ait projeté d'intervenir en Italie du Nord où régnait Hugues d'Arles, car d'autres princes allemands regardaient outre-monts. En effet, Arnulf de Bavière, au cours d'une expédition, avait vainement cherché à faire élire son fils Eberhard comme roi d'Italie. De toute façon, la paralysie qui frappa le roi de Germanie l'empêcha de réaliser ses projets.

Le plus urgent était de préparer sa succession. Renonçant sagement à partager son royaume entre ses trois fils, Henri désigna Otton au suffrage des grands. Le jeune homme fut, comme le disent les *Annales de Quedlinbourg*, élu par « droit héréditaire » (936). Ainsi se terminait le règne de celui que Widuking appelle « le plus grand des rois d'Europe ». Sans faire d'Henri Ier le créateur de la nation allemande, comme le voulaient certains historiens d'outre-Rhin, car il n'y a pas encore d'Allemagne à l'époque, il faut bien reconnaître que le règne d'Henri s'inscrit encore dans la tradition carolingienne. Son fils Otton, nous le verrons, ira encore plus loin dans cette direction, et apparaîtra comme un « nouveau Charlemagne ».

## Restauration carolingienne en Francie occidentale

### Début du règne de Charles III le Simple (898-911)

En 898, les partisans de la famille carolingienne avaient été assez forts pour obliger le roi Eudes à désigner Charles III, troisième fils de Louis le Bègue, comme son successeur. Charles III, que les chroniqueurs déconsidéreront en lui donnant le sobriquet de *simplex*, ce qui en fait signifie « sans détours », est un prince de vingt ans généreux, instruit, pieux. Il a conscience d'être héritier d'une illustre famille : dans ses diplômes — nous en avons plus d'une centaine —, il rappelle volontiers le souvenir de ses prédécesseurs empereurs et rois. Mais il connaît également la puissance des princes de Bourgogne, d'Aquitaine, de Flandre qui lui ont fait hommage. Il a l'habileté de confier à Robert, frère du roi défunt, les comtés et abbayes entre Seine et Loire. Sans dire comme certains que Robert est une sorte de maire du palais, reconnaissons que son influence est grande.

Dès le début de son règne, Charles veut restaurer son autorité en Aquitaine, et plus spécialement dans la région la plus méridionale de l'Aquitaine, en Catalogne. En 898, dans un diplôme pour Théodose, un des fidèles du comte Robert, Charles s'affirme comme « roi de Gothie », il donne des biens fiscaux dans les comtés de Narbonne, de Roussillon, de Bésalu. En 915, dans un diplôme pour l'évêque d'Elne, Charles se fait appeler « roi des Francs et des Goths ». Il confirme des biens et droits accordés par Eudes, concède à son « fidèle » Guifred Borrell des droits fiscaux et monétaires dans la région de Vich, intervient dans la nomination de l'évêque Guy de Gérone et, à sa demande, délivre des préceptes royaux. Sans doute, dans ses nombreux diplômes, Charles ne fait que légitimer les usurpations réalisées par les grands de Catalogne, mais en les approuvant, le roi fait reconnaître son autorité dans cette lointaine région. Pour le reste de l'Aquitaine, le roi intervient à la demande d'ecclésiastiques qui veulent contrecarrer la toute-puissance du duc Guillaume le Pieux. Notons pourtant que, jusqu'à sa mort en 918, le duc Guillaume resta fidèle aux Carolingiens.

En Bourgogne, Richard le Justicier († 921) est lui aussi un fidèle marquis, on le voit résider à plusieurs reprises à la cour du roi et il obtient plusieurs diplômes en faveur de ses comtes. Certes, en Aquitaine et en Bourgogne, Charles III est plus suzerain que souverain. Il accepte cette situation qui permet à son royaume, ou pour parler comme lui, à son « empire », une stabilité politique.

Au nord de la Loire, Charles a une réelle autorité et ses diplômes le montrent ; il dispose de comtés, de biens domaniaux et de palais dans lesquels on le voit résider. Il a l'appui du clergé et surtout de l'archevêque de Reims, véritable prince évêque. L'archevêque Foulques (883-900), qui a joué le rôle principal dans la restauration carolingienne, est une forte personnalité et se montre digne successeur d'Hincmar. Il tient bien en main sa province métropolitaine, se fait respecter de ses suffragants, restaure les écoles de Reims et défend les domaines de son église. Sa puissance est telle que le comte Baudouin II de Flandre n'hésite pas à le faire assassiner en 900. Son successeur Hervé (900-922) poursuit sa politique. En 909, il réunit le synode de Trosly pour réformer le clergé séculier et régulier, et comme le dit Flodoard, « pour rétablir l'ordre dans le royaume des Francs ». Sans doute, le roi a dû abandonner l'autorité des comtés entre Seine et Loire à Robert, et, pour s'assurer le concours des fidèles, il dut aliéner tel fisc, telle abbaye, ce qui diminua d'autant ses forces matérielles. Malgré cela, il réussit à consolider sa position par deux initiatives audacieuses : l'installation des Normands sur la basse Seine et l'annexion de la Lorraine.

Les deux grandes idées du règne

Les bandes normandes, battues ici, victorieuses là, continuent à ravager régulièrement tout le royaume. On ne sait comment en terminer avec ce fléau catastrophique. Dès 900, le roi Charles réunit les ducs Robert et Richard et le comte de Vermandois pour organiser la lutte, mais rien de sérieux n'est entrepris. En 910, le Norvégien Rolf ou Rollon, battu près d'Auxerre, revient vers l'ouest pour s'emparer de Chartres. L'évêque de la ville appelle à son secours Robert, Richard le Justicier et Ebles de Poitou. Rollon est battu et se prépare à quitter le royaume. C'est alors que Charles le Simple, encouragé par les archevêques de Reims et de Rouen, a l'idée d'installer Rollon et ses guerriers dans la région de Rouen. Ce n'est pas la première fois que des Carolingiens ont regroupé des Normands dans des secteurs bien déterminés de l'empire. Louis le Pieux et ses successeurs l'avaient fait sur la basse Weser, autour de Walcheren et de Duurstede. Nous avons vu comment Charles le Gros avait accepté l'installation du chef Godfried en Frise en 882, et comment le comte Henri avait mis fin à cet « État » normand. Enfin en 878, le roi de Wessex, Alfred le Grand avait accepté que les Vikings de Guthorm s'installent dans un pays qu'on appellera plus tard le « Danelaw », au nord d'une ligne allant de l'estuaire de la Tamise à Chester. Ce précédent a pu influencer la décision de Charles le Simple. Dans l'été 911, le roi carolingien rencontre Rollon à Saint-Clair-sur-Epte. En échange de son baptême et d'un serment de fidélité, Rollon reçoit un territoire compris entre l'Epte, l'Eure, la Dive et la mer. Ainsi est créée une nouvelle principauté qui deviendra le duché de Normandie. Mais, contrairement à ce qu'on a souvent dit, Rollon n'est pas « duc », les textes de l'époque l'appellent simplement « comte des Normands », ce qui signifie qu'il représente le roi dans ces régions maritimes.

La création de cet État normand est capitale pour l'histoire de la France et même de l'Occident. Rollon a-t-il, comme certains l'ont prétendu, introduit les coutumes scandinaves en Normandie, ou bien au contraire, a-t-il maintenu les institutions carolingiennes encore en place ? C'est cette dernière hypothèse qui semble bien conforme à la réalité. Comme le dit L. Musset : « On croirait volontiers que les Normands ont remis en marche les rouages carolingiens point trop détraqués du comté de Rouen et des *pagi* qui en dépendaient, puis qu'ils ont appliqué avec quelques retouches le système ainsi mis au point aux autres régions qu'ils soumirent. » Dans les *pagi* qui lui sont remis, Rollon est maître des fiscs royaux, il a la tutelle des abbayes et des évêchés, il dirige les vicomtes et autres agents du pouvoir royal. Par la suite, les comtes de Rouen chercheront à étendre leurs possessions dans le Bessin et le Cotentin, ce que l'on appelle la Basse-Normandie où les Carolingiens avaient peu d'influence et où l'apport scandinave était le plus important. Les Normands de Rollon se sédentarisent, ils commencent à se christianiser, non sans difficulté, grâce aux efforts des archevêques de Rouen et de Reims. Si peu à peu les Normands oublient leur langue maternelle, ils imposent à la toponymie de leur État des termes scandinaves qui témoignent de la solidité de leur établissement.

Sans doute, le traité de Saint-Clair-sur-Epte n'a-t-il pas mis fin à toutes les invasions normandes. D'autres bandes de Vikings continuent à piller la basse Loire et, à partir de 918, envahissent la Bretagne. Mais, et c'est là l'essentiel pour le roi carolingien, la France du Nord est préservée des attaques normandes et, d'autre part, par le traité conclu avec ses nouveaux fidèles, Charles peut tirer un certain prestige.

On dit souvent que Charles le Simple a voulu compenser ce qu'il perdait à l'ouest du royaume en inaugurant une politique orientale qui lui permit d'acquérir la Lotharingie. Ne nous laissons pas trop influencer par la coïncidence des dates. Bien avant 911, Charles songe à reprendre en main la Lotharingie qu'il estime être une terre qu'il doit recevoir par « droit héréditaire ». Dès 898, il était entré en relations avec le chef des aristocrates Rénier au Long Col. Par sa mère, une fille de Lothaire Ier, Rénier est de la famille carolingienne *(cf. tableau XXVI)*. Il possède des biens patrimoniaux en Ardenne, Hainaut, Brabant, il est abbé laïc d'Echternach, de Stavelot, de Saint-Servais de Maëstricht. Il se considère le maître de la Lotharingie et n'accepte pas la politique autorirtaire menée par le roi Zwentibold qu'Arnulf a installé dans ce royaume. Entre le roi et les aristocrates était née une haine inexpiable en raison des déprédations, rapines et exactions commises par le bâtard d'Arnulf. Rénier s'était exilé en France et avait invité Charles à venir occuper Aix et Nimègue. Mais, après la mort d'Arnulf, les aristocrates lorrains s'étaient ralliés à son fils Louis l'Enfant, persuadés qu'ils pourraient mener une politique autonome. De son côté, Charles ne perd pas de vue la Lotharingie et même épouse, en 907, Frérone, une aristocrate lorraine. Lorsque quatre ans après meurt le dernier des Carolingiens de Francie orientale, Louis l'Enfant, les aristocrates de Germanie élisent le Franconien Conrad, un homme détesté des Lorrains. Rénier fait de nouveau appel à Charles qui reprend la route de l'est et est élu roi de Lotharingie en 911. On a remarqué qu'à partir de cette date, il ajoute dans ses actes au mot *rex* celui de *Francorum*, attestant ainsi qu'il est le roi de tous les Francs. Il réside volontiers à Herstal, Aix, Metz et Gondreville près de Toul. Il délivre une vingtaine de diplômes pour son nouveau royaume. En 915, à la mort de Rénier, il concède à son fils Gilbert, les honneurs de son père et le titre de *Marchio*. Mais Gilbert convoite la royauté pour lui-même, se recrute des fidèles en distribuant des biens d'Église et en 920 se fait proclamer *Princeps* en Lotharingie.

Or, depuis 919, un nouveau roi règne en Germanie, Henri Ier, duc de Saxe. Lui aussi veut mettre la main sur la Lotharingie pour renforcer son pouvoir et acquérir de nouvelles ressources. Mais il n'ose pas lutter de front contre Charles et le 7 novembre 921, il rencontre le roi carolingien sur un bateau ancré en face de Bonn et accepte de reconnaître le statu quo. Henri est roi des Francs orientaux et Charles, roi des Francs occidentaux.

## Révolte de l'aristocratie

Pourtant la politique lorraine de Charles le Simple mécontente l'aristocratie de France et provoque la chute du roi. Protestant contre les faveurs que Charles octroie au comte lorrain Haganon, les aristocrates menés par Robert le duc des Francs s'emparent du roi en 920. Charles est délivré grâce à l'archevêque de Reims Hervé et espère résister avec ses fidèles lorrains. En 922, nouvelle révolte, Charles s'enfuit au-delà de la Meuse, dans son royaume de Lorraine. Les grands élisent alors Robert roi, et le font sacrer par Gauthier, archevêque de Sens. La guerre qui suivit est favorable à Charle :le 15 juin 923, à la bataille de Soissons, Robert est tué. Mais les grands ne veulent pas se rallier aux Carolingiens, et devant le refus du fils de Robert, Hugues, le futur Hugues le Grand, ils offrent la couronne à Raoul, fils de Richard le Justicier et gendre de Robert. Pourtant Charles le Simple ne désespère pas. Il croit en l'intervention d'Henri de Germanie et accepte l'aide de son cousin Herbert de Vermandois. Pourtant ce dernier s'empare par traîtrise de Charles et l'enferme dans sa forteresse de Saint-Quentin.

Les historiens ont essayé d'expliquer cet acte criminel. Herbert II fils d'Herbert Iᵉʳ, assassiné en 900 sur l'ordre de Baudouin de Flandre, descendait, nous l'avons dit, du roi Bernard d'Italie qui avait été aveuglé sur l'ordre de Louis le Pieux *(cf. tableau XV)*. Le comte de Vermandois a-t-il voulu venger son ancêtre en s'emparant du roi carolingien? Même en tenant compte de la *faïda*, l'esprit de vengeance habituel aux peuples germaniques, cela ne paraît pas la principale raison de son acte. Herbert est surtout poussé par son immense ambition. Il veut, à partir du Vermandois, se constituer une principauté semblable à celle des autres grands, la suite de son histoire le prouve. D'autre part, en s'emparant de Charles, il détient un otage de marque et peut à tout moment menacer le roi Raoul. Mais il ne put empêcher la reine Edwige, que Charles le Simple avait épousée vers 920, après la mort de Frérone, de se réfugier en Angleterre auprès d'Édouard Iᵉʳ, son père, roi de Wessex, avec son jeune enfant Louis, le futur Louis IV d'Outremer. Ni les quatre filles que Charles avait eues de Frérone ni ses quatre enfants naturels ne furent inquiétés.

L'emprisonnement de Charles le Simple ne laisse pas indifférents les grands d'Occident. De Rome, le pape Jean X proteste et menace d'excommunier Herbert de Vermandois. Les princes méridionaux refusent de reconnaître Raoul et demeurent quelques années fidèles à la légitimité carolingienne, ce qui leur permet de renforcer leur indépendance. Dans le nord du royaume, les Normands prétextent de la captivité de Charles pour s'agiter. Rogmwald, chef des Normands de la basse Loire, dirige des troupes dans tout le royaume et le comte de Rouen Rollon se révolte. On aurait pu s'attendre à ce que les aristocrates lotharingiens interviennent en faveur de Charles, mais habitués aux volte-face, ils se rallient à Raoul jusqu'au moment où, nous le verrons, Henri Iᵉʳ intervient et les force à le reconnaître. Le marquis Hugues le Grand ne fait évidemment rien pour délivrer Charles et aide Raoul à lutter contre les Normands. Quant à Herbert de Vermandois, il tire admirablement avantage de la situation, mettant dans son parti le nouvel archevêque de Reims Séulf et considère son royal prisonnier comme un otage pour poursuivre sa politique d'expansion. En 927, il tire Charles de sa prison et l'utilise pour se rapprocher de Rollon et pour inquiéter Raoul. Pourtant, c'est dans le château de Péronne que Charles le Simple devait finir sa vie en 929.

Ainsi meurt un prince dont le règne avait brillamment commencé. Charles le Simple, grand roi méconnu a-t-on dit, n'eut pas les ressources nécessaires en terres et en hommes pour s'opposer aux grands féodaux. Son attachement à la politique de ses ancêtres et sa volonté d'annexer cette Lotharingie d'où sa famille était sortie ont été à l'origine de sa chute.

### Le règne de Raoul (923-936)

Raoul de Bourgogne, fils de Richard le Justicier, est par son oncle Boson allié indirectement à la famille carolingienne. Tout en défendant les intérêts de ses domaines bourguignons, il ne peut que poursuivre la politique de son prédécesseur. Mais être roi de France et en même temps marquis de Bourgogne, restaurer l'autorité monarchique et en même temps jouer son rôle de prince bourguignon, risquent de mettre le roi bien souvent en contradiction avec lui-même. Pourtant, ce prince énergique, courageux qui, plus d'une fois paya de sa personne, n'hésita pas à agir sur tous les fronts : il devait lutter contre Herbert de Vermandois, repousser les Normands et les Hongrois, se faire reconnaître par les princes méridionaux.

Il serait fastidieux de narrer tous les épisodes de la lutte entre Raoul et Herbert de Vermandois ; il suffit d'indiquer les principales étapes du conflit. Herbert cherche par tous les moyens, militaires et diplomatiques, à agrandir sa principauté et veut mettre la main sur les deux bastions royaux que sont Reims et Laon. En 925, il profite de la mort de l'archevêque de Reims Séulf pour faire élire à sa place son fils âgé... de cinq ans. Il dispose donc des immenses domaines de l'archevêché et reçoit l'hommage des vassaux épiscopaux. Trois ans après, il s'empare de Laon défendu énergiquement par la reine Emma. Mais Raoul contre-attaque en se faisant aider du jeune duc Hugues, le fils de l'ancien roi Robert, qui ne peut accepter la politique ambitieuse d'Herbert et laisse le roi diriger les comtés entre Loire et Seine. En 931, Raoul reprend Reims, installe le moine Artaud comme archevêque et sur sa lancée s'empare de Laon et de l'abbaye de Saint-Médard de Soissons. Grâce à l'arbitrage d'Henri Ier de Germanie, Raoul se réconcilie en 935 avec Herbert et lui reconnaît une grande partie de ses possessions. Si le roi n'a pu détruire la principauté de Vermandois, il a du moins sauvé les deux places les plus importantes de la France du Nord, Reims et Laon.

Raoul, d'autre part, lutta énergiquement contre les Normands, ceux de la basse Loire dirigés par le chef Rogmwald, et ceux de la basse Seine qui avaient pris prétexte de l'emprisonnement de Charles le Simple pour se révolter. Rogmwald qui avait pillé la Bourgogne fut battu en 925. Quant aux Normands de la Seine, battus eux aussi, ils acceptèrent de cesser leurs pillages contre le versement d'un tribut. Si Rollon se refusa à reconnaître Raoul, du moins son successeur Guillaume Longue Épée accepta-t-il en 933 de faire hommage au roi et reçut de lui le Cotentin et l'Avranchin, terres qui avaient depuis longtemps échappé à l'autorité des Carolingiens.

Les princes méridionaux, fidèles aux Carolingiens, reconnaissent peu à peu le nouveau roi. Guillaume II le Jeune, héritier de son oncle Guillaume le Pieux, fait hommage dès 924. Les actes des seigneurs de Déols, du Puy, de Brioude, de Tulle sont datés du règne de Raoul. En 932, Raymond Pons comte de Toulouse, le prince gascon Loup Aznar se rallient au roi Raoul. Seuls les comtes catalans refusent de le reconnaître et continuent à dater leurs actes du règne de Charles le Simple. Fort des ralliements des principaux princes méridionaux, Raoul peut se faire appeler dans quelques-uns de ses diplômes *Rex Francorum Aquitanorum et Burgondionum.*

Dans son « royaume » de Bourgogne, Raoul dispose de biens patrimoniaux importants et réussit avec plus ou moins de bonheur à neutraliser les petits seigneurs locaux. En 924, il tint plusieurs assemblées à Autun, Chalon et finit par soumettre le turbulent Gilbert de Dijon, le plus puissant des féodaux. Son appartenance à la famille de Boson le conduit à intervenir dans le royaume de Provence que son oncle avait fondé. Hugues d'Arles, qui gouvernait ce royaume au nom de Louis l'Aveugle, prête hommage à Raoul et marie sa nièce au frère du roi *(cf. tableaux VIII et XII).* Après la mort de Louis l'Aveugle en 928, Raoul se rend à trois reprises à Vienne et reçoit l'hommage de son cousin Charles-Constantin, le successeur de Louis. Ainsi le Viennois, le Lyonnais, le Vivarais, régions qui avaient échappé au roi de Francie depuis le traité de Verdun, entraient dans la mouvance du roi Raoul, nouvel exemple de cette politique de regroupement chère aux Carolingiens et à leurs successeurs.

Du côté de la Lotharingie, Raoul eut moins de succès en raison de la politique d'Henri Ier, roi de Germanie. Son frère Boson, qui portait le nom de son illustre oncle, était abbé de Moyenmoutier, Remiremont et possédait plusieurs châteaux sur la Meuse. Depuis son avènement, Raoul s'était fait reconnaître par les aristocrates lorrains et était même intervenu en Alsace. Mais Henri Ier qui, nous l'avons vu, avait à cœur de reprendre la Lotharingie, parvint à soumettre les aristocrates lorrains et donna sa fille Gerberge au comte Gilbert, fils de Rénier au Long Col. En 935, lors d'une entrevue entre Henri et Raoul, le comte Boson se soumit lui-même au roi de Germanie.

La Lorraine échappait une nouvelle fois au roi de Francie occidentale.

Un an après, en 936, mouraient et le roi de France et le roi de Germanie. Les historiens ont volontiers montré qu'Henri Ier avait beaucoup mieux réussi que Raoul à renforcer le pouvoir royal et à triompher des aristocraties locales. Pourtant, en tenant compte des circonstances politiques très différentes dans l'un et l'autre royaumes, on doit reconnaître que les résultats du règne de Raoul ne sont pas aussi médiocres qu'on a bien voulu le dire. Raoul a pu résister aux princes les plus puissants de France du Nord, se faire reconnaître des méridionaux, prendre pied dans la région rhodanienne et même, comme on l'a montré récemment, faire frapper des monnaies à son nom. Il a pu reprendre dans certains de ses actes la titulature ancienne et se faire appeler comme ses prédécesseurs : « Pieux, invaincu et toujours auguste. » Comme son contemporain le roi de Germanie, il a conscience de poursuivre la politique carolingienne. La suite des événements va montrer que le modèle carolingien continue à inspirer les actes des princes européens.

# CHAPITRE IV

# LA RESTAURATION CAROLINGIENNE
## (936-FIN DU Xᵉ SIÈCLE)

Par un hasard de l'histoire, 936 voit la restauration des rois carolingiens et l'avènement d'Otton Iᵉʳ, celui qui apparut comme un « nouveau Charlemagne ». Pendant un demi-siècle, les Carolingiens vont tenir la royauté en France tandis que Otton, après avoir annexé l'Italie, rétablit l'empire en 962. Cet événement capital domine l'histoire du Xᵉ siècle car il permet de réaliser une nouvelle unité européenne. Les principautés nées de l'effondrement de l'empire carolingien sont regroupées sous une même autorité, des liens familiaux unissent Carolingiens et Ottoniens, les rois cherchent à rétablir leurs relations avec les grands aristocrates, le christianisme gagne de nouvelles terres vers l'est, les monastères se réforment et l'Occident connaît une renaissance intellectuelle et artistique. Le Xᵉ siècle n'est pas le sombre siècle de fer et de plomb que dépeignaient naguère quelques historiens, il nous apparaît, au contraire, comme le dernier siècle de l'Europe carolingienne.

## Le retour des Carolingiens et les débuts d'Otton Iᵉʳ

### Louis IV d'Outremer

Le roi Raoul est mort sans héritier direct. Son frère Hugues le Noir ne revendique pas la succession et se contente de gouverner son « royaume » de Bourgogne. A qui la couronne va-t-elle revenir ? Les princes territoriaux du nord de la Loire vont-ils la revendiquer ? Ces princes sont à l'époque deux hommes qui descendent des Carolingiens : le puissant Herbert de Vermandois et Arnoul de Flandre, mais aussi Guillaume

Longue Épée, comte de Rouen depuis 933 et Hugues, beau-frère du roi défunt, celui que l'on appelle Hugues le Grand. Ce dernier fait accepter par les princes le principe de la restauration carolingienne et entre en contact avec son beau-frère le roi Athelstan qui, on s'en souvient, avait recueilli Louis, le fils de Charles le Simple. Le roi de Wessex est alors le souverain le plus puissant d'Occident. Depuis son avènement en 924, il a commencé à reconquérir les pays du « Danelaw » qu'Alfred le Grand avait laissés aux Scandinaves et il se fera bientôt appeler *Rex totius Britanniae* et même *Imperator*. Il a accueilli les chefs chassés de l'Armorique par les Normands, sa sœur a épousé Otton fils d'Henri Ier de Germanie. Il accepte de remettre son neveu aux ambassadeurs d'Hugues après leur avoir fait jurer qu'ils resteraient fidèles au jeune roi.

On a beaucoup commenté l'initiative d'Hugues le Grand. Si le chroniqueur Flodoard ne fait que rapporter les faits, Richer qui écrivit bien après les événements, nous dit que Hugues a voulu réparer le crime de lèse-majesté dont Charles III avait été la victime et que, pour rétablir la concorde générale, il avait souhaité la restauration de la dynastie légitime. Beaucoup d'historiens ont refusé cette interprétation en constatant que par la suite Hugues ne s'est pas gêné pour trahir le roi carolingien. Mais les sentiments des hommes varient ; il se peut qu'au début Hugues ait été sincère. Ce qui est certain, c'est qu'il compte diriger ce jeune homme inexpérimenté et avoir la première place dans le royaume.

Louis IV, que l'on a surnommé par la suite Louis d'Outremer, débarque donc près de Boulogne, reçoit l'hommage d'Hugues et de presque tous les grands. Il est alors conduit à Laon, sacré par Artaud l'archevêque de Reims. Ce retour au principe de l'hérédité allait être durable puisque pendant un demi-siècle les rois carolingiens vont se succéder de père en fils : Louis IV est roi jusqu'en 954, son fils Lothaire lui succède jusqu'en 986 et, pour assurer l'avenir de la dynastie, Lothaire fait sacrer son fils Louis dès 979 *(cf. tableau XI)*. Seule la mort accidentelle de Louis V en 987 occasionne, nous le verrons, la fin de la dynastie carolingienne.

Les derniers rois carolingiens ont, en général, été malmenés par les historiens. Pourtant ils n'ont manqué ni de courage, ni de ténacité. Leur chancellerie qui délivre les diplômes royaux — nous en avons conservé une centaine — reste fidèle à la tradition carolingienne. Leurs monogrammes et leurs sceaux rappellent ceux des princes du IXe siècle. Les rois de Francie savent qu'ils sont les seuls à représenter en Occident l'illustre famille. Or à la même époque, en Germanie, les princes qui n'appartiennent pas à cette famille tentent de faire revivre à leur façon l'idée carolingienne.

## Les débuts d'Otton Ier

Henri Ier, roi de Germanie, avait trois fils de son épouse Mathilde, Otton, Henri et Brunon. Peu avant sa mort, il désigne Otton pour lui succéder et le fait reconnaître par « les Francs et les Saxons ».

Otton a alors vingt-quatre ans. C'est un homme qui en impose par sa haute stature, sa barbe rousse et ses qualités sportives. A peine son père est-il mort qu'il prend une décision qui indique qu'il se considère comme « roi des Francs » et comme successeur de Charlemagne. Il se fait couronner à Aix-la-Chapelle, capitale de cette Lotharingie que Raoul avait abandonnée à Henri Ier. Trois cérémonies furent organisées : d'abord dans la cour du palais, les ducs jurent fidélité et élisent le roi selon leurs coutumes, puis à l'intérieur de la chapelle l'archevêque de Mayence fait acclamer le nouvel élu par les laïcs et les clercs et lui remet, par-dessus son costume franc, les insignes royaux : glaive, baudrier, bracelet, sceptre, couronne. Il le sacre et l'installe sur le trône de pierre de Charlemagne qui se trouve sur la tribune de la basilique. Enfin, dans le palais, a lieu un banquet officiel pendant lequel les ducs de Lorraine, de Franconie, de Souabe et de Bavière servent le nouveau roi. Cette remarquable ordonnance n'est pas improvisée mais elle est voulue par ce jeune roi qui renoue avec le passé franc et peut-être déjà songe à la restauration impériale. Lorsque l'archevêque lui remet le glaive, il lui dit : « Reçois ce glaive pour repousser les adversaires du Christ, les barbares, les mauvais chrétiens, en symbole de l'autorité divine qui t'est remise ainsi que de la puissance sur l'empire des Francs pour la paix la plus durable de toute la Chrétienté. » Tout le programme ottonien est déjà contenu dans cette phrase.

Un an après son couronnement à Aix, Otton prend une décision qui, elle aussi, est significative. Rodolphe II, roi de Bourgogne transjurane, étant mort, la succession revient à son fils Conrad, un enfant encore mineur. Le roi d'Italie Hugues d'Arles qui, nous l'avons vu, avait signé en 932 un traité avec Rodolphe par lequel il lui abandonnait ses possessions en France veut profiter de cette minorité pour unir le royaume de Bourgogne à celui d'Italie et ainsi recréer, à l'exception de la Lorraine, le royaume de Lothaire Ier. Il épouse Berthe, la veuve du roi défunt, et fiance son fils Lothaire à Adélaïde, sœur de Conrad alors âgée de six ans.

Otton voit le danger que constituent la création d'un grand ensemble territorial et le contrôle des voies alpestres par le roi d'Italie. Se souvenant que Rodolphe II s'était « donné » à Henri Ier en lui remettant symboliquement la Sainte Lance, il intervient sans tarder et fait conduire le jeune Conrad en Germanie. Hugues doit repartir en Italie avec sa femme et sa future bru, laissant le royaume de Bourgogne transjurane sous le contrôle du roi de Germanie. Seuls le Viennois et le Lyonnais restaient depuis 931 aux mains du roi de France.

Un troisième acte, significatif lui aussi, est la fondation d'une abbaye à Magdebourg. Cette ville sur l'Elbe était déjà un centre commercial important. Otton fait entourer le quartier marchand de murs et établit un monastère qu'il met sous la protection de saint Maurice, patron des princes bourguignons. Aux portes du monde slave, Magdebourg devient un avant-poste destiné à former des missionnaires en pays païen.

Ainsi dès 936-937, se dessinent les directions de la politique ottonienne, Aix, d'un côté, Magdebourg de l'autre sont les centres de gravité de la politique du nouveau roi.

## Les rois, leurs fidèles et leurs sujets

Le problème le plus urgent qui se pose aux rois Otton Ier et Louis IV est de faire reconnaître leur autorité par leurs sujets et d'établir de bonnes relations avec les princes territoriaux.

### En Germanie

Henri Ier, nous l'avons vu, avait laissé aux « ducs » une certaine indépendance. Otton, dès le début de son règne, doit résister à quelques révoltes de princes qui veulent maintenir cette situation. En 937, le redoutable Arnulf de Bavière meurt et est remplacé par son fils Eberhard. Otton veut en profiter pour reprendre en main la désignation des évêques. Eberhard refuse, il est battu, exilé et remplacé par son oncle le duc Berthold de Carinthie. Otton resserre les liens avec la famille bavaroise en faisant épouser la princesse Judith à son frère Henri *(cf. tableau XXIV)*. En Franconie, le duc Eberhard, s'étant rendu coupable d'une vengeance à l'égard d'un de ses vassaux, est condamné pour « rupture de la paix » et doit verser une somme importante pour réparer ses torts. En 938, Tangmar, demi-frère d'Otton, se révolte et est tué. Un an après, c'est

Henri, le préféré de la reine Mathilde, qui à son tour entre en rébellion, et entraîne avec lui Eberhard de Franconie et Gisel-bert de Lotharingie. Nous verrons plus loin comment Otton a triomphé de la révolte des aristocrates lorrains. Disons pour le moment qu'il soumet son frère Henri et profite de la mort au combat d'Eberhard pour annexer la Franconie à son domaine. Enfin il fait épouser en 940, son fils Liudolf à Ida, fille d'Her-mann de Souabe. En 949, il héritera du duché. Ainsi par ses expéditions militaires et des mariages, Otton rétablit son auto-rité sur les principautés. Il installe çà et là des comtes palatins chargés d'administrer les fiscs royaux et surtout de surveiller les ducs. Il fait revivre les grandes assemblées annuelles, là où il possède des domaines, en Saxe, en Franconie, en Thuringe.

On peut s'étonner dans ces conditions qu'Otton ait dû affronter une nouvelle révolte des grands en 953. Une fois encore, et non sans mal, Otton triomphe de la coalition formée par son fils Liudolf de Souabe, son gendre, le Franconien Conrad le Roux qui avait été fait duc en Lorraine, des aristo-crates bavarois et même l'archevêque Frédéric de Mayence. Pour satisfaire le particularisme des Souabes, il confie la prin-cipauté à Burchard III de la famille des Hunfriding qui avait épousé la nièce du roi. Ailleurs, il surveille de près les ducs sans pourtant en faire, comme on l'a dit, des « fonctionnaires ». Il serait en effet faux de nier la puissance des grandes familles du royaume de Germanie, fortes de leurs immenses domaines où elles exercent les pouvoirs économique et judiciaire. Il faut d'autre part noter que la Germanie compte encore de nom-breuses terres libres où des comtes qui ne sont ni les vassaux des princes, ni ceux du roi, se conduisent en toute indépen-dance. La force de l'aristocratie est telle que la mort d'Otton Ier (973) et celle d'Otton II (983) provoqueront de nouvelles révoltes des grands.

Pour contrebalancer le pouvoir des princes, Otton s'appuie sur l'épiscopat. Là encore c'est renouer avec la tradition caro-lingienne. En 937, à l'assemblée de Magdebourg qui jugea le duc Eberhard de Franconie, le roi demande l'avis de deux archevêques et de huit évêques. Par la suite, il se considère comme le protecteur des évêques et s'attribue un droit de regard sur leur élection ou même décide lui-même du choix du nouvel élu. Ainsi en 936, Adaltag de Hambourg est désigné par le roi sur la recommandation de sa mère Mathilde. En 941, Otton vient lui-même de Saxe en Franconie pour assister à l'élection des évêques de Wurzbourg et de Spire et l'année sui-vante, il fait de même pour l'évêché de Ratisbonne. Il choisit des évêques dans sa propre famille, son fils Guillaume pour l'archevêché de Mayence son frère Brunon pour celui de Cologne, ses cousins pour Trèves, Osnabrück, etc. Les futurs évêques saxons, bavarois, lorrains sont la plupart du temps des clercs de sa chapelle ou de sa chancellerie. Le roi, en leur remettant la crosse, exige d'eux un serment de fidélité. En contrepartie, il leur accorde des privilèges, parmi lesquels l'immunité, c'est-à-dire la permission d'exercer librement sur leurs terres leur autorité. Bien plus il concède à certains évêques des droits régaliens, droits de marché, tonlieux, droits monétaires et il leur remet même des comtés, en général en dehors de la ville épiscopale. Nous trouvons là l'origine des princes évêques, vassaux du roi qui lui doivent conseils et aide militaire. Otton pratique la même politique pour les monastères royaux de Saxe et d'ailleurs en augmentant leur temporel, en les protégeant de la convoitise des laïcs et en exigeant d'eux fidélité et aide. Évêques et abbés sont donc associés étroitement à la politique royale. Comme Charlemagne, Otton veille à la réforme de l'Église et préside les assemblées religieuses. En 952, à Augsbourg, il fait légiférer contre les clercs coupables de chasser, de fréquenter les tavernes et d'avoir commerce avec les femmes, et contre les laïcs qui s'emparent de la dîme en chassant les prêtres de leurs églises. Ainsi naît ce que les historiens allemands ont appelé le *Reichkirchensystem* qui caractérise l'histoire de la Germanie pendant un siècle jusqu'au moment de la réforme grégorienne.

## En France

En passant en France, nous trouvons une situation bien différente. Les chefs des grandes familles disposent de principautés que l'on peut appeler déjà féodales, qu'ils agrandissent depuis le début du siècle et qu'ils lèguent à leurs enfants. Les rois, ne pouvant pas comme le roi de Germanie supprimer des duchés ou interdire la transmission héréditaire, cherchent seulement à se faire reconnaître des grands féodaux ou s'assurer de leur fidélité et, lorsque les circonstances s'y prêtent, tentent d'agrandir leur propre domaine. Même si, comme le dit J.F. Lemarignier, les fidélités des grands ont été « tardives et intermittentes », elles n'en ont pas moins existé. Louis IV a reçu l'hommage d'Hugues le Grand et d'Herbert de Vermandois dès 936, puis celui d'Huques le Noir en 938, de Guillaume Longue Épée, duc de Normandie en 940, de Guillaume Tête d'Étoupe, comte de Poitou et d'Alain de Bretagne en 942, de Raymond, comte de Toulouse en 944 et de nombreux évêques et comtes.

Si le roi dispose de domaines patrimoniaux bien petits en regard de ceux des princes, il peut tirer de ses palais et villas de nombreuses taxes, droits et ressources importants. Les fiscs de Compiègne, Vitry-en-Perthois, Ponthion, Verberie, Quierzy, Ver, Samoussy sont toujours entre les mains des Carolingiens. Comme l'a remarqué J. Dhondt, les rois réagissent contre la politique de leurs prédécesseurs et se refusent à de nouvelles concessions aux grands et aux évêques. Ils cherchent même, nous le verrons, à reprendre la Normandie, la Lorraine, des comtés en Bourgogne et en Flandre. Une étude récente sur le monnayage royal prouve que le roi défend son privilège régalien. Hugues le Grand lui-même, après une tentative de remplacer le nom du roi par le sien, fait marche arrière et revient au monogramme royal. Son vassal Thibaud Ier de Chartres imagine un nouveau type de monnaie mais n'ose pas encore y graver son nom comme le fera plus tard Richard Ier de Normandie. C'est sous le règne de Lothaire que les ateliers frappent encore monnaie royale à Chinon, Bourges, Clermont, Bordeaux, régions où le roi n'a plus une autorité directe. Ajoutons que les rois disposent d'abbayes : Saint-Vaast, Saint-Amand, Notre-Dame de Laon, Saint-Crépin de Soissons, Fleury-sur-Loire, et d'une vingtaine d'évêchés dans les provinces de Reims et de Sens. L'archevêque de Reims, ce prince évêque qui possède d'importants domaines et qui est suzerain de nombreux comtes, est leur principal appui. C'est lui qui sacre les rois, qui leur confère le pouvoir charismatique, qui les met au-dessus des autres grands. Lorsque, nous le verrons, il abandonnera en 987 la cause des Carolingiens, leur chute sera inévitable. Imitant ce que faisait à la même époque le souverain de Germanie, le roi délivre à certains évêques des privilèges d'immunité et leur confère des pouvoirs comtaux. Aussi, sans vouloir paradoxalement surestimer la force des Carolingiens, disons avec F. Lot : « La royauté carolingienne sans être ni bien puissante, ni bien riche, prétendre le contraire serait paradoxal, ne manquait pas de ressources matérielles, militaires, ni peut-être même financières. » Comment expliquer sans cela la politique menée par les rois au nord de la Loire comme au sud du fleuve ?

Commençons par les régions septentrionales dans lesquelles le roi avait encore des atouts importants. Il a en face de lui deux hommes ambitieux, Herbert de Vermandois et Hugues le Grand. Le premier est maître d'importants domaines entre la vallée supérieure de la Somme et la Marne, il cherche patiemment à les unir par des mariages, par la ruse et la guerre. Son fils Hugues prétend toujours au titre d'archevêque de Reims en dépit de l'installation d'Artaud. Hugues le Grand qui se fait appeler « duc des Francs par la grâce de Dieu » et que Flodoard appelle « prince d'outre-Seine » va obtenir ce qu'il n'avait pas pu avoir au temps du roi Raoul, la suzeraineté sur les régions entre Seine et Loire. Il compte pour cela sur la docilité de Louis IV, mais, comme le dit Flodoard dès 937 « le roi se délivre de la titelle d'Hugues ». Entre les deux hommes commence alors une longue guerre faite de pillages, de coups de force et de réconciliations momentanées. Hugues, veuf de l'Anglo-Saxonne Édith, se rattache à la famille ottonienne en épousant Hathui, sœur d'Otton Ier. En 942, il rencontre le roi de Germanie au palais d'Attigny et, en compagnie d'Herbert de Vermandois, fait une alliance avec lui. Les deux complices peuvent alors reprendre Reims à l'archevêque Artaud et réinstaller le jeune Hugues.

Deux événements imprévus renforcent alors la position de Louis IV : la mort d'Herbert de Vermandois et celle de Guillaume de Normandie. C'est pour Louis une occasion de récupérer des territoires d'où il pourra tirer quelques ressources. Pourtant la succession d'Herbert échappe au roi, elle est partagée entre les nombreux fils du défunt. Louis ne peut reprendre que quelques abbayes et le comté d'Amiens. Du côté de la Normandie, Louis IV connaît au départ plus de succès. Guillaume Longue Épée qui lui était traditionnellement fidèle avait été assassiné par les vassaux d'Arnoul de Flandre qui voyait avec inquiétude grandir la puissance normande. Son successeur Richard est encore un enfant. Louis IV vint à Rouen, reçut le serment d'une partie de l'aristocratie et investit Richard de la Normandie, avant de le confier au comte de Ponthieu. De plus il réussit à battre un groupe de Normands païens qui voulaient profiter de l'occasion pour reprendre le duché, tandis qu'Hugues le Grand reprenait de son côté Évreux puis Bayeux à d'autres païens. En 945, Louis pouvait se considérer comme le maître de la Normandie et à cinq reprises il fit un séjour à Rouen.

Malheureusement, le roi tombe par trahison entre les mains de Normands qui le livrent à Hugues le Grand et il reste plusieurs mois en prison. Le duc des Francs intimidé par l'intervention du roi de Wessex, d'Otton Ier et même du pape, accepte de rétablir Louis IV sur le trône, se faisant remettre en contrepartie Laon, ville royale par excellence. La reine Gerberge, sœur d'Otton, invite le roi de Germanie à intervenir en faveur de Louis. Reims qui était tombé aux mains d'Hugues le Grand est repris et l'archevêque Artaud rétabli. Pour régler définitivement le conflit entre les deux archevêques, on organise des synodes à Verdun, à Mouzon, enfin à Ingelheim (7 juin 948). Le légat du pape Agapet II dirige les débats au cours desquels Hugues de Reims est privé de son honneur au profit d'Artaud. Louis IV qui, avec Otton, y participe, en profite pour faire un réquisitoire contre son rival Hugues le Grand, si bien que les évêques promulguent le canon suivant : « Que nul n'ose à l'avenir porter atteinte au pouvoir royal, ni le déshonorer traîtreusement par un perfide attentat. Nous décidons en conséquence qu'Hugues envahisseur et ravisseur du royaume de Louis sera frappé du glaive de l'excommunication à moins qu'il ne s'amende en donnant satisfaction pour son insigne perfidie. » L'Église, en la personne des évêques de Germanie et de Lotharingie, vient une fois de plus au secours des Carolingiens. Hugues résiste quelque temps, mais après la reprise de Laon et une nouvelle intervention de la papauté, il finit par se réconcilier avec le roi en 953.

Louis IV meurt à trente-trois ans d'un accident de chasse (954), laissant comme héritier son fils Lothaire âge de treize ans. On s'est demandé pourquoi le puissant duc des Francs n'avait pas profité de l'occasion pour prendre la couronne : il possède des terres entre Seine et Loire, au sud de la Loire, en Berry, en Bourgogne, il est abbé laïc de nombreux monastères : Saint-Martin de Tours, Marmoutier, Saint-Germain d'Auxerre, Saint-Denis, Saint-Maur-des-Fossés, Morienval, Saint-Riquier, Saint-Valéry-sur-Somme.

Pourtant sa puissance est peut-être moins grande qu'on ne le dit habituellement car ses vassaux ont depuis quelques décennies assuré la fortune de leur propre maison. En Anjou, la famille des Foulques qui se rattache aux Guy-Lambert est bien implantée. Foulques II le Bon, comte d'Anjou entre 941 et 960, est également abbé de Saint-Aubin et s'étend du côté de la Bretagne. Le comte de Tours, Thibaud I<sup>er</sup> le Tricheur (942-978), est possesseur du comté de Blois, puis de celui de Châteaudun et de Chartres vers 960. Il a mis la main sur le nord du Berry et a fait nommer son frère archevêque de Bourges (cf. tableau XXIX). Son influence grandit dans le Nord depuis qu'il a épousé une fille d'Herbert II de Vermandois. D'autres comtes, comme ceux de Vendôme, pratiquent une politique d'équilibre entre le roi et le duc des Francs. Pour renforcer son autorité,

Hugues se fait concéder par le jeune roi l'autorité sur l'Aquitaine et sur la Bourgogne. Il échoue en Aquitaine en raison de la résistance de Guillaume Tête d'Étoupe, comte de Poitou qui se fait appeler « duc d'Aquitaine ». En Bourgogne, il réussit à fiancer son second fils Otton à l'héritière du duché. Il pouvait espérer tirer profit de cette politique lorsqu'il mourut brusquement en 956.

La mort d'Hugues le Grand libère Lothaire d'un protecteur gênant. Son fils aîné Hugues, que l'on appelle Capet en raison des nombreuses chapes d'abbé laïc dont il se revêtait, est encore très jeune. Lothaire pratique une politique habile pour neutraliser les princes. Son prestige est tel qu'Arnoul de Flandre, qui avait augmenté sa principauté jusqu'à la Canche, décide de remettre ses domaines au roi en en gardant la jouissance jusqu'à sa mort. Lorsque celle-ci se produit en 965, Lothaire peut mettre la main sur la principauté. Mais les aristocrates flamands décident que le successeur d'Arnoul serait son petit-fils Arnoul II (cf. tableau XXXI). Lothaire s'empare alors d'Arras, de Douai et de tout le pays jusqu'à la Lys. Grâce à l'évêque Roricon de Laon, oncle du roi, un compromis est conclu. Lothaire accepte de laisser au jeune Arnoul l'essentiel de la principauté et se contente de garder ses conquêtes. Enfin le roi de France intervient en Normandie pour mettre fin à la guerre entre Richard Ier et Thibaud Ier. Un certain équilibre se crée donc entre roi et grands. Qu'en est-il en France méridionale ?

Quelques années après son avènement, Louis IV effectue plusieurs séjours en Aquitaine. En 942, il est à Poitiers et il établit de bonnes relations avec Guillaume Tête d'Étoupe. Deux mois après, il rencontre à Nevers, Raymond Pons de Toulouse, marquis de Gothie et les grands d'Aquitaine. Un passage de l'Histoire de Richer mérite d'être cité car il correspond bien à la politique royale du moment : « Le roi traite avec eux du gouvernement de leur État et comme il voulait que toutes leurs possessions lui fussent soumises, il exigea d'eux l'hommage pour leur province et s'empressa d'ailleurs de leur en confier l'administration ; il la leur délégua et les chargea de les gouverner en son nom. » Lothaire est plus ambitieux que son père puisqu'en 982, il songe par un mariage à reprendre pied en Aquitaine. Il fait épouser son fils Louis à la veuve du comte Étienne de Gévaudan et conduit lui-même le jeune homme pour la cérémonie à Vieux-Brioude. Comme ses ancêtres du IXe siècle, le roi fait couronner son fils roi d'Aquitaine. Mais le mariage entre le prince de quinze ans et une femme qui pourrait être sa mère est un échec. Deux ans après, Lothaire doit aller rechercher son fils à Brioude, tandis que l'épouse s'enfuit en Provence et épouse le comte d'Arles, Guillaume.

La seule région où les rois conservent des sujets et où ils interviennent directement en concédant des diplômes est la Catalogne. Douze actes de Louis, huit de Lothaire sont promulgués en faveur des abbayes catalanes. Les Catalans, qui n'avaient jamais voulu reconnaître les usurpateurs robertides, sont heureux de renouer avec les rois légitimes. En 939, le moine Gomar de Sant Cugat est à la cour du roi et nous le retrouvons à Laon en 944. Gomar, futur évêque de Gérone, écrit lui-même une chronique des rois de Clovis à Louis IV qu'il dédie au calife de Cordoue. En 952, le moine Sunyer de Cuxa et peut-être le comte de Roussillon viennent à Reims demander au roi un diplôme en faveur de l'abbaye de Cuxa. Le roi accorde l'immunité en ces termes : « Nous plaçons intégralement sous notre protection l'abbé et ses moines... Nous prescrivons et ordonnons qu'aucun juge public, qu'aucune puissance judiciaire n'ose pénétrer dans les églises... Nous concédons dans les comtés susdits tout le désert qu'ils voudraient bien défricher afin qu'ils puissent prier la miséricorde divine en notre faveur et pour la stabilité de notre royaume... » Le style est encore très carolingien. Les abbés, les comtes se considèrent donc toujours comme les sujets du roi de France, mais comme on l'a remarqué, les princes catalans ne sont jamais venus faire hommage au roi. Pourtant ils n'oublient pas que le roi carolingien est leur protecteur naturel. En 985, Barcelone est attaquée et prise par les Sarrasins. Le comte Borrell qui se fait sans doute beaucoup d'illusions sur les forces de Lothaire lui envoie un émissaire pour lui demander des secours. Mais le roi est malade et l'expédition que l'on préparait, sous le commandement de Louis V, n'eut pas lieu.

Les rois carolingiens firent également plusieurs voyages en Bourgogne. Ils octroient des diplômes en faveur d'abbayes bourguignonnes dont celle de Cluny. Louis IV qui, en 936, avait aidé Hugues le Grand à prendre Langres soutient maintenant Hugues le Noir dans sa lutte contre le duc des Francs. En 946, Louis IV est à Autun où il réunit son « fidèle » Hugues, le comte Gilbert et les grands du royaume de Bourgogne. Nous le retrouverons en 951 à Mâcon. Il fut d'ailleurs le dernier roi à y venir avant qu'au XIIᵉ siècle les Capétiens reprennent pied dans cette région. Lorsqu'en 952 Hugues le Noir meurt, la Bourgogne échappe à la famille des Bosonides. Le comte Gilbert devient duc et, en 956, il lègue ses domaines à son gendre Otton, fils d'Hugues le Grand. Lothaire profite de la mort d'Hugues le

Grand pour faire plusieurs expéditions en Bourgogne, il réussit à garder le comté de Langres et la place forte de Dijon.

Entre le duché de Bourgogne et le royaume de Bourgogne transjurane il n'y a pas véritablement de frontière fixe. Bien des comtes bourguignons ont des domaines à l'est de la Saône et du Rhône. Poursuivant la politique du roi Raoul, les Carolingiens interviennent dans les pays rhodaniens. En 941, Louis IV se trouve à Vienne, il reçoit l'hommage de Charles-Constantin, ce Bosonide qui s'était maintenu malgré Hugues d'Arles et Otton Ier. On a supposé que lorsque Conrad, devenu majeur, quitta la Germanie et reprit possession de son royaume en 942, Louis IV, à la suite d'une entrevue avec Otton à Visé sur la Meuse, avait renoncé à ses prétentions sur le Viennois et sur le Lyonnais. En fait, il semble qu'il faille attendre le mariage entre Conrad et la sœur de Lothaire, Mathilde, vers 963, pour que les rois carolingiens renoncent définitivement à leurs droits sur les régions rhodaniennes.

Ainsi les derniers rois carolingiens ont maintenu tant bien que mal un certain prestige de la monarchie dans tout le royaume. Les diplômes, les monnaies continuent à porter leur nom. De leur côté, ces princes territoriaux tout en gardant leur indépendance organisent leur cour et exploitent leurs domaines à l'exemple royal. Ils n'ont jamais voulu rompre totalement leurs relations avec leur suzerain tant le souvenir du passé carolingien hantait encore leur mémoire.

## La restauration impériale

Depuis la mort de Bérenger Ier d'Italie (924), il n'y a plus d'empereur en Occident, mais ni le terme, ni l'idée d'empire n'ont disparu. Tout royaume qui regroupe un assez grand nombre de territoires peut être appelé empire sans que pour cela le roi revendique la couronne. C'est le cas en Angleterre sous Athelstan de Wessex et son successeur Edgar le Pacifique (956-975). C'est le cas même en France où indifféremment les termes *regum* et *imperium* sont utilisés. Mais pour être reconnu empereur, il faut être le prince le plus prestigieux et le plus puissant d'Occident et se faire couronner par le pape. Seul Otton paraît rassembler ces conditions. Il a autorité sur les Saxons, les Bavarois, les Franconiens, les Souabes, les Lotharingiens, il s'est fait sacrer à Aix-la-Chapelle, il triomphe des païens slaves et hongrois, enfin il intervient en 951 en Italie et en devient le roi. Il est digne de recevoir la couronne impériale en 962.

## Otton victorieux des Slaves et des Hongrois

Du côté des Slaves, Otton Ier poursuit l'œuvre de son père en allant bien plus loin puisqu'il crée deux Marches entre l'Elbe et l'Oder. L'une est confiée au Saxon Hermann Bilung et à ses descendants. Pendant cent soixante-dix ans, les Bilung resteront fixés dans ces pays baignés par la Baltique. L'autre est attribuée au Saxon Géro et reçut le nom de Nordmark. Avant même que les pays slaves soient évangélisés Otton crée trois évêchés. L'un à Oldenbourg qui dépend de l'archevêque de Hambourg Adalgad (937-988), les deux autres à Brandebourg et Havelberg qui sont rattachés à l'archevêché de Mayence. Les Slaves n'acceptent pas la domination saxonne. En 955, une victoire d'Otton sur la Recknitz et l'exécution brutale de guerriers abodrites font espérer la soumission du pays.

Otton doit également intervenir en Bohême où une révolution de palais avait provoqué l'assassinat du prince Venceslas. On a beaucoup épilogué sur la mort tragique de celui qui allait devenir le saint patron de la Bohême. Certains ont vu là un effet des sentiments antigermaniques et antichrétiens et ont supposé que Trahomira, mère de Venceslas, avait poussé son fils cadet Boleslas sur le trône pour échapper à l'influence saxonne. Otton dut faire plusieurs expéditions contre Boleslas et obtint finalement sa soumission vers 950.

La politique slave d'Otton l'amena à nouer des relations avec la lointaine principauté russe de Kiev. Olga, veuve du prince Igor, avait été baptisée à Kiev ou à Constantinople, on en discute encore, et cherchait à échapper à l'influence byzantine. En 959, elle envoie une ambassade à Francfort demander des prêtres pour la jeune Église mais surtout pour établir des relations commerciales avec la Germanie. Otton désigne comme évêque Adalbert, ancien moine de Trèves et abbé de Wissembourg : il est sacré « évêque des Russes ». Adalbert part pour Kiev mais en revient deux ans après, chassé soit par les chrétiens qui n'acceptent pas un clergé latin, soit par une réaction païenne.

Entre les Slaves de l'Est et de l'Ouest, les Hongrois tiennent toujours la Pannonie, et continuent à organiser des raids dévastateurs en Occident. La victoire d'Henri Ier en 933 n'avait que momentanément écarté le péril. En 950, Henri de Bavière effectue une expédition de représailles en Pannonie, mais quatre ans après, les Hongrois réapparaissent profitant de la révolte des grands contre Otton. Ils pillent la Bavière, la Lorraine et pénètrent en Champagne et en Bourgogne. Otton est décidé à frapper un grand coup. Réunissant les armées des princes bavarois, souabes, lorrains et même celles de Boleslas de Bohême, il remporte une éclatante victoire près d'Augsbourg au Lechfeld (955). De même que Charlemagne avait triomphé définitivement des Avars, Otton met fin aux invasions hongroises et, pour garantir son royaume, fortifie la Marche de Carinthie et organise celle d' « Ostarrichi », base de la future Autriche.

Au soir de sa victoire, Otton est proclamé par ses soldats « père de la Patrie et *Imperator* », comme l'avait été son père Henri Ier en 933. Mais cette fois l'expression n'a plus seulement une signification militaire. Depuis quelques années les actes officiels parlent de l'*Imperium*, de l'*Imperialis auctoritas* du roi et même en 952, au synode d'Augsbourg, Otton et les évêques délibèrent du statut de « l'empire chrétien ». Otton se prépare à revendiquer la couronne impériale d'autant plus que, depuis 951, il est maître de l'Italie.

## Conquête de l'Italie

Nous avons vu comment Hugues d'Arles avait été vaincu par le marquis d'Ivrée, Bérenger, et qu'il avait dû s'enfuir en Provence, laissant son fils Lothaire régner sous le contrôle de Bérenger. Il meurt en 947, son fils en 950. Bérenger II peut se faire couronner à Pavie avec son fils Adalbert. Pour se garantir contre les prétentions de la veuve de Lothaire, Adélaïde, princesse bourguignonne très populaire, il la fait emprisonner. Mais les partisans d'Adélaïde, surtout son frère Conrad le Pacifique, roi de Bourgogne transjurane, dénoncent cette forfaiture à Otton. Le roi saisit le prétexte pour réaliser le projet qu'il préparait depuis quelque temps. Il fallait faire vite car son frère Henri de Bavière s'était déjà emparé d'Aquilée et son fils Liudolf, duc de Souabe, rêvait d'occuper l'Italie.

Otton réunit son armée, passe le Brenner, oblige Bérenger II à s'enfuir. Le 23 septembre 951, à l'exemple de Charlemagne, il se fait élire roi des Francs et des Lombards. De plus comme il était veuf depuis 946, il épouse d'autorité l'infortunée Adélaïde et se concilie ainsi l'aristocratie italienne.

Roi d'Italie, Otton songe alors à Rome. Il envoie une ambassade au pape Agapet II pour préparer sa venue. Mais on le sait, Rome est entre les mains du sénateur Albéric qui n'a pas du tout l'intention de laisser sa place au nouveau roi d'Italie. Otton n'insiste pas et, rappelé en Germanie par la révolte de Liudolf mécontent du remariage de son père, il laisse le gouvernement de l'Italie à son gendre Conrad le Roux, duc de Lotha-

ringie. Ce dernier, que l'Italie attire peu semble-t-il, n'hésite pas
à traiter avec Bérenger II et le reconnaît comme vice-roi. Otton
ratifie l'accord sans grand enthousiasme et reçoit l'hommage
de Bérenger. Mais il détache les Marches de Vérone et d'Aquilée du royaume d'Italie et les remet à Henri de Bavière.

Des problèmes intérieurs retiennent Otton en Germanie,
mais il ne perd pas de vue son royaume italien. Ses succès sur
les Hongrois, sur les Slaves païens, renforcent son prestige en
Europe. Or, en Italie, Bérenger exerce un pouvoir tyrannique et
rêve même de mettre la main sur l'Italie centrale en profitant
de la mort du sénateur Albéric en 954. Rome est alors dirigée
par le bâtard d'Albéric, Octavien, un adolescent qui cumule les
fonctions séculières et ecclésiastiques. Désigné par son père
comme prince et sénateur, il est en effet élu pape en 955 sous le
nom de Jean XII.

Le jeune pape, dont la conduite scandaleuse défraie déjà la
chronique romaine et qui ne songe qu'à ses amours et aux parties de chasse, apprend qu'en 959 Bérenger s'est installé à Spolète et se prépare à conquérir Rome. Renouant avec la tradition
de ses lointains prédécesseurs, il fait appel au puissant roi de
Germanie et d'Italie et lui promet la couronne impériale. Otton
prépare soigneusement son expédition. Il fait élire son fils
Otton II comme roi et confie le gouvernement du royaume à
son autre fils Guillaume de Mayence et à son frère Brunon de
Cologne. Il fait rédiger par les moines de Saint-Alban de
Mayence un rituel pour son couronnement et même ordonne
de fabriquer la couronne qu'il devra recevoir. En septembre
961, il est à Pavie où il se fait acclamer roi une nouvelle fois,
puis envoie l'abbé de Fulda Abbon organiser son voyage romain.
Comme au temps de Charlemagne, Jean XII exigea que le roi
prête serment de travailler à l'exaltation de l'Église romaine, de
garantir la sécurité du pape et de lui restituer les territoires de
saint Pierre qu'il avait perdus. Le 31 janvier 962, Otton campait
au Monte Mario à deux kilomètres au nord du Vatican et le
2 février Jean XII le couronnait empereur ainsi qu'Adélaïde son
épouse.

Après une interruption de trente-huit ans, l'Europe avait
de nouveau un empereur. Otton, qui doit sa nouvelle dignité à
l'autorité qu'il a sur les différentes régions d'Occident et à ses
victoires sur les païens, ne se considère pas comme un empereur romain ou un empereur germanique mais, à l'exemple de
Charlemagne, il reprend le titre de *Imperator Augustus*. Rome
n'est point sa capitale et il préfère résider à Pavie et à Ravenne.
L'historien Widuking passe même sous silence le couronne-

ment romain comme pour affirmer que l'empire ne doit rien au pape mais à la suprématie européenne d'Otton. Jean XII au contraire, ou du moins les clercs de la chancellerie du Latran, fidèles à la tradition de Jean VIII, estiment que le couronnement est son œuvre ; il a couronné Otton pour la défense de l'Église universelle qu'il dirige. Et le 13 février 962, il se fait remettre par Otton un diplôme que l'on appelle l'*Ottonianum* qui reprend le privilège de Louis le Pieux de 817 et qui confirme les promesses de Pépin et de Charlemagne. Les territoires au sud d'une ligne allant de La Spezzia à Monselice, c'est-à-dire les trois quarts de l'Italie sont considérés comme possessions de saint Pierre. En fait il s'agit là d'une possession aussi fictive que l'avait été celle dont parlaient les privilèges précédents. De plus Otton Ier fait reprendre des éléments de la Constitution de 824 qui prévoyait l'installation de *missi* impériaux chargés de veiller à la justice et à l'ordre dans des États pontificaux. Tout en se considérant comme « avoué » de l'Église romaine, il prend des garanties pour l'avenir. La suite des événements prouve qu'il eut raison.

En effet à peine l'empereur Otton Ier est-il reparti en Italie du Nord pour soumettre définitivement Bérenger II, que Jean XII intrigue auprès des Byzantins inquiets de la restauration impériale et ouvre les portes de Rome au fils de Bérenger, Adalbert. Otton revient et, allant bien plus loin que Charlemagne, décide de faire juger le pape par un concile. Jean XII accusé d'être homicide, parjure, sacrilège et inceste est déposé et remplacé par le protoscrinaire, c'est-à-dire le chef de la chancellerie du Latran, Léon. L'empereur exige alors que les Romains « n'élèvent dorénavant ou n'ordonnent aucun pape en dehors du consentement et du choix du seigneur Otton ou de son fils le roi Otton ». Ainsi, pour des décennies, l'élection pontificale passe sous le contrôle absolu de l'empereur. Jean XII tente de résister, fort de l'appui de quelques aristocrates romains traditionnellement hostiles aux Germains ; il revient à Rome, fait casser les décisions du concile et reprend sa place au Latran. « Il mourut pape le 14 mai 964, écrit Mgr Duchesne, mais hélas comme il avait vécu. La main de Dieu l'atteignit dans le lit d'une femme mariée... » Le clergé romain, sans tenir compte du serment prêté à l'empereur, le remplace par Benoît V. Otton, qui venait de soumettre Bérenger, intervient alors énergiquement, fait déposer le pape intrus et rétablir Léon VIII. Ces épisodes indiquent assez les difficultés qu'Otton rencontra dans ses relations avec le clergé et la population romaine. Il s'en rend compte et, à la mort de Léon VIII (965), il accepte qu'un représentant du clan aristocratique soit élu pape sous le nom de Jean XIII *(cf. tableau XX)*.

Maître de l'Italie du Nord et du centre, Otton pénètre en Italie méridionale qui était partagée entre les principautés de Capoue, de Bénévent, de Salerne et les possessions byzantines de Pouille et de Calabre. Depuis 944 et 946, les Byzantins étaient entrés en relation avec le roi de Germanie. En 962, ils ne réagissent pas aussi énergiquement que leurs prédécesseurs après 800 et acceptent le nouveau « basileus des Francs ». Mais en 963 le général Nicéphore Phocas, devenu empereur, s'inquiète de la politique d'Otton en Italie du Sud. Souhaitant trouver un terrain d'accord, Otton propose le mariage de son fils et d'une princesse byzantine. Comme Charlemagne et d'autres princes, il rêve d'unir l'Orient et l'Occident. Les premières négociations échouent : Otton envahit l'Apulie mais ne peut prendre Bari. En 968, il envoie à Byzance l'évêque Liutprand de Crémone et l'on sait, par le célèbre rapport que fit ce dernier à son retour, que la mission échoua complètement. L'assassinat de Nicéphore en 969 et l'avènement de Jean Tzimiscès permirent l'organisation du mariage projeté. Otton II, qui avait été couronné empereur par le pape en 967, épouse à Rome la Byzantine Théophano. Nous verrons plus loin les conséquences de ce mariage pour l'histoire de la culture occidentale.

L'empire est rétabli. L'empire, et non pas comme on le dit trop souvent l'Empire germanique, voire le Saint-Empire romain germanique, expressions erronées qu'il faut à jamais bannir des manuels. Simplement parler de Saint-Empire convient mieux car, sacré à Aix, couronné à Rome, Otton est investi d'une haute mission religieuse ; il doit protéger l'Église romaine, réaliser l'entente entre les chrétiens, lutter contre les barbares et faire connaître l'Évangile à de nouveaux peuples. Huit jours après son couronnement, Otton obtient du pape la permission d'établir à Magdebourg une métropole dont dépendront les évêchés déjà créés et ceux qui seraient fondés à l'avenir. La résistance de Guillaume, archevêque de Mayence qui ne voulait pas abandonner ses prérogatives, et celle de l'évêque Bernard d'Halberstadt, qui voyait avec déplaisir l'amputation de son propre évêché, retardèrent l'application du plan jusqu'en 968. Après la mort des deux opposants, l'archevêché de Magdebourg est confié à Adalbert, qui, étant allé en Russie, connaissait peut-être le slave. Il eut comme suffragants les évêques de Brandebourg, d'Havelberg, de Mersebourg, de Zeitz et de Meissen. Jean XIII remit le pallium au métropolitain considéré comme un nouveau Boniface *(Cf. Cartes VI et X)*.

Se pose alors le problème des relations entre l'archevêque de Magdebourg et la jeune Église polonaise. En effet, les peuplades slaves qui sont installées dans les vallées de la Wartha et de la Vistule commencent à être christianisées. Les Vislanes, autour de la place forte de Cracovie, avaient sans doute reçu, dès le IXᵉ siècle, des missionnaires venus de la Grande Moravie. Au siècle suivant, une autre peuplade, les Polanes, « hommes des champs », qui ont donné leur nom à la Pologne, étendent leur domination à partir de Gniezno et de Posnan. En 960, leur chef Miesco, issu de la famille des Piast, s'empare des châteaux de Mazovie, prend Lubusz sur l'Oder qui lui facilite l'accès à l'estuaire de ce fleuve. Il entre alors en contact avec le margrave Géro et lui verse un tribut. Marié à Dobrava, fille du duc Boleslas de Bohême, Miesco influencé par sa femme mais aussi sachant qu'il ne pourrait être bien considéré de l'Occident qu'en devenant chrétien, se fait baptiser en 966 sous le nom de Dagobert. Deux ans après un évêché est créé à Posnan dont le premier titulaire est Jordan un clerc d'origine lotharingienne ou aquitaine, on en discute. L'archevêque de Magdebourg considère le nouvel évêque comme son suffragant, mais dès cette époque l'évêque de Posnan essaie d'échapper à son autorité, premier pas vers l'émancipation de l'Église polonaise.

Du côté de la Hongrie la christianisation progresse également. Déjà des missionnaires byzantins ont commencé à convertir les Hongrois de Transylvanie. Le mariage entre Sarolta, fille du chef de cette région, et Geiza de la famille des Arpad, fixée sur les bords du lac Balaton, risque de faciliter la pénétration byzantine en Pannonie. Par la suite Geiza ayant épousé une princesse polonaise, le clergé allemand en profite pour s'intéresser à l'évangélisation de la Hongrie. L'archevêque de Salzbourg Frédéric et l'évêque de Passau Pilgrim revendiquent, en utilisant des faux, une ancienne autorité sur la plaine pannonienne. Pourtant Geiza ne songe pas encore au baptême et se contente de conclure une paix durable avec Otton Iᵉʳ.

A l'assemblée de Quedlinbourg, à Pâques 973, Otton voit le couronnement de sa politique orientale ; à côté des envoyés de Byzance et des princes bulgares, nous trouvons des ambassadeurs hongrois, tchèques, polonais venus saluer le vieil empereur.

## La Lotharingie terre de rencontre
## entre rois de Germanie et rois carolingiens

En rattachant la Lotharingie à son royaume, Henri Ier a rendu possible le sacre de son fils à Aix, mais les Carolingiens revenus au pouvoir en cette même année 936 revendiquent toujours ce royaume comme leur héritage. Il ne s'agit pas de conflit entre France et Allemagne comme le voulaient les historiens d'avant ou d'après la Première Guerre mondiale. La Lotharingie est toujours le vieux royaume des Francs d'où les premiers Carolingiens sont partis, où ils ont non seulement leurs souvenirs mais aussi une partie de leur clientèle aristocratique et quelques biens domaniaux.

### Louis IV, Otton Ier et la Lorraine

Louis IV d'Outremer reprend la politique de son père Charles qui, pendant quinze ans, avait été roi de Lotharingie. Peu de temps après son avènement il est invité par les aristocrates lorrains à revendiquer cette terre. En effet, Giselbert, quoique beau-frère d'Otton, est entraîné dans la révolte des grands contre le roi de Germanie. Il rêve de reprendre la place de son père Rénier qui gouvernait le royaume au nom du Carolingien. Louis IV accepte l'hommage des seigneurs lorrains, aristocrates laïcs et évêques de Metz, de Verdun, de Toul. Il est sur le point de réussir lorsque Giselbert se noie en franchissant le Rhin. Cet accident ruine les espoirs de Louis et permet à Otton de redresser une situation compromise. Pourtant Louis IV continue à espérer en l'appui lorrain et pour le renforcer épouse la veuve de Giselbert, Gerberge, la sœur d'Otton. Ce dernier profite des luttes entre le roi et les princes de Francie et reçoit même au palais royal d'Attigny en 942 Hugues le Grand et Herbert de Vermandois venus lui faire hommage. On a beaucoup épilogué sur cette entrevue et l'on a accusé Hugues le Grand d'avoir pactisé avec « l'étranger ». En fait nous sommes bien habitués à ce genre de politique. Comme au IXe siècle, les grands passent sans scrupule d'une fidélité à une autre. De même que les fidèles de Charles le Chauve avaient fait hommage à Louis de Bavière, les grands de Francie ne songent qu'à leur intérêt en se commandant à un « roi des Francs », quitte à l'abandonner par la suite. En 942, Louis rencontre Otton à Visé sur la Meuse et lui reconnaît la suzeraineté sur la

Lotharingie. Par la suite nous l'avons vu, Otton aida son beau-frère à rétablir sa situation compromise.

Louis ne semble pas avoir profité de la révolte du Franco-nien Conrad qu'Otton avait installé dans le duché de Lorraine. Devant cette nouvelle révolte des grands, Otton charge son frère Brunon, archevêque de Cologne, de gouverner la Lotharingie. Après avoir triomphé non sans mal des aristocrates lorrains, Brunon divise en 959 le royaume en deux : il confie la basse Lotharingie à des aristocrates originaires de Verdun, et la haute Lotharingie, qui correspond à la province ecclésiastique de Trèves, au comte de Bar Ferri qui appartenait aux Carolingiens par sa mère et qui avait épousé Béatrice, fille d'Hugues le Grand et nièce de Brunon (cf. tableau XXVII).

## La régence de Brunon

Après la mort de Louis IV, Brunon prend sous sa protection le nouveau roi de France Lothaire qui était son neveu et, deux ans après, à la mort d'Hugues le Grand, il fait de même pour le fils du duc qui était également son neveu. Jusqu'à sa mort en 965, le « duc » de Lorraine joue le rôle de véritable régent dans le royaume de Francie occidentale et réussit à éviter les conflits entre Lothaire et Hugues Capet. Il mérita d'être appelé *archidux, tutor et provisor occidentis.* Homme de guerre, diplomate autant que clerc lettré, Brunon a une conception politique très carolingienne. Le 2 juin 965, il réunit à Cologne l'empereur Otton, sa sœur Gerberge, le roi Lothaire et son frère Charles, réunion de famille pendant laquelle on projette le mariage du roi de France et de la fille de l'impératrice Adélaïde, Emma. De plus à la mort de l'archevêque de Reims, Artaud, Brunon empêche le prétendant Hugues de reprendre la place et installe un de ses amis, Oldéric, chanoine de Metz, qui se disait descendant de saint Arnoul. Pendant trente ans, les évêques de Reims vont être Lorrains. En effet après la mort d'Oldéric (969), c'est également un Lorrain Adalbéron qui est choisi pour le remplacer. Adalbéron appartient à l'illustre famille des Wigéricides (cf. tableau XXVII). Élevé dans le monastère de Gorze sous la direction de son oncle Adalbéron Ier de Metz, il est le neveu de Ferri, comte de Bar, et le frère de Godefroi maître d'importants domaines et comte de Verdun. La position d'Adalbéron est délicate. Il se doit à son roi mais également à sa famille, et nous le verrons, il fit souvent passer les intérêts de ses parents avant ceux de son souverain. Il est fidèle du roi de France, mais son évêché déborde les frontières du royaume et parmi ses suffragants, il compte l'évêque de Cambrai, ville située dans l'empire. Adalbéron est un prince évêque de type carolingien qui veut servir et les intérêts de l'Église et ceux de l'empire.

## Les derniers Carolingiens
## victimes de leur politique lotharingienne

Otton le Grand est mort en 973. Son fils, Otton II, âgé de dix-huit ans, doit lutter contre quelques révoltes en Souabe, en Bavière et en Lotharingie. Les aristocrates lorrains avaient mal supporté la politique énergique de Brunon : le neveu de Giselbert, Rénier III, avait été exilé sur l'ordre de l'empereur en Bohême et ses deux fils, Rénier IV et Lambert, s'étaient retirés à la cour de Lothaire. Ils reviennent en Lorraine pour recouvrer leurs biens en Hainaut, sont vaincus par Otton et trois ans après tentent de reprendre l'aventure avec l'appui de Charles, frère de Lothaire. Otton II décide alors de se concilier ce dernier en en faisant un vassal et en lui donnant le titre de duc de basse Lorraine. Charles ne demande pas mieux d'autant qu'il s'était brouillé avec son frère en accusant la reine Emma de relations coupables avec le nouvel évêque de Laon, un Lorrain lui aussi, Adalbéron neveu de l'archevêque de Reims.

En 978, profitant de la mort de Ferri de Bar, Lothaire se décide brusquement, avec l'accord du duc Hugues Capet, à reprendre la Lorraine. Il a la folle idée de surprendre Otton à Aix-la-Chapelle et réussit à occuper la ville. Succès remarquable mais sans suite. Des troupes de Lothaire occupent le palais impérial et, pour symboliser leur victoire, retournent vers l'est l'aigle de bronze qui se dressait au sommet du palais. Trois jours après ils repartent, ce qui prouve bien qu'ils n'avaient pas trouvé en Lotharingie un courant d'opinion favorable. Otton répond à cette attaque par une chevauchée de représailles qui le mène jusqu'à Paris par Reims et Saint-Médard où il fait ses dévotions. Mais lui non plus ne peut rester si loin de ses bases, est repoussé par Hugues Capet, le duc de Bourgogne et Geoffroi d'Anjou, mais semble-t-il, il est aidé dans sa retraite par Adalbéron de Reims. Ne voyons pas dans ces deux campagnes militaires une sorte de conflit franco-allemand, mais simplement deux expéditions de pillages dans le goût de l'époque, propres à satisfaire les aristocrates. L'expédition d'Otton II fut d'ailleurs assez mal vue par certains contemporains qui estimaient qu'il valait mieux aller combattre les païens que de rompre la fraternité chrétienne qui unissait le roi aux Carolingiens. D'ailleurs les deux princes ne tardèrent pas à se réconcilier lors d'une entrevue à Margut sur la Chiers, près de Sedan, en 980. Deux ans après, Otton II confie à Gerbert, écolâtre de Reims et principal conseiller d'Adalbéron, l'abbaye de Bobbio. Gerbert devient ainsi le vassal de l'empereur et pendant toute sa carrière il resta fidèle aux Ottoniens.

La mort d'Otton II en Italie en 983 est l'occasion de nouvelles révoltes en Germanie. Henri de Bavière, cousin de l'empereur défunt, s'empare du jeune Otton III, âgé de trois ans, et se fait proclamer roi par ses partisans. Le loyalisme d'une grande partie de l'aristocratie et surtout des évêques empêche la tentative de réussir. Les plus ardents défenseurs du jeune prince sont Adalbéron de Reims et ses parents de Lotharingie. Adalbéron, alors conseillé par Gerbert, imagine de faire donner la tutelle du jeune empereur à Lothaire ; ce dernier accepte espérant reprendre sa politique lorraine. Mais ce projet n'eut pas de suite car l'impératrice Théophano et l'archevêque Willigis reprirent en main les affaires du royaume et délivrèrent le prince. Lothaire déçu intrigue alors avec Henri de Bavière et s'en prend à l'aristocratie lotharingienne.

La politique d'Adalbéron se précise : ses parents occupent alors des évêchés lorrains, son cousin germain, Adalbéron fils de Ferri, est fait évêque de Metz, son neveu Adalbéron, fils de Godefroi de Verdun, est désigné pour l'évêché de Verdun (cf. tableau XXVII). L'archevêque de Reims pousse Hugues Capet à se rapprocher d'Otton et des aristocrates lorrains. Gerbert va jusqu'à dire que Lothaire « ne gouverne la France que de nom et qu'Hugues est le véritable maître du royaume ». Lothaire réussit à prendre Verdun, à faire prisonnier Godefroi. Grâce aux lettres de Gerbert, nous savons comment Adalbéron, secrètement, soutient ses parents contre le roi de France, en liaison avec Théophano et l'archevêque de Trèves. Lothaire alors décide de traduire Adalbéron devant une assemblée à Compiègne sous prétexte qu'il avait fait donner l'évêché de Verdun à son neveu sans l'accord du roi. En fait il l'accuse de l'avoir trahi. Mais Hugues Capet ayant dirigé une petite armée vers le palais, l'assemblée se disperse. Quelque deux semaines après, Lothaire meurt à l'âge de quarante-quatre ans (986).

Son fils Louis V, qui avait été associé au trône dès 978, a dix-neuf ans. Il n'a pas les qualités politiques de son père et est poussé par sa mère Emma, fille de l'impératrice Adélaïde, à se rapprocher des Ottoniens. Pourtant Louis V, toujours maître de Verdun, se sépare de sa mère. Dans une lettre rédigée par Gerbert, la reine appelle Adélaïde à son secours, ce qui prouve une fois de plus la force de la solidarité familiale. Le jeune roi veut en finir avec Adalbéron et décide de reprendre la procédure engagée contre l'archevêque de Reims. Mais un événement imprévu survient : la mort du roi dans une partie de chasse, le 22 mai 987.

Louis V n'a pas d'héritiers, le seul prétendant au trône est son oncle Charles de Lorraine. Adalbéron va alors promptement agir en faveur du prince qui lui paraît le plus apte à diriger le royaume, à savoir Hugues Capet. Le discours qu'il fait à l'assemblée de Senlis devant les grands du royaume est resté célèbre. L'archevêque fait valoir qu'en l'absence d'héritier direct, le trône doit revenir par élection au prince qui est le plus capable et le plus noble : « Le trône ne s'acquiert pas par droit héréditaire, et l'on ne doit mettre à la tête du royaume que celui qui se distingue non seulement par la noblesse corporelle mais encore par des qualités d'esprit, celui que l'honneur recommande, qu'appuie la magnanimité. » Or, Charles de Lorraine, qui pourrait prétendre à la succession, est peu recommandable et a épousé la fille d'un petit chevalier. Hugues Capet, au contraire, se recommande par sa noblesse, ses actions, sa puissance militaire : « Vous trouverez en lui un défenseur non seulement pour l'État, mais encore pour vos intérêts privés. Grâce à son dévouement, vous aurez en lui un père. Qui a jamais eu recours à lui sans obtenir de patronage ? Quel est l'homme qui, arraché à la protection des siens, ne leur a pas été rendu ? » Adalbéron aurait pu ajouter qu'Hugues était allié familialement aux grands puisque son frère était duc de Bourgogne et que ses beaux-frères étaient respectivement duc de Normandie et duc d'Aquitaine. En somme nous avons là les arguments qu'un évêque aurait pu avancer lorsque Pépin a pris la couronne. En face des Mérovingiens, Pépin III avait l'autorité ; face aux Carolingiens, Hugues a également l'autorité et la puissance, donc la couronne lui revient.

Le 1er juin 987, Hugues Capet est élu roi, le 3 juillet il est sacré à Reims par Adalbéron et prononce la promesse rituelle comme l'avaient fait les Carolingiens. De plus, comme ses prédécesseurs, il associe au pouvoir son fils Robert, âgé de quinze ans et le jour de Noël 987, il le fait couronner à Orléans. Il rêva même pour lui d'un illustre mariage et fit écrire par Gerbert devenu son secrétaire une curieuse lettre à l'empereur byzantin pour demander la main d'une princesse grecque. Si le projet n'eut pas de suite, Robert épousa Rozzala la veuve d'Arnoul de Flandre qui était fille de Bérenger II d'Italie et qui donc se rattachait à la famille carolingienne (cf. tableau XXI). L'archevêque de Reims a donc un roi à sa dévotion, son frère Godefroi,

prisonnier depuis la prise de Verdun, est relâché, Hugues abandonne Verdun et ses prétentions sur la Lotharingie.

Mais n'allons pas croire que Charles de Lorraine ait
accepté d'être privé de la couronne. Jusqu'en 991, il continua à
résister. Il commença par prendre Laon, emprisonna l'évêque
Adalbéron et la reine Emma. A la demande de l'impératrice
Adélaïde, il relâcha Emma mais garda la ville. Un an après,
Adalbéron de Reims mourait et Gerbert espérait la succession.
Mais Hugues en décida autrement : prouvant une fois de plus
l'ingratitude des grands, il crut de bonne politique, pour se rapprocher des partisans carolingiens, de faire élire Arnoul le
bâtard de Lothaire, clerc de l'église de Laon, en prenant la précaution de lui faire jurer fidélité et de lui faire signer un acte
qui l'engageait. Vaine précaution. A peine Arnoul était-il archevêque de Reims qu'il complotait avec son oncle et lui livrait la
ville de Reims. Hugues Capet assiégea Laon pour la troisième
fois et, grâce à la trahison de l'évêque Adalbéron étant passé à
plusieurs reprises d'un parti à l'autre, il réussit à s'emparer et
de la ville et de la personne du prétendant. Charles fut enfermé
à Orléans où il mourut quelques années plus tard. Son corps
fut transféré à Maëstricht, pays de ses ancêtres, en 1001. Son
fils Otton qui était resté en basse Lorraine lui succéda et resta
fidèle à Otton III, un autre fils fut confié à Adalbéron de Laon,
et réussit à s'installer par la suite en Thuringe. Sa fille Gerberge
épousa Lambert de Liège, duc de Hainaut et de Louvain. Quant
à Arnoul, il fut jugé sur l'ordre du roi par l'assemblée de Saint-
Basle, dégradé et emprisonné : l'archevêché de Reims revint à
Gerbert, du moins pour quelques années.

Ainsi trois siècles après la victoire de Tertry qui avait permis à Pépin II d'unir les mairies du palais d'Astrasie et de
Neustrie, la famille carolingienne était définitivement évincée
du pouvoir. Les derniers Carolingiens, quoi qu'on en ait dit,
n'ont pas démérité et ont tenu dignement leur rôle. Mais en
cherchant avec obstination à reprendre cette Austrasie qui
avait été le berceau de leur famille, ils se sont aliéné leurs cousins ottoniens et ont perdu l'appui de l'archevêque de Reims,
appui qui, depuis le IXe siècle, avait été un des facteurs de leur
succès. Politique irréaliste obéissant à des concepts d'un autre
âge dans un monde qui, nous le verrons en conclusion, n'est
plus le monde carolingien.

## CINQUIÈME PARTIE

# LES ROIS ET LA CIVILISATION DE L'EUROPE DU PREMIER MILLÉNAIRE

Il ne suffit pas d'avoir rappelé les différentes étapes de la constitution de l'Occident européen. Il faut maintenant faire le bilan de tout ce que les Carolingiens et leurs successeurs ont créé dans les domaines institutionnel, social, économique et culturel. Lorsque la famille carolingienne a pris en main les destinées de l'Occident, l'Europe est à peine sortie des troubles des grandes invasions. Quatre siècles après, des institutions et des structures économiques destinées à durer longtemps sont mises en place. De plus les rois, l'aristocratie, les clercs et les moines ont œuvré à l'épanouissement d'une civilisation qui n'est plus celle de l'Antiquité tardive, qui n'est pas encore celle de l'Europe médiévale, mais qui, dans tous les domaines, témoigne d'une unité et d'une grandeur indéniables.

# CHAPITRE PREMIER

# L'ÉGLISE CAROLINGIENNE

Commençons par l'Église, institution mise en place à la fin de l'Antiquité, avant que naissent les royaumes barbares. Du Ve au VIIe siècle, l'Église est « passée aux barbares » et a commencé à répandre l'Évangile dans l'Occident. Mais, à force de s'être adaptée au monde barbare, elle s'est barbarisée, si bien qu'à la fin du VIIe siècle elle connaît une grave crise intérieure. Nous avons vu comment les rois carolingiens ont contribué à la réforme de l'Église, comment ils ont pris la direction des affaires religieuses. Ce faisant ils ont réformé les institutions ecclésiastiques et ont donné à l'Église des structures qu'elle gardera pendant des siècles.

## Mise en place des structures ecclésiastiques

### Le clergé séculier

Après un moment d'hésitation au milieu du VIIIe siècle, les rois carolingiens ont rétabli les provinces métropolitaines, ayant chacune à leur tête un évêque que l'on appelle maintenant archevêque. En 814, le testament de Charlemagne donne la liste de vingt et une provinces : Rome, Ravenne, Milan, Cividale-en-Frioul, Grado, Cologne, Mayence, Salzbourg, Trèves, Sens, Besançon, Lyon, Rouen, Reims, Arles, Vienne, Moutiers-en-Tarantaise, Embrun, Bordeaux, Tours, Bourges. Les métropolitains ont autorité sur leur évêque suffragant et sont jaloux de leur pouvoir. Les partages territoriaux du IXe siècle, la rédaction des *Fausses Décrétales* qui tendent à renforcer le pouvoir de l'évêque, ont pu affaiblir le pouvoir des métropolitains, mais dans l'ensemble les archevêques restent maîtres de leur province. Hincmar, le puissant métropolitain de Reims, affirme hautement ses droits lorsqu'il s'oppose à Rothade de Soissons ou à son neveu Hincmar de Laon. Certains archevêques étendent leur autorité sur les nouveaux pays gagnés au christianisme, tel celui de Hambourg pour les régions scandinaves, celui de Salzbourg pour les pays slaves et pannoniens et celui de Cologne de qui dépendent les évêchés de la Germanie du Nord.

Depuis le milieu du VIII<sup>e</sup> siècle, les conciles sont de nouveau réunis et regroupent les évêques autour de leur métropolitain. Les rois veillent à la réunion périodique de ces conciles qui s'occupent de questions morales, religieuses, doctrinales et politiques. A l'issue de ces assemblées sont rédigés les canons qui, regroupés par la suite, ont permis l'élaboration du droit de l'Église.

L'évêque dirige son diocèse aidé par le clergé cathédral et particulièrement par l'archidiacre, son principal collaborateur. La règle des chanoines promulguée par Chrodegand de Metz qui avait imposé aux clercs la vie commune à la façon des moines est l'objet d'une nouvelle rédaction au concile d'Aix en 817 et s'impose peu à peu dans tous les diocèses. L'évêque visite régulièrement son diocèse ou du moins doit le visiter. Les rois carolingiens rétablissent cette obligation prévue dès le IV<sup>e</sup> siècle. L'arrivée de l'évêque est souvent redoutée des prêtres ruraux non seulement parce qu'ils craignent l'inspection de leur église mais parce que l'évêque et sa suite exigent des redevances en nature ou en argent. En 844, Charles le Chauve doit intervenir pour limiter les exigences des évêques de Narbonne et protéger le clergé rural. Grâce au *Liber de synodis causis* que Réginon de Prüm écrivit pour l'archevêque de Trèves, nous savons comment l'évêque procède lors de cette tournée et les questions qu'il pose : il s'enquiert de l'état matériel des bâtiments, des revenus du clergé, du niveau de la culture du prêtre, des livres qu'il possède, mais aussi de la façon dont il vit, de sa moralité, de ses relations avec ses ouailles, etc. De son côté, le clergé se rend régulièrement auprès de l'évêque et participe au synode diocésain. Les statuts qui sont rédigés à l'issue de ces assemblées nous donnent un aperçu de tous les problèmes qui se posaient dans les églises locales. La situation des prêtres ruraux dans le premier millénaire est assez précaire et elle le restera pendant tout le Moyen Age. Le prêtre est souvent d'origine modeste et partage la vie et les plaisirs des paysans. On l'invite au cabaret, aux repas de noces, on excuse ses faiblesses, on accueille la femme qui tient son foyer malgré les interdictions canoniques. Beaucoup de prêtres ruraux d'ailleurs dépendent moins de l'évêque que des propriétaires locaux. Ces derniers, fondateurs d'église sur leurs domaines, installent un prêtre qui leur est tout dévoué et usurpent une partie des revenus de la dîme. Les évêques carolingiens pas plus que leurs successeurs des âges postérieurs ne peuvent déraciner ces abus.

Pour mieux administrer les trop grands diocèses, les Carolingiens ont créé à l'intérieur des réseaux hiérarchiques. On commence à diviser le diocèse en archidiaconés et ces circonscriptions en doyennés qui regroupent plusieurs villages. Les diocèses de Reims, de Soissons, ont dès le IX$^e$ siècle des archidiacres. Le diocèse de Langres compte deux archidiaconés en 801, trois en 870, cinq en 889, six en 903. Nous assistons à la naissance d'une institution qui se généralise aux X$^e$ et XI$^e$ siècles. Quant aux doyennés ruraux, à la tête desquels se trouvent les archiprêtres, ils sont assez peu nombreux, et sont surtout connus en Italie et dans le diocèse de Reims. Comme le dit J.F. Lemarignier, « il était plus facile de réorganiser une vingtaine de provinces que de créer plusieurs centaines d'archidiaconés ou de doyennés ». Il était important de signaler la naissance de ces institutions appelées à un long avenir, qui témoignent du souci d'ordre et de hiérarchie que l'on trouve dans toutes les réformes carolingiennes.

En restaurant les anciennes structures administratives de l'Église et en prenant l'initiative d'en créer de nouvelles, les Carolingiens ont voulu favoriser l'encadrement des fidèles et faire pénétrer plus profondément le christianisme. Les clercs, mieux instruits des lois de l'Église, doivent veiller à la formation religieuse des laïcs. Les rois carolingiens le disent et le redisent aux évêques, les évêques aux prêtres. Ainsi se met en place ce que l'on a appelé le « conformisme dominical et saisonnier » : baptême des enfants à leur naissance, obligation du repos le dimanche, assistance aux offices, confessions et communions trois fois par an, etc. Sans doute l'enseignement que reçoit le peuple se réduit bien souvent à une morale négative : ce qu'il faut faire et surtout ce qu'il ne faut pas faire. Le respect des prescriptions extérieures rejoint le légalisme vétéro-testamentaire. On punit l'infraction à une loi, on fait passer l'intérêt du groupe social avant le progrès spirituel individuel. Dans le « régime de chrétienté » qui naît, on doit donner aux laïcs des habitudes de pratiques religieuses. Le reste viendra par surcroît.

Le monachisme

Lorsque les Carolingiens prennent le pouvoir, les monastères sont implantés partout en Occident (on en rencontre plus de trois cents) mais tous ne connaissent pas une vie régulière et beaucoup suivent une règle différente. Charlemagne, par nature, se méfie des hommes qui vivent à part et s'isolent du monde même si c'est pour mener une vie sainte. A plusieurs reprises, il s'en prend aux moines qui vagabondent ici et là — particulièrement aux moines venant des îles Britanniques —, sans qu'on puisse savoir de quelle autorité ils relèvent. Il veut des familles monastiques stables, dirigées par un abbé de valeur, s'adonnant au travail manuel et intellectuel et surtout à la liturgie, car il compte sur les prières que les moines adressent à Dieu pour le succès de ses entreprises. Les capitulaires et les canons des conciles rappellent continuellement les principes du monachisme quelle que soit la règle suivie : observance des vœux, chasteté, pauvreté, intervention des évêques dans les monastères, interdiction de toute activité extérieure, etc.

A la fin de son règne, Charlemagne se rendit compte que le meilleur moyen de réformer les monastères était d'imposer partout la règle qui lui paraissait excellente, celle de saint Benoît. En 813, il demanda à l'abbé du Mont-Cassin, monastère qui apparaissait comme le modèle de l'observance bénédictine, de lui envoyer une copie de la règle, et il fit diffuser partout ce texte. Il est certain que le vieil empereur connaissait alors l'activité de celui qui allait devenir le second fondateur du monachisme bénédictin Benoît d'Aniane.

Benoît, fils d'un aristocrate wisigoth, avait passé sa jeunesse à la cour, puis en 774, s'était retiré dans un monastère bourguignon. Après avoir étudié les différentes règles en usage, il décide de faire revivre la règle de saint Benoît dans le monastère qu'il fonde sur ses propres domaines à Aniane. Fort de l'appui de Louis, roi d'Aquitaine et de l'amitié d'Alcuin, abbé de Saint-Martin de Tours et de Théodulf, évêque d'Orléans, Benoît réforme plus de vingt monastères en Aquitaine. Devenu empereur, Louis le Pieux installe Benoît à Inden près d'Aix-la-Chapelle et « le met à la tête de tous les moines de son empire pour que de la même manière qu'il avait instruit l'Aquitaine et la Gothie de la règle du salut, il réforme la Francie par l'exemple salutaire ». En 817, l'empereur réunit à Aix les abbés de tout l'empire dans une sorte de « chapitre général », fait approuver le *Capitulare monasticum* préparé par Benoît. Ce texte de 83 articles codifie usages et coutumes monastiques selon l'esprit de la règle bénédictine. Des *missi* sont envoyés partout pour faire appliquer la réforme. Sans entrer dans les débats suscités à propos de ce nouveau capitulaire, reconnaissons que, tout en restant fidèle à l'esprit de la règle bénédictine, Benoît d'Aniane apporte quelques innovations qui ont été reprises dans le monachisme médiéval : il augmente l'importance de l'office, ajoute des prières, donne au chapitre un droit de regard sur les charges de l'abbé, institue un contrôle plus strict sur la vie des moines, réserve l'école aux seuls futurs moines et même insti-tue dans chaque monastère une prison. Par la suite, on a pu reprocher à Benoît un désir de centralisation contraire à l'esprit d'indépendance et d'autonomie des monastères. En cela, la réforme de Benoît est conforme à l'effort entrepris par les rois carolingiens. Pour réformer les monastères, il fallait uniformiser la législation et créer un esprit commun entre les différents établissements. D'ailleurs, à cette époque, se créèrent des associations de prières entre abbayes, prières pour les morts et pour les vivants, dont on inscrit les noms sur des parchemins. Ainsi se créent des filiations toutes spirituelles entre les moines de l'empire. On a dit avec raison que Benoît d'Aniane avait préparé l'œuvre de Cluny, ce monastère fondé par Guillaume, duc d'Aquitaine, en 909, et qui est devenu la tête d'un ordre monastique. D'ailleurs le biographe de l'abbé Odon de Cluny assure que Benoît a été « l'instituteur de ces coutumes que l'on a encore dans nos monastères ». Par ses réformes, Benoît d'Aniane a ouvert une nouvelle page de l'histoire du monachisme européen.

## Une Église soumise aux princes

En aidant à la réforme de l'Église, en restaurant les structures ecclésiastiques, les rois carolingiens comptent que cette Église collabore à leur politique et leur soit soumise. Charlemagne, « nouveau David », n'imagine pas que les évêques, les abbés, tout le clergé et même le pape échappent à son contrôle. Ses successeurs en firent autant. S'ils sont d'accord pour que les deux pouvoirs, le temporel et le spirituel, coopèrent dans l'unité à l'édification du monde chrétien et au salut des hommes, ils ont en fait établi une « monarchie sacrale » dans laquelle le prince et ses représentants prennent toutes les décisions. Cette situation se maintiendra jusqu'au XIe siècle, époque à laquelle l'Église revendiquera sa liberté.

Le roi nomme les évêques et les abbés en les choisissant le

plus souvent parmi les clercs de son entourage ou dans les familles aristocratiques qui lui sont fidèles. Depuis le règne de Pépin le Bref, les Carolingiens disposent de grandes abbayes, environ deux cents, qu'ils considèrent comme des biens personnels. Ils installent à leur tête leurs fils et leurs filles, leurs bâtards et leurs amis. Ainsi Alcuin reçoit le monastère de Ferrières, de Saint-Loup près de Troyes, de Flavigny, de Saint-Josse et de Saint-Martin de Tours. L'abbaye de Chelles est réservée aux sœurs et aux filles des rois. Wala, cousin de Charlemagne, est abbé de Corbie et de Bobbio. Adalard, oncle de Charles le Chauve, abbé de Saint-Vaast, Stavelot, Echternach, Saint-Maximin de Trèves, etc. De plus, à côté de l'abbé régulier, les Carolingiens nomment des aristocrates comme abbés laïcs : Angilbert, gendre de Charlemagne, est abbé de Saint-Riquier et son fils lui succède ; Eginhard est abbé laïc de Seligenstadt en Franconie, de Saint-Jean-Baptiste de Pavie, de Saint-Wandrille, de Saint-Servais de Maëstricht, de Saint-Pierre et de Saint-Bavon de Gand. On pourrait multiplier les exemples. Ceci est évidemment contraire à l'effort de réforme monastique, mais les rois considèrent qu'il s'agit de cas particuliers et que la nécessité de leur politique les oblige à contrôler les abbayes les plus riches et situées dans les points stratégiques de l'empire.

Lorsque le roi nomme évêques ou abbés, il estime qu'ils doivent partager leur temps entre leur charge pastorale et le service du prince. Il les convoque à la cour, les charge de missions administratives et diplomatiques. Quelques prélats se plaignent de ne pouvoir remplir correctement leur devoir de pasteur, mais la plupart acceptent, non seulement parce que le prince le leur demande mais parce qu'ils se laissent prendre par la vie active et qu'ils en tirent bien des avantages.

Que dire alors des évêques et abbés qui entrent dans la vassalité du roi ? Au cours du IXᵉ siècle, on assimile de plus en plus les fonctions épiscopales et abbatiales à des bénéfices. Recevant la crosse, symbole de leur fonction, ils jurent fidélité au roi comme n'importe quel vassal. Écoutons Hincmar de Laon s'adresser à Charles le Chauve : « Moi Hincmar, évêque de Laon, je serai dorénavant à partir de cette heure fidèle à mon seigneur Charles comme par droit un vassal doit l'être à son seigneur et un évêque à son roi et obéissant comme par droit un vassal doit l'être à son seigneur et un évêque du Christ dans la mesure de ce qu'il sait et de ce qu'il peut doit l'être à la volonté de Dieu et à ce qui fait le salut du roi. » Les obligations dues au prince par les vassaux ecclésiastiques sont celles de n'importe quel vassal : envoi de contingent militaire à l'ost, assistance au plaid, aide, etc. Nous sommes là au début d'un processus qui engage le haut clergé dans une voie dangereuse. Il aurait fallu être des saints pour résister à toutes les tentations qu'offrent ces engagements temporels. Les rois carolingiens ont sans le vouloir contraint évêques et abbés à se séculariser et à perdre de vue leur vocation religieuse.

Enfin pour établir un lien privilégié entre les hauts dignitaires ecclésiastiques et la royauté, les Carolingiens ont délivré aux évêques et surtout aux abbés des diplômes d'immunité. Tandis que l'immunité mérovingienne prévoyait l'interdiction aux agents royaux de pénétrer dans les domaines ecclésiastiques et se définissait ainsi d'une façon négative, les Carolingiens insistent sur la protection qu'ils confèrent aux immunistes et sur les prières qu'ils attendent des bénéficiaires. Pour décharger ces derniers des tâches administratives : levée des impôts, exercice de la justice, convocation des troupes, etc., ils désignent des avoués laïcs qui exercent les fonctions temporelles. Cette institution qui s'est généralisée dans tout l'empire ne pouvait fonctionner correctement que si l'autorité royale était reconnue par l'immuniste. En cas contraire ce dernier devenait un véritable souverain de son domaine, ce qui s'est produit en Francie occidentale au Xe siècle.

Grâce au roi, l'Église occidentale est matériellement puissante, les évêques et les abbés disposent d'immenses domaines répartis dans tout l'empire, certaines abbayes sont de véritables cités comprenant non seulement les édifices religieux, mais les bâtiments réservés aux artisans et aux paysans. Le plan de Saint-Gall dessiné après le concile d'Aix de 817 est un document exceptionnel qui nous fait pénétrer à l'intérieur d'un monastère où tout est prévu pour la prière, le travail manuel et intellectuel, la réception des hôtes, le soin des malades, etc. Les règlements d'administration monastique sont dignes de ceux que les rois prévoient pour leurs propres domaines.

Charlemagne est inquiet de l'extension du temporel ecclésiastique : « A-t-il quitté le monde celui qui ne cesse jamais d'augmenter ses propriétés par tous les moyens possibles ? », écrit-il dans un capitulaire en 811. Comme son père et son grand-père, il ne se gêne pas pour distribuer des biens d'Église à des laïcs sous forme de « précaire sur ordre du roi ». L'Église reste propriétaire de ses terres, les laïcs en ont la jouissance sur plus ou moins longue échéance. En 779, Charlemagne donne une compensation aux clercs en généralisant le paiement de la dîme, institution destinée à durer mille ans. Cet impôt qui représente le dixième des revenus doit être payé par tous les propriétaires, et les agents du roi sont chargés de faire

respecter la loi et de punir les réfractaires. Après la mort de
l'empereur, l'Église cherche à profiter de la bienveillance de
Louis le Pieux pour récupérer les terres qu'elle a perdues et
menace des vengeances du ciel tout spoliateur. Peine perdue,
l'aristocratie continue à tirer sa force des biens qu'elle reçoit
du roi, directement ou indirectement en obtenant des charges
d'abbé laïc.

Les rois interviennent également pour surveiller l'organisation du patrimoine des églises et la répartition des revenus.
Ils invitent les abbés à établir l'inventaire de leur fortune,
domaine par domaine, en indiquant le nombre des tenures,
leur superficie, le nombre des paysans et celui des enfants.
Ainsi le fameux *Polyptyque* de l'abbé de Saint-Germain-des-Prés
Irminon, rédigé vers 813, permet de savoir que cette abbaye
possédait plus de soixante-quinze mille hectares dans la région
parisienne et au-delà. Pour éviter que les chanoines et les
moines ne soient trop exploités par leurs supérieurs, les rois
invitent les évêques et les abbés à distinguer les revenus qui
reviennent à chacun : on évalue les menses (du latin *mensa*,
table) épiscopales, abbatiales, conventuelles. Les chanoines doivent recevoir de l'évêque une prébende (du latin *praebere* =
fournir) provenant du partage de la mense capitulaire. Toutes
ces institutions survivront à l'époque carolingienne. Enfin le
pouvoir royal intervient pour réaliser l'affectation de biens à
des services particuliers : entretien des bâtiments, luminaires,
hospitalisation des pauvres. Ainsi en 818, après enquêtes, Louis
le Pieux répartit les grandes abbayes du royaume en trois
groupes : celles qui doivent envoyer des contingents à l'armée,
celles qui fournissent une aide en argent et en nature et enfin
celles qui se contentent de prier pour l'empereur et pour le
salut de l'empire.

Un esprit moderne pourrait s'étonner que le clergé n'ait
pas réagi contre la mainmise de la royauté et n'ait pas cherché
au nom de sa vocation religieuse à recouvrer sa liberté. Partici-
pant au pouvoir, bénéficiant matériellement de ce pouvoir,
confondant les domaines spirituel et temporel, évêques et
abbés ne pouvaient imaginer un autre système. Si, au temps de
Louis le Pieux, certains clercs ont affirmé la primauté du spirituel, ce fut pour confisquer le pouvoir politique à leur profit et
pour tenter d'accroître leur puissance foncière. L'effondrement
de l'empire carolingien et le triomphe des grandes familles aristocratiques, loin de libérer l'Église, la mirent encore plus étroitement entre les mains des laïcs.

En Francie occidentale, les rois et les princes territoriaux se disputent la nomination des évêques et des abbés car ils attendent d'eux les revenus dont ils ont besoin et les contingents militaires qui assurent leurs succès. Si, nous l'avons vu, les souverains gardent quelques évêchés dans le Nord, ailleurs les grands prennent l'habitude de désigner comme évêques leurs enfants ou leurs fidèles. Ainsi voit-on un comte de Cerdagne attribuer un évêché à ses quatre fils et les vicomtes d'Albi garder le siège épiscopal pendant quatre générations. Les princes territoriaux sont abbés laïcs des plus importants monastères : les Robertides ont, entre autres, Saint-Martin de Tours, Saint-Denis, Saint-Germain-des-Prés ; le comte de Flandre possède Saint-Bertin, Saint-Amand, Saint-Vaast, Saint-Pierre et Saint-Bavon de Gand, les princes normands sont maîtres de Saint-Wandrille, Jumièges, Fécamp, etc. Même situation dans le sud de la France et dans les royaumes de Provence, d'Italie, de Bourgogne et de Germanie.

Les Ottoniens, nous l'avons vu, ont réussi à rétablir leur autorité royale en s'appuyant sur l'Église, mais, à l'exemple des Carolingiens, ils ont soumis celle-ci étroitement. Ils investissent les évêques dans leur charge en leur remettant la crosse et en leur faisant jurer fidélité. Comme ils savent choisir les candidats, le résultat est d'ailleurs excellent. Pouvant compter sur les évêques et les contrôler, le roi leur confie des pouvoirs autrefois attribués au comte : droit de justice, droit de lever les tonlieux, de frapper monnaie, etc. Nous sommes à l'origine des principautés ecclésiastiques d'empire qui se maintiendront pendant tout le Moyen Age et même plus tard, celle de Liège devant disparaître en 1789. Devenu maître de l'Italie du Nord, Otton Ier cherche à appliquer la même politique ecclésiastique et réussit en 963 à soumettre la papauté, cette papauté qui doit une grande partie de sa puissance à la famille carolingienne.

## La papauté

Depuis la fin de l'Antiquité jusqu'au VIIIe siècle, les évêques de Rome ont fait reconnaître leur primauté dans toute l'Église. Un Léon le Grand, un Grégoire le Grand et d'autres papes moins prestigieux se sont affirmés comme les successeurs de saint Pierre, donc les chefs spirituels de l'Église universelle. Tombés sous l'autorité des empereurs byzantins, les papes ont vu leur puissance décliner. Mais, au cours du VIIe siècle, en favorisant l'évangélisation de l'Occident barbare, ils ont cherché et trouvé un moyen d'échapper aux Byzantins. Pourtant, sans les princes carolingiens, les évêques de Rome n'auraient jamais acquis la force et le prestige qu'ils ont eus et qui ont été à l'origine de leur étonnante destinée.

L'alliance entre les papes et les Carolingiens dont les principales étapes sont l'acceptation du coup d'État de Pépin le Bref, la création du patrimoine de saint Pierre en 754, puis le couronnement de 800, ont engagé définitivement l'Église de Rome dans le monde occidental. La papauté s'est « occidentalisée » pour des siècles. La liturgie romaine a été adoptée par toutes les Églises de l'ouest, le culte de saint Pierre s'est répandu partout, Rome est devenue le centre spirituel de toute l'Église non seulement carolingienne mais même européenne puisque l'Angleterre, depuis l'envoi des missionnaires de Grégoire le Grand, est étroitement liée à Rome et le restera pendant tout le Moyen Age. Grâce aux Carolingiens, les papes sont devenus des souverains temporels et ils le resteront jusqu'en 1870. Ils se sont efforcés de conserver et d'agrandir cette terre de saint Pierre que leur avait concédée Pépin et de la protéger contre les envahisseurs qui viennent du Nord ou du Midi. Rome est devenue la ville la plus importante de l'Occident. Les papes ont réparé les édifices anciens, ont fait construire des églises nouvelles, ont protégé le quartier du Vatican. Rome, « la noble ville, la maîtresse du monde » pour reprendre les mots d'un poème fameux, attire les pèlerins vers les tombeaux des apôtres, car c'est encore plus Pierre et Paul qui résident dans la Ville éternelle que le pape lui-même.

Les relations entre les papes et les rois qui se veulent les maîtres de l'Église n'ont pas été sans nuages. Charlemagne, roi des Lombards et en fait roi d'Italie, impose ses vues à son ami Hadrien Ier, et surtout au faible Léon III. Louis le Pieux rend à la papauté son indépendance en 817, mais sept ans après rétablit un contrôle très strict et oblige le pape et ses sujets à prêter serment aux représentants de l'empereur. Pourtant, nous l'avons vu, les papes ont su profiter des crises qui secouent l'empire du milieu du IXe siècle pour reprendre l'initiative et défendre l'unité de l'Occident. Grégoire IV intervient dans les luttes entre Louis le Pieux et ses fils, Léon IV ose se faire élire sans l'accord préalable des *missi* impériaux. Nicolas Ier surtout affirme hautement l'autorité du siège romain sur les Églises et même sur les rois, pour la défense de la morale et pour la promotion de la paix. « Si Nicolas annonce Grégoire VII, écrit Y. Congar, c'est moins par une prétention à pouvoir déposer les

rois que par le souci d'assurer à l'ordre ecclésiastique sa
pleine indépendance et comme on dira au XIe siècle sa liberté.
Avant les hommes de la réforme dite grégorienne, il a réagi
contre la mainmise des seigneurs sur les églises et les prêtres
qui les desservaient, il a veillé à ce que les laïcs n'interviennent plus dans les élections... Nicolas Ier marque certainement
une avancée dans le sens qui tend à faire de la soumission au
siège romain le critère et la mesure de l'obéissance à Dieu et
du christianisme lui-même. » Après lui, Jean VIII, un des plus
grands papes du haut Moyen Age, va encore plus loin avec
autant de conviction et plus de souplesse. A la tête de la cité
« sacerdotale et royale », se disant même « recteur de
l'Europe », il prend sous sa protection la jeune chrétienté
morave, il intervient sur tous les domaines administratif,
diplomatique, militaire, comme en témoigne son important
registre de lettres. Il fait progresser l'idée que seul le pape
peut choisir l'empereur et que les princes désignés doivent
venir chercher leur couronne à Rome. L'idée même d'une
*translatio imperii* de l'Orient vers l'Occident qui fait du seul
pape le détenteur de la souveraineté impériale commence à
être reçue dans les milieux romains.

Les contrecoups de l'effondrement carolingien sont fatals
à l'Église romaine. La papauté tombe entre les mains de l'aristocratie, puis à partir de 963 est soumise aux empereurs ottoniens. Il ne faudrait pas croire que, pendant cette sombre
période, Rome n'ait pas fait entendre sa voix. Si les papes ont
été bien souvent de piètres évêques, l'institution n'est pas
remise en cause. On est frappé du nombre de diplômes (plusieurs centaines) sortis des bureaux du Latran et adressés à
toutes les églises de la Chrétienté. Ainsi Jean X (914-928)
envoie son légat présider le concile de Hohen-Altheim en Germanie (916), se réjouit du traité de Saint-Clair-sur-Epte, intervient dans les provinces de Narbonne et de Reims. Jean XI
envoie le pallium à plusieurs archevêques ; Étienne VIII
(932-942) menace d'excommunication ceux qui s'opposent à
Louis IV d'Outremer ; Marin II (942-946) investit l'archevêque
de Mayence du titre de vicaire apostolique pour la Germanie
et la Gaule ; Agapet II (946-955) fait présider le synode d'Ingelheim par son légat. Les papes soumis aux empereurs interviennent également dans les affaires de la Chrétienté et particulièrement dans les synodes qui se tiennent en Francie occidentale et en Bourgogne. On voit même Benoît VII réunir un
concile au Latran pour lutter contre la pratique de la simonie.
Dans un autre domaine, Jean XV est le premier pape à pro-

mulguer une bulle pour la canonisation d'un saint, en l'espèce Ulrich d'Augsbourg.

L'intervention de la papauté est particulièrement active lorsque Hugues Capet fait juger au synode de Saint-Basle (991) l'archevêque de Reims Arnoul, ce prince carolingien coupable de trahison. Sans attendre l'avis du pape Jean XV à qui Hugues Capet avait écrit, le roi fait déposer Arnoul et le remplacer par Gerbert. Ce dernier avait été en fait l'animateur du concile. S'inspirant des thèses d'Hincmar de Reims il concevait l'unité des Églises et de l'Église romaine dans un sens que certains historiens ont appelé avec exagération « gallican ». En effet Gerbert n'envisage pas, comme d'ailleurs tous ses contemporains, une séparation totale de l'Église et de l'État, mais il estime que les évêques et le pape se partagent la direction de l'Église et que ce dernier ne peut agir en monarque. Jean XV ne reconnut ni la dégradation d'Arnoul ni l'élection de Gerbert. Il envoya son légat Léon qui présida plusieurs conciles au cours desquels Gerbert chercha vainement à faire triompher son point de vue. En 997, le nouveau pape Grégoire V va jusqu'à inviter tous les évêques qui ont participé au synode de Saint-Basle à se présenter devant lui. Bien plus, Robert le Pieux, fils d'Hugues Capet, ayant épousé sa cousine, il le menace d'excommunication. Pour se réconcilier avec la papauté, Robert dut abandonner Gerbert qui quitta son archevêché et laissa Arnoul reprendre sa place. D'ailleurs, pour lui donner une compensation, Otton III lui accorda peu après l'archevêché de Ravenne avant de le faire élire pape en 999.

Devenu pape sous le nom de Sylvestre II, Gerbert, comme ses prédécesseurs, ne put qu'affirmer l' « autorité de Pierre ». Il commence ainsi la lettre écrite à Arnoul de Reims son ancien adversaire : « Il appartient à la souveraineté apostolique non seulement de donner des conseils aux pécheurs, mais de relever ceux qui sont tombés et à ceux qui ont été privés de leur office redonner les signes d'une dignité retrouvée afin que s'exprime la puissance de délier accordée à Pierre et que brille partout la gloire de Rome. » Cette formule et le reste de la lettre ne sont pas dus à quelque clerc romain de la chancellerie. Tous les diplômes promulgués par Sylvestre II — nous en avons soixante-dix — de même que sa volonté de présider à la naissance des Églises hongroise et polonaise, nous en reparlerons, prouvent que le pape se considère comme le chef spirituel de la Chrétienté.

Nous pouvons encore témoigner du prestige des papes au Xe siècle en rappelant que des abbayes se mettent sous la protection de saint Pierre pour échapper à l'emprise des laïcs et, par la suite, souhaitent même être exemptées de l'autorité de l'évêque dont elles dépendent. Dès le VIIe siècle, l'abbaye irlandaise de Bobbio avait bénéficié d'un privilège que l'on conservait dans les archives du Latran. Par la suite quelques monastères d'Angleterre et de Germanie avaient reçu la protection de Rome. Les Carolingiens n'y étaient évidemment pas favorables mais ne purent empêcher Girard de Vienne de demander à Nicolas Ier de prendre sous sa protection le monastère de Vézelay qu'il fonda dans ses domaines bourguignons. En 863, le pape lui donna son accord en ces termes : « Par le présent décret de notre autorité apostolique, nous procédons, confirmons et établissons des privilèges tels qu'il ne soit permis à personne, rois, évêques, dignitaires d'aucune sorte et tous autres de ne rien enlever, soustraire, appliquer à son usage personnel ou à l'usage d'autrui même sous prétexte de cause pie pour excuser son avidité, des biens donnés audit monastère par vous ou d'autres. » A la fin du IXe siècle, les fondateurs de Saint-Gilles du Gard, de Saint-Géraud d'Aurillac, demandèrent et reçurent des privilèges du même type.

En 909, alors que l'Église de Rome était dirigée par le médiocre Serge III, l'amant de Marozie, Guillaume le Pieux, duc d'Aquitaine, décide de confier sa fondation de Cluny à saint Pierre et à saint Paul. Dans l'acte de fondation, après avoir rappelé qu'il voulait restaurer la règle de saint Benoît, il supplie les apôtres et « le pontife des pontifes du siège apostolique que, par l'autorité canonique et apostolique que vous avez reçue de Dieu, vous excluiez de la communion de la Sainte Église de Dieu et de la communion et de la vie éternelle, les voleurs et les envahisseurs de ces biens que je vous donne et que vous soyez des tuteurs et des défenseurs dudit lieu de Cluny et des serviteurs de Dieu qui y habitent ». Odon, deuxième abbé de Cluny (926-942), obtient de Jean XI l'exemption romaine avec la liberté de l'élection de l'abbé et la possibilité de diriger plusieurs monastères. Lorsque Abbon de Saint-Benoît-sur-Loire, monastère réformé par Cluny, voulut se libérer du contrôle de l'évêque d'Orléans, il fit appel à Rome. Abbon avait d'ailleurs pris position au synode de Saint-Basle en faveur de la papauté et se présentait comme le chef de ce qu'on appelle le « parti des moines ». Dans la collection canonique qu'il rédige, il ne manque pas d'exalter la primauté de Pierre. A la suite de plusieurs voyages faits à Rome, il obtient de Grégoire V l'exemption pour son monastère.

On a dit justement que le succès de Cluny et que l'exemption monastique avaient joué un rôle déterminant dans la préparation de la réforme grégorienne. On peut ajouter qu'en affirmant leur autorité les papes, de Grégoire IV à Sylvestre II, ont ouvert la voie à leurs successeurs du XIᵉ siècle qui réussirent à libérer l'Église et à jeter les bases de la théocratie pontificale.

## Extension de la Chrétienté

Pour achever la présentation de l'Église dans le haut Moyen Age il faut rappeler que, grâce à l'effort des rois et des papes, la Chrétienté a étendu son aire géographique et a fait reculer ses frontières. Lorsque les Carolingiens prennent le pouvoir au milieu du VIIIᵉ siècle, une grande partie de l'Occident est encore païenne. En l'an mille, des communautés chrétiennes sont installées jusqu'à la Vistule et au Danube.

### En Germanie

Les maires du palais, Charles Martel et ses fils, ont encouragé les missionnaires à évangéliser la Germanie pour des raisons politiques autant que religieuses. Willibrord en Frise, Pirmin en Alémanie, Boniface en Germanie, ont dû leurs succès à l'appui de la papauté et à l'aide matérielle des princes carolingiens. Il était nécessaire que les soldats francs protègent les jeunes Églises et les monastères fondés par les insulaires et leurs disciples. En même temps que les missions se poursuivent la hiérarchie se met en place. De nouveaux évêchés sont créés, bientôt rattachés aux métropolitains de Cologne et de Mayence.

Charlemagne poursuit l'œuvre, crée des évêchés en pays saxon et frison et établit pour la Bavière la métropole de Salzbourg. Charlemagne n'a pas été l'inventeur de la « guerre sainte » car hélas bien avant lui et après lui les guerriers utilisèrent les armes au service de la foi, mais ses méthodes de christianisation forcée ont été si brutales qu'elles ont provoqué des protestations de ses amis Alcuin et Paulin d'Aquilée. A la mort de Charlemagne, si l'Évangile n'a pas pénétré en profondeur, du moins les cadres de l'Église de Germanie sont-ils mis en place.

### En pays scandinaves

Sous Louis le Pieux, c'est vers la Scandinavie que se portent les efforts des missionnaires. En 822, l'archevêque de Reims Ebbon est envoyé par l'empereur et le pape Pascal II au

Danemark. Trois ans après, le roi danois Harold reçoit solennellement le baptême à la cour royale d'Ingelheim et repart accompagné d'un moine de Corvey Anschaire. Ce dernier fonde la première Église danoise et pénètre en Suède jusqu'à Birka. En 831 il devient le premier évêque de Hambourg et reçoit le pallium des mains du pape Grégoire IV.

Par suite des invasions scandinaves, les jeunes chrétientés danoise et suédoise furent détruites. L'évangélisation s'applique maintenant aux envahisseurs de l'empire car, tout en combattant les Vikings païens, évêques et abbés songent à leur conversion. La soumission de chefs pirates s'accompagne généralement de leur baptême et de celui de leurs guerriers. On le constate en Angleterre lorsque Alfred le Grand signe le traité de Wedmore avec le chef Guthorm en 878, en France lorsque Charles le Simple traite avec Rollon à Saint-Clair-sur-Epte (911). Ces conversions autant diplomatiques que religieuses restent assez superficielles, les Normands retournant souvent à leurs pratiques païennes. D'où l'organisation d'une pastorale particulière adaptée aux circonstances dont témoignent la consultation d'Hervé de Reims à Jean X et la correspondance échangée entre les archevêques de Rouen et de Reims. Plutôt que d'imposer brutalement le christianisme, ne fallait-il pas tolérer les pratiques païennes et méditer cette phrase empruntée à Grégoire le Grand : « La Sainte Église corrige par amour, tolère par douceur, laisse faire et supporte par réflexion » ?

La christianisation des régions scandinaves reprend au Xe siècle, soit à partir de l'Angleterre du Nord, soit à partir des pays germaniques. Le premier prince norvégien chrétien Olaf Tryggvason installe vers 995 des évêques et des prêtres venant de Northumbrie; il fait pénétrer le christianisme dans les Orcades et en Islande. Débuts modestes d'une évangélisation qui se poursuivra durant tout le XIe siècle. L'archevêque de Hambourg Hunni profite des victoires d'Henri Ier sur les Danois pour reprendre le projet d'Anschaire et pénètre jusqu'à Birka où il meurt en 936. Sous Otton Ier trois évêchés sont créés dans le Jutland et sont rattachés à la métropole Hambourg dirigée pendant cinquante ans par l'archevêque Adaltag. Le chef danois Harald à la Dent bleue se convertit vers 960 et sur la pierre de Jelling qu'il fait ériger pour commémorer l'événement est gravée pour la première fois en Scandinavie la représentation de la crucifixion. Peu à peu, tout en composant avec les pratiques païennes, le christianisme progresse en Scandinavie.

Évangélisation des pays slaves

Maîtres de la Bavière et du Frioul, les Carolingiens font pénétrer le christianisme chez les Slaves du Sud. Des missions sont envoyées en Carinthie, en Slovénie et dans les régions conquises après la défaite des Avars. En Croatie, l'évêché de Nin est fondé vers 850. Dans une lettre au prince Branimir, le pape Jean VIII se félicite de voir la jeune Église rester fidèle à la papauté. D'ailleurs, la petite principauté croate qui connut un moment d'apogée au Xe siècle devait, pendant toute son histoire, rester étroitement liée à l'Église romaine. En Moravie, nous l'avons vu, les débuts du christianisme furent entravés par les conflits entre les clercs bavarois et les princes moraves qui voulaient créer une Église nationale. La papauté, qui avait échoué du côté des Bulgares, soutint les efforts de Cyrille et de Méthode et accepta la création d'une liturgie slavone. Mais finalement le clergé bavarois l'emporta. Triomphe sans lendemain puisque l'invasion hongroise détruisit la jeune Église morave.

La Bohême qui, protégée par ses montagnes, sut résister aux Hongrois, est devenue peu à peu chrétienne sous saint Venceslas puis sous Boleslas. En 976, l'archevêque de Mayence consacre le premier évêque de Prague Thietmar. Mais cet ancien moine saxon fut mal accepté et, après sa mort, l'évêché fut confié au Tchèque Voytech qui, filleul d'Adalbert de Magdebourg, prit le nom de ce dernier. Adalbert, qui n'avait rien d'un administrateur et qui se heurta aux aristocraties locales, abandonna vite son immense diocèse. Appelé à la vie monastique, il vint s'installer dans un monastère romain de l'Aventin. En 992, Jean XV l'oblige à regagner son évêché ; à nouveau, il ne peut y demeurer et repart une nouvelle fois pour Rome où il fait la connaissance d'Otton III sur qui il eut une grande influence. Enfin, Boleslas II ne lui ayant pas permis de reprendre pied à Prague, Adalbert partit évangéliser la Prusse et fut massacré avec ses compagnons en 997.

La pénétration chrétienne des pays slaves du Nord a été très lente. Il a fallu attendre le milieu du Xe siècle pour que les rois de Germanie jettent les bases d'une Église au-delà de l'Elbe. Nous avons vu comment Otton Ier créa les évêchés de Brandebourg, d'Havelberg, de Mersebourg, de Zeitz et de Meissen et les rattacha, non pas à l'archevêché de Mayence, mais à celui de Magdebourg à partir de 968.

La création d'évêchés ne suffisait pas pour faire triompher le christianisme. Les Slaves qui n'acceptaient pas la germanisation de leur pays se révoltèrent après la mort d'Otton II (983) et ils détruisirent de fond en comble les églises au-delà de l'Elbe. Otton III dut reprendre l'œuvre de son grand-père : il restaura les évêchés, fonda des monastères, tels ceux de Vozdubini et Geliti, futurs Potsdam et Geltow. De plus il compta sur l'aide que pouvaient lui apporter les Polonais.

En effet, le christianisme commence à s'implanter solidement dans les régions de la Vistule. Miesco, premier prince polonais chrétien, installe l'évêque Jordan à Posnan vers 968. Un document connu sous le nom de *Dagome judex* (Dagome étant une déformation de Dagobert) contient l'acte de donation à saint Pierre des territoires polonais, premier pas vers la création d'une province ecclésiastique. Le fils de Miesco, Boleslas le Vaillant qui, dès sept ans, avait été adopté par le pape Jean XIII, accueillit en l'an 1000 Otton III, venu faire un pèlerinage sur la tombe de saint Adalbert à Gniezno. L'empereur, en accord avec Sylvestre II, créa dans cette ville un siège métropolitain avec comme suffragants les évêques de Kolobrezeg en Poméranie, de Wroclaw en Silésie et de Cracovie en Petite Pologne. L'évêque de Posnan, jusqu'en 1012, resta rattaché à Magdebourg. Ainsi était fondée une Église polonaise nationale destinée à jouer encore de nos jours un rôle important en Europe.

## Naissance de l'Église hongroise

A la même époque une Église nationale était créée en Hongrie. Nous avons vu que le chef Geiza avait entretenu de bonnes relations avec Otton Ier et que l'évêque Pilgrim de Passau avait envoyé des missionnaires allemands en Hongrie. Bientôt arrivent des Slaves appelés par la princesse Adélaïde, femme de Geiza, et, parmi eux, des disciples d'Adalbert de Prague. Ce dernier réussit en 985 à convertir le fils de Geiza, le jeune Vajk ; il le baptise à Cologne en présence d'Otton II et lui donne le nom d'Étienne. Après la mort de son père en 997, Étienne, qui a épousé une princesse bavaroise, installe des moines tchèques à Zobor et à Pannonhalma, lieu supposé de la naissance de saint Martin de Tours. Puis, selon une tradition très carolingienne, Étienne — qui du reste se fait appeler Kral de Hongrie (Kral vient de Charles) — fonde un archevêché à Esztergom auquel il rattache plusieurs évêchés. Il put le faire grâce à l'accord d'Otton III et du pape Sylvestre II. Selon un chroniqueur postérieur, le pape lui aurait même envoyé une couronne royale qui n'est certainement pas celle que l'on conserve dans le musée national de Budapest puisqu'elle date seulement du XIIe siècle.

Le prince hongrois, comme d'ailleurs les princes polonais, compte sur l'Église pour asseoir plus solidement sa domination temporelle et unifier sa principauté. Même si dans son administration Étienne imite les rois francs, il veille à garantir son Église de la germanisation. Malgré quelque résistance, la Hongrie devient et restera chrétienne. Bien plus, sa conversion permet l'établissement d'une nouvelle route vers l'Orient, route qu'empruntent, aux alentours de l'an mille, les pèlerins qui vont en Terre sainte.

Ainsi, au début du XIᵉ siècle, les frontières de la Chrétienté occidentale vont-elles jusque sur les bords de la mer Baltique et sur les rives de la Vistule et du Danube. Des Églises de rite romain sont installées pour des siècles face aux Églises orientales que Byzance a organisées dans les Balkans et en Russie : l'Europe catholique est née.

# CHAPITRE II

## CARACTÈRES DE LA ROYAUTÉ

### Le sacerdoce royal

Depuis 751, le roi franc est sacré. Nous l'avons dit, cette innovation est lourde de conséquences. Du temps des rois mérovingiens, la fonction royale avait déjà un caractère religieux comme dans beaucoup de civilisations : selon la croyance germanique, les familles qui tiennent la couronne avaient reçu un charisme particulier, le roi étant responsable de l'ordre terrestre et cosmique. Le sacre, considéré comme un véritable sacrement jusqu'au XIIIᵉ siècle, introduit le roi dans l'Église. Le prince est une « image de Dieu », un « nouveau Christ ». Lui et sa famille sont intouchables sous peine de péché mortel. Prenant à son compte des passages de l'Ancien Testament, Charlemagne se dit « nouveau David », et même un « nouveau Josias ». Ce roi qui fit réparer le Temple, remettre en application la loi de Moïse, rétablir les fonctions des prêtres et réformer la liturgie, est pour Charlemagne le modèle des princes. Comme lui, il veut « ramener le royaume qui lui a été confié par Dieu au vrai culte de celui-ci en circulant, corrigeant, exhortant ». Le palais d'Aix-la-Chapelle est un nouveau Temple et Charles le Chauve, qui unit sagesse biblique et sagesse antique, un « nouveau Salomon ». Dans un rituel du couronnement impérial au Xᵉ siècle, on lit cette prière à Dieu : « Rends-lui visite comme tu le fis à Moïse dans le Buisson ardent, à Josué au combat, à Gédéon dans son champ, à Samuel dans le temple ; remplis-le de ta bénédiction étoilée, pénètre-le de la rosée de ta sagesse que le bienheureux David a reçue sur son psaltérion et que son fils Salomon a obtenue du ciel, etc. » L'Ancien Testament inspire la liturgie du sacre et le symbolisme des insignes royaux tel qu'on peut le voir sur la couronne impériale conservée de nos jours à Vienne.

Le peuple dirigé par ces rois sacrés est un peuple élu, un nouvel Israël qui doit mettre sa force au service de la cause de Dieu. L'accord entre les rois carolingiens et l'Église romaine est comparé à l'ancienne Alliance entre le peuple juif et Dieu. Lorsque les Francs subissent des épreuves, qu'il s'agisse des invasions avares, normandes ou hongroises, c'est Dieu qui les éprouve pour les régénérer comme il a éprouvé le peuple d'Israël. Lorsque les fils de Louis le Pieux se révoltent, on évoque la rébellion d'Absalon et l'impératrice Judith est, pour beaucoup de clercs, une nouvelle Athalie ou une nouvelle Jézabel.

Nous avons vu que le roi tirait de son caractère sacré la plupart de ses pouvoirs. Il nomme évêques et abbés, veille à l'instruction du clergé et du peuple, impose la liturgie, dirige les réformes de l'Église, préside les assemblées religieuses et même, comme c'est le cas de Charlemagne, prend des initiatives concernant des problèmes doctrinaux. Ceci fait partie de sa fonction ou, plus précisément, pour reprendre une expression de l'époque, de son « ministère ». Pour bien remplir ce ministère, les rois doivent obéir à certaines règles morales que les clercs leur rappellent dans leurs lettres ou dans les « miroirs » de princes qui se multiplient au IXe siècle. Citons par exemple quelques phrases d'une lettre écrite par Loup, abbé de Ferrières, au jeune Charles le Chauve : « Ayez de la reconnaissance à Dieu votre Créateur et votre futur Juge... Demandez-Lui dans vos prières quotidiennes de vous accorder d'entrer et de progresser dans la voie des bonnes actions... Ne subissez pas l'empire d'un homme au point de tout faire selon son gré. Pourquoi en effet prétendez-vous au titre de roi si vous ne savez régner... Évitez la société des méchants puisque vous vous rappelez qu'il est écrit : les mauvaises conversations corrompent les bonnes mœurs. Recherchez la compagnie des bons parce que " avec le saint, tu seras saint, et avec l'innocent, tu seras innocent et avec l'élu tu seras élu et avec le pervers tu te pervertiras " (Psaume XVII, 25-26)... En observant avec soin tous ces préceptes, vous plairez à Dieu, vous étoufferez et vaincrez les rébellions si, comme nous le croyons, Dieu combat avec vous et après un règne temporel et laborieux, vous en obtiendrez un, éternel et vraiment paisible. » Les « miroirs » adressés par Smaragde de Saint-Mihiel à Louis le Pieux, par Sedulius Scotus à Lothaire II, par Hincmar à Charles le Chauve, ses fils et ses petits-fils, rappellent les vertus chrétiennes et les devoirs moraux des rois.

Lorsque le roi exerce mal son ministère, lorsqu'il n'assure plus la paix dans l'Église et dans le royaume, il n'est plus digne de régner. Sous Louis le Pieux, nous l'avons vu, quelques évêques partisans de Lothaire sont allés jusqu'à priver momentanément l'empereur de son pouvoir. Cette innovation qui ne fut qu'un épisode dans l'histoire carolingienne est lourde de conséquences puisqu'elle est à l'origine de l'idée que des rois peuvent être déposés par le pouvoir spirituel.

Les évêques carolingiens ne se contentent pas de donner, tels les prophètes de l'Ancien Testament, des conseils aux souverains. Dans la deuxième moitié du IX<sup>e</sup> siècle, ils commencent à exiger des rois, avant le sacre, la promesse qu'ils agiront selon la loi chrétienne. La promesse, qui n'est pas encore le serment du sacre, apparaît en 869, lors du couronnement de Charles le Chauve comme roi de Lotharingie. Le roi s'engage à maintenir l'honneur et le culte de Dieu et des églises, de rendre la justice d'après les lois séculières et ecclésiastiques ; il demande en revanche que tous lui rendent les honneurs et l'obéissance dus à un roi et lui prêtent aide pour maintenir et défendre le royaume donné par Dieu. La promesse prend l'allure d'une sorte de contrat. Il est certain qu'Hincmar de Reims a été le rédacteur de ce texte qui fut repris, à quelque différence près, pour le sacre de Louis le Bègue en 877, pour celui d'Eudes en 888 et qui devait donner naissance au véritable serment du sacre au XII<sup>e</sup> siècle.

## Le roi justicier

Le premier devoir du roi est de faire régner la justice et la paix publique, de protéger les faibles et les églises. Cette fonction dérive non seulement de son sacre, mais de la tradition romaine et germanique. On connaît pendant le haut Moyen Age une grande diversité de lois : droits germaniques, coutumiers, transmis par tradition orale ou mis par écrit sur l'ordre de Charlemagne ; droit romain, droit ecclésiastique. Le roi doit assurer à chacun le respect de ses droits, faire appliquer les lois en exerçant son *bannum,* c'est-à-dire son pouvoir de commander, d'interdire et de punir.

Dans le monde germanique les assemblées populaires avaient le pouvoir de juger. Charlemagne maintint cette coutume et précisa la périodicité et la composition du tribunal comtal, le *mallus.* Le comte doit tenir trois sessions judiciaires par an, il doit s'entourer non pas de simples notables mais de spécialistes du droit appelés *scabini*, d'où le mot échevin. De plus, on commence à distinguer les « causes majeures » et les « causes mineures ». Le comte s'occupe des premières et laisse les autres à ses vicaires. Ainsi s'établit la distinction classique pendant tout le Moyen Age de « haute » et de « basse justice ». En cas de contestation les *missi* royaux peuvent être saisis et casser la décision du comte ou de son vicaire. Enfin tout homme libre peut faire appel au tribunal du palais. Dans son traité sur le *De ordinatione palatii*, rédigé à la fin du IXe siècle, Hincmar évoque avec nostalgie le temps où Charlemagne étudiait toutes les causes qui lui étaient soumises. Il précise qu'elles devaient être les fonctions du comte du palais qui « terminait selon la justice et la raison toutes les causes et les procès qui, nés ailleurs, étaient apportés au palais pour y recevoir une solution conforme à l'équité et aussi qui devait réformer les jugements mal prononcés de manière à plaire à tous, à Dieu par sa justice, aux hommes par son respect des lois ». Nous sommes là à l'origine de la procédure d'appel qui fit tant pour la popularité de la royauté en France.

Selon la procédure franque, l'administration de la preuve incombe à l'accusé. Il doit prouver son innocence par le serment qu'il prononce sur des reliques, accompagné des cojureurs, serment purgatoire, ou par les ordalies ou jugement de Dieu. Ainsi il doit plonger le bras dans l'eau bouillante, si le bras est guéri dans les délais fixés, il est considéré comme innocent, ou bien il doit passer pieds nus sur neuf socs de charrues chauffés à blanc sans en subir de dommages. D'autre part le duel judiciaire entre les différentes parties en présence lui permet de prouver que Dieu le déclare innocent. La même chose s'il reste immobile, les bras en croix, plus longtemps que son adversaire. Ces pratiques d'origine païenne ont révolté quelques clercs tel Agobard mais sont restées en usage en Occident jusqu'au XIIIe siècle. Les rois, Charlemagne le premier, essayèrent d'introduire la preuve par témoins et la preuve écrite. Ils réussirent dans les régions méridionales où la civilisation de l'écrit n'avait pas totalement disparu.

Le système judiciaire carolingien fut repris au Xe siècle par les rois de Germanie mais survécut également en Francie occidentale. La justice comtale se maintint, rendue soit au nom du roi dans le Nord, soit ailleurs au nom des princes territoriaux. On connaît les dates de réunion du *mallus* fixées par la coutume. On y retrouve le comte entouré des scabins ou comme on dit encore des *boni homines* d'où le nom « bonshommes ». A mesure que les pouvoirs se fragmentent, les vicaires ou viguiers accaparent les causes majeures et remplacent les comtes dans l'exercice de leurs fonctions. La justice que l'on appelle seigneuriale qui se développe après l'an mille dérive de la justice carolingienne. Quant à la justice royale elle ne peut plus être vraiment exercée, mais elle n'est pas oubliée. Les évêques du sud de la France, en instituant « la paix de Dieu » en 989, veulent pallier la défaillance de l'autorité royale et défendre à sa place les pauvres, les orphelins, les veuves et les églises. Si les évêques du Nord refusent cette paix, c'est que, tel Adalbéron de Laon, ils restent fidèles au système politique carolingien. L'avenir leur donnera raison puisque, peu à peu, les rois capétiens reprendront à leur compte l'idéal carolingien du roi justicier.

## Le roi chef de guerre

Le roi du premier millénaire est guerrier et chef de guerriers. Comme ses ancêtres francs, il doit prouver par ses victoires qu'il est animé d'une force surnaturelle. Le succès militaire du roi est un jugement de Dieu qui le désigne à un plus haut service. Ainsi les conquêtes de Charlemagne, la victoire d'Otton sur les Hongrois, les ont conduits à l'empire. Le roi tire ses ressources de la guerre, enrichit son trésor du fruit des pillages ou de la remise des tributs des peuples vaincus. Lorsque le « Ring » des Avars est conquis par Charlemagne, quinze chars tirés par quatre bœufs sont chargés d'or, d'argent de vêtements et autres objets précieux : « Pas une guerre de mémoire d'homme ne rapporta un pareil butin et un pareil accroissement de richesses », écrit Eginhard. Cette richesse permet au roi d'être généreux envers ses amis, les églises, et de s'assurer la fidélité de ses vassaux. Sans la guerre le roi risque de perdre sa puissance comme on le voit sous le règne du pacifique Louis le Pieux.

Le roi doit donc avoir une armée nombreuse et bien équipée. En principe tout homme libre doit le service de l'ost. « Si, ce qu'à Dieu ne plaise, il fallait faire face à une invasion du pays, ceux que l'on appelle *landweri*, toute la population du royaume devrait prendre les armes pour la repousser », dit Charles le Chauve à l'assemblée de Meersen en 848. En fait les rois se sont rendu compte qu'ils ne pouvaient exiger le service militaire de tous et nous avons vu que Charlemagne, avec réalisme, avait institué un système qui obligeait une minorité d'hommes libres à s'équiper mutuellement. Ce système suppose que le roi puisse tenir à jour la liste des hommes du comté qui doivent le service. C'est ce que rappelle Charles le Chauve en 864 qui évoque les prescriptions que son père avait promulguées en 829. En réalité, les rois comptent surtout sur l'aide militaire que leur apportent les vassaux laïcs et ecclésiastiques, sur leur *scara* composée de guerriers d'élite vivant autour d'eux. Dans la première moitié du IXe siècle, les rois carolingiens pouvaient disposer, selon les calculs de K. F. Werner, de trente-cinq mille cavaliers lourdement armés et de cent mille fantassins.

Les Ottoniens héritèrent du système militaire carolingien. Ils comptent surtout sur les guerriers qui vivent à la cour *(Heerschild)* et sur les cavaliers lourds que leur envoient abbés, évêques et vassaux du royaume. Un précieux document qui date de 981, l'*Indiculus loricatorum*, nous permet de connaître le nombre de cavaliers que l'empereur Otton II convoque pour son expédition en Italie. Le texte mentionne quarante-sept aristocrates laïcs, évêques et abbés de Germanie, et précise l'effort militaire qu'ils doivent fournir. On a pu déduire de ce texte qu'Otton pouvait disposer d'environ six mille cavaliers. Il n'en fut pas moins battu par les Arabes en Italie du Sud.

Enfin les rois disposent du droit ériger des châteaux et d'y installer leurs hommes. Jusqu'au milieu du IXe siècle, les princes carolingiens se contentent de confier à leurs hommes les forteresses qu'ils reprennent à l'ennemi, par exemple en Aquitaine et en Saxe. Ils construisent uniquement des *castra* dans les régions frontalières. Au contraire, lorsque de nouvelles invasions se produisent dans l'empire, des forteresses s'élèvent partout, dans les points stratégiques et particulièrement dans les vallées menacées par les Normands. De 862 à 869, Charles le Chauve constitue un système fortifié à Pîtres sur la basse Seine puis, par le capitulaire de Quierzy-sur-Oise en 877, il prescrit de restaurer la cité de Paris et les forteresses qui dominent la Seine et de la Loire « spécialement la forteresse de Saint-Denis ». Louis III construit un château sur la haute vallée de l'Escaut, un autre à Pontoise.

Mais les rois ne sont plus les seuls à édifier des places fortifiées. Beaucoup de seigneurs construisent des châteaux de leur propre initiative. Alors commence l'histoire séculaire de la rivalité entre royauté et maîtres des châteaux « adultérins ». Charles le Chauve, par le célèbre édit de Pîtres (864), ordonne la destruction des châteaux construits sans son autorisation. Seuls peuvent en construire ceux qui ont reçu des délégations de pouvoir ou qui se sont vu remettre un diplôme d'immunité lorsqu'il s'agit d'ecclésiastiques. En fait, à mesure que les aristocrates s'émancipent, ils ne se gênent pas pour confisquer le privilège régalien et fortifier leur domaine comme ils l'entendent. Au cours du Xᵉ siècle en Francie occidentale, rois et princes se disputent la possession de places fortes, qui n'est pas seulement le symbole de leur autorité mais la garantie de leurs succès militaires. On a vu comment la tour de Laon fut âprement disputée par les derniers Carolingiens et les princes robertides. Avec la multiplication des châteaux seigneuriaux, ce qu'on appelle en France l'« enchâtellement » et en Italie l'*incastellamento*, prend fin l'époque carolingienne. Elle se poursuit néanmoins en Germanie où les rois restent, jusqu'au début du XIᵉ siècle, maîtres des châteaux qu'ils confient à leurs vassaux laïcs et ecclésiastiques.

Pour compléter cet aperçu de la fonction guerrière, il faut rappeler que, dès l'époque carolingienne, se constituent les premiers éléments de l'éthique chevaleresque. Par bien des aspects, le guerrier carolingien annonce le chevalier médiéval.

Dès son plus jeune âge, l'aristocrate comme le roi se destine à la guerre. Commentant l'ouvrage de Végèce sur l'*Art militaire*, Raban Maur écrit : « Nous voyons aujourd'hui que les enfants, les adolescents sont élevés dans les maisons des grands afin d'apprendre à supporter la dureté, l'adversité, la faim, le froid, la chaleur du soleil. Un proverbe populaire qui nous est familier dit "celui qui ne peut être cavalier à l'âge de la puberté ne le pourra jamais ou avec difficulté à un âge plus avancé ". » Comme il est clerc, Raban évite de citer un autre proverbe de l'époque : « Qui sans monter à cheval est jusqu'à douze ans resté à l'école, n'est plus bon qu'à faire un prêtre. » L'entraînement sportif par la chasse et les combats simulés sont déjà des éléments de l'éducation chevaleresque. Lorsque l'adolescent atteint l'âge de la puberté, son père lui remet son épée comme le roi le fait pour ses fils. Il entre alors dans la société des adultes, il rejoint ses aînés à la cour du roi ou à celle des grands aristocrates. Il est prêt alors au « jeu de la guerre ».

Mais la guerre n'a pas qu'une fonction ludique, c'est aussi une œuvre sainte lorsqu'elle est dirigée contre les païens et les ennemis de l'Église. Les rois demandent non seulement à leurs aumôniers, mais aussi à leurs évêques et même au pape de prier pour leur succès. Citons à nouveau quelques lignes tirées d'une lettre de Charlemagne au pape Léon III : « A moi il appartient avec l'aide de la divine pitié de défendre en tout lieu la sainte Église du Christ par les armes : au-dehors contre les incursions des païens et les dévastations des infidèles, au-dedans en la protégeant par la diffusion de la foi catholique. A vous, très Saint-Père, il appartient, élevant les mains vers Dieu avec Moïse, d'aider par vos prières au succès de nos armes. » Avant de partir combattre les Avars, Charles fait jeûner et prier ses soldats pendant trois jours en processionnant pieds nus. L'armée carolingienne tend à ressembler aux armées de l'Ancien Testament et les guerriers apparaissent comme de nouveaux Maccabées. Dans une des rares chansons de geste antérieure au XIe siècle, le *Ludwigslied*, le poète présente Louis III vainqueur des Normands à Saucourt-en-Vimeu comme le vassal de Dieu : Dieu l'appelle et lui demande de secourir son peuple opprimé par les hommes du Nord. Louis accepte, prend congé de Dieu et élève son gonfanon contre les Normands et parle à ses leudes : « Dieu m'a envoyé ici et m'a donné ses ordres. » Il entraîne ses hommes au combat entonnant un cantique saint et tous chantent ensemble *Kyrie Eleison*. Un siècle après, les guerriers d'Otton III feront de même en attaquant les Slaves.

Ainsi, dès cette époque se dessine la figure du soldat de Dieu. Odon, abbé de Cluny, dans sa *Vie de saint Géraud d'Aurillac* écrite vers 930, trace le portrait du parfait guerrier laïc qui doit défendre les pauvres et les ennemis de l'Église. Mais tout en lui reconnaissant le droit de porter des armes et de combattre, il écrit que « ce saint aristocrate ne fut jamais blessé par personne et lui-même ne blessa personne ». C'est là le cas exceptionnel d'un laïc menant la vie d'un moine, donc qui n'était pas un vrai laïc. Les aristocrates laïcs qui ne sont pas des saints, les rois en tête, peuvent légitimement combattre lorsqu'ils utilisent leur épée pour chasser les ennemis de l'Église. Déjà apparaissent des formules de bénédiction des armes en Italie et en Germanie au Xe siècle. Prenons comme exemple l'*Oratio super militantes* du Sacramentaire de Fulda : « Exauce Seigneur nos prières et bénis de la main de ta Majesté l'épée dont ton serviteur désire être ceint pour pouvoir défendre et protéger les églises, les veuves et les orphelins et tous les serviteurs de Dieu contre la cruauté des païens et afin d'être l'effroi de tous ceux qui lui tendent des pièges. » D'autre part on fait espérer au guerrier mort pour une sainte cause la possibilité d'entrer au Paradis. Lorsque le pape Léon IV appelle à lutter contre les Sarrasins il écrit : « Quiconque sera mort fidèlement dans ce combat, les royaumes célestes ne lui seront pas refusés. » L'idée de la guerre sainte, qui apparaîtra au XIe siècle avec l'avènement de la chevalerie, progresse peu à peu.

# LES CAROLINGIENS ET LE RENOUVEAU DE L'ÉCONOMIE OCCIDENTALE

L'histoire des activités économiques du haut Moyen Age occidental a donné lieu depuis quelques années à bien des discussions. Pour les uns la récession et la stagnation que l'on connaissait depuis le Bas-Empire se poursuivent et se poursuivront jusqu'au XIᵉ siècle. Pour d'autres au contraire, l'Occident connaît depuis le VIIᵉ siècle un renouveau économique et les Carolingiens ont non seulement profité du renversement de la conjoncture mais l'ont accéléré. Notre propos n'est pas d'étudier en soi l'économie carolingienne, mais de montrer que les princes par leurs initiatives et par leur législation ont encouragé la reprise et, par suite, ont fait progresser la production matérielle et favorisé les échanges économiques.

## Les principes

Les Carolingiens ne sont pas des économistes au sens moderne du mot mais ils ont formulé quelques principes religieux et moraux qui intéressent la vie économique.

La population de l'Occident est encore peu nombreuse même si, depuis le VIIᵉ siècle, la courbe démographique semble se redresser. Charlemagne a besoin d'une population nombreuse et active. Dans le capitulaire *De villis* consacré à l'exploitation du domaine royal, il s'inquiète des tenures inoccupées *(mansi absi)* que les intendants doivent peupler de tenanciers et d'esclaves. De même dans le capitulaire de Nimègue (806), il souhaite que les domaines confiés en bénéfice ne soient pas vidés de leur main-d'œuvre et ne deviennent pas des déserts.

Pour assurer la stabilité du mariage et par suite celle de la famille, les Carolingiens reprennent à leur compte la législation ecclésiastique concernant le respect de la vie. La procréation devant être la finalité du mariage chrétien, ils condamnent les pratiques contraceptives, l'avortement provoqué et l'infanticide. Ils se préoccupent particulièrement des mariages « incestueux », c'est-à-dire conclus entre parents plus ou moins lointains. Cette mesure étant contraire aux habitudes de l'aristocratie germanique qui pratiquait volontiers l'endogamie, les rois carolingiens eurent bien des difficultés à la faire appliquer. Pour y parvenir, ils demandent que le mariage soit public et précédé d'une enquête. Dans son capitulaire de 802, Charlemagne parle des laïcs « qui se souillent dans les noces incestueuses et qui contractent des unions avant que les évêques ou les prêtres avec les anciens du peuple aient diligemment recherché la consanguinité des futurs époux ». Le rapt des femmes que les aristocrates pratiquent de façon habituelle est périodiquement réprouvé. Charles le Chauve fait même déférer les coupables devant le tribunal royal. Le divorce, que bien des lois barbares admettaient, est prohibé sauf en cas d'adultère et d'impuissance, mais alors des enquêtes sont nécessaires. Si la législation de Pépin le Bref a été assez tolérante en matière de divorce, les mesures prises par Charlemagne et ses successeurs se rapprochent des principes de l'indissolubilité préconisée par l'Église. La fameuse affaire du divorce de Lothaire II a conduit les Carolingiens à préciser leurs théories.

Refusant le concept antique de l'*otium*, les princes carolingiens remettent à l'honneur le travail manuel, source de profit. Lorsque Charlemagne veut donner aux mois de l'année des noms nouveaux en langue germanique, il caractérise certains d'entre eux par une activité agricole précise : juin est le « mois des jachères », juillet le « mois des foins », août le « mois des épis », septembre le « mois des bois », octobre le « mois des vendanges ». Les grands propriétaires, les rois en tête, encouragent l'augmentation et l'amélioration de la surface cultivée, installent de nouveaux travailleurs sur les terres incultes. Ainsi Charles le Chauve, pour repeupler les régions reconquises sur les musulmans d'Espagne, dans le capitulaire *Pro Hispanis*, accorde des terres aux réfugiés goths en fixant les conditions par lesquelles ils pourront les exploiter.

Charlemagne déteste les oisifs, les vagabonds et les mendiants qui errent dans son royaume : en 789 et en 806, il s'en préoccupe et demande qu'on les incite à travailler. Son fils ordonne même aux fonctionnaires de surveiller ces miséreux. Les travailleurs sont protégés contre les abus de leurs maîtres. Les rois rappellent l'obligation du repos du dimanche qui vaut pour tous, même pour les bouviers et vachers considérés comme les plus vils des ouvriers agricoles.

Les Carolingiens légifèrent également à propos de l'esclavage. De fait cette institution, contrairement à ce que l'on dit souvent, n'a pas disparu en Occident. Les guerres de conquêtes lui ont au contraire donné un nouvel essor. Les esclaves, appelés *mancipia*, travaillent dans les grands domaines, d'autres sont achetés en pays slaves, d'où leur nom, et en grands troupeaux traversent l'empire pour être vendus dans les pays musulmans. Si les Carolingiens n'ont rien fait pour supprimer l'esclavage, du moins interviennent-ils pour améliorer le sort des esclaves, interdire leur vente à des païens et à des juifs et faire reconnaître la validité de leur mariage.

Les Carolingiens, Charlemagne le tout premier, ont cherché à moraliser les échanges commerciaux. Charlemagne définit le juste négoce et le juste prix, thèmes qui seront bien souvent repris au Moyen Age. Une transaction commerciale est juste lorsque est respecté le jeu de l'offre et de la demande, sans tendance monopolisatrice. Dans le capitulaire pour l'Italie entre 776 et 781, le roi ordonne de casser, après enquête, les transactions opérées par des hommes qui, poussés par la nécessité, ont vendu leurs biens à un prix inférieur au prix légitime. En 806, il précise la définition du juste prix en ces termes : « Tous ceux qui, au temps de la moisson ou de la vendange, acquièrent du blé et du vin sans nécessité mais avec une arrière-pensée de cupidité, par exemple en achetant un muid pour deux deniers et en le conservant jusqu'à ce qu'il puisse le revendre à six deniers ou même davantage, commettent un gain malhonnête. Si, au contraire, ils l'achètent par nécessité, afin de le garder pour eux-mêmes ou de le revendre dans un délai normal, nous appelons cela un acte de commerce *(negotium)*. » Charlemagne interdit l'accaparement et la spéculation fréquents en temps de disette. En 794, se souvenant peut-être de l'édit du maximum de Dioclétien, il fixe le prix maximum du grain. Comme il doit montrer l'exemple, il précise le prix du blé provenant de ses domaines. Pour garantir la stabilité des prix, encore fallait-il que les poids et mesures soient les mêmes partout. Citant un verset du *Livre des Proverbes* (XX, 10) : « Deux sortes de poids, deux sortes de mesures, mon âme les déteste », le roi déclare : « Que tous emploient des mesures égales et exactes ainsi que des poids justes et égaux, tant dans les cités que dans les monastères et les *villae*, soit pour vendre, soit pour acheter. » Charles le Chauve reprend en 854 cette décision et demande aux comtes de surveiller avec diligence poids et mesures afin que ceux qui vendent ne trompent ni ne volent les acheteurs.

Les Carolingiens luttent également contre un mal qui fait des ravages chez les laïcs, mais aussi chez les ecclésiastiques, l'usure : « Il y a usure, écrit-il en 806, quand on réclame plus qu'on ne donne ; par exemple, si vous avez donné dix sous et que vous réclamiez davantage ou si vous avez donné un muid de froment et qu'ensuite vous en exigiez un autre en plus. » Dans un autre capitulaire, il défend le prêt à intérêt sous peine d'une amende de soixante sous, c'est-à-dire celle qui est exigée lorsqu'on ne respecte pas le *ban* du roi. Ses successeurs soutiennent l'effort de l'Église, difficilement d'ailleurs, pour interdire le prêt à intérêt. Charles le Chauve intervient pour atténuer les effets du mort-gage, autre forme d'usure puisque celui qui empruntait mettait son bien ou sa personne en gage. Dans l'édit de Pîtres, il réduit le travail de l'emprunteur à sept ans et, d'autre part, il exige que les enfants d'une femme qui s'est ainsi engagée, restent libres.

Le pouvoir public intervient donc à maintes reprises, dans le domaine économique, ce qui est nouveau à l'époque. Mais il ne fait pas que légiférer au nom de principes religieux, il prend des initiatives qui contribuent au progrès matériel.

## Les progrès économiques

### Administration des domaines royaux

Le roi carolingien, nous l'avons dit, est un très grand propriétaire. Il possède par héritage et conquête d'immenses domaines, environ six cents, de la vallée de la Loire à la Rhénanie, dont il doit tirer le meilleur rendement. Il veut être au courant de l'état de ses *villae* et demande à ses régisseurs de dresser l'inventaire de ses ressources. De tels inventaires nous sont parvenus pour cinq fiscs royaux, mais il est difficile d'en préciser la date. Sans doute ont-ils été établis lorsque Louis le Pieux a doté sa fille Gisèle qui épousa Eberhard, futur marquis du Frioul. Ces *Brevium exempla*, comme on les appelle, décrivent les bâtiments d'exploitation avec le mobilier, les ustensiles et outils agricoles, indiquent le produit de la récolte, l'année où a été effectué l'inventaire, établissent des listes numériques sur le cheptel et la volaille. Charlemagne s'est préoccupé de la bonne gestion de ses domaines, comme nous l'avons rappelé plus haut en citant un passage du capitulaire *De villis*. L'intendant en chef, le *judex*, assisté par les maires *(majores)*, qui réside dans la demeure du maître, doit veiller à la répartition du travail agricole et artisanal, car la *villa* est à la fois ferme et manufacture. L'intendant doit fixer la date des semailles, des labours, des moissons et veiller au bon état des pressoirs, à la reproduction des chevaux, à l'entretien des forêts qui sont, à l'époque, non seulement source de biens de toutes sortes mais réserve de chasse pour le roi.

Charlemagne fit école, non seulement auprès de ses successeurs mais auprès des grands propriétaires laïcs et ecclésiastiques qui édictent pour leurs domaines des réglementations semblables. Nous avons dit que, sous Louis le Pieux, l'abbé de Saint-Germain-des-Prés avait fait rédiger le fameux *Polyptyque* dans lequel il décrivait les vingt-cinq domaines dispersés dans la région parisienne et nous possédons encore les Polyptyques de Saint-Père de Chartres, de Saint-Remi de Reims, de Saint-Amand, de Saint-Bertin, de Lobbes, de Prüm et même de Saint-Victor de Marseille. Les cousins de Charlemagne, respectivement abbés de Corbie et de Bobbio, prévoient avec précision le travail des artisans et des paysans de leurs domaines. Eginhard, grand propriétaire, rappelle à l'ordre ses intendants, et dans ses lettres leur donne des conseils sur l'élevage, la récolte du miel, la préparation de la bière, etc. Un évêque de Souabe se préparant à aller, à la fin du IXᵉ siècle, dans une de ses villas, écrit à son intendant : « Veille à avoir de l'excellent froment et fais préparer du pain, demande à douze tenanciers les moutons qu'ils doivent et donne à ces derniers tous les jours du sel et un bon mélange comme nourriture pour qu'ils soient à point à mon arrivée... Fais venir du vin de Constance et fais apporter du bois et des œufs... »

Les rois, qui se déplacent de palais en palais, réorganisent tout un système d'approvisionnement *(fodrum)* et de gîte *(gistum)*; ils s'appliquent également à l'approvisionnement de la suite royale et des armées par les grands vassaux. Les Ottoniens, qui eux aussi vivent des ressources de leurs domaines et se déplacent continuellement, reprirent à leur compte en Germanie et en Italie cette organisation carolingienne.

Un des buts de la réglementation agricole était la vente des produits en surplus. Même si chaque année on redoutait l'époque de la soudure, si les détournements et le gaspillage étaient grands, on devait prévoir — en dehors des moments de disette — une commercialisation dans les marchés locaux. L'économie carolingienne n'est pas, quoi qu'on en ait dit, une économie fermée. Les activités d'échanges sont réelles et les princes ont en ce domaine également innové.

## Création de marchés locaux et protection des marchands

Dès 744, Pépin le Bref, alors maire du palais, ordonne de créer des marchés dans les cités épiscopales là où ils n'existaient pas encore. On voulait établir un endroit où les transactions commerciales puissent être surveillées par les autorités et enrichir le trésor royal puisque les tonlieux, c'est-à-dire les péages et les octrois, allaient à la caisse du prince. Dès lors les marchés se multiplient et attirent de plus en plus de clients. Dans son capitulaire *De villis* Charlemagne demande que les tenanciers agricoles n'aillent pas « perdre leur temps sur les marchés ». En 802, il interdit les ventes de vases précieux, d'esclaves, de chevaux et autres animaux pendant la nuit, et ordonne que les transactions se fassent en public. En 820, Louis le Pieux s'en prend à ceux qui fuient les marchés organisés afin de ne pas payer les tonlieux et vont vendre clandestinement leurs marchandises. Les marchés avaient lieu en général une fois par semaine, le samedi. Pour satisfaire les juifs de Lyon, Louis accepte de déplacer les marchés qui se tiennent le jour du sabbat, ce qui provoque une vive protestation de l'archevêque Agobard, un des rares antisémites de l'époque.

Le développement des marchés est tel qu'en 864, Charles le Chauve demande aux comtes de dresser la liste des marchés existants en distinguant les centres commerciaux établis sous Charlemagne, sous Louis le Pieux et depuis son avènement. Les marchés publics seraient maintenus s'ils étaient nécessaires, les marchés clandestins supprimés, ceux qui avaient été déplacés réintégrés dans leurs places anciennes.

Les profits tirés des marchés sont tels que les évêques et les abbés demandent aux rois de leur concéder des diplômes d'immunité qui leur permettent d'avoir une partie des revenus commerciaux. Ils demandent également la possibilité de créer de nouveaux marchés, ce qui conduit les rois à intervenir dans les centres urbains.

Les rois, nous l'avons dit, résident peu dans les villes, ils préfèrent vivre dans leurs palais ruraux. Pourtant certains d'entre eux s'installent pour quelques semaines à Francfort, Worms, Pavie, Vérone, Ratisbonne, et ailleurs. Ils encouragent les évêques qui, à Metz, à Reims, à Lyon, au Mans..., font construire de nouvelles églises et bâtiments claustraux et font

travailler artistes et artisans. Ils donnent les autorisations pour détruire ou pour reconstruire les enceintes de la cité, le droit de fortifications étant un de leurs privilèges. Enfin ils interviennent lorsque les évêques et les abbés regroupent des populations nouvelles à l'extérieur des murs dans ce qu'on appelle des *portus* et créent de nouveaux marchés. Les principaux *portus* sont situés le long de l'Escaut (Valenciennes, Tournai, Gand), sur le Rhin (Mayence), mais surtout sur la Meuse qui traverse l'Austrasie. De nouveaux quartiers sont également créés à Plaisance sur le Pô, à Ratisbonne sur le Danube, à Chappes près de Bar-sur-Seine, à Châlons-sur-Marne, etc.

Les centres de transaction les plus importants attirent ceux qu'on a appelés des marchands professionnels qui se chargent des échanges entre les différentes régions de l'Occident. Leur trafic est également contrôlé par le pouvoir royal. Les marchands anglais arrivent sur le continent par le port de Quentovic ou de Duurstede et viennent séjourner à Saint-Denis ou à Mayence. Charlemagne se plaint au roi anglo-saxon Offa que les draps de laine qu'il achète sont de longueur trop variée. Du côté de l'Est Charles intervient pour empêcher la vente d'armes franques, si réputées à l'époque, dans les pays slaves. Par le capitulaire de Thionville, il prévoit les villes par lesquelles les marchands doivent passer pour que l'on puisse contrôler leurs marchandises : Pardovic et Scheessel en pays saxon, Magdebourg et Erfurt, Forsheim, Fremberg et enfin Ratisbonne : « Qu'ils n'apportent pas d'armes ni de brognes pour les vendre, s'ils sont trouvés avec, qu'on leur enlève tous leurs biens. » Les cols alpins ou cluses sont surveillés par les agents du fisc qui perçoivent des douanes.

En 828, Louis le Pieux promulgue un capitulaire en faveur des *negociatores* qui viennent commercer au palais. Il interdit à ses fonctionnaires de saisir leurs biens, leurs navires : « Qu'il leur soit permis ainsi qu'aux juifs de servir fidèlement dans les différentes parties de notre palais et s'ils veulent accroître leurs moyens de transports à l'intérieur de notre royaume, avec l'aide du Christ, en vue de commercer pour notre profit comme pour le leur, qu'ils en aient licence et qu'aucune saisie ni aux cluses, ni en aucun autre lieu ne soit tolérée, ni exercée à leur égard. Qu'on ne leur réclame nulle part le tonlieu à part celui pour notre compte entre Quentovic et Duurstede et aux cluses là où une dîme est exigée. Que s'il naissait contre eux quelque procès qu'ils ne pourraient évoquer dans leur patrie d'origine sans frais injustes et fort lourds ; qu'en attendant qu'ils soient portés devant nous ou leurs chefs que nous avons préposés à ces causes et à la tête des autres marchands, ces procès soient suspendus et réservés jusqu'à ce qu'ils reçoivent une sentence définitive selon l'ordre du roi. » On a beaucoup discuté sur la portée de ce texte, soit pour montrer l'importance du grand commerce, soit pour dire qu'il s'agissait de fournisseurs de la cour que le roi voulait attirer en les alléchant par des privilèges. En fait, le capitulaire fait partie d'une politique d'ensemble qui vise à favoriser le grand commerce et ceux qui s'y adonnent. Le traité commercial entre Lothaire Ier et Venise (en 840) qui permet la libre circulation des marchands dans l'Italie du Nord est conclu dans le même esprit.

C'est également pour aider le commerce autant que la circulation des armées que les rois ont fait entretenir les ponts et les routes romaines, *via regia* ou *via publica*. Ils font restaurer des ponts sur la Seine, aménager sur les fleuves des ponts amovibles, composés de barques et stabilisés par des ancres, et ils font tant bien que mal réparer les routes qui se dégradent. Nous avons vu que Charlemagne avait même eu l'idée, pour des raisons militaires, de creuser un canal joignant le Main au Danube. Dans la deuxième moitié du IXe siècle, par suite des troubles et des invasions, les voyageurs empruntent de plus en plus les voies d'eau. Une enquête faite par le pouvoir royal au sujet des tonlieux de Raffelstellen au début du Xe siècle mentionne les bateaux montés par trois hommes qui transportent le sel de la Bavière jusqu'en Moravie.

La politique monétaire

Une réelle politique commerciale ne se comprend que s'il existe un instrument d'échange : la monnaie. Les Carolingiens le savent qui ont promulgué plusieurs capitulaires à ce sujet.

Comme nous l'avons dit déjà au début du livre, l'or avait disparu à la fin du VIIe siècle de l'Occident, ou du moins n'était plus monnayé et seuls les deniers d'argent frappés par de nombreux ateliers laïcs et ecclésiastiques circulaient. De plus, des pays anglo-saxons et frisons provenaient des pièces également d'argent, les *sceattas*. Pépin, quatre ans après son sacre, prend à l'assemblée de Ver une décision qui a été justement présentée comme la première règle monétaire imposée par les rois : « En ce qui concerne la monnaie, nous ordonnons qu'il ne soit pas taillé plus de vingt-deux sous (de deniers) dans une livre-poids et que le monnayeur en retienne un et rende vingt et un sous à celui à qui appartient le métal. » Ces deniers d'argent qui nous sont parvenus en cent cinquante exemplaires portent le nom du roi, et non plus celui du monétaire, et le nom de l'atelier. Comme l'a écrit J. Lafaurie : « C'est une révolution monétaire qu'a effectuée Pépin le Bref. Il est le premier roi qui a légiféré sur la monnaie, qui a su imposer la sienne et a reconquis le monopole de la frappe. Son œuvre, qui sera portée à son point culminant par Charlemagne, durera presque un siècle et demi, tant que les souverains seront assez forts pour la défendre. »

En effet, vers 781, Charlemagne introduisit les deniers d'argent en Italie, pays dans lequel la monnaie d'or à bas titre continuait à circuler. Puis il décida de faire frapper un denier plus lourd, environ un gramme soixante, alors que le denier de Pépin pesait un gramme vingt-deux. Généralement, l'augmentation en poids du denier d'argent est mise en rapport avec l'exploitation des mines de Melle (Deux-Sèvres), dont le nom carolingien *Metalia* est significatif, et avec la provenance du métal d'autres régions. Certains spécialistes ont audacieusement expliqué la baisse du prix de l'argent par la hausse du prix de l'or en Orient, ce qui ferait supposer une interdépendance économique entre l'Est et l'Ouest. Au concile de Francfort (794) Charlemagne impose cette nouvelle monnaie : « En ce qui concerne les deniers, sachez que nous avons décidé qu'en tout lieu, qu'en toute cité, dans tout marché, le nouveau denier ait cours et soit reçu par tous pourvu qu'il porte notre nom, qu'il soit d'argent pur et de bon poids. » L'étude des deniers émis à cette date montre que Charlemagne adopte alors une livre d'un poids supérieur à celui de la livre romaine, poids qui restera inchangé pendant des siècles. Le poids du denier est rattaché au nouvel étalon pondéral : on compte vingt sous dans la livre et douze deniers dans le sou, la livre et le sou étant des monnaies de compte. Charlemagne ensuite intervint à trois reprises soit pour réduire le nombre des ateliers monétaires et privilégier celui du palais, soit pour lutter contre les faux-monnayeurs. A partir d'importants trésors que l'on a retrouvés, les numismates ont pu étudier l'évolution des types des deniers marqués à l'avers du nom de Charles comme roi puis comme empereur, et au revers d'une croix ou d'un temple stylisé. Ils ont également dénombré les deniers frappés dans les ateliers de Louis, roi d'Aquitaine, et de Pépin, roi d'Italie.

Louis le Pieux prit à son tour des mesures en 819, 823 et 829 pour assurer le bon fonctionnement des ateliers royaux et la valeur des deniers. Pour déjouer l'activité des faux-monnayeurs, il mit en circulation de nouveaux deniers. Si l'empereur fit frapper quelques sous d'or en Frise, en Italie du Nord et à Aix, il s'agissait surtout de monnaie de prestige, voire de médailles qui n'avaient pas cours. Notons que l'or n'a pas disparu de l'Occident comme en témoignent les trésors d'orfèvrerie dont nous parlerons par la suite. L'or provient d'Orient ou du monde arabe et fait objet de commerce puisqu'en 862 Charles le Chauve demande que la livre d'or pur ne soit pas vendue plus que douze livres d'argent.

Charles le Chauve reste fidèle à la politique de ses prédécesseurs. En 854 et 856, il prend des sanctions contre les faussaires et ceux qui utilisent des monnaies falsifiées. En 864, le capitulaire de Pîtres consacre huit articles à la monnaie : le roi désigne les ateliers ayant le privilège de la frappe, soit le palais, Quentovic, Rouen, Reims, Sens, Paris, Orléans, Chalon-sur-Saône, Melle et Narbonne ; il fait frapper de nouvelles pièces et demande qu'à partir du 1er juillet, tous fassent échanger leur argent en nouvelle monnaie qui doit être acceptée partout. Ce capitulaire est le dernier en date, du moins à notre connaissance, à s'occuper des problèmes monétaires.

On ne saurait sous-estimer l'importance de la diffusion des deniers dans tout l'Occident. D'abord la circulation de pièces au nom et à l'effigie des rois a fait beaucoup pour le renforcement de leur prestige et de leur autorité. Ensuite la multiplication des deniers et de l'obole, pièce divisionnaire du denier, a certainement contribué à la reprise des échanges locaux et régionaux ; le commerce s'effectue par quantité de marchandises estimées en deniers d'où le mot de « denrée ». D'autre part le contrôle des marchés et des ateliers monétaires se fait conjointement. Ainsi à Pîtres, Charles le Chauve demande à ses officiers de surveiller sur les marchés les monnaies en usage, de poursuivre ceux qui n'utilisent pas les deniers royaux, mais de se montrer plus tolérant pour les femmes qui ont, dit-il, l'habitude de barguigner (barcagnare).

Les deniers circulent, « par millions » dit Dhondt avec un peu d'exagération. Ils sont utilisés non seulement pour le commerce mais pour le rachat des corvées, des prestations, pour le paiement des salaires, pour la levée des tributs au temps des invasions normandes, pour la taxation des marchands, ce qui n'empêche pas le troc de s'exercer également. Les deniers carolingiens passent en Scandinavie, comme en témoignent quelques trouvailles, et même en Angleterre. D'ailleurs le roi Offa qui, nous l'avons vu, a établi des relations commerciales avec le royaume franc, reprit à son compte la politique monétaire carolingienne puisqu'il fixa la valeur du shilling à douze pennies, inaugurant ainsi un système duodécimal qui fut maintenu en Angleterre jusqu'en... 1971. Les réformes des rois carolingiens ont permis l'établissement en Europe d'une « zone argent » qui se maintint jusqu'au XIIIᵉ siècle au moment où réapparut la monnaie d'or.

## L'héritage des Carolingiens

Les rois du Xᵉ siècle ont bénéficié du renouveau économique de l'Occident et lorsqu'ils en avaient l'autorité, ont maintenu la même politique économique. Ils se sont efforcés de gagner des terres à l'agriculture, de développer le commerce, de créer des marchés et des villes. Ils savent, comme le dit le roi d'Angleterre Alfred le Grand, dans un texte célèbre que « les matériaux du roi et les outils par lesquels il gouverne c'est un pays bien peuplé : il lui faut des hommes pour la prière, des hommes pour la guerre et des hommes pour le travail ».

En matière monétaire la situation est différente selon les royaumes. En Francie occidentale les rois ont peu à peu perdu leur monopole de la frappe, mais cela ne s'est pas fait brusquement. Même si les rois concèdent de plus en plus des privilèges monétaires à des abbayes ou à des évêchés, ils veulent que leur nom reste inscrit sur la monnaie. C'est ce que Charles le Simple rappelle à l'abbé de Tournus en 915. Hugues le Grand, nous l'avons dit, remplace le nom du roi par le sien, mais son fils doit faire marche arrière. Le trésor de Fécamp enfoui vers 980 et qui a livré plus de mille cinq cents pièces, deniers et oboles permet de mesurer l'éparpillement du droit de battre monnaie mais aussi l'hésitation des chefs des principautés à s'emparer de ce privilège régalien. Comme l'écrit F. Dumas : « L'autorité éminente des derniers Carolingiens est reconnue près du domaine royal et dans les régions éloignées où ils se sont manifestés. La plupart des seigneurs qui détiennent la *moneta* ne sont pas résolus à affirmer leur indépendance. Peut-être leur puissance n'est-elle pas suffisante, peut-être n'attachent-ils pas assez d'importance à cette forme de souveraineté. Si le pouvoir royal est peu à peu réduit à néant, aucun autre ne lui est substitué dans l'ensemble du royaume. »

En Germanie, les rois ottoniens, comme d'ailleurs les princes anglo-saxons à la même époque, contrôlent tous les ateliers monétaires. Otton Iᵉʳ, qui a fait ouvrir les mines de Rammelsberg près de Goslar dans le Harz, fait frapper les deniers à Magdebourg, Halle, Mayence, Verdun et surtout Cologne. Le denier de Cologne qui imite la monnaie carolingienne connut une grande diffusion. Les liens établis entre la Germanie et les pays scandinaves et slaves eurent pour effet d'introduire les deniers dans ces régions extérieures. Les princes polonais eux-mêmes frappèrent des pièces d'argent.

Comme à l'époque carolingienne l'ouverture d'un atelier monétaire s'accompagne de celle d'un marché. « La monnaie et le marché sont nécessaires à la multitude du peuple qui afflue ici mais aussi aux moines et au peuple qui résident ici », dit le privilège d'Otton III pour Selz. Les Ottoniens prévoient des lieux d'échange dans des châteaux fortifiés ou dans les abbayes. En 936, Otton fonde à Magdebourg, près du monastère Saint-Maurice, le « Wick » où se rencontrent juifs et autres négociants qui commercent au-delà de l'Elbe. Sur les vingt-neuf localités où se trouvent des marchés fortifiés, douze se transforment bientôt en villes qui s'ajoutent aux villes épiscopales ou à celles qui se développent autour des palais royaux. Le roi en tire des profits de tonlieux qu'il partage avec les seigneurs locaux. Quant aux marchands ils se mettent sous la protection du roi : en 946, Otton Ier concède un marché public à l'abbaye de Corvey et demande à ses agents « de tenir une paix très ferme à ceux qui vont et viennent et à ceux qui résident » ; en 965, les marchands qui se rendent au marché de Brême sont protégés et doivent en échange livrer à la cour des marchandises ; autre exemple : en 996, Otton III autorise l'évêque de Freising à fonder un marché quotidien et place la fréquentation de ce marché sous le *ban* de la paix impériale. Nous retrouvons ici les traits de la politique carolingienne.

Nous les retrouvons également dans le domaine du grand commerce. Les rois encouragent les marchands qui transportent les marchandises du Rhin ou du Danube à l'Elbe, de l'Elbe à Cracovie et à Prague. L'établissement des alliances politiques avec les princes slaves ne peut que favoriser ces déplacements. Lorsqu'ils sont maîtres de l'Italie, les Ottoniens pratiquent la même politique. Ils ne perdent pas de vue les ressources que le grand commerce peut apporter à la cour de Pavie. Pavie est, depuis l'époque lombarde, le plus grand centre italien et le restera longtemps. Un texte fameux, les *Honoranciae civitatis Papiae*, donne un tableau des profits commerciaux que la caisse royale doit à la fin du Xe siècle. Selon l'auteur du rapport, les marchands qui entrent dans le royaume aux différents postes des douanes alpestres paient un dixième sur les chevaux, les esclaves, les draps, l'étain et les épées. Les marchands anglais en sont dispensés, mais envoient au palais, tous les trois ans, cinquante livres d'argent et des armes. Les Vénitiens qui com-

mercent depuis longtemps avec Pavie doivent verser annuellement douze mille deniers d'argent. Ceux de Salerne, de Gaëte
ou d'Amalfi doivent des sommes d'argent et des produits en
nature, le texte ajoute : « Les marchands grands, nobles et
riches auront toujours à Pavie de la main de l'empereur un privilège honorifique valable partout où ils se trouveront en train
de traiter des affaires afin qu'on ne les importune en aucune
manière ni sur terre, ni sur mer. » Peut-on encore, à la lecture
de ce document, parler de la léthargie économique de l'Occident ?

# CHAPITRE IV

## PREMIER ÉPANOUISSEMENT
## DE LA CULTURE EUROPÉENNE

Lorsque l'on évoque l'œuvre des Carolingiens dans les domaines intellectuel et artistique, les mots de « renaissance carolingienne » viennent immédiatement à l'esprit. Cette expression, utilisée pour la première fois en 1839 par J.J. Ampère, ne doit pas pourtant faire croire qu'avant l'avènement des Carolingiens au pouvoir, l'Occident était livré aux forces de la barbarie et de l'obscurantisme. Sur les ruines de la culture romaine qui avait survécu jusqu'au VIIᵉ siècle, une nouvelle culture d'inspiration chrétienne s'était édifiée en Espagne, Italie et dans les îles Britanniques, prémices de la renaissance des temps carolingiens. Les princes goths et lombards, les moines irlandais et anglo-saxons encourageaient les études et ont laissé des œuvres de grande valeur.

Le mérite des Carolingiens est d'avoir su exploiter les premières manifestations du réveil culturel de l'Occident, d'avoir restauré les écoles, d'avoir regroupé autour d'eux lettrés et artistes en les patronnant et en les encourageant. Les contemporains ont été très conscients de l'impulsion donnée par le pouvoir royal et eux-mêmes ont parlé sinon de renaissance, du moins de *renovatio*. Bien souvent, ils ont attribué à Charlemagne tout le mérite de ce renouveau. Il est « celui qui a fait jaillir les flammes des cendres », dit Héric d'Auxerre, à lui « les lettres doivent rendre un tel hommage qu'elles lui procurent une éternelle mémoire », renchérit Loup de Ferrières ; et Walafrid Strabon écrit : « De tous les rois, Charles était le plus avidement empressé à rechercher les savants et à leur procurer le moyen de philosopher tout à leur aise, ce qui lui permit d'assurer à nouveau le rayonnement de la science entière en partie inconnue de ce monde barbare et de faire ainsi de toute l'étendue du royaume qu'il avait reçu de Dieu encore enveloppé de brumes et pour ainsi dire presque aveugle, un pays lumineux aux yeux pénétrés de clarté divine. »

Pourtant Charlemagne n'est pas le seul à avoir créé ce mouvement de renouveau. Son père Pépin avait commencé avant lui, ses successeurs continueront. Malgré la crise de l'empire à la fin du IXe siècle la *renovatio* se poursuit au Xe siècle dans une grande partie de l'Occident. Sans étudier tous les aspects de la Renaissance carolingienne, il faut montrer comment les princes ont pu créer les conditions susceptibles de réaliser le premier grand épanouissement de la culture européenne.

## Politique scolaire

La naissance des écoles ecclésiastiques en Occident est antérieure à Charlemagne, puisqu'elles sont apparues dès le VIe siècle dans les cathédrales, les monastères et même les paroisses rurales. Les clercs et les moines ont organisé un programme d'études fondé sur l'Écriture sainte, donc à l'opposé de celui que les dernières écoles de l'Antiquité présentaient. Pourtant, ces écoles ont subi les conséquences de la crise de l'Église à la fin du VIIe siècle et au début du VIIIe siècle.

Pépin le Bref, en portant son effort sur la réforme du clergé, avait déjà préparé les conditions d'une restauration de la culture. Sa cour est ouverte aux lettrés, ses évêques sont instruits. Lorsqu'en 769, le pape Étienne III demande au roi de lui envoyer « des évêques instruits et versés dans les divines Écritures et les institutions des saints canons », il savait qu'il pouvait être entendu. Au synode de Gentilly, les évêques francs sont capables de tenir tête aux clercs byzantins dans les discussions sur la Trinité et le culte des images.

Charlemagne alla plus loin et voulut poursuivre le renouveau culturel en restaurant les écoles. En cela il imita son cousin Tassilon, duc de Bavière, qui dès 772 avait demandé aux évêques d'organiser des écoles dans leurs églises, mais surtout renoua avec la tradition des empereurs romains. Il est certain que ses premiers séjours en Italie, l'influence des lettrés italiens qu'il installe à sa cour, Paul Diacre, Pierre de Pise, Paulin plus tard archevêque d'Aquilée, l'ont conduit à préciser sa politique. En 781, il rencontre à Parme l'Anglo-Saxon Alcuin qui avait été maître de l'école d'York et qui joua un rôle déterminant dans le renouveau de la culture.

Charlemagne s'intéresse aux études dans un but précis. Responsable du clergé, il veut que ce dernier ait une instruction suffisante pour instruire à son tour le peuple qui lui est confié. La réforme de la liturgie commencée sous Pépin, la réorganisation de l'Église, ne peuvent réussir que si le clergé connaît le latin, peut lire et méditer les Écritures. D'autre part le roi se rend compte que pour perfectionner son administration, il doit redonner à l'écrit le rôle qu'il avait dans l'empire romain. Les comtes, les *missi*, doivent être instruits ou du moins avoir auprès d'eux des hommes capables d'interpréter les ordres que le prince envoie, d'établir des rapports et des inventaires. L'écrit est donc un moyen de gouvernement.

Dans ces conditions, en 789, soit une vingtaine d'années après son avènement, Charles décide dans l'*Admonitio generalis* que dans chaque monastère et dans chaque évêché, on enseigne aux enfants les psaumes, les notes, le chant, le calcul et la grammaire. Ce programme en soi n'est guère original et reprend celui qui avait été suivi dans les écoles ecclésiastiques depuis le VIe siècle : apprendre à lire, à écrire, à compter, connaître la grammaire latine et les notes, c'est-à-dire la sténographie utile pour les apprentis fonctionnaires. Mais l'important était de créer des écoles dans tous les monastères et dans tous les évêchés du royaume. Par la suite, Charlemagne encouragea les évêques à créer dans les villages et les bourgades des écoles rurales, reprenant ainsi une décision du concile de Vaison de 529. Cet aspect de la réforme est assez mal connu sinon par les statuts synodaux de Théodulf. L'évêque d'Orléans en effet souhaitait « que dans les villages et les bourgs, les prêtres tiennent école ; si quelques fidèles leur confient des enfants pour apprendre les lettres, qu'ils ne refusent pas de les recevoir et de les instruire en le faisant en toute charité... Quand les prêtres s'acquittent de cette fonction, qu'ils n'exigent aucun salaire et s'ils reçoivent quelque chose que ce soit seulement de petites libéralités offertes par les parents ». Dans une enquête de 803, Charles rappelle que les parents doivent envoyer les enfants à l'école. Vers 813, le concile de Mayence souhaite que, revenus chez eux, les enfants instruisent à leur tour leurs proches des prières apprises à l'école.

Charlemagne est bien conscient de la difficulté de faire appliquer partout la réforme scolaire. Tout au long de son règne, dans ses capitulaires, dans ses directives aux *missi*, au cours des conciles, il demande que clercs et moines soient bien instruits, que les laïcs connaissent le minimum pour édifier leur culture religieuse. Les évêques répercutent ces ordres au niveau de leur diocèse ; l'archevêque de Lyon, Leidrade, est fier d'annoncer à Charles qu'il a dans son église une école de chantres et de lecteurs : « J'ai des écoles de chantres dont la plupart sont si bien formés qu'ils sont capables d'en former d'autres. En outre j'ai des écoles de lecteurs qui sont capables non seulement de s'exercer aux leçons de l'office mais encore de retirer de la méditation des livres divins le fruit de l'interprétation spirituelle. » Il remercie d'ailleurs Charlemagne de lui avoir envoyé un clerc de l'église de Metz qui l'avait aidé à introduire à Lyon la liturgie que l'on suivait au palais.

On a longtemps pensé que Charles avait créé dans son propre palais une école et l'on citait pour cela la fameuse anecdote de Notker de Saint-Gall qui rapportait que le roi, inspectant son école, morigénait les jeunes aristocrates paresseux et félicitait les élèves de condition modeste. Que le roi veuille surveiller les clercs de la cour, comme il surveillait tout le clergé du royaume, cela est vraisemblable, mais en fait ceux qui font partie de la *schola*, c'est-à-dire du groupe des scribes, des notaires, des chantres, des copistes sont les jeunes gens qui apprennent dans les bureaux et dans la chapelle leur futur métier.

Louis le Pieux, aidé des évêques, a poursuivi la politique scolaire de son père. Le concile d'Aix qu'il réunit en 817, sous sa présidence et sous celle de Benoît d'Aniane, décide que les écoles monastiques seront strictement réservées aux jeunes oblats se préparant à devenir moines. En conséquence les grandes abbayes, telle Saint-Gall, durent ouvrir des écoles externes où des clercs et même des laïcs pouvaient recevoir une certaine instruction. Dans le fameux Plan de Saint-Gall, l'école figure au front nord de l'église avec douze salles d'études et la maison du maître tandis que le quartier des novices et des oblats s'installait à l'est de l'église. En fait, la plupart des monastères n'eurent pas les moyens de créer une double école et la décision de 817 fut rarement appliquée.

En 822 à Attigny, les évêques regrettent de n'avoir pu organiser des écoles comme ils auraient dû le faire et ils prévoient de créer des centres scolaires lorsque leur diocèse serait trop grand. Trois ans après l'empereur leur rappelle leur engagement : « Ne négligez pas d'organiser des écoles fonctionnant bien pour instruire les fils et les ministres de l'église, qu'elles soient situées dans des lieux adéquats là où cela n'est pas encore fait. » En 829, dans un rapport rédigé par le concile de Paris, les évêques suggèrent à l'empereur de suivre l'exemple de son père et d'établir de sa propre autorité des « écoles publiques » dans trois endroits de l'empire. Par cette expression, il faut entendre non pas des écoles ouvertes à tous, clercs comme laïcs ou même des écoles supérieures, mais suivant le sens habituel de *publicus*, des écoles contrôlées par la puissance publique.

C'est ce qui s'était passé en Italie du Nord quatre ans auparavant lorsque le roi Lothaire avait décidé à l'assemblée de Corte d'Ollona, près de Pavie, de créer neuf centres scolaires où des « élèves-maîtres » envoyés de différents évêchés pourraient se perfectionner. Ces centres étaient Pavie, Ivrée, Turin, Crémone, Vicence, Vérone, Cividale, Florence, Firmo. Un an après le pape Eugène II imita le roi et ordonna d'ouvrir des écoles dans les évêchés et les bourgs importants du territoire de saint Pierre où seraient enseignés les arts libéraux et les dogmes sacrés.

Après le partage de Verdun de 843, les textes concernant la législation scolaire sont plus rares. Pourtant en 853, le pape Léon IV reprit les décisions de son prédécesseur en insistant sur l'enseignement religieux et demanda que les maîtres lui fassent un rapport sur leur activité. Au concile de Savonnières (859), les évêques rappellent que les princes carolingiens ont procuré lumière à l'Église et progrès de la science grâce aux écoles et souhaitent que les rois Lothaire II et Charles le Chauve prennent des dispositions pour créer des écoles publiques partout où des hommes seront capables d'enseigner.

S'il est difficile de vérifier l'application immédiate de la législation scolaire, on peut dire, en constatant les progrès du niveau culturel du clergé et la floraison d'œuvres de toutes sortes, que l'effort des rois n'a pas été vain. Si les résultats sont encore modestes au temps de la « première renaissance carolingienne » celle de Charlemagne, au contraire au IXe siècle, pendant la « deuxième renaissance carolingienne », les foyers de culture sont nombreux dans un quadrilatère limité par Corvey, Tours, Lyon et Saint-Gall et également en Italie et même dans la lointaine Armorique. Seules l'Aquitaine et la Provence n'ont pas d'écoles connues. Dans les écoles dirigées par des maîtres éminents, clercs et moines étudient, enseignent, écrivent. Ils redécouvrent avec enthousiasme les auteurs de l'Antiquité, grammairiens, rhéteurs, ceux qui ont traité d'astronomie et de médecine, sachant que l'étude des arts libéraux permet, comme le dit Alcuin, « non seulement d'atteindre le sommet des saintes Écritures mais la véritable sagesse qui est la connaissance de Dieu ». Dans une lettre fameuse à Charlemagne, le diacre anglo-saxon présente l'idéal à atteindre : « Si beaucoup se pénétraient de vos intentions une nouvelle Athènes se formerait en Francie. Que dis-je, une Athènes plus belle que l'ancienne, car ennoblie par l'enseignement du Christ, la nôtre surpasserait toute la sagesse de l'Académie. L'ancienne n'a eu pour s'instruire que les disciplines de Platon pourtant formées par les sept arts libéraux, elle n'a pas manqué de resplendir ; la nôtre serait dotée en outre de la plénitude septiforme de l'esprit et dépasserait toute la dignité de la sagesse séculière. » Enfin les lettrés carolingiens redécouvrent le goût d'écrire un latin correct et ce n'est pas là le moindre résultat de la renaissance carolingienne.

Il suffit de comparer les textes écrits au début du VIIIᵉ siècle et ceux que nous ont laissés les Carolingiens pour constater les progrès du latin. Charlemagne dans une lettre circulaire aux abbés du royaume se plaint que les moines qui prient pour lui ignorent les règles de la grammaire, donc sont incapables de lire les Écritures. Rendre au latin sa pureté, c'est faire œuvre pie. Comme dit un poète : « Charles a mis autant d'ardeur à supprimer les incorrections des textes qu'à vaincre ses ennemis sur les champs de bataille. » On a dit qu'en arrêtant l'évolution du latin qui peu à peu devenait une langue parlée, ancêtre de la langue romane, les Carolingiens avaient créé un fossé entre une culture savante et une culture populaire. Cela est vrai mais le succès de la réforme liturgique, le renouveau des études bibliques, l'unité entre tous ceux qui gouvernaient l'empire rendaient nécessaire que le latin retrouve sa correction et son universalité. Grâce aux Carolingiens, l'Occident va disposer pour des siècles d'un moyen de communication international qu'il ne retrouvera pas par la suite.

Remarquons que les princes carolingiens n'oublient pas les aristocrates qui ne peuvent pas avoir accès au latin. Charles, resté très fidèle à son origine austrasienne, a fait transcrire « les antiques poèmes barbares où étaient chantées l'histoire et les guerres des vieux rois ». Eginhard, qui nous donne ce renseignement, ajoute qu'il ébaucha une grammaire en langue nationale et qu'il donna aux mois des noms en germanique. Nous n'avons rien gardé des épopées barbares sinon un fragment de l'*Hildebrandslied* écrit à Fulda vers 800. Mais quelques témoignages attestent que ces poèmes, qui ont formé les premiers éléments des chansons de geste, étaient connus des aristocrates francs. Louis le Pieux commanda un poème saxon, une épopée chrétienne écrite à partir des Évangiles et qui reçut le nom d'*Heliand*, c'est-à-dire le Sauveur. A Louis le Germanique fut offert le *Muspilli*, évocation du jugement dernier. Enfin on voulut que le peuple qui, le dimanche, assistait à la messe, puisse comprendre la prédication. En 813, au concile de Tours, on commanda aux évêques de traduire leurs homélies soit en langue vulgaire romane *(romans rustica)*, soit en langue germanique *(lingua theotisca)*, ce que les prêtres devaient déjà sans doute faire dans bien des régions.

## La cour, foyer de culture intellectuelle

Restaurer les écoles et permettre aux hommes d'acquérir connaissances et techniques étaient indispensables pour créer les conditions d'une renaissance intellectuelle, mais cela ne suffisait pas. Les rois devaient donner l'exemple, faire de leur cour un rendez-vous d'écrivains, leur commander des œuvres, bref exercer un mécénat littéraire.

### La cour d'Aix

Dans un capitulaire, Charlemagne déclare qu'il s'est efforcé de restaurer l'étude des lettres que la négligence de ses ancêtres avait laissée décliner et qu'il a, par son propre exemple, voulu inviter ses sujets à cultiver les arts libéraux. Dès le début de son règne, il accueille les écrivains dans son palais et, comme le dit Eginhard, il se met lui-même à l'école du vieux Pierre de Pise puis à celle d'Alcuin. Sa curiosité est sans cesse en éveil, qu'il s'agisse de grammaire, de rhétorique, d'astronomie ou de théologie. Ses fils et ses filles et les jeunes aristocrates qui vivent au palais bénéficient des leçons des maîtres choisis par le roi et participent aux débats intellectuels que les princes et les lettrés tiennent dans leurs moments de loisirs, à table ou même dans la piscine d'Aix, nous dit Alcuin. Ainsi se présente ce qu'on a appelé « l'académie palatine ». On discute de questions religieuses, scientifiques ou philosophiques. Par exemple, à la demande de Charles, et pour éclairer les palatins, l'Anglo-Saxon Fridugise, disciple d'Alcuin, doit disserter sur l'existence réelle ou imaginaire du néant et des ténèbres. Le ton est quelquefois moins sérieux ; Charles et ses amis s'adonnent à des jeux littéraires et se plaisent à une préciosité que connaissent toutes les cours royales à toutes les époques. Mais Charlemagne sait également faire travailler les clercs pour les besoins de sa politique religieuse. Pour lutter contre l'hérésie espagnole de l'adoptianisme, il se fait aider par Alcuin et Paulin d'Aquilée ; pour répondre aux arguments des Byzantins concernant le culte des images et l'Esprit saint, il fait appel à Théodulf. Il demande à Paul Diacre une *Histoire des évêques de Metz* et particulièrement de son ancêtre Arnoul. Tous les écrivains, qu'ils soient d'origine espagnole, irlandaise ou franque, sont au service de l'empereur.

Sous Louis le Pieux, le rayonnement de la cour est toujours aussi grand, du moins au début du règne. L'Irlandais Dicuil qui offre au prince un traité de géographie, Eginhard, Walafrid Strabon, Raban Maur abbé de Fulda, auteur de plusieurs ouvrages, vivent dans la familiarité du prince. L'empereur demande à Hilduin, abbé de Saint-Denis, de traduire les traités de Denys l'Aréopagite que l'empereur byzantin Michel le Bègue lui avait envoyés.

Par la même ambassade, Michel avait adressé un orgue hydraulique pour la chapelle royale, deuxième orgue byzantin à parvenir en Occident, puisque déjà Pépin en avait reçu un en 757. L'influence de la cour dans la création de la musique religieuse occidentale a été depuis longtemps mise en évidence. Pépin le Bref, puis Charlemagne, avaient introduit dans les églises le chant romain et avaient contribué à la création des répertoires de chants grégoriens. Des chantres de la *schola cantorum* royale avaient été envoyés dans différentes églises pour former les clercs. A Saint-Riquier, abbaye que dirige le gendre de Charlemagne, est composé vers 800 le premier tonaire qui fixe le ton psalmodique d'une antienne. Sous Louis le Pieux, Helisachar, chancelier de l'empereur, Agobard de Lyon, Nebridius, archevêque de Narbonne, perfectionnent l'antiphonaire dit grégorien. L'impulsion que les princes ont donnée aux études musicales portera des fruits et fera du IXe siècle le temps des grandes inventions musicales (notation neumatique, tropes) et celui des premiers traités théoriques sur l'harmonie et la musique.

## Les cours des différents royaumes après 843

La fin de l'unité politique de l'empire eut peu de conséquences pour la renaissance carolingienne. Chaque roi tient à garder auprès de lui des lettrés et se dispute même leur clientèle. Raban Maur, Angelome de Luxeuil, Sedulius Scotus adressent à Lothaire Ier et à son épouse Ermengarde leurs traités exégétiques et leurs poèmes. Sedulius, Irlandais au savoir universel, s'est installé à Liège auprès de l'évêque Francon, un parent de l'empereur. Après 855, il reste au service de Lothaire II et lui envoie le « miroir » intitulé *Liber de rectoribus christianis*. Drogon, demi-frère de Louis le Pieux, appelle à sa cour épiscopale de Metz un autre Irlandais, Murethach, auteur d'un important commentaire de Donat. Louis dit le Germanique est aussi lettré que ses frères. Raban Maur lui envoie différents traités d'exégèse et son grand livre sur le *De Universo.* Un élève de Raban, Ermenric, projette même d'écrire pour le roi un livre sur les arts libéraux. Fils de Louis, Charles le Gros, est en relation étroite avec les moines de Saint-Gall, l'école la plus célèbre de la Germanie et demande à Notker d'écrire pour lui une *Histoire de Charlemagne.*

Parmi les princes carolingiens, Charles le Chauve est certainement le plus cultivé. Bien instruit par sa mère Judith et son précepteur Walafrid Strabon, il s'intéresse à tous les sujets. Fréculf de Lisieux lui adresse son *Histoire universelle,* Loup de Ferrières un bref résumé de l'histoire des empereurs romains qui lui permettra de trouver des modèles à imiter. Charles fait composer un poème sur ses ancêtres et demande à son cousin Nithard « de fixer par écrit pour la postérité le récit des événements de son temps ». Voulant prier en communion avec l'Église, le roi demande à Usuard de Saint-Germain-des-Prés de composer un martyrologe et il s'intéresse aux Vies de saints : Milon de Saint-Amand lui adresse une version versifiée de la *Vie de saint Amand* et Héric d'Auxerre, son poème sur la *Vie de saint Germain d'Auxerre.* Le roi veut également connaître l'histoire des saints orientaux : Paul, diacre napolitain, lui dédicace la traduction de la *Vie de sainte Marie l'Égyptienne* et un récit de la conversion de Théophile, introduisant en Occident les premiers éléments de la légende de Faust. En 876, Anastase le Bibliothécaire traduit pour Charles la Passion de saint Démétrios de Thessalonique et celle de saint Denis.

La vie de saint Denis intéresse spécialement Charles le Chauve qui est abbé laïc de l'illustre monastère. Comme tout le monde à l'époque il croyait que le premier évêque de Paris était le même que le disciple de saint Paul converti sur l'Aréopage et que l'écrivain auteur de la « Hiérarchie céleste ». Les œuvres de celui qu'on appelle le pseudo-Denys, conservées à Saint-Denis, avaient été traduites, nous l'avons dit, sur l'ordre de Louis le Pieux, mais mal traduites. Charles le Chauve charge l'Irlandais Jean Scot Érigène, qui connaissait fort bien le grec, de reprendre la traduction, événement capital pour la pensée européenne. En effet, les clercs carolingiens vont pouvoir découvrir la richesse de pensée d'un théologien mystique. Jean Scot tout le premier en bénéficia, puisque dans le *Periphyseon* il présente la première grande synthèse métaphysique de l'Occident.

Ce n'est pas la première fois que Charles faisait appel à la science de Jean Scot. Quelques années auparavant, il lui avait demandé de l'aider à comprendre les controverses qui agitaient les milieux ecclésiastiques. Charles est en effet curieux de tout ce qui touche les spéculations théologiques. Dès 842, il demande à Ratramne de Corbie de lui exposer ses idées sur l'Eucharistie en réponse à un traité que venait de rédiger Paschase Radbert et que Charles avait reçu. Plus tard il interroge le même Ratramne et Loup de Ferrières sur les thèses aventureuses émises par le moine Gottschalk au sujet de la prédestination, thèses qu'avait condamnées Hincmar de Reims. Enfin, malgré Hincmar, il demande à Jean Scot de donner son avis sur l'affaire.

L'Irlandais n'est pas le seul à fréquenter la cour. Le roi aime réunir moines et clercs et comme le dit Héric d'Auxerre, « son palais peut mériter le nom d'école puisque tous les jours on se livre à des exercices scolaires autant que militaires ». Héric complétait même le compliment en ajoutant : « Tous sont attirés vers le secret de la Sagesse par votre exemple. » Charles le Chauve se veut en effet non seulement un nouveau Salomon mais également un roi philosophe à la façon des empereurs antiques : autant de raisons parmi bien d'autres pour lesquelles le pape Jean VIII lui conféra la couronne impériale en 875.

## Les rois et les livres

Les rois carolingiens ne se contentent pas de faire ouvrir des écoles, de protéger les écrivains, mais ils attachent une importance particulière à l'instrument privilégié de la culture, le livre.

En 789, après avoir précisé le programme scolaire, Charlemagne demande que l'on corrige soigneusement les livres « catholiques », « car souvent alors que certains désirent bien prier Dieu, ils y arrivent mal à cause de l'imperfection et des fautes des livres », et il ajoute « s'il est besoin de copier les Évangiles, le Psautier et le Missel, que ce soient des hommes déjà mûrs qui les écrivent avec grand soin ». Charles savait que dans les *scriptoria* des grands monastères, on commençait à utiliser une nouvelle écriture, mise au point vers 780, peut-être à Corbie et qui par la suite reçut, en l'honneur du roi, le nom de « caroline ». Cette minuscule de petit module, régulière, séparant les espaces entre les mots, a été adoptée peu à peu, pour s'imposer dans tout l'Occident et même parvenir jusqu'à nous. En effet les premiers imprimeurs de la Renaissance ont tant admiré la caroline qu'ils l'ont adoptée et qu'elle est devenue le bas de casse de la typographie actuelle.

On ne saurait trop insister sur le prodigieux travail des

*scriptoria* carolingiens. Commencé sous le règne de Charlemagne, il se poursuit sans interruption tout au long du IXe siècle. Des milliers de manuscrits — on en dénombre près de huit
mille — nous sont ainsi parvenus et ne représentent qu'une
infime partie de la production des ateliers. Grâce aux scribes,
les œuvres des Pères de l'Église, des grammairiens, des rhéteurs, des poètes, des prosateurs latins vont pouvoir être
conservées dans les bibliothèques. La dette que la culture européenne doit aux scribes carolingiens est immense ; sans eux la
connaissance des lettres latines antiques n'aurait pas été possible.

Les rois en ce domaine également ont montré l'exemple et
se sont constitué de riches bibliothèques, non seulement par
goût de la lecture, des beaux livres, mais aussi pour des raisons
religieuses. Les livres qui contiennent des traités d'arts libéraux ou des commentaires exégétiques étaient des introduc-
tions au livre par excellence qu'est la Bible. Or la Bible n'est
pas un livre comme les autres ; il doit être non seulement bien
écrit mais peint, décoré, relié. Scribes et peintres sont associés
au même travail et bien souvent ce sont les mêmes personnes.
Les princes ne veulent pas laisser aux seules églises le privilège
de posséder des livres religieux de luxe. Pour la liturgie de leur
chapelle, ils doivent avoir des évangéliaires, des lectionnaires
où sont copiés des passages des Écritures, des sacramentaires
contenant les prières de la messe et des antiphonaires pour le
chant grégorien. En faisant faire des livres pour leur bibliothèque ou leur chapelle, les rois carolingiens inaugurent une politique que suivront par la suite tous les souverains d'Occident.

« Charlemagne, dit Eginhard, possédait des livres en grand
nombre. » La découverte récente du catalogue de la bibliothèque d'Aix nous en donne le contenu : œuvres de Lucain, Stace,
Juvénal, Tibulle, Bède, Isidore... Charles commande un homé-
liaire à Paul Diacre et demande à Alcuin de réviser le texte de la
Bible, révision qui fera autorité pendant tout le haut Moyen
Âge. En 810, il commande un abrégé d'astronomie et de comput
qui est recopié à plusieurs exemplaires. De plus, le roi fait travailler les artistes pour sa chapelle. En 783, il ramène d'Italie
un certain Godescalc qui exécute un évangéliaire sur parchemin
pourpre orné de miniatures. Plus tard Dagulf est le maître de
l'équipe à qui il demande un psautier destiné au pape
Hadrien Ier. De l'atelier d'Aix sortent toute une série d'évangéliaires connus sous le nom d'Évangiles d'Ada, du nom d'une
abbesse de l'entourage de Charles, et l'Évangile donné à Saint-
Riquier en 800, conservé de nos jours à Abbeville. On a égale-

ment daté de cette époque l'Évangile qu'Otton III aurait trouvé en ouvrant la tombe de l'empereur en l'an mille et qui servit par la suite pour le couronnement des rois de Germanie.

Dans son testament, Charlemagne avait demandé que ses livres soient vendus et que les sommes recueillies soient distribuées aux pauvres. En fait, Louis le Pieux en conserva un certain nombre comme l'a démontré B. Bischoff; sa bibliothèque est aussi riche que celle de son père. Son frère de lait Ebbon, qui avait été son bibliothécaire avant de devenir archevêque de Reims en 816, fit travailler toute une équipe de scribes et de peintres à l'abbaye de Hautvilliers près d'Épernay. De là sortent un évangéliaire conservé dans cette ville et surtout le fameux psautier aujourd'hui à Utrecht dont les dessins à la plume témoignent d'une rare maîtrise.

Après 843, les scribes et les artistes se dispersent dans les abbayes et dans les différentes cours. Drogon de Metz, demi-frère de Louis, utilise le talent des Rémois pour faire exécuter le sacramentaire conservé de nos jours à Paris. Lothaire Ier qui reçoit beaucoup de livres de ses amis écrivains commande à Tours un évangéliaire dont la première page, fait nouveau, est ornée de son portrait en majesté. Charles le Chauve est amateur de livres et de manuscrits de luxe. Il reçut une cinquantaine d'ouvrages des lettrés qui fréquentaient la cour et qui travaillaient dans les ateliers de Tours et de Saint-Denis. En 846, l'abbé laïc de Saint-Martin de Tours lui offre la fameuse Bible où l'on voit le roi entouré de dignitaires laïcs et ecclésiastiques. La deuxième Bible de Charles le Chauve, de style franco-insulaire, est sans doute exécutée pour le roi à Saint-Amand où étaient élevés les fils de Charles. En 869, le roi commande une troisième Bible dite Bible de Saint-Paul-hors-les-Murs, au moment de son mariage avec Richilde et un sacramentaire pour son couronnement comme roi de Lotharingie. Des peintres qui signent leurs œuvres exécutent pour lui un psautier et surtout l'évangéliaire connu sous le nom *Codex aureus* conservé de nos jours à Munich. Charles le Chauve prend grand soin de sa bibliothèque. Il la confie en 874 à Hilduin, abbé de Saint-Omer, et lorsqu'il décide de partir une deuxième fois pour l'Italie, il prévoit dans l'assemblée de Quierzy que ses livres seraient répartis entre les abbés de Saint-Denis, de Sainte-Marie de Compiègne et son héritier Louis.

Les aristocrates laïcs partagent avec les rois le goût des livres. S'il est difficile de connaître le contenu de la bibliothèque d'Eginhard, nous savons en revanche que le gendre de

Charlemagne, Angilbert, légua deux cents volumes à son abbaye de Saint-Riquier. Le relevé des sources du *Manuel* que Dhuoda, épouse de Bernard de Septimanie, écrivit pour son fils Guillaume, permet de reconstituer la bibliothèque de cette aristocrate : ouvrages de grammaire, de comput, extraits de saint Augustin, de Grégoire le Grand, d'Isidore de Séville, poètes chrétiens, Vies de saints, etc. Le testament d'Eberhard, marquis de Frioul, gendre de Louis le Pieux et d'Eccard, comte de Mâcon, de la famille des Nibelungides *(cf. tableau XVII),* donne une idée de l'importance de la bibliothèque des grands. Eberhard est l'ami des lettrés de son temps, le moine Gottschalk, Anastase le Bibliothécaire, Loup de Ferrières, Raban Maur. En 864, il décide de partager le contenu de sa bibliothèque entre ses quatre filles et ses quatre fils et veille à une répartition équitable. Eccard de Mâcon lègue une vingtaine de livres à sa femme, ses neveux, des évêques et des abbesses. Or, nous constatons que les livres contenus dans ces deux bibliothèques sont du même type. Il s'agit d'ouvrages bibliques et liturgiques pour la chapelle mais aussi d'œuvres exégétiques, de livres de morale, de Vies de saints, de livres d'histoire, de médecine, d'agriculture, d'art militaire et de droit, bref, tout ce qui devait constituer à l'époque la bibliothèque de l'honnête homme. Ces deux testaments nous apprennent en outre que ces aristocrates sont des collectionneurs d'objets d'art comme le sont les rois.

## Les rois collectionneurs d'objets d'art

A l'époque carolingienne comme à toutes les époques, rois et aristocrates aiment à s'entourer d'objets de valeur et collectionner les œuvres artistiques. Ils le font par goût mais aussi par nécessité, pour se montrer généreux envers leurs amis et pour s'attacher des fidèles en distribuant bijoux, armes précieuses, tissus. Les Carolingiens d'autre part considèrent que rien n'est trop beau pour le service divin et ornent leur chapelle et les églises qui bénéficient de leurs dons, d'autels d'or, de reliquaires, de lampadaires, de tissus de soie qui viennent d'Orient et autres objets de luxe. Dans leurs capitulaires, les rois recommandent aux évêques de veiller sur ces trésors. Ainsi en 806, Charlemagne s'inquiète que des marchands se vantent de pouvoir acheter aux clercs tout ce qu'ils veulent. Lorsque Lothaire Ier est en Italie, il ordonne une enquête sur les pertes que les églises ont subies. Les prélats doivent veiller de fait à la conservation de leurs trésors et ne peuvent en soustraire des objets précieux qu'en cas de nécessité extrême comme on le voit au moment des invasions normandes. Les églises sont d'ailleurs tenues de faire régulièrement les inventaires et grâce à ces documents nous avons une certaine idée de l'importance des objets précieux conservés.

Les rois n'ont pas, à notre connaissance, établi de tels inventaires. Mais on sait qu'ils se sont procuré par les cadeaux et le butin beaucoup d'objets d'art et qu'ils ont fait travailler des équipes d'artistes dans leurs palais et dans les abbayes qui dépendaient d'eux.

Trois ans avant de mourir, nous dit Eginhard, Charlemagne procéda au partage de ses trésors, de sa fortune, de ses vêtements, de ses meubles en présence de ses amis et de ses officiers. Le texte du testament qui suit parle d'or, d'argent, de pierres précieuses, de vases, d'armes, de vêtements, de couvertures, de tapis, etc. Il parle également de tables d'or et d'argent décorées l'une du plan de Constantinople, l'autre de celui de Rome et la troisième d'une carte du monde « sous forme de cercles concentriques » qui, on le sait, fut gardée par Louis le Pieux et détruite par Lothaire en 842. Pour décorer et relier les manuscrits de luxe dont nous avons parlé, Charles fait travailler des équipes d'orfèvres et d'ivoiriers qui, tout en s'inspirant de modèles antiques, inventent un style encore inconnu en Occident. Aux plats de reliure du psautier de Dagulf, peut être rattachée toute une série d'ivoires venus des ateliers d'Aix. Louis le Pieux garde bien des objets précieux de son père qui, de la cour, passent dans les trésors des églises. Son chancelier, l'abbé de Saint-Denis, Louis, fait travailler des orfèvres dont, selon Loup de Ferrières, la réputation d'habileté était grande. Un inventaire de l'abbaye de Prüm contient toutes les pièces d'orfèvrerie données par l'empereur Lothaire Ier. Drogon de Metz fait décorer son sacramentaire de pièces en ivoire représentant six scènes liturgiques et le déroulement de la messe. Dans l'une d'entre elles on peut même découvrir le dessin du trône épiscopal dit de saint Clément encore conservé de nos jours dans la cathédrale de Metz. Des ateliers royaux de Lotharingie proviennent non seulement des ivoires, mais également des intailles de cristal de roche, comme celle qui représente l'histoire de Suzanne et qui porte le nom de Lothaire II.

Charles le Chauve est autant amateur d'objets d'art qu'il l'est de livres. Dès le début de son règne, il passe pour un bon connaisseur, à tel point que Loup de Ferrières lui envoie des pierres que son lapidaire a taillées et lui demande son avis. Par la suite, il fait travailler ivoiriers et orfèvres dont il s'occupe même dans un de ses capitulaires. Il fait magnifiquement décorer ses manuscrits de luxe, en particulier son psautier conservé à la Bibliothèque nationale et le *Codex aureus* qui doit son nom à la plaque d'or repoussé qui le recouvre. Abbé séculier de Saint-Denis, il fait travailler l'atelier du monastère qui produit entre autres objets le fameux « Écrin de Charlemagne » dont nous n'avons conservé que l'intaille antique qui le surmontait mais dont nous avons un dessin fait avant sa fonte en 1794. Des ateliers royaux proviennent sans doute le talisman dit de Charlemagne conservé à Reims, l'autel portatif que le roi Arnulf donna par la suite à Saint-Emmeran de Ratisbonne, le trône donné à Saint-Pierre de Rome et bien d'autres chefs-d'œuvre.

Les princes et les aristocrates contemporains de Charles aiment comme l'empereur collectionner des objets d'art. Installant des moines dans son palais de Plélan, Salomon de Bretagne dresse la liste de quelques objets précieux qui n'ont rien de celtique : un calice d'or orné de trois cent treize perles et pesant dix livres, une patène d'or ornée de cent quarante-cinq perles et pesant sept livres et demie, un coffret d'or contenant les textes des Évangiles, une cassette en ivoire indien fort bien sculptée et, ajoute le texte, « ce qui est plus précieux, pleine de reliques de saints », une chasuble de prêtre couverte d'or donnée par Charles le Chauve, un Évangile contenu dans une reliure en ivoire de Paros et en or, un sacramentaire garni d'ivoire indien, etc. Boson, beau-frère de Charles le Chauve, donne à Saint-Maurice de Vienne sept croix d'or et — ce qui est une nouveauté — un reliquaire en forme de buste. Le trésor de Bérenger de Frioul, roi d'Italie, est connu par un inventaire de Monza datant du début du Xe siècle. Ce prince d'ailleurs était le fils d'Eberhard dont la chapelle était remplie d'objets de prix comme en témoigne le testament dont nous avons déjà parlé : vases en marbre, en or, en argent, hannaps et garales — d'où vient le mot graal —, en métal précieux, couronnes d'or, encensoirs d'argent, peignes ornés d'or, éventails ornés d'argent, reliquaires, phylactères de cristal, colliers, ceinturons en or et pierres précieuses... A la lecture du testament contemporain d'Eccard de Mâcon, on constate que cet aristocrate n'était pas moins riche.

## Les rois carolingiens bâtisseurs de palais et d'églises

La Renaissance carolingienne se manifesta également par un étonnant essor de la construction. Une centaine de résidences royales furent construites ou transformées, vingt-sept cathédrales furent bâties, des centaines de monastères eurent de nouveaux bâtiments. Les rois ne sont pas les seuls responsables de l'activité des chantiers mais ils y contribuèrent en fournissant des architectes et des fonds. La redécouverte des traités d'architecture antique tel celui de Vitruve permit d'édifier des constructions en pierre, matériau encore peu employé dans les régions au nord de la Loire. De plus les voyages des Carolingiens en Italie leur ont fait découvrir la beauté des basiliques romaines, les arcs de triomphe, les chapelles palatines. Pourtant ce que nous connaissons des monuments de l'époque ne nous conduit pas à conclure à une copie servile. Les architectes ont imaginé des plans et des formes qui correspondaient aux cérémonies royales et aux célébrations religieuses.

## Les palais royaux

Les rois carolingiens, nous l'avons vu, se déplacent avec leur cour de demeure en demeure. Beaucoup de résidences rurales n'étaient pas des palais au sens juridique du terme. Le représentant du roi y habite et contrôle l'exploitation des terres ; ces bâtiments sont le plus souvent en bois. Les palais destinés à recevoir le roi étaient un ensemble plus imposant. Malheureusement il ne reste rien des constructions royales : quelques traces dans les champs labourés de Quierzy-sur-Oise, les bases du trône royal à Paderborn en Saxe, quelques éléments retrouvés à Ingelheim près de Mayence. Grâce aux fouilles archéologiques qui se poursuivent et aux descriptions des textes de l'époque, on peut imaginer l'importance des bâtiments royaux. Du palais d'Aix restent quelques éléments dans le Rathaus de la ville et surtout, miraculeusement conservée, la chapelle royale commencée vers 785 sur l'ordre de Charlemagne. Dans un grand carré de vingt hectares, qui rappelait les camps romains, furent construits quatre groupes de bâtiments. Au nord-est la salle de réception *(aula regia)* de quarante-sept mètres sur vingt, réplique de l'*aula palatina* de Trèves construite au Bas-Empire ; au sud-ouest s'élevaient les bâtiments du culte disposés en forme de croix latine avec au point d'intersection la fameuse chapelle octogonale, chef-d'œuvre de l'architecte Eudes de Metz. Ce grand carré était complété par un triangle à l'est dont la pointe extrême aboutissait aux thermes et à la piscine. L'ensemble palatin était entouré de murailles avec quatre portes. Au-delà étaient installés les maisons des commerçants, le marché, les hôtels des évêques, des abbés, des vassaux et des grands dignitaires. Plus loin nous trouvions le parc de chasse entouré d'un mur et la ménagerie où Charlemagne avait enfermé Aboul-Abass, l'éléphant que le calife Haroun al-Rachid lui avait envoyé.

En ordonnant la construction du palais d'Aix, Charlemagne voulait rivaliser avec celui des empereurs d'Orient. Il avait fait venir de Ravenne et des colonnes de marbre et la statue équestre de Théodoric qui devait inspirer le sculpteur de la petite statue dite de Charlemagne conservée longtemps à Metz et aujourd'hui au musée du Louvre. Il avait fait ouvrir une fonderie qui fabriqua les admirables grilles de la chapelle et les portes de bronze encore en place. Comme à Byzance, le palais carolingien était un espace sacré, en quelque sorte le centre du monde religieux. Palais et église formaient un tout. La salle d'audience était une « basilique », la chapelle une salle du trône comme l'était le *chrysotriklinios* byzantin. Mais alors que le trône du *basileus* se trouvait à l'est à la place de l'autel, Charles installa le sien qui est encore en place dans la tribune de l'ouest. De là, il pouvait voir en face l'autel du Sauveur et juste au-dessous l'autel de la Vierge autour duquel se regroupait la foule des courtisans. En levant les yeux il pouvait contempler la mosaïque de la coupole où était représenté le Christ en Majesté acclamé par les vieillards de l'Apocalypse.

La chapelle d'Aix jouit d'un si grand prestige en Occident qu'elle fut imitée du IXe au XIe siècle. Lorsque Théodulf d'Orléans construisit l'oratoire de sa ville de Germigny, il aurait voulu, nous dit un texte, rivaliser avec l'empereur. Pourtant cette église sur plan carré que l'on peut encore admirer malgré les restaurations maladroites du XIXe siècle s'inspire plus de l'Orient ou de l'Espagne wisigothique d'où Théodulf était originaire. C'est en Lotharingie que l'on peut observer la filiation de la chapelle palatine : l'église alsacienne d'Ottmarsheim construite au début du XIe siècle en est la meilleure réplique.

Charlemagne passa les dernières années de sa vie à Aix et, lorsqu'il mourut, il fut enterré dans la chapelle, peut-être dans un sarcophage antique représentant l'enlèvement de Proserpine. Son fils Louis partagea ses séjours entre Aix, Thionville où il fit construire une chapelle à l'imitation de celle d'Aix, Compiègne et Ingelheim. Dans son *Poème sur Louis le Pieux*, Ermold le Noir évoque ce palais « immense appuyé sur cent colonnes, abondant en détours et en constructions de toutes sortes, portes, réduits, demeures innombrables ». Il décrit les peintures de la chapelle qui représentent des scènes de l'Ancien et du Nouveau Testament ainsi que celles de la salle royale décrivant les exploits des rois de l'Antiquité et des prédécesseurs de Louis. Après le partage de Verdun tandis que

Lothaire Ier et Lothaire II demeuraient à Aix, Louis de Bavière
passait l'hiver à Ratisbonne et l'été à Francfort où il fit
construire en 852 une chapelle desservie par douze clercs. Charles le Chauve qui résidait volontiers dans les abbayes royales et
qui, après le traité de Meersen de 870, avait perdu l'espoir de
s'installer à Aix, fit du palais de Compiègne sa résidence principale. En 877, il décide de construire une chapelle qui, il le dit
lui-même dans un diplôme, serait la réplique de celle édifiée
par son grand-père. Cette chapelle a disparu, mais un poème de
Jean Scot nous en fait une description assez précise : « Charles
qui merveilleusement édifie un temple splendide, temple
construit avec variété sur ses colonnes de marbre, haute
demeure magnifiquement réalisée sur la norme de la centaine,
vois les flexions du polygone et le déploiement des arcs, la jonction régulière des côtés, des chapiteaux et des bases, les tours,
les parapets, les lambris, les dédales de toits, les fenêtres en
oblique fuient une lumière que filtre le verre, à l'intérieur des
peintures, les pavements et les degrés de pierre, tout autour les
portiques, les sacristies, les pastophories, le peuple montant et
descendant tout autour des autels, les lustres chargés de
lampes et les hautes couronnes. Sur toute chose les gemmes
resplendissent et l'or rutile, les tissus, les tentures entourent de
tous côtés le temple, etc. »

## Les groupes épiscopaux

Avec l'aide des rois carolingiens, les évêques ont fait œuvre
d'urbanistes dans leur ville. Les réformes religieuses et particulièrement l'obligation faite aux chanoines de résider auprès de
l'évêque eurent comme conséquence la construction de nouveaux bâtiments qui formèrent le groupe épiscopal. Dès le
milieu du VIIIe siècle, Chrodegand de Metz établit un cloître à
côté de la cathédrale Saint-Étienne qu'il agrandit. Le cloître qui
correspond à l'actuelle place d'Armes et qui s'étendait sur cent
mètres de long et sur soixante-quinze mètres de large, donnait
accès à la salle capitulaire, au réfectoire, au dortoir, aux chambres réservées aux malades et à plusieurs oratoires. Dès son
installation à Lyon en 798, le Bavarois Leidrade l'imite, et deux
ans après il peut faire le compte rendu de ses constructions à
Charlemagne. Il précise même qu'il a prévu un appartement
pour le roi au cas où il viendrait dans ces régions. A la même
époque, son collègue de Vienne fait construire, près du groupe
épiscopal formé de trois chapelles, une église pour les chanoines qui, d'après les fouilles, semble très grande. L'édification de groupes épiscopaux continue au IXe siècle. En 817, Louis

le Pieux donne à la cathédrale de Tournai des fractions du fisc qu'il possédait dans cette région pour que l'évêque puisse agrandir le cloître des chanoines. Il aide l'évêque du Mans Aldric, ancien chanoine de Metz et parent de l'empereur, à construire un quartier canonial avec maisons individuelles et bâtiments de fonction. Aldric, d'autre part, remit en état l'aqueduc de la ville, construisit deux hospices, un pour les pauvres près de la cathédrale, l'autre de l'autre côté de la Sarthe, restaura sa cathédrale et plusieurs monastères.

Des nombreuses cathédrales construites à l'époque carolingienne, il ne reste rien, mais les fouilles permettent d'en retrouver les soubassements et d'en dessiner les plans. Ainsi l'archevêque de Cologne Hildebald (787-818), chapelain de l'empereur, commença vers 800 la construction de sa cathédrale qui fut achevée soixante-dix ans après. Les travaux réalisés en plusieurs étapes aboutirent à une église à doubles absides opposées, plan qui sera repris plus tard dans beaucoup de monuments carolingiens et post-carolingiens. De plus l'église comportait un vaste transept et une crypte occidentale rappelant les aménagements des églises romaines. La cathédrale de Reims, commencée par Ebbon et achevée par Hincmar, avait son autel principal à l'ouest, à l'exemple de Fulda et surtout de Saint-Pierre du Vatican.

Les évêques, en bons aristocrates, aiment leur confort et aménagent agréablement leur palais. A Auxerre, on construit une salle à manger d'hiver et une autre pour l'été afin de goûter la fraîcheur. A Liège, si l'on en croit le poète Sedulius, l'évêque Hartgar a fait construire une vaste salle aux murs peints de couleurs vives et ouverte sur l'extérieur par des fenêtres en plein cintre vitrées.

### Les monastères royaux

Dans les grands monastères qui sont de véritables cités, on retrouve bien des caractères architecturaux des groupes épiscopaux. Les rois qui y nomment comme abbés leurs enfants et leurs fidèles, qui viennent y résider, aident à l'aménagement des bâtiments abbatiaux.

L'une des premières réalisations est celle de Saint-Denis où étaient enterrés les rois mérovingiens et Charles Martel. Pépin qui avait été élevé dans le monastère et qui comptait parmi les moines ses principaux collaborateurs, avait fait poser la première pierre d'une nouvelle église par le pape Étienne II qui, nous l'avons dit, séjourna un an à Saint-Denis. L'église, terminée sous l'abbatiat de Fulrad en 775, avait une vaste nef de vingt-deux mètres de large et de trente-six mètres de long, un chœur profond dont quelques éléments sont encore visibles dans la crypte de l'actuelle basilique. La multiplication des bâtiments construits, grâce à la générosité des souverains, fit de Saint-Denis une véritable ville royale.

La construction du monastère de Centula, aujourd'hui Saint-Riquier, fut en grande partie réalisée grâce à l'aide financière de Charlemagne. Son gendre Angilbert, nommé abbé laïc, qui avait une dévotion particulière pour la Trinité, avait trois cents moines dans trois églises reliées par des galeries dessinées en triangle. L'église principale comprenait deux parties surmontées de tours et dédiées respectivement à saint Riquier et au Saint-Sauveur. Le sanctuaire principal était installé à l'ouest au-dessus d'une crypte où l'on conservait les saintes reliques provenant de Jérusalem, il formait ce que les Allemands appellent un *Westwerk* et que nous nommons massif occidental. Pour l'office, les moines se répartissaient près des deux sanctuaires opposés, leurs chants alternés remplissaient l'église. De plus Angilbert avait prévu des processions aux douze autels répartis dans l'édifice. Lors des grandes fêtes, l'abbé organisait des processions qui se rendaient aux deux autres églises avec la participation des habitants des sept villages groupés autour du monastère. En tête de la procession étaient portés sept croix et sept reliquaires ; venaient ensuite sept diacres, sept sous-diacres, sept acolytes, sept exorcistes, sept lecteurs, sept portiers, puis les moines sept par sept, les cent enfants du monastère, enfin les croix des sept villages, ces divisions septénaires ayant été évidemment adoptées en raison des sept dons du Saint-Esprit. Angilbert avait prévu une liturgie stationale à l'imitation de celle qui se pratiquait à l'époque à Rome. L'ensemble des bâtiments abbatiaux formait en quelque sorte une Rome en réduction et tout avait été prévu pour la réalisation d'un programme liturgique.

C'est également l'exemple de Rome qui conduisit les abbés de Fulda à agrandir leur église en construisant à l'ouest transept, abside et atrium *more romano*. Ils construisirent aussi deux cryptes dont la principale était la crypte occidentale où étaient conservées les reliques de saint Boniface. La construction de vastes cryptes qui est une innovation des architectes carolingiens doit être mise en relation avec le culte des reliques. Chaque église veut posséder les reliques des saints les plus illustres et cherche bien souvent par des moyens peu avouables à les obtenir. Eginhard avoue que son notaire a volé les reliques des saints romains Marcellin et Pierre. Il les plaça d'abord dans l'église qu'il fit construire à Steinbach puis dans la basilique de Seligenstadt, deux monuments encore debout de nos jours. En principe toute translation de reliques ne pouvait être faite sans autorisation royale, les rois voulant réglementer les échanges qui prenaient bien souvent l'allure de commerce. Tout pays nouvellement converti a besoin de reliques : ainsi l'église de Paderborn en Saxe obtint de Louis le Pieux la permission de faire venir les reliques de saint Liboire du Mans, ce qui évidemment mécontenta les Manceaux. Mais ils durent s'incliner devant l'ordre royal.

Pour abriter les reliques et pour permettre aux fidèles de les vénérer, on construisit à l'extrémité des sanctuaires un ensemble de cryptes voûtées associant le reliquaire, les oratoires secondaires et les sépultures des prélats et des grands qui voulaient se faire enterrer plus près des reliques des saints. Ces cryptes n'étaient pas souterraines mais éclairées par des ouvertures étroites. On peut en voir encore à Saint-Médard de Soissons mais surtout à Saint-Germain d'Auxerre.

L'église abbatiale de Saint-Germain d'Auxerre fut construite de 841 à 865 par l'oncle de Charles le Chauve Conrad, abbé laïc et sa femme Aelis. Les architectes qui avaient dessiné le plan ont fait exécuter une maquette en cire du futur monument. Les maîtres d'œuvre firent venir de Provence des colonnes antiques qui furent transportées par le Rhône et la Saône jusqu'à Chalon puis amenées par la route à Auxerre. Le 6 janvier 859, l'église fut consacrée en présence de Charles le Chauve. Les couloirs et les oratoires, qui entourent la « confession » où était déposé le sarcophage de saint Germain, sont ornés de magnifiques fresques découvertes en 1927 par René Louis sous le crépis moderne.

Dans chaque abbaye royale, le prince avait une place réservée dans la chapelle et un appartement dans les bâtiments. De l'abbaye de Corvey qui fut construite par Wala, cousin de Charlemagne, puis agrandie en 867, on a conservé l'important massif occidental. Dans l'étage supérieur consacré à saint Jean-Baptiste, le roi pouvait assister à l'office comme il le faisait dans la tribune de la chapelle d'Aix. La porte triomphale du monastère de Lorsch, la « Torhalle », construite en forme d'arc de triomphe à l'entrée de l'atrium, pouvait servir de salle d'audience lors des visites royales. Elle comporte à l'étage une vaste salle de dix mètres de long, de sept mètres de large, et les murs sont ornés de décors en trompe l'œil à la façon antique. Sur le fameux plan de Saint-Gall, on avait prévu un apparte-

ment pour l'empereur et une hotellerie pour les visiteurs de
marque.

Ce plan composé de cinq feuilles de parchemin cousues
ensemble, qui mesure 1,10 m de long sur 0,75 m de large, fut
établi comme un avant-projet pour la reconstruction du monastère de Saint-Gall entre 816 et 830. Le plan, peut-être copié dans
le monastère voisin de Reichenau, est un document unique
pour étudier l'organisation d'un monastère carolingien. Les
trois cent quarante et une légendes précisent l'utilisation des
bâtiments au rez-de-chaussé et au premier étage. L'église prévue avait cent mètres de long et était pourvue de deux absides
opposées, de deux tours rondes précédant l'atrium occidental.
Comme à Saint-Riquier la nef est occupée par de nombreux
autels. Des fouilles récentes à l'est du bâtiment montre que le
projet connut un début d'application mais qu'il ne fut pas poursuivi. Pourtant ce plan idéal n'est pas un plan imaginaire, il correspond bien à tout ce que nous savons des églises et des bâtiments abbatiaux.

## Les rois carolingiens et les images

Les églises carolingiennes étaient richement décorées de
revêtements de marbre et de stucs, de chapiteaux et de balus-
trades sculptées. Les carrières de marbre pyrénéen n'étaient
plus exploitées depuis le milieu du VIIIe siècle en raison des
guerres qui avaient dévasté l'Aquitaine, dès lors on utilisa
comme remploi les colonnes et les chapiteaux antiques venus
d'Italie ou de Provence. Des artistes sculptèrent des chapiteaux
de pierre — on en a retrouvé quelques-uns provenant de Saint-
Denis — et des chancels qui séparaient le chœur de la nef. Le
chancel de Saint-Pierre-aux-Nonnains à Metz, conservé dans le
musée de la ville, date sans doute des années 750 et est peut-
être contemporain de celui que l'on a retrouvé non loin de là, à
Cheminot, dans les ruines d'un monastère fondé par Charlemagne. Des centaines de dalles sculptées à la fin du VIIIe siècle
et au début du IXe siècle ont été retrouvées en Italie du Nord,
en Suisse, en Autriche, ce qui paraît prouver une politique
déterminée de restauration d'églises vétustes. Comme le dit J.
Hubert, « la pose de nouveaux chancels fit certainement partie
de cette grande œuvre de rénovation des sanctuaires prescrite
par le pouvoir ».

Les rois carolingiens s'intéressèrent également aux décors
peints sur les murs lorsqu'ils prirent position dans la question
des images. En 787, le deuxième concile de Nicée avait rétabli le
culte des images dans l'empire byzantin. Charlemagne qui, à

l'époque, commençait à se présenter comme l'égal de l'empereur, fit établir par Théodulf un dossier connu sous le nom de *Libri carolini*. Ce dossier a été revu et corrigé par le roi lui-même comme en témoignent de nombreuses annotations du manuscrit. Persuadé, en raison d'une mauvaise traduction des Actes de Nicée, que les Grecs adoraient les images, Charles réagit vivement. Pour lui, l'image a une valeur esthétique et pédagogique, elle ne doit pas être adorée. Il est sacrilège d'appeler sainte une image ou de l'encenser car, dit plaisamment Théodulf, si l'on encense un tableau représentant la fuite en Égypte, encensera-t-on la Vierge ou l'âne qui la porte ? La beauté d'une image ne doit pas conduire à son adoration : « Si l'on vénère une image avec plus de piété qu'une autre simplement parce qu'elle est plus belle, on juge de son caractère sacré en fonction du talent de l'artiste. Ceux qui croient vénérer quelque chose de sacré parce qu'ils sont émus par la beauté se trompent pour ainsi dire sans le savoir, mais ceux qui adorent les tableaux dont la difformité offusque l'art sont inexcusables comme si leur erreur était consciente et volontaire. » En parlant comme un lettré, Théodulf estime le texte supérieur à l'image : « L'homme peut se sauver sans avoir d'images, il ne le peut sans la connaissance de Dieu. De plus, il est bien malheureux, l'esprit qui, pour se souvenir de la vie du Christ, a besoin du secours des tableaux, de la peinture et qui est incapable de prendre son élan dans sa propre puissance. » Le concile de Francfort de 794 prit officiellement position contre les décisions du deuxième concile de Nicée et Charlemagne en informa le pape Hadrien Ier par l'intermédiaire d'Angilbert.

L'affaire des images continua à passionner les Carolingiens au début du IXe siècle. Le Wisigoth Claude de Turin, très intransigeant en la matière, alla jusqu'à demander la destruction des images dans les églises. Il s'attira de vives répliques de la part de l'Irlandais Dungal reclus à Saint-Denis et de Jonas d'Orléans que Louis le Pieux avait chargé d'étudier la question. D'ailleurs l'empereur, à l'occasion d'une ambassade byzantine en 825, fit examiner le problème des images par le concile de Paris. On reprit la doctrine des *Libri carolini* et, en s'appuyant sur la tradition de l'Église romaine établie depuis Grégoire le Grand, on rappela le rôle pédagogique des images pour ceux qui n'avaient pas accès aux livres. Walafrid Srabon, abbé de Reichenau, écrivait peu après : « Nous voyons souvent les esprits simples et sans intelligence qui ne peuvent guère être amenés à la foi par la parole, être touchés par la peinture de la Passion de Notre Seigneur ou d'autres miracles au point de témoigner par leurs larmes que ces images sont profondément gravées dans leur cœur. » De fait, les églises carolingiennes étaient peintes de fresques s'inspirant de la Bible ou des Vies de saints. L'église Saint-Jean de Müstair (canton des Grisons) construite avec l'aide de Charlemagne présente en vingt tableaux l'Ancien Testament et en soixante-deux l'Évangile. Non loin de là, à Malles-Venosta, dans le Haut-Adige, l'oratoire San Benedetto conserve des figures de saints, et le portrait de l'aristocrate qui fit construire la chapelle. Ces rares épaves d'un art disparu donnent une idée de la splendeur que devait présenter le décor carolingien.

## Les héritiers des rois carolingiens au X<sup>e</sup> siècle

Malgré la crise de l'empire et les nouvelles invasions qui firent disparaître beaucoup de bibliothèques, beaucoup d'œuvres d'art et beaucoup de monuments, la Renaissance carolingienne se poursuivit au X<sup>e</sup> siècle. Après une période critique, la vie intellectuelle et artistique reprit dans les monastères qui se réformèrent tout au long du siècle. Dès 909, Cluny est fondé par Guillaume le Pieux, fils du puissant aristocrate Bernard Plantevelue et petit-fils de Dhuoda et l' « ordre clunisien » commence à s'implanter en France méridionale, en Bourgogne, en Italie. Dans le nord de la Francie occidentale, les comtes de Flandre et les ducs de Normandie favorisent la réforme des monastères flamands et normands, de même qu'en Lotharingie, les évêques et les rois s'unissent pour rétablir la règle de saint Benoît. La restauration de la vie monastique s'accompagne de la reconstitution des bibliothèques, de la remise à l'honneur de la liturgie et des études monastiques.

### Culture intellectuelle

Les rois de Francie occidentale, reconnaissons-le, n'ont guère contribué à ce renouveau culturel. Si Charles le Simple est un prince lettré, son fils Louis IV n'a ni profité de son éducation à la cour du roi anglo-saxon Athelstan, ni de l'influence de sa femme Gerberge, sœur d'Otton I<sup>er</sup>. Selon un chroniqueur, son vassal Foulques d'Anjou se serait même moqué de lui en lui appliquant le proverbe : « Roi illettré égale âne couronné. » Le seul lettré connu qui fréquente sa cour est son demi-frère Roricon, évêque de Laon. En revanche, nous trouvons quelques clercs dans l'entourage des grands aristocrates. Richard I<sup>er</sup> de Normandie demande à Dudon de Saint-Quentin une histoire de ses ancêtres et Arnoul de Flandre fait écrire par le prêtre Vitger l'histoire de sa famille en remontant jusqu'aux princes carolingiens. De la culture des Robertides nous ne savons rien. Eudes Ier apprécie la valeur des objets d'art conservés à Saint-Denis mais, en tant qu'abbé laïc, s'en approprie une partie pour en tirer des métaux précieux. C'est sans doute lui qui donna à Arnulf de Germanie le *Codex aureus* et l'autel d'or que le roi légua à Saint-Emmeran de Ratisbonne. Hugues Capet ignore le latin mais il tient à donner à son fils une bonne instruction puisqu'il le confie à Gerbert écolâtre de Reims en 972.

Gerbert, offert très jeune au monastère de Saint-Géraud d'Aurillac, put faire d'excellentes études grâce à la protection du comte de Barcelone Borrell. La Catalogne avait d'importantes écoles monastiques et épiscopales qui, grâce au contact avec l'Espagne arabe, donnaient un enseignement scientifique que l'on ignorait ailleurs. C'est à Vich et à Ripoll que Gerbert put acquérir une grande partie de ses connaissances en astronomie, arithmétique et musique. En 970, il accompagne Borrell à Rome et c'est alors qu'il rencontre Otton Ier et le futur Otton II. Il noue avec les Ottonides des liens d'amitié qui ne firent que se renforcer par la suite.

Les rois de Germanie, à l'imitation des Carolingiens, attirent et protègent les lettrés pour des raisons personnelles et politiques. Otton Ier, esprit curieux, ouvert à toutes les connaissances, sait le rôle que la culture profane et religieuse a joué pour la restauration de son pouvoir. Comme Charlemagne, il veut avoir auprès de lui des évêques lettrés, capables de diriger les écoles épiscopales et de former des clercs qui serviront dans la chancellerie royale. Son frère Brunon dont il fit son archichapelain, avant de lui confier l'archevêché de Cologne, remplit auprès de lui le rôle qu'Alcuin avait rempli auprès du roi franc, et dans un poème il félicite Otton d'avoir restauré les écoles. Les grands monastères de Saint-Gall, de Fulda, de Reichenau sont en quelque sorte des « écoles normales » d'où sortent les lettrés. Comme Charlemagne, Otton profite de la conquête d'Italie, pour faire venir en Germanie des maîtres tels Étienne de Novare et Gunzo, ce dernier amenant avec lui une centaine de manuscrits. Les reines et les princesses veillent à l'instruction des jeunes filles d'aristocrates dans les monastères palais de Quedlindbourg dont il reste encore deux cryptes, de Nordhausen, de Magdebourg, de Gandersheim. Dans ce monastère travaille la moniale Hroswitha, élevée par une nièce d'Otton Ier, qui écrivit une chronique en l'honneur d'Otton et des pièces de théâtre imitées de Térence. C'est pour Mathilde fille d'Otton Ier que le moine de Corvey Widuking composa son *Histoire des Saxons (Cf. carte VIII).*

Otton II est un prince lettré qui aime l'étude et les livres. En 972, profitant de son passage à Saint-Gall, il se fait remettre quelques manuscrits de la célèbre bibliothèque. Il sait la réputation de Gerbert, qui lui avait donné quelques leçons lors de son séjour romain et en 980, il organise à Ravenne un débat entre l'écolâtre de Reims et Otric, maître à Magdebourg. Citons quelques lignes du discours inaugural qui nous est rapporté par Richer, moine de Saint-Remi de Reims. « J'estime, dit l'empereur, que des réflexions et des exercices fréquents font progresser la science humaine à condition que les sujets convenablement posés soient traités dans un langage choisi par tous les savants. Comme nous nous engourdissons trop souvent dans l'oisiveté, il est très utile que quelques-uns nous pressent de leurs questions pour nous inciter à réfléchir. C'est ainsi que les plus grands savants ont fait jaillir la science ; c'est ainsi que l'ayant divulguée et confiée aux livres, ils l'ont transmise pour que nous ayons la gloire d'en faire un bon usage. Occupons-nous donc aussi de quelques problèmes. Cette recherche en élevant notre esprit le conduira à une plus grande certitude intellectuelle. Allons, dis-je, révisons dès maintenant le tableau des parties de la philosophie qui nous a été montré l'an dernier. Examinez-le tous avec le plus grand soin et que chacun de vous dise ce qu'il en pense ou ce qu'il lui reproche... » Le mariage d'Otton II et de la Byzantine Théophano fut salué par tous les chroniqueurs comme le grand événement du règne. Cette princesse qui était fort cultivée venait accompagnée de clercs grecs et même d'artistes puisque la chapelle Saint-Barthélemy de Paderborn, encore debout, a été construite par des maîtres byzantins. Sans vouloir surestimer l'influence orientale sur l'art ottonien, il est incontestable que des tissus,des ivoires, des manuscrits exécutés pour l'empereur et les grands s'inspirent de modèles byzantins. La culture grecque survivait en Italie du Sud, à Rome et dans quelques régions de Lotharingie et se trouvait renforcée par les liens établis entre l'Orient et l'Occident.

Otton III, né d'un père saxon et d'une mère byzantine, reçut une instruction solide de ses premiers maîtres Willigis, archevêque de Mayence, Bernard, futur évêque d'Hildesheim, Jean Philagathos de Rossano qui lui apprit quelques rudiments de grec. Pourtant, parvenu à l'adolescence, il se sent encore insuffisamment instruit. En 996, il écrit à Gerbert une lettre au style assez maniéré : « Nous voulons nous attacher votre Excellence universellement vénérée et votre amitié si charitable ; nous souhaitons avoir sans cesse auprès de nous un si grand maître, car l'éminence de votre science et de votre doctrine ont toujours fait autorité auprès de notre ignorance. Nous désirons que vous ne tolériez pas notre rudesse saxonne et que vous réveilliez notre finesse grecque. En effet, on trouvera bien en nous une étincelle du génie qui brille en Grèce pourvu que quelqu'un l'éveille. Aussi, veuillez approcher la puissante flamme de votre vaste science du tout petit feu qui se trouve en nous. Nous vous le demandons humblement... » Gerbert qui, à cette époque, était archevêque de Reims mais dont l'autorité était contestée par la papauté et même par quelques clercs, ne demande pas mieux que de se mettre au service d'Otton III. Il accompagne l'empereur dans ses voyages et dans ses expéditions contre les Slaves. Il l'initie à l'arithmétique, à la musique et à la philosophie. Conseiller de l'empereur, il souhaite comme Boèce, dont il admire l'œuvre, voir appliquer les principes de la philosophie à la vie politique. Pour lui, en effet, la philosophie et l'usage de la raison enseignent la modération et la maîtrise des passions. Gerbert écrivit pour Otton III un traité sur « le raisonnable et l'usage de la raison » qui s'ouvre sur un manifeste annonçant le programme de la « rénovation de l'empire romain » : « Nôtre, nôtre est l'empire romain ! L'Italie riche en fruits, la Gaule et la Germanie fécondes en guerriers lui donnent ses forces, et les puissants royaumes des Scythes [c'est-à-dire des Slaves] ne nous manquent pas non plus. Tu es bien nôtre, César, empereur auguste des Romains, qui, né du sang le plus prestigieux des Grecs, surpasse les Grecs par l'empire, commande aux Romains en vertu de ton droit héréditaire, distance les uns et les autres par le génie et l'éloquence. » Otton III comme son père aime les livres. Il se constitue une bibliothèque dont nous avons encore quelques exemplaires puisque, après sa mort, elle passa à son successeur Henri II et que ce dernier en remit une grande partie à l'évêché de Bamberg qu'il venait de créer. Parmi ces livres il faut signaler un manuscrit du *De arithmetica* de Boèce qui avait appartenu à Charles le Chauve, un livre de médecine, un *Tite-Live* qui venait de la bibliothèque de Plaisance, un *Sénèque*, les *Institutes* de Justinien, le *De natura rerum* d'Isidore de Séville, les *Institutiones* de Cassiodore et l'autographe de l'*Histoire* de Richer que Gerbert lui avait donné.

Les empereurs ottoniens, conscients de représenter la majesté divine sur terre, maîtres et protecteurs de l'Église, firent exécuter pour leur chapelle des manuscrits de luxe. Mais contrairement aux Carolingiens, il ne semble pas qu'ils aient des artistes attachés à la cour. Sans doute, ont-ils auprès d'eux scribes et peintres comme en témoignent deux diplômes de luxe que nous avons conservés, l'*Ottonianum* délivré par Otton Ier à Jean XII après le couronnement, écrit en lettres d'or sur parchemin pourpre, et le diplôme du mariage de l'impératrice Théophano que l'on peut encore admirer à Wolfenbuttel dont le fond pourpre est décoré à la manière des tissus byzantins.

Lorsque les Ottoniens veulent se procurer des manuscrits richement décorés, ils s'adressent aux ateliers des abbayes qui possèdent des manuscrits carolingiens dont ils s'inspirent pour répondre aux commandes royales. De Corvey, sort l'évangéliaire de Quedlindbourg et d'autres évangéliaires dérivant de l'art franco-saxon. Le *scriptorium* de Fulda fait pour Otton Ier le *Codex Wittekindus* qui rappelle des manuscrits de la cour de Charles le Chauve. Vers l'an mille, l'empereur commande à Reichenau un évangéliaire où il se fait représenter revêtu de ses insignes impériaux entouré d'aristocrates laïcs et ecclésiastiques et accueillant quatre provinces de l'empire qui lui apportent leurs offrandes. De Reichenau vient également le célèbre évangéliaire conservé aujourd'hui à Aix-la-Chapelle dans lequel est peint sur fond d'or ce qu'on appelle l'apothéose d'Otton III, qui peut-être représente Otton Ier entouré de ses deux successeurs.

## Mécénat des évêques et des abbés

Abbés et évêques qui travaillent étroitement avec les empereurs protègent également lettrés et artistes. Saint-Gall, dirigé un moment par un parent d'Otton Ier, est le plus grand foyer intellectuel de l'empire. Des maîtres remarquables se succèdent à la tête de l'école : Ekkehard Ier († 973) qui compose l'épopée de Waltarius pour les aristocrates qui voulaient connaître les légendes germaniques, Notker le Physicien, Ekkehard II ami d'Otton II et de la princesse Hedwige. L'abbé de Reichenau, Witigowo surnommé *Abbas aureus* et même « bouche du roi » était plus souvent à la cour qu'à son abbaye. Il n'oublie pas pour autant son île et fait rétablir la nef de Sainte-Marie de Mittelzell et orner de peintures Saint-Georges d'Oberzell. L'abbé bavarois de Tegernsee Gozpert enrichit sa bibliothèque qui sera utilisée par le moine Fromund, type du moine humaniste. A Ratisbonne, l'abbé de Saint-Emmeran, Ramwold (975-1001) fait remettre en état le *Codex aureus* carolingien.

Les archevêques des grandes métropoles ne sont pas moins attentifs à faire de leurs villes des foyers des cultures. Trèves eut au milieu du Xe siècle comme archevêque un oncle d'Otton, ami de Rathier de Vérone, de Flodoard de Reims et de l'Irlandais Israël. Depuis 977, Egbert, ancien chancelier d'Otton II, veut rendre à sa métropole un peu de la grandeur qu'elle avait connue au IVe siècle. Il ramène d'Italie un artiste connu sous le nom de « Maître du registre de saint Grégoire », grâce auquel nous avons le portrait d'Otton II conservé aujourd'hui à Chantilly. Cet Italien qui connaît les manuscrits de la basse Antiquité et les manuscrits carolingiens conservés à Trèves est également l'auteur de l'évangéliaire que Charles V donna à la Sainte-Chapelle en 1379 et qui est conservé à la Bibliothèque nationale de Paris. De même qu'Egbert se fait représenter avec ses prédécesseurs sur le *Codex Egberti* qu'il commande à l'atelier de Reichenau, de même il fait connaître les actions et la vie de ceux qui ont fait la gloire de Trèves en encourageant les travaux hagiographiques à Saint-Maximin, Saint-Eucher et Saint-Martin.

La rivale de Trèves est depuis toujours la ville de Cologne. Sa situation géographique la met en relation avec d'autres centres urbains, Utrecht et Liège. En 953, Brunon frère d'Otton est nommé archevêque et il fait de Cologne un centre d'études. Malgré ses occupations politiques il reste soucieux de lire et ne peut voyager, dit son biographe, qu'accompagné de livres. Il connaît les poètes et les philosophes, il aime discuter avec les Grecs qui viennent à la cour. De l'école de Cologne, sortent Thierry, cousin de l'empereur, futur évêque de Metz, Wilfrid de Verdun et Gérard, évêque de Toul, qui protégea écrivains et artistes. Les successeurs de Brunon maintiennent la politique de mécénat. Geron, puis Héribert, chapelain d'Otton III, font agrandir l'église Saint-Pantaléon, le monastère qu'avait fondé Brunon. C'est là qu'en 991 Théophano fut enterrée. On peut encore admirer le massif occidental qui s'inspire de celui de Corvey. Toute une série d'artistes travaillent dans les ateliers colonais. Des peintres à qui l'on doit le *Codex Gero* copie d'un manuscrit carolingien, des orfèvres qui exécutèrent la croix dite « de Lothaire », la croix de l'abbesse Mathilde, surtout des ivoiriers qui s'inspirent des plaques carolingiennes et byzantines. Byzance a inspiré également les peintres du lectionnaire de l'archevêque Evergèr et du sacramentaire de Saint-Géréon.

L'évêché de Liège qui se trouve dans la province de Cologne a été particulièrement favorisé par les Ottoniens. En 953, Rathier, moine de Lobbes, qui n'avait pas pu rester évêque de Vérone et qui avait trouvé refuge à la cour, est nommé à

Liège par Otton Iᵉʳ. Il y trouve une école déjà active dans le domaine musical et littéraire. L'évêque Étienne, ancien clerc de Metz et parent de Charles le Simple, avait célébré dans ses poèmes et ses compositions liturgiques la gloire de saint Lambert. L'antienne *magna vox* ajoutée au *Magnificat* constitua le chant national du pays liégeois jusqu'en 1789. Rathier, un des écrivains les plus intéressants de cette époque, fit diriger l'école par son élève Héracle. Son tempérament combatif et bizarre lui aliéna les Liégeois et il fut chassé de son siège. Son successeur Héracle dut partager son temps entre ses écoles et le service de la cour. Notker qui avait fait ses débuts dans la chancellerie impériale fut nommé évêque en 972. Il fit beaucoup pour sa ville, l'entoura d'une enceinte, construisit des églises, restaura la cathédrale et le quartier des chanoines. En même temps, il veilla au développement de l'abbaye de Lobbes que ses amis Folcuin, puis Hériger dirigèrent. Notker d'autre part fit travailler des ivoiriers venus de Metz et de Cologne, des peintres parmi lesquels le « Maître du registre de saint Grégoire » installé à Liège après la mort d'Egbert.

L'archevêché de Mayence est dirigé à partir de 754 par le fils d'Otton Iᵉʳ, Guillaume. Les clercs de la cathédrale et les moines de Saint-Alban mettent leur science et leur art au service de la dynastie royale. C'est à cette époque que fut rédigé le pontifical ottonien dit « romano-germanique » qui fut introduit en Italie et adopté par l'Église romaine vers l'an mille. Il se peut que la célèbre couronne impériale conservée aujourd'hui à Vienne, soit sortie d'un atelier mayençais. L'archevêque Willigis (975-1011), remarquable homme d'État, fit construire une nouvelle cathédrale sur le modèle de Fulda et fit exécuter des manuscrits par le *scriptorium* de Saint-Alban. Il eut la charge de l'éducation du jeune Otton III et couronna le prince à Aix-la-Chapelle en 983. Après la mort d'Otton II, Willigis eut le mérite de défendre le roi contre les menées de son cousin Henri de Bavière. Ayant écarté ce danger, il confia le jeune prince à un de ses disciples, le clerc Bernhard.

Entre Otton III et Bernhard se noua une solide amitié, si bien qu'en 993, l'empereur confia à son précepteur l'évêché de Hildesheim. Bernhard est le type parfait des évêques impériaux actifs et cultivés. Il voyage en France, à Saint-Denis, Tours, Saint-Riquier. Il fait de longs séjours à Rome, après avoir admiré la Colonne trajane, il a l'idée d'en faire faire en forme réduite une réplique en bronze où serait racontée la vie du Christ. Ses bronziers et ses sculpteurs exécutèrent les extraordinaires portes pour l'abbaye Saint-Michel qu'il fonda au début du XIᵉ siècle.

Saint-Michel d'Hildesheim est certainement le chef-d'œuvre de l'architecture ottonienne. Sans doute la Saxe comptait-elle déjà de grands monuments impériaux. Otton Ier avait construit à Magdebourg une vaste cathédrale et pour l'orner avait fait venir de Rome et de Ravenne des colonnes, et des chapiteaux antiques. Le margrave Géro avait construit à Gernrode l'église Saint-Cyriaque toujours debout. Mais l'entreprise de Bernhard dépasse tous ces précédents par l'ampleur de l'équilibre et des volumes.

Parmi les beaux manuscrits exécutés sur l'ordre de Bernhard, le trésor de la cathédrale d'Hildesheim garde encore un *Liber mathematicalis*, copié sur le *De arithmetica* de Boèce. De plus, on a retrouvé un Vitruve carolingien avec la signature de Gauderamnus qui fut le premier abbé de Saint-Michel. De fait on doit reconnaître dans le plan et l'élévation des deux transepts garnis de tribunes, dans les deux absides opposées, l'application très précise de principes mathématiques. Comment peut-on, après avoir vu ce monument, parler des « ténèbres » qui obscurcirent l'Europe en l'an mille ?

## L'Italie et l'Angleterre

L'Italie contribue comme par le passé au renouveau intellectuel et artistique de l'Occident. Novare, Vérone, Crémone d'où Otton Ier fait venir des maîtres italiens pour la Germanie, ont toujours des écoles actives. Les évêques, Rathier de Vérone, Liutprand de Crémone, sont les amis d'Otton Ier. Les artistes de Reichenau sont en relation avec ceux des centres italiens. Le monastère de Bobbio réputé pour son importante bibliothèque est donné en 982 par Otton II à Gerbert, écolâtre de Reims et celui de Nonentola à Jean Philagathos, précepteur d'Otton III. Milan a un atelier d'ivoire qui travaille pour les empereurs, dont les œuvres rappellent celles des artistes de Germanie.

La ville de Rome elle-même se transforme au cours du Xe siècle comme l'a montré une étude récente. Les lotissements dans des quartiers longtemps abandonnés, la création de nombreux moulins sur le Tibre correspondent à une augmentation de la population. Le quartier du Vatican appelé « Cité léonine » depuis que Léon IV l'a enfermé dans des murailles, voit affluer voyageurs et pèlerins qui résident dans les *scholae* des Frisons, des Saxons, des Francs et des Lombards. L'archevêque de Canterbury, Sigeric, qui vient à Rome vers 990, nous a laissé la liste des vingt-deux églises qu'il visita pendant son séjour. Les monastères réformés par les moines clunisiens appelés par le sénateur Albéric sont restaurés à Saint-Paul-hors-les-Murs et sur l'Aventin. Sur cette colline dominant le Tibre est fondé, à la fin du Xe siècle, le monastère des saints Boniface et Alexis que dirigea Léon, légat pontifical en France en 991, puis Jean Canaparius. Adalbert de Prague vint y séjourner et c'est là qu'il rencontra l'empereur Otton III. Après sa mort, Otton fit construire dans l'île Tibérine une église en son honneur. De cette église, devenue Saint-Barthélemy-en-l'Isle, il reste des colonnes antiques réemployées et la margelle d'un puits sculpté qui représente l'empereur entouré d'évêques. Pendant longtemps on a cru qu'Otton s'était fait construire un palais sur l'Aventin, mais c'est en fait le Palatin que l'empereur choisit pour résider en faisant reconstruire le palais d'Auguste. Non loin de là s'élève l'église Saint-Sébastien fondée par le médecin Pierre vers 977, ornée de quelques fresques encore visibles et où l'empereur et le pape Sylvestre II réunirent un synode en 1001. Otton III voulait faire de Rome la capitale de son empire mais sa mort précoce l'en a empêché.

Pour terminer cette courte étude de la renaissance du Xe siècle, nous devons nous tourner vers l'Angleterre, royaume resté en dehors du monde carolingien mais dont l'histoire religieuse et culturelle est très liée à celle du continent. A la fin du IXe siècle, Alfred le Grand, qui avait séjourné à la cour de Charles le Chauve et qui admirait les Carolingiens, avait voulu, à leur exemple, faire de sa cour un foyer de culture. Il avait attiré les jeunes aristocrates et exigé qu'ils aient un minimum d'instruction. Se rendant compte du déclin de la connaissance du latin, il avait traduit lui-même et fait traduire des livres classiques : *Dialogues et Règle pastorale* de Grégoire le Grand, *Histoire* d'Orose et de Bède, extraits de saint Augustin et surtout la *Consolation philosophique* de Boèce. Son petit-fils Athelstan (925-939) est le prince le plus prestigieux de l'Occident. Il a noué des relations matrimoniales avec les rois de Francie occidentale et de Germanie. Il collectionne reliques et manuscrits, distribue des livres aux églises et commence la réforme des monastères. Cette réforme est poursuivie par Edgar le Pacifique « Auguste Empereur de toute l'Alban » comme il aime à se faire appeler. Il groupe autour de lui trois abbés réformateurs : Dunstan de Canterbury, Oswald de Worcester et Aethelwold de Winchester. Dunstan, qui a séjourné un moment à Gand, encourage les études religieuses et musicales et développe les ateliers de scribes et de peintres. Oswald, après quelques années passées à Fleury-sur-Loire, fait venir des maîtres du continent et restaure les abbayes du sud et du nord. Grâce à lui, dit son biographe, « les arts libéraux qui avaient sombré dans l'oubli, se répandirent partout ». Aethelwold s'inspire lui aussi des coutumes de Fleury, fait venir des moines de Corbie pour l'enseignement du chant. En 963, il est nommé évêque de Winchester, siège de la cour royale. Évêques et rois encouragent les aristocrates eux-mêmes cultivés à protéger les abbayes. En 970, Edgar préside le concile qui promulgue la *Regularis concordiae* qui doit être appliquée à tous les monastères. Des manuscrits luxueusement peints sortent de ce qu'on a appelé l'école de Winchester. Si le style de certains s'apparente à celui des manuscrits ottoniens, beaucoup s'inspirent de l'art carolingien. Le psautier d'Utrecht qui fut apporté à la fin du Xe siècle, dans le sud de l'Angleterre, fut recopié avec enthousiasme en plusieurs exemplaires.

# CONCLUSION

Aux alentours de l'an mille, l'Europe prend un nouveau visage. Une grande partie de l'Occident, la France, l'Italie, la Bourgogne, subit ce que l'on a appelé la « mutation féodale ». Les grandes principautés carolingiennes commencent à être disloquées en de multiples seigneuries. A côté de la vieille aristocratie dont « les titres venaient du sang des rois », comme l'a écrit Adalbéron de Laon, apparaît une nouvelle noblesse, celle des comtes et des vicomtes, qui s'empare des pouvoirs politiques, confie les châteaux à ses vassaux et dans les limites de leurs seigneuries exerce ses droits de *ban*. L'ancienne cour comtale devient cour féodale, le *pagus* carolingien est démembré en plusieurs châtellenies. Dans les territoires immunistes, les avoués laïcs s'emparent eux aussi des pouvoirs, tandis que dans bien des villes les évêques exercent les fonctions comtales. Le contrat vassalique carolingien commence à se modifier puisque la remise d'une terre en bénéfice — ce que l'on commence à appeler le fief — l'emporte sur le lien personnel. On devient l'homme d'un seigneur lorsque l'on reçoit de lui une terre ou un château. Enfin, à côté des châtelains indépendants qui constituent des dynasties locales, commencent à apparaître les chevaliers, ces guerriers batailleurs et pillards contre qui les évêques méridionaux doivent opposer la « paix de Dieu » à la fin du premier millénaire.

Sans doute la décomposition des pouvoirs ne se fait pas brusquement partout à la même époque. En Flandre, en Normandie, en Catalogne, les gouvernants gardent entre leurs mains l'autorité publique. Dans le royaume de Germanie, les structures carolingiennes résistent à la féodalisation. Mais, même dans ce royaume, à côté de la vieille aristocratie, apparaît une noblesse nouvelle. A l'Europe carolingienne succède l'Europe du premier âge féodal.

Il s'agit bien de l'Europe, non pas de cet espace géographique que l'on opposait à l'Asie et à l'Afrique au début du VIIIᵉ siècle, mais d'un ensemble de territoires qui ont pris conscience de leur destin commun. Charlemagne a été appelé le « père de l'Europe », le « phare de l'Europe », son petit-fils Charles le Chauve, le « prince de l'Europe », Jean VIII, le « recteur de l'Europe », toutes ces expressions et bien d'autres que l'on pourrait citer ne sont pas vides de sens. Otton Iᵉʳ est « empereur de toute l'Europe » et son petit-fils Otton III est « appelé roi non seulement par le peuple romain mais par les peuples de toute l'Europe ». C'est « l'Europe décapitée » qui pleure la mort de l'empereur Henri II au début du XIᵉ siècle. L'Europe n'est pas encore constituée de blocs ayant une conscience nationale, il n'y a pas encore de France, d'Allemagne, d'Italie, mais un ensemble de peuples qui ont chacun leurs caractères, leur langue, leur originalité, mais aussi leurs antagonismes. Ces antagonismes, qui existent et existeront jusqu'à nos jours, ont été neutralisés par les pouvoirs politiques, royaux et princiers et par l'Église. Les rois carolingiens et ceux qui leur ont succédé sont des régulateurs qui, avec l'Église, ont inventé une nouvelle idée d'État fondée sur le respect de la loi religieuse.

Cette Europe, c'est également celle de l'Église latine, ou comme on le dit de plus en plus, celle de la Chrétienté. Font partie de la Chrétienté tous les pays convertis de gré ou de force par les Carolingiens, mais aussi le royaume des Asturies, l'Angleterre, l'Irlande qui n'ont jamais été conquis par les souverains francs. Les rois d'Espagne, quoique jaloux de leur indépendance, ont entretenu de bonnes relations avec les princes carolingiens. L'affaire de l'adoptianisme, hérésie née à Tolède, a rapproché les cours d'Oviedo et d'Aix. Alphonse III le Grand (866-910) ressemble aux rois carolingiens par sa culture et son goût des beaux manuscrits. Après ses victoires sur les musulmans, il se fait même appeler « empereur » et se fait remettre par les moines de Saint-Martin de Tours une couronne d'or. Les communautés chrétiennes mozarabes se maintiennent dans l'Espagne musulmane jusqu'au Xᵉ siècle en relation avec les chrétiens d'outre-Pyrénées. C'est à l'évêque Recemund que Liutprand de Crémone dédie son « Histoire des rois et des empereurs de toute l'Europe » plus connue sous le nom d'*Antapodosis*. Les moines lettrés irlandais installés sur le continent aux IXᵉ et Xᵉ siècles établissent des liens entre l'île, la France du nord et la Lotharingie. Nous avons vu comment des relations étroites s'étaient nouées entre les rois d'Angleterre et Charlemagne. Elles se poursuivent au IXe siècle et au Xe siècle, le grand siècle de l'histoire d'Angleterre. L'Église anglaise reste très liée à Rome, la règle de Chrodegand est introduite par les moines de Saint-Bertin sous Alfred. Ceux de Gand et de Fleury-sur-Loire sous ses successeurs contribuent à la réforme monastique en Angleterre. La cour d'Athelstan (925-939) est un moment le rendez-vous de Francs, d'Irlandais, de Bretons et même de Norvégiens. Font également partie de la Chrétienté les nouvelles nations qui se convertissent au Xe siècle grâce à l'appui des empereurs et de la papauté, celles des Danois, des Hongrois et des Polonais.

La carte religieuse de l'Europe est définitivement dessinée. Si l'influence byzantine pénètre dans les Balkans et dans la Russie kievienne, elle se heurte à l'ouest aux bastions de l'Église latine. Byzance commence à se raidir dans un patriotisme grec face à l'Islam d'un côté et aux « Barbares » de l'autre, elle accepte difficilement la renaissance de l'empire d'Occident qui menace les quelques territoires qu'elle possède encore en Italie.

L'Europe, c'est également une communauté intellectuelle de lettrés et de savants parlant et écrivant la même langue, le latin, sauvant de l'oubli une grande partie de l'héritage antique. Sans le travail des *scriptoria* monastiques et épiscopaux, patronnés par les princes, que de chefs-d'œuvre auraient disparu. Les maîtres des écoles des IXe et Xe siècles, en fixant le canon des classiques que l'on doit étudier, ont jeté les bases d'un programme qui s'imposera pendant des siècles. Qu'on s'en réjouisse ou qu'on le déplore, l'enseignement occidental reste marqué par la toute-puissance de la grammaire, la virtuosité de la rhétorique et le goût de la poésie savante. Les lettrés, d'Alcuin à Gerbert, encouragés par les princes, ont laissé des œuvres en vers et en prose qui, lorsqu'on les étudie vraiment, sont loin de se présenter comme des démarquages d'ouvrages antiques.

L'Europe, c'est aussi un ensemble de monuments et d'œuvres d'art dont s'inspireront les créateurs du deuxième millénaire. Après l'an mille les manuscrits peints continuent à étonner et à influencer les artistes. Les formules des architectes ne sont pas oubliées : massif occidental que l'on retrouve en Normandie et plus tard dans les façades de nos cathédrales, plan à double abside conservé en Lotharingie et en Rhénanie.

L'héritage n'est pas seulement culturel, il est également institutionnel. Les structures de l'Église sont en place. La papauté qui a reçu son pouvoir temporel des Carolingiens, tient en réserve les principes qu'elle pourra appliquer lorsqu'elle se sera libérée de la tutelle laïque. L'exemption qu'elle accorde aux monastères a facilité la réforme monastique commencée depuis Benoît d'Aniane et relayée par Cluny. Rois et empereurs, de leur côté, habitués à diriger le clergé depuis Charlemagne, n'abandonnent pas facilement leurs droits. Ainsi s'explique l'origine des querelles entre les deux pouvoirs qui commencent au XIe siècle. Les empereurs des XIe et XIIe siècles peuvent trouver dans les précédents carolingiens et ottoniens des arguments à opposer aux papes. Ce n'est pas sans raison que Charlemagne fut canonisé sur l'ordre de Frédéric Barberousse en 1165.

Les premiers rois capétiens de leur côté construisent la royauté sur les bases de la monarchie carolingienne. Ils organisent leur cour comme par le passé, ils demandent à l'archevêque de Reims de les sacrer et aux clercs de la chancellerie de les aider dans leur tâche. Le serment du sacre vient en droite ligne de la promesse que les rois prêtaient depuis la fin du IXe siècle. Encore carolingienne reste l'idée du « ministère royal ». Jusqu'à Saint Louis et même au-delà on affirme que le roi digne de ce nom doit faire régner la justice et la paix. Il doit attendre des évêques et des grands du royaume l'aide et le conseil, conception carolingienne qui traversera les siècles. Les rois capétiens, suzerains supérieurs, sauront utiliser ce privilège juridique pour reconquérir peu à peu leur autorité.

Enfin comment ne pas rappeler que princes et aristocrates d'Occident ont jusqu'à la fin du Moyen Age rivalisé d'ardeur et d'ingéniosité pour se rattacher aux Carolingiens ? L'illustre famille a eu tant de descendants dispersés dans les différentes régions de l'Europe que cette prétention pouvait être légitime. Mais pour quelques filiations authentiques, que de fausses généalogies ! Chacun était fier de compter parmi ses ancêtres ces héros fameux dont les chansons de geste racontaient les exploits, les Roland, Ogier, Girard de Roussillon, Guillaume d'Orange, Raoul de Cambrai, etc. Dans l'héritage carolingien, l'imaginaire a également sa place.

# LISTE DES TABLEAUX GÉNÉALOGIQUES

# I. DERNIERS MÉROVINGIENS

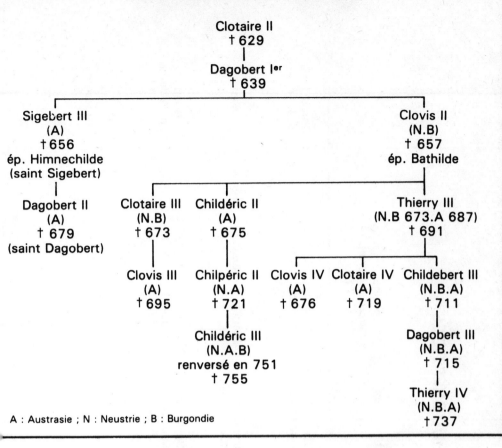

Clotaire II
† 629

Dagobert Ier
† 639

Sigebert III
(A)
† 656
ép. Himnechilde
(saint Sigebert)

Clovis II
(N.B)
† 657
ép. Bathilde

Dagobert II
(A)
† 679
(saint Dagobert)

Clotaire III
(N.B)
† 673

Childéric II
(A)
† 675

Thierry III
(N.B 673.A 687)
† 691

Clovis III
(A)
† 695

Chilpéric II
(N.A)
† 721

Clovis IV
(A)
† 676

Clotaire IV
(A)
† 719

Childebert III
(N.B.A)
† 711

Childéric III
(N.A.B)
renversé en 751
† 755

Dagobert III
(N.B.A)
† 715

Thierry IV
(N.B.A)
† 737

A : Austrasie ; N : Neustrie ; B : Burgondie

# II. ANCÊTRES DES CAROLINGIENS

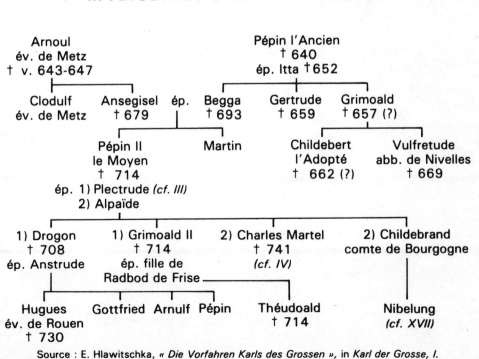

Arnoul
év. de Metz
† v. 643-647

Pépin l'Ancien
† 640
ép. Itta † 652

Clodulf
év. de Metz

Ansegisel
† 679

ép.

Begga
† 693

Gertrude
† 659

Grimoald
† 657 (?)

Pépin II
le Moyen
† 714
ép. 1) Plectrude (cf. III)
2) Alpaïde

Martin

Childebert
l'Adopté
† 662 (?)

Vulfretude
abb. de Nivelles
† 669

1) Drogon
† 708
ép. Anstrude

1) Grimoald II
† 714
ép. fille de
Radbod de Frise

2) Charles Martel
† 741
(cf. IV)

2) Childebrand
comte de Bourgogne

Hugues
év. de Rouen
† 730

Gottfried   Arnulf   Pépin

Théudoald
† 714

Nibelung
(cf. XVII)

Source : E. Hlawitschka, « Die Vorfahren Karls des Grossen », in Karl der Grosse, I.

# III. HUGOBERTIDES

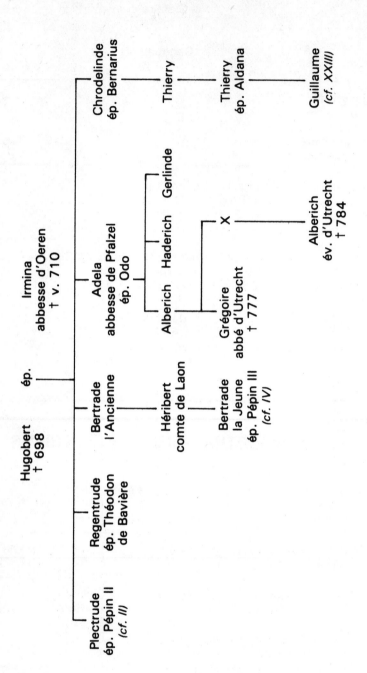

Source : E. Hlawitschka, « *Die Vorfahren Karls des Grossen* », *Karl der Grosse, I.*

# IV. PREMIERS CAROLINGIENS

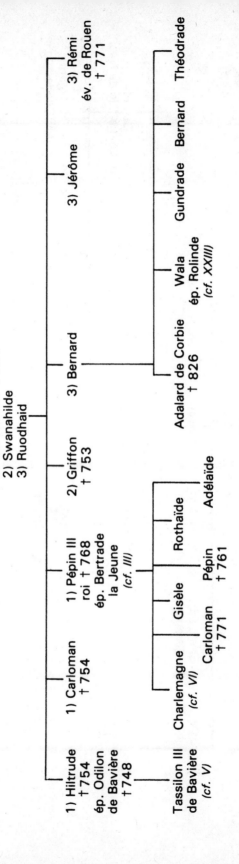

Charles Martel
ép.
1) Chrodtrude † 724
2) Swanahilde
3) Ruodhaid

1) Hiltrude
† 754
ép. Odilon
de Bavière
† 748

1) Carloman
† 754

1) Pépin III
roi † 768
ép. Bertrade
la Jeune
*(cf. III)*

2) Griffon
† 753

3) Bernard

3) Jérôme

3) Rémi
év. de Rouen
† 771

Tassilon III
de Bavière
*(cf. V)*

Charlemagne
*(cf. VI)*

Carloman
† 771

Gisèle

Rothaïde

Pépin
† 761

Adélaïde

Adalard de Corbie
† 826

Wala
ép. Rolinde
*(cf. XXIII)*

Gundrade

Bernard

Théodrade

# V. FAMILLES DE BAVIÈRE ET D'ALÉMANIE

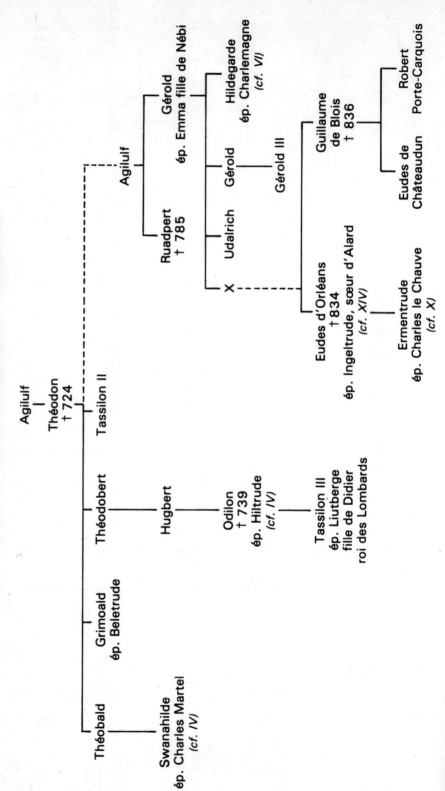

# VI. ENFANTS DE CHARLEMAGNE

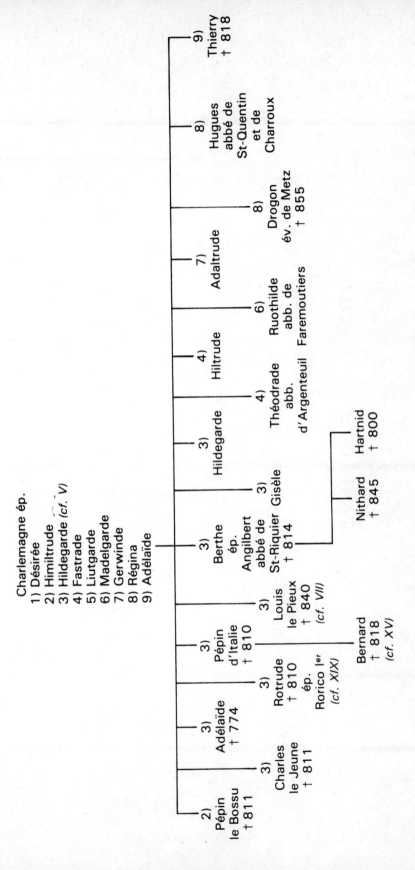

Charlemagne ép.
1) Désirée
2) Himiltrude
3) Hildegarde *(cf. V)*
4) Fastrade
5) Liutgarde
6) Madelgarde
7) Gerwinde
8) Régina
9) Adélaïde

2)
Pépin
le Bossu
† 811

3)
Charles
le Jeune
† 811

3)
Adélaïde
† 774

3)
Rotrude
† 810
ép.
Rorico Ier
*(cf. XIX)*

3)
Pépin
d'Italie
† 810

3)
Louis
le Pieux
† 840
*(cf. VIII)*

Bernard
† 818
*(cf. XV)*

3)
Berthe
ép.
Angilbert
abbé de
St-Riquier
† 814

3)
Gisèle

Nithard
† 845

Hartnid
† 800

3)
Hildegarde

4)
Théodrade
abb.
d'Argenteuil

4)
Hiltrude

6)
Ruothilde
abb. de
Faremoutiers

7)
Adaltrude

8)
Drogon
év. de Metz
† 855

8)
Hugues
abbé de
St-Quentin
et de
Charroux

9)
Thierry
† 818

# VII. ENFANTS DE LOUIS LE PIEUX

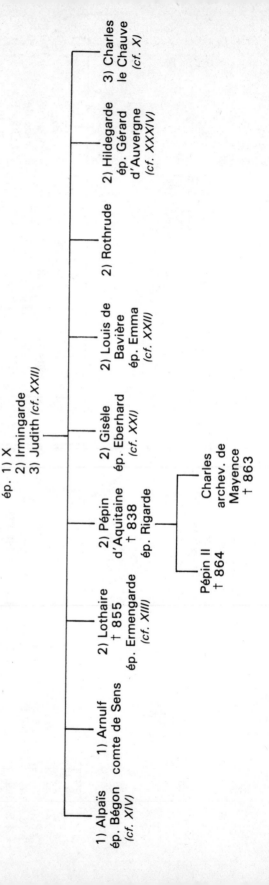

Louis le Pieux
† 840

ép. 1) X
2) Irmingarde
3) Judith *(cf. XXII)*

1) Alpaïs
ép. Bégon
*(cf. XI/V)*

1) Arnulf
comte de Sens

2) Lothaire
† 855
ép. Ermengarde
*(cf. XIII)*

2) Pépin
d'Aquitaine
† 838
ép. Rigarde

Pépin II
† 864

Charles
archev. de
Mayence
† 863

2) Gisèle
ép. Eberhard
*(cf. XXI)*

2) Louis de
Bavière
ép. Emma
*(cf. XXIII)*

2) Rothrude

2) Hildegarde
ép. Gérard
d'Auvergne
*(cf. XXXIV)*

3) Charles
le Chauve
*(cf. X)*

# VIII. DESCENDANCE DE LOTHAIRE Ier

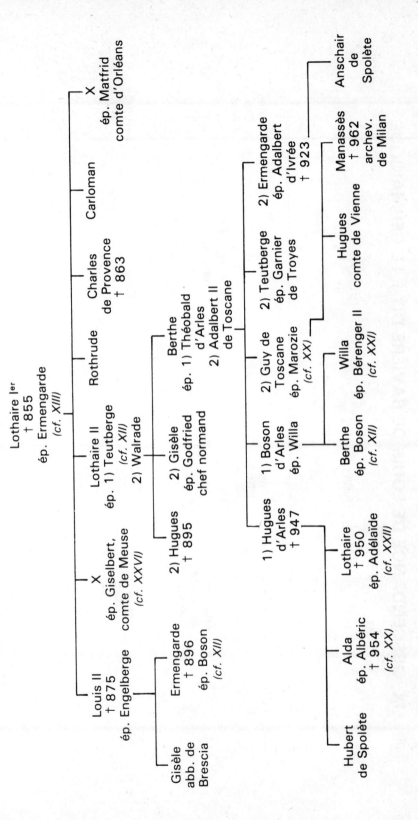

Lothaire Ier
† 855
ép. Ermengarde
*(cf. XIII)*

Louis II
† 875
ép. Engelberge

X
ép. Giselbert, comte de Meuse
*(cf. XXVII)*

Lothaire II
ép. 1) Teutberge
*(cf. XII)*
2) Walrade

Rothrude

Charles
de Provence
† 863

Carloman

X
ép. Matfrid
comte d'Orléans

Gisèle
abb. de Brescia

Ermengarde
† 896
ép. Boson
*(cf. XIII)*

2) Gisèle
ép. Godfried
chef normand

2) Hugues
† 895

Berthe
ép. 1) Théobald d'Arles
2) Adalbert II de Toscane

1) Hugues
d'Arles
† 947

1) Boson
d'Arles
ép. Willa

2) Guy de Toscane
ép. Marozie
*(cf. XX)*

2) Teutberge
ép. Garnier
de Troyes

2) Ermengarde
ép. Adalbert d'Ivrée
† 923

Hubert
de Spolète

Alda
ép. Albéric
† 954
*(cf. XX)*

Lothaire
† 950
ép. Adélaïde
*(cf. XXIII)*

Berthe
ép. Boson
*(cf. XII)*

Willa
ép. Bérenger II
*(cf. XXI)*

Hugues
comte de Vienne

Manassès
† 962
archev.
de Milan

Anschair
de Spolète

# IX. DESCENDANCE DE LOUIS DE BAVIÈRE DIT « LE GERMANIQUE »

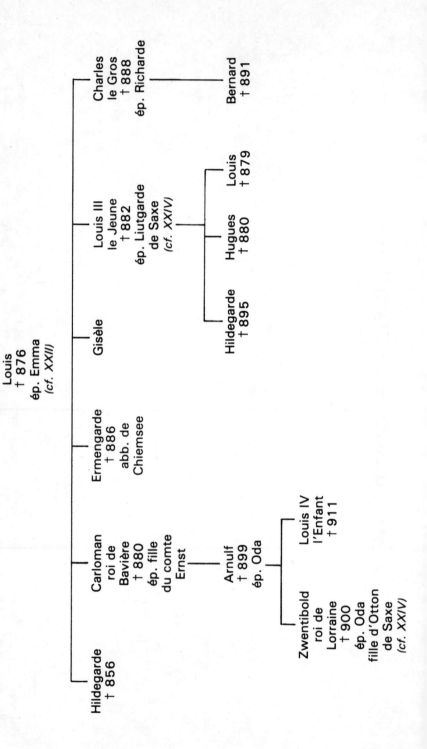

# X. DESCENDANCE DE CHARLES LE CHAUVE

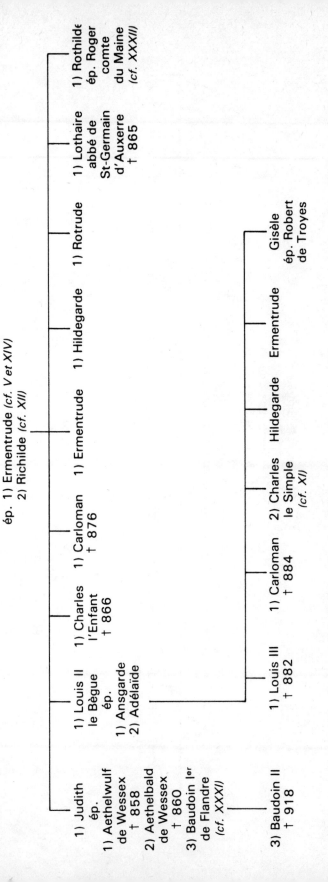

Charles II le Chauve
† 877

ép. 1) Ermentrude *(cf. V et XIV)*
2) Richilde *(cf. XII)*

1) Judith
ép.
1) Aethelwulf
de Wessex
† 858
2) Aethelbald
de Wessex
† 860
3) Baudoin Ier
de Flandre
*(cf. XXXI)*

1) Louis II
le Bègue
ép.
1) Ansgarde
2) Adélaïde

1) Charles
l'Enfant
† 866

1) Carloman
† 876

1) Ermentrude

1) Hildegarde

1) Rotrude

1) Lothaire
abbé de
St-Germain
d'Auxerre
† 865

1) Rothilde
ép. Roger
comte
du Maine
*(cf. XXXII)*

1) Louis III
† 882

1) Carloman
† 884

2) Charles
le Simple
*(cf. XI)*

Hildegarde

Ermentrude

Gisèle
ép. Robert
de Troyes

3) Baudoin II
† 918

# XI. DESCENDANCE DE CHARLES LE SIMPLE

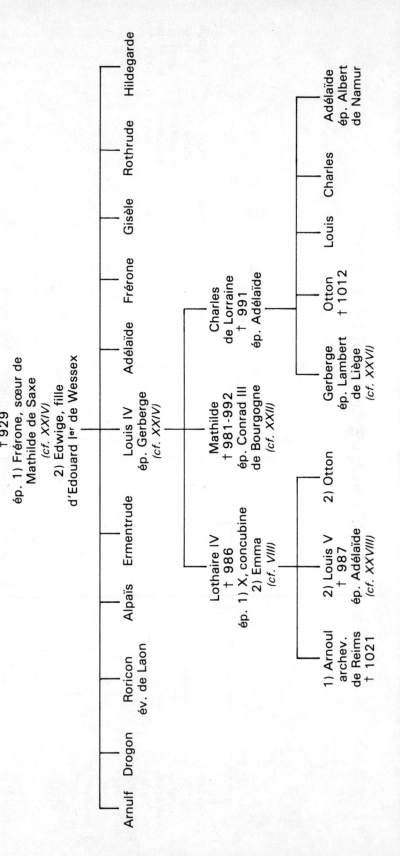

# XII. BOSONIDES

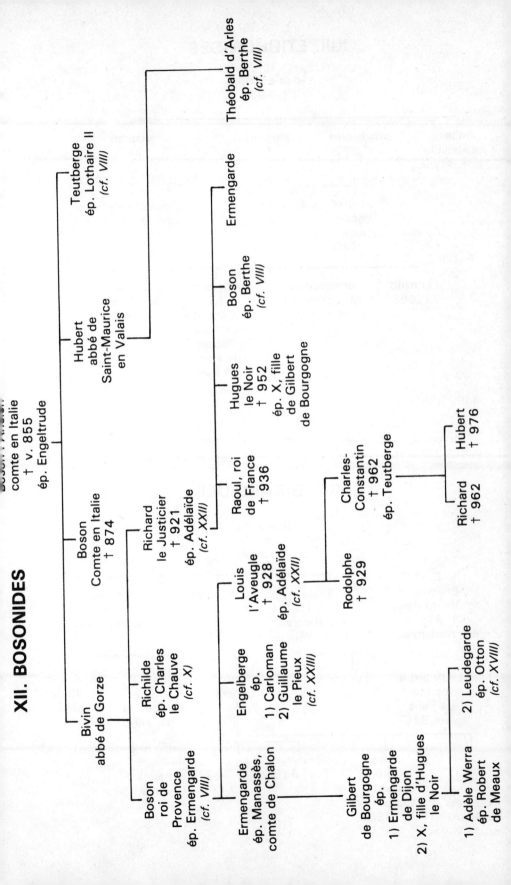

Boson / Richard
comte en Italie
† v. 855
ép. Engeltrude

Bivin
abbé de Gorze

Boson
Comte en Italie
† 874

Hubert
abbé de
Saint-Maurice
en Valais

Teutberge
ép. Lothaire II
*(cf. VIII)*

Théobald d'Arles
ép. Berthe
*(cf. VIII)*

Boson
roi de Provence
ép. Ermengarde
*(cf. VIII)*

Richilde
ép. Charles
le Chauve
*(cf. X)*

Richard
le Justicier
† 921
ép. Adélaïde
*(cf. XXII)*

Hugues
le Noir
† 952
ép. X, fille
de Gilbert
de Bourgogne

Boson
ép. Berthe
*(cf. VIII)*

Ermengarde

Ermengarde
ép. Manassès,
comte de Chalon

Engelberge
ép.
1) Carloman
2) Guillaume
le Pieux
*(cf. XXIII)*

Louis
l'Aveugle
† 928
ép. Adélaïde
*(cf. XXII)*

Raoul, roi
de France
† 936

Gilbert
de Bourgogne
ép.
1) Ermengarde
de Dijon
2) X, fille d'Hugues
le Noir

Rodolphe
† 929

Charles-
Constantin
† 962
ép. Teutberge

1) Adèle Werra
ép. Robert
de Meaux

2) Leudegarde
ép. Otton
*(cf. XVIII)*

Richard
† 962

Hubert
† 976

# XIII. ETICHONIDES

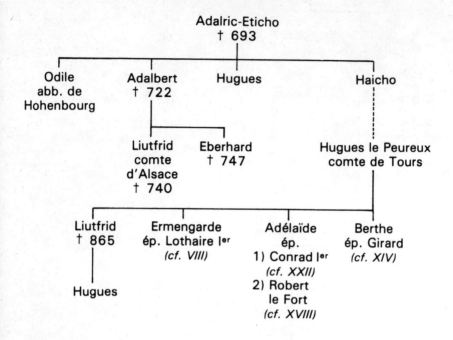

Adalric-Eticho
† 693

Odile
abb. de
Hohenbourg

Adalbert
† 722

Hugues

Haicho

Liutfrid
comte
d'Alsace
† 740

Eberhard
† 747

Hugues le Peureux
comte de Tours

Liutfrid
† 865

Ermengarde
ép. Lothaire Ier
*(cf. VIII)*

Adélaïde
ép.
1) Conrad Ier
*(cf. XXII)*
2) Robert
le Fort
*(cf. XVIII)*

Berthe
ép. Girard
*(cf. XIV)*

Hugues

Source : F. Vollmer, *Die Etichonen,* in G. Tellenbach, « *Studien...* », pp. 137-184.

# XIV. GIRARDIDES

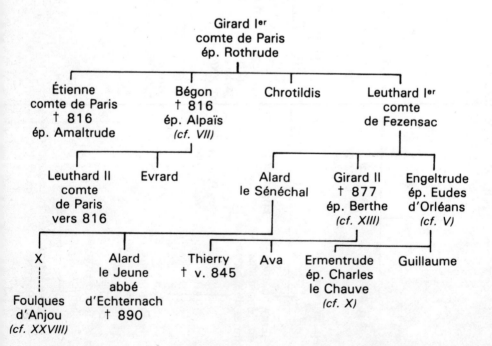

Girard Ier
comte de Paris
ép. Rothrude

Étienne
comte de Paris
† 816
ép. Amaltrude

Bégon
† 816
ép. Alpaïs
*(cf. VII)*

Chrotildis

Leuthard Ier
comte
de Fezensac

Leuthard II
comte
de Paris
vers 816

Evrard

Alard
le Sénéchal

Girard II
† 877
ép. Berthe
*(cf. XIII)*

Engeltrude
ép. Eudes
d'Orléans
*(cf. V)*

X

Foulques
d'Anjou
*(cf. XXVIII)*

Alard
le Jeune
abbé
d'Echternach
† 890

Thierry
† v. 845

Ava

Ermentrude
ép. Charles
le Chauve
*(cf. X)*

Guillaume

## XV. HERBERTIDES

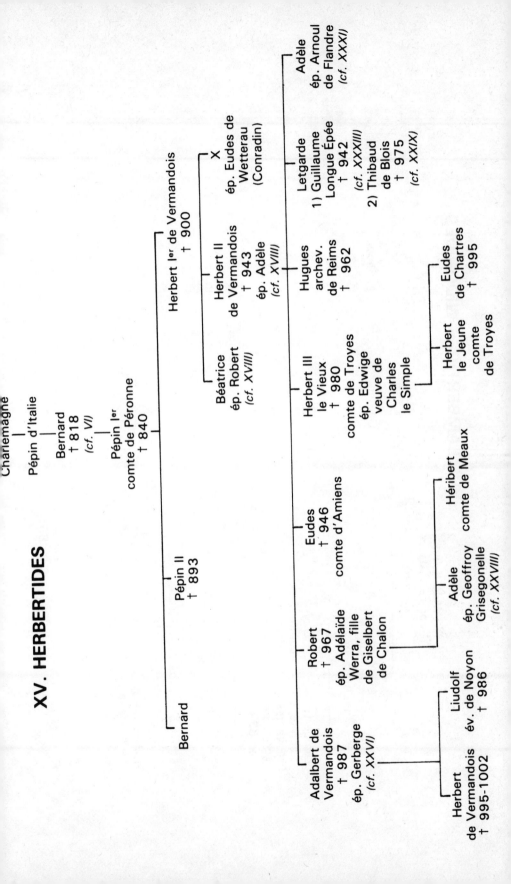

Charlemagne

Pépin d'Italie

Bernard
† 818
*(cf. VI)*

Pépin Ier
comte de Péronne
† 840

Bernard

Pépin II
† 893

Herbert Ier de Vermandois
† 900

X
ép. Eudes de
Wetterau
(Conradin)

Béatrice
ép. Robert
*(cf. XVIII)*

Herbert II
de Vermandois
† 943
ép. Adèle
*(cf. XVIII)*

Adèle
ép. Arnoul
de Flandre
*(cf. XXXI)*

Eudes
† 946
comte d'Amiens

Robert
† 967
ép. Adélaïde
Werra, fille
de Giselbert
de Chalon

Herbert III
le Vieux
† 980
comte de Troyes
ép. Edwige
veuve de
Charles
le Simple

Hugues
archev.
de Reims
† 962

Letgarde
1) Guillaume
Longue Épée
† 942
*(cf. XXXIII)*
2) Thibaud
de Blois
† 975
*(cf. XXIX)*

Adalbert de
Vermandois
† 987
ép. Gerberge
*(cf. XXVI)*

Adèle
ép. Geoffroy
Grisegonelle
*(cf. XXVIII)*

Héribert
comte de Meaux

Herbert
le Jeune
comte
de Troyes

Eudes
de Chartres
† 995

Herbert
de Vermandois
† 995-1002

Liudolf
év. de Noyon
† 986

# XVI. LAMBERTIDES-WIDONIDES

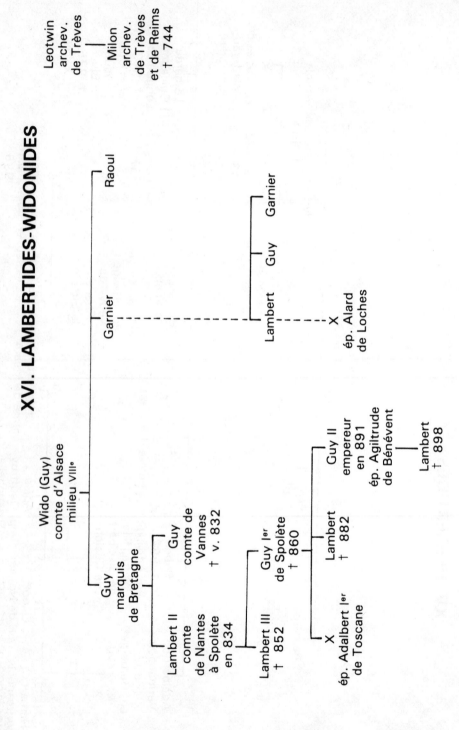

# XVII. NIBELUNGIDES

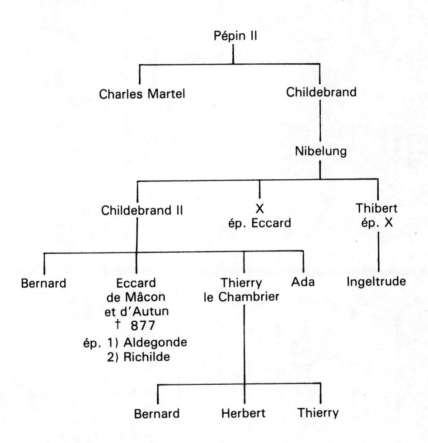

Source : L. Levillain, « Les Nibelungen historiques, » in *Annales du Midi*, 1937 et 1938, pp. 337-408 et 5-66.

# XVIII. ROBERTIDES

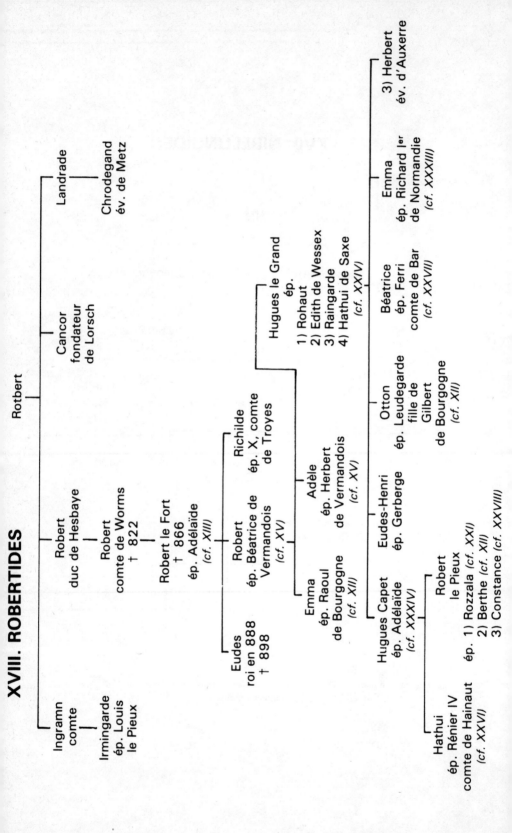

Rotbert

Ingramn comte

Irmingarde ép. Louis le Pieux

Robert duc de Hesbaye

Robert comte de Worms † 822

Robert le Fort † 866 ép. Adélaïde *(cf. XIII)*

Eudes roi en 888 † 898

Robert ép. Béatrice de Vermandois *(cf. XV)*

Emma ép. Raoul de Bourgogne *(cf. XIII)*

Richilde ép. X, comte de Troyes

Adèle ép. Herbert de Vermandois *(cf. XV)*

Landrade

Chrodegand év. de Metz

Cancor fondateur de Lorsch

Hugues le Grand ép.
1) Rohaut
2) Edith de Wessex
3) Raingarde
4) Hathui de Saxe *(cf. XXVI)*

Eudes-Henri ép. Gerberge

Hugues Capet ép. Adélaïde *(cf. XXXIV)*

Robert le Pieux ép. 1) Rozzala *(cf. XXI)* 2) Berthe *(cf. XII)* 3) Constance *(cf. XXVIII)*

Hathui ép. Rénier IV comte de Hainaut *(cf. XXVI)*

Otton ép. Leudegarde fille de Gilbert de Bourgogne *(cf. XII)*

Béatrice ép. Ferri comte de Bar *(cf. XXVIII)*

Emma ép. Richard Ier de Normandie *(cf. XXXIII)*

Herbert év. d'Auxerre

# XIX. RORGONIDES

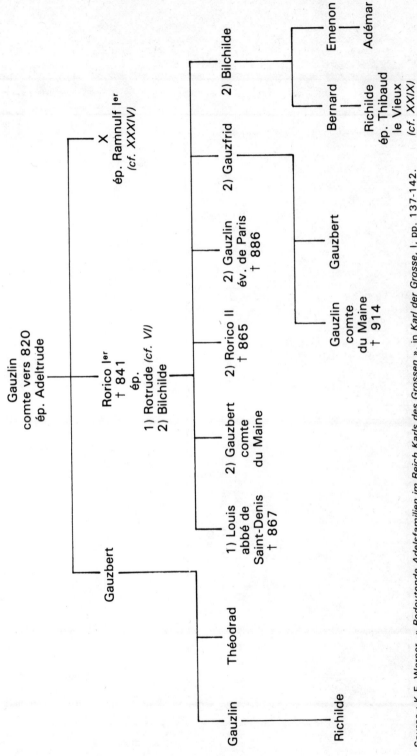

Source : K.F. Werner, « *Bedeutende Adelsfamilien im Reich Karls des Grossen* », in *Karl der Grosse*, I, pp. 137-142.

# XX. THEOPHYLACTES

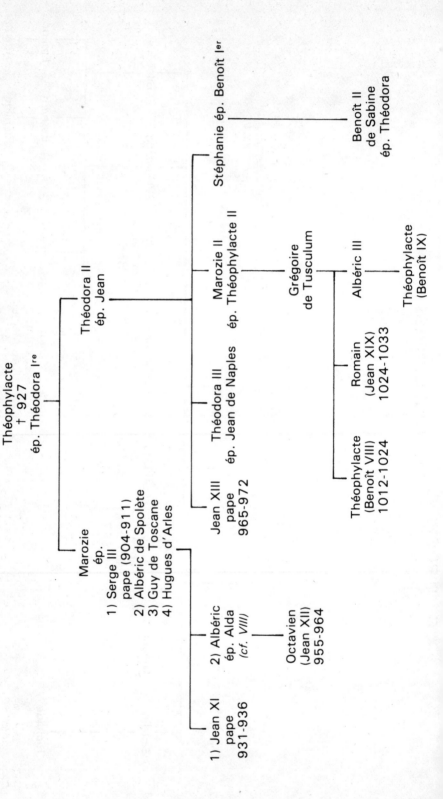

# XXI. UNROCHIDES

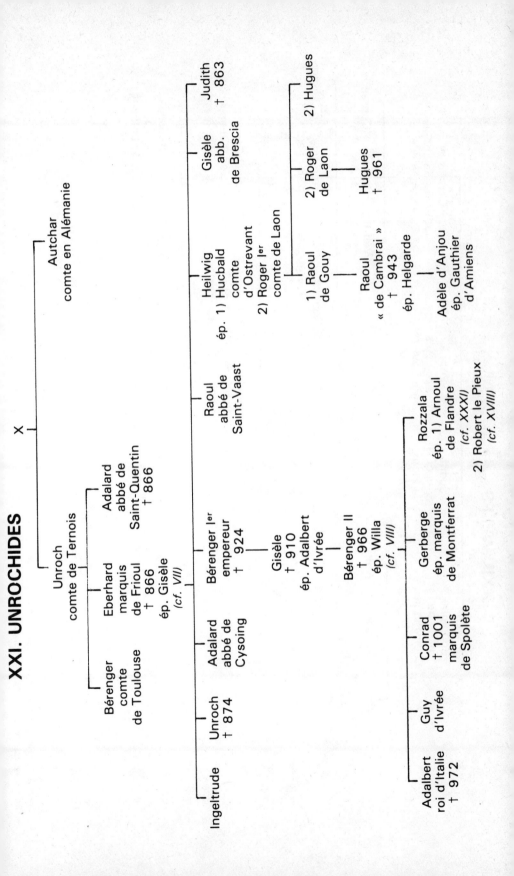

X

Autchar
comte en Alémanie

Unroch
comte de Ternois

Ingeltrude

Bérenger
comte
de Toulouse

Eberhard
marquis
de Frioul
† 866
ép. Gisèle
(cf. VII)

Adalard
abbé de
Saint-Quentin
† 866

Unroch
† 874

Adalard
abbé de
Cysoing

Bérenger Ier
empereur
† 924

Raoul
abbé de
Saint-Vaast

Heilwig
ép. 1) Hucbald
comte
d'Ostrevant
2) Roger Ier
comte de Laon

Gisèle
abb.
de Brescia

Judith
† 863

Gisèle
† 910
ép. Adalbert
d'Ivrée

1) Raoul
de Gouy

2) Roger
de Laon

2) Hugues

Bérenger II
† 966
ép. Willa
(cf. VIII)

Raoul
« de Cambrai »
† 943
ép. Helgarde

Hugues
† 961

Adalbert
roi d'Italie
† 972

Guy
d'Ivrée

Conrad
† 1001
marquis
de Spolète

Gerberge
ép. marquis
de Montferrat

Rozzala
ép. 1) Arnoul
de Flandre
(cf. XXXI)
2) Robert le Pieux
(cf. XVIII)

Adèle d'Anjou
ép. Gauthier
d'Amiens

# XXII. WELFS

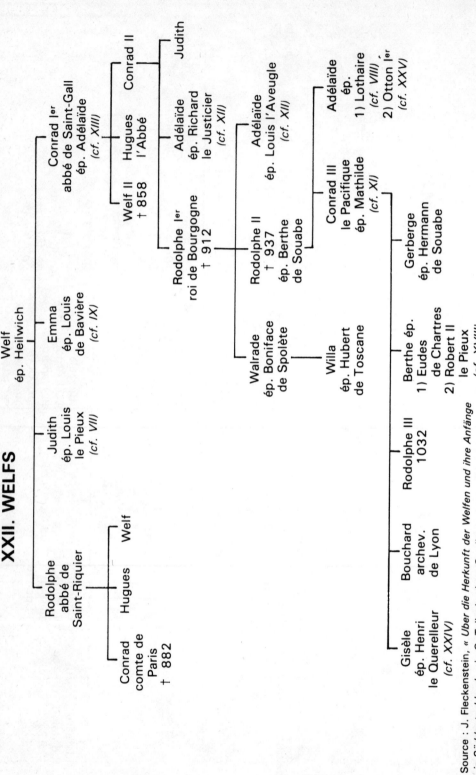

Source : J. Fleckenstein, « Über die Herkunft der Welfen und ihre Anfänge in Süddeutschland », in G. Tellenbach, « Studien... », pp. 71-136.

# XXIII. WILHELMIDES

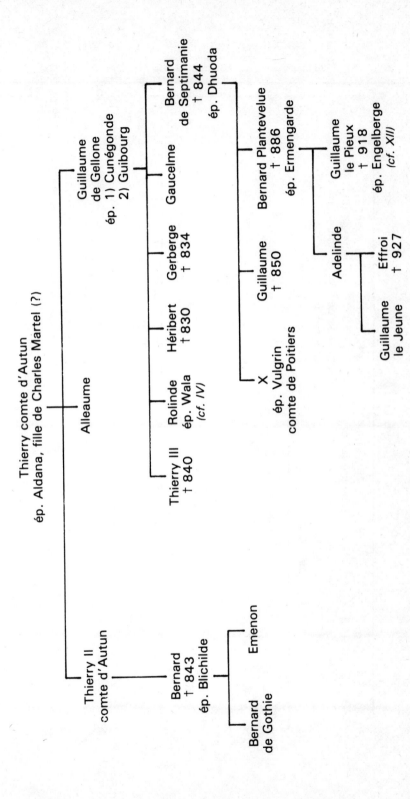

Thierry comte d'Autun
ép. Aldana, fille de Charles Martel (?)

Alleaume

Guillaume
de Gellone
ép. 1) Cunégonde
2) Guibourg

Thierry III
† 840

Rolinde
ép. Wala
(cf. IV)

Héribert
† 830

Gerberge
† 834

Gaucelme

Bernard
de Septimanie
† 844
ép. Dhuoda

Thierry II
comte d'Autun

Bernard
† 843
ép. Blichilde

Emenon

Bernard
de Gothie

X
ép. Vulgrin
comte de Poitiers

Guillaume
† 850

Bernard Plantevelue
† 886
ép. Ermengarde

Adelinde

Guillaume
le Jeune

Effroi
† 927

Guillaume
le Pieux
† 918
ép. Engelberge
(cf. XII)

# XXIV. LIUDOLFIDES

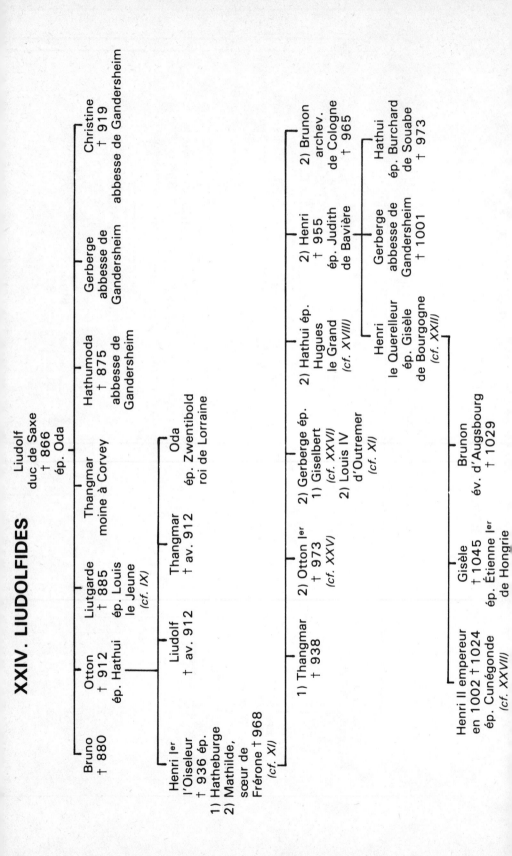

Liudolf
duc de Saxe
† 866
ép. Oda

Bruno
† 880

Otton
† 912
ép. Hathui

Liutgarde
† 885
ép. Louis
le Jeune
(cf. IX)

Thangmar
moine à Corvey

Hathumoda
† 875
abbesse de
Gandersheim

Gerberge
abbesse de
Gandersheim

Christine
† 919
abbesse de Gandersheim

Henri Ier
l'Oiseleur
† 936 ép.
1) Hatheburge
2) Mathilde,
sœur de
Frérone † 968
(cf. XI)

Liudolf
† av. 912

Thangmar
† av. 912

Oda
ép. Zwentibold
roi de Lorraine

1) Thangmar
† 938

2) Otton Ier
† 973
(cf. XXV)

2) Gerberge ép.
1) Giselbert
(cf. XXVI)
2) Louis IV
d'Outremer
(cf. XI)

2) Hathui ép.
Hugues
le Grand
(cf. XVIII)

2) Henri
† 955
ép. Judith
de Bavière

2) Brunon
archev.
de Cologne
† 965

Henri
le Querelleur
ép. Gisèle
de Bourgogne
(cf. XXII)

Gerberge
abbesse de
Gandersheim
† 1001

Hathui
ép. Burchard
de Souabe
† 973

Henri II empereur
en 1002 † 1024
ép. Cunégonde
(cf. XXVII)

Gisèle
† 1045
ép. Étienne Ier
de Hongrie

Brunon
év. d'Augsbourg
† 1029

# XXV. OTTONIDES

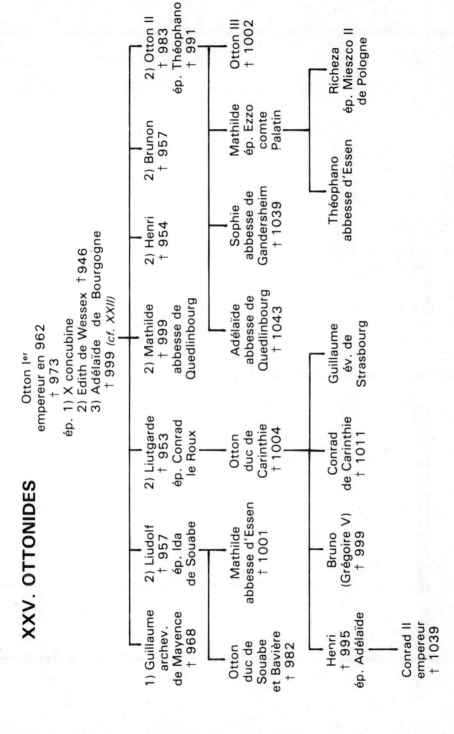

Otton Ier
empereur en 962
† 973
ép. 1) X concubine
2) Edith de Wessex † 946
3) Adélaïde de Bourgogne
† 999 *(cf. XXIII)*

1) Guillaume
archev.
de Mayence
† 968

2) Liudolf
† 957
ép. Ida
de Souabe

2) Liutgarde
† 953
ép. Conrad
le Roux

2) Mathilde
† 999
abbesse de
Quedlinbourg

2) Henri
† 954

2) Brunon
† 957

2) Otton II
† 983
ép. Théophano
† 991

Otton
duc de
Souabe
et Bavière
† 982

Mathilde
abbesse d'Essen
† 1001

Otton
duc de
Carinthie
† 1004

Adélaïde
abbesse de
Quedlinbourg
† 1043

Sophie
abbesse de
Gandersheim
† 1039

Mathilde
ép. Ezzo
comte
Palatin

Otton III
† 1002

Henri
† 995
ép. Adélaïde

Bruno
(Grégoire V)
† 999

Conrad
de Carinthie
† 1011

Guillaume
év. de
Strasbourg

Théophano
abbesse d'Essen

Richeza
ép. Mieszco II
de Pologne

Conrad II
empereur
† 1039

# XXVI. FAMILLE DES RÉNIER

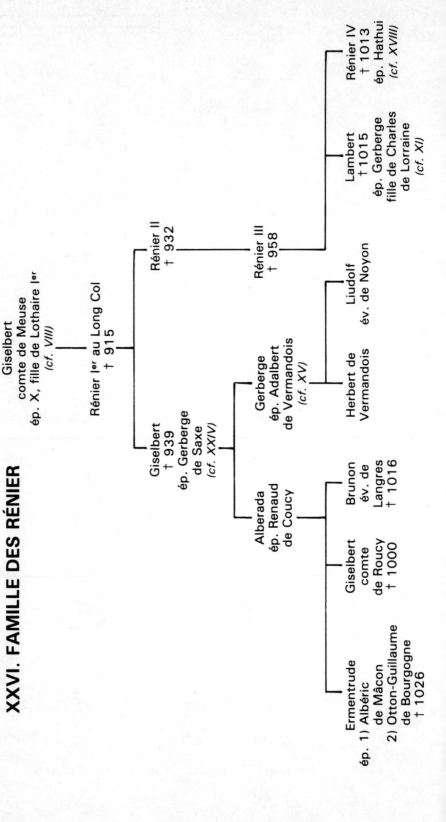

Giselbert
comte de Meuse
ép. X, fille de Lothaire Ier
*(cf. VIII)*

Rénier Ier au Long Col
† 915

Giselbert
† 939
ép. Gerberge
de Saxe
*(cf. XXIV)*

Rénier II
† 932

Alberada
ép. Renaud
de Coucy

Gerberge
ép. Adalbert
de Vermandois
*(cf. XV)*

Rénier III
† 958

Ermentrude
ép. 1) Albéric
de Mâcon
2) Otton-Guillaume
de Bourgogne
† 1026

Giselbert
comte
de Roucy
† 1000

Brunon
év. de
Langres
† 1016

Herbert de
Vermandois

Liudolf
év. de Noyon

Lambert
† 1015
ép. Gerberge
fille de Charles
de Lorraine
*(cf. XI)*

Rénier IV
† 1013
ép. Hathui
*(cf. XVIII)*

# XXVII. WIGÉRICIDES

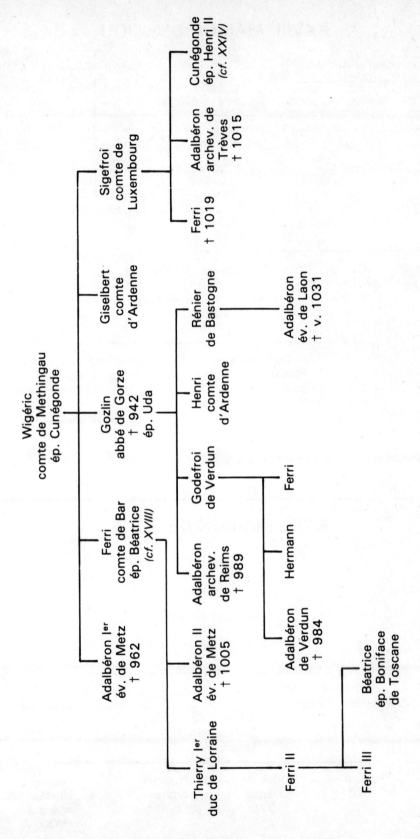

# XXVIII. MAISON D'ANJOU

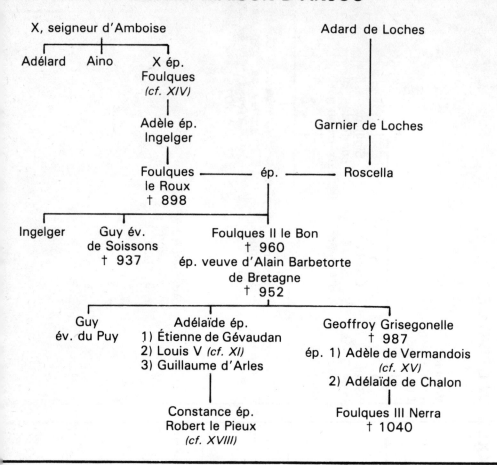

X, seigneur d'Amboise

Adélard    Aino    X ép.
Foulques
*(cf. XIV)*

Adard de Loches

Adèle ép.
Ingelger

Garnier de Loches

Foulques ——— ép. ——— Roscella
le Roux
† 898

Ingelger    Guy év.    Foulques II le Bon
de Soissons    † 960
† 937    ép. veuve d'Alain Barbetorte
de Bretagne
† 952

Guy
év. du Puy

Adélaïde ép.
1) Étienne de Gévaudan
2) Louis V *(cf. XI)*
3) Guillaume d'Arles

Geoffroy Grisegonelle
† 987
ép. 1) Adèle de Vermandois
*(cf. XV)*
2) Adélaïde de Chalon

Constance ép.
Robert le Pieux
*(cf. XVIII)*

Foulques III Nerra
† 1040

# XXIX. MAISON DE BLOIS

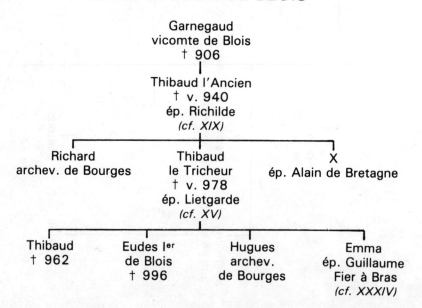

Garnegaud
vicomte de Blois
† 906

Thibaud l'Ancien
† v. 940
ép. Richilde
*(cf. XIX)*

Richard
archev. de Bourges

Thibaud
le Tricheur
† v. 978
ép. Lietgarde
*(cf. XV)*

X
ép. Alain de Bretagne

Thibaud
† 962

Eudes Ier
de Blois
† 996

Hugues
archev.
de Bourges

Emma
ép. Guillaume
Fier à Bras
*(cf. XXXIV)*

# XXX. MAISON DE CATALOGNE

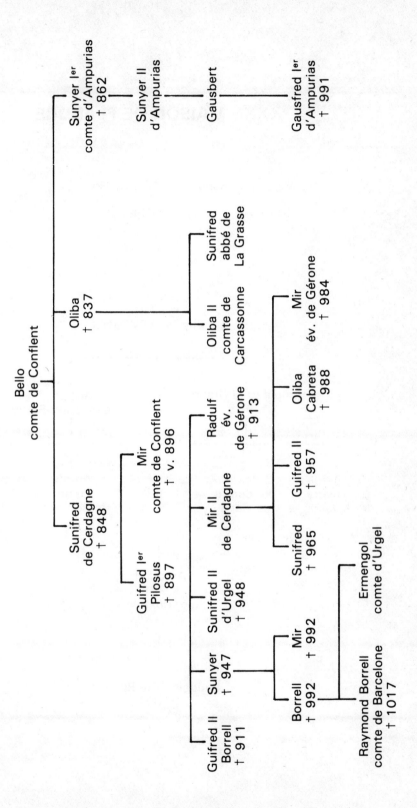

**Bello**
comte de Conflent

**Sunifred**
de Cerdagne
† 848

**Oliba**
† 837

**Sunyer Ier**
comte d'Ampurias
† 862

**Sunyer II**
d'Ampurias

**Gausbert**

**Gausfred Ier**
d'Ampurias
† 991

**Guifred Ier**
Pilosus
† 897

**Mir**
comte de Conflent
† v. 896

**Oliba II**
comte de
Carcassonne

**Sunifred**
abbé de
La Grasse

**Guifred II**
Borrell
† 911

**Sunyer**
† 947

**Sunifred II**
d'Urgel
† 948

**Mir II**
de Cerdagne

**Radulf**
év.
de Gérone
† 913

**Borrell**
† 992

**Mir**
† 992

**Sunifred**
† 965

**Guifred II**
† 957

**Oliba**
Cabreta
† 988

**Mir**
év. de Gérone
† 984

**Raymond Borrell**
comte de Barcelone
† 1017

**Ermengol**
comte d'Urgel

# XXXI. MAISON DE FLANDRE

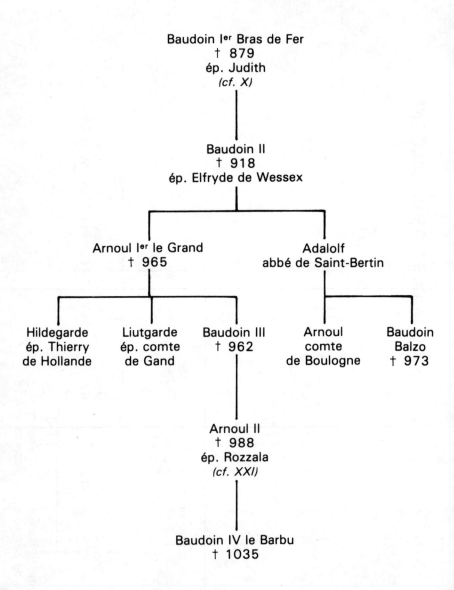

Baudoin Ier Bras de Fer
† 879
ép. Judith
*(cf. X)*

Baudoin II
† 918
ép. Elfryde de Wessex

Arnoul Ier le Grand
† 965

Adalolf
abbé de Saint-Bertin

Hildegarde
ép. Thierry
de Hollande

Liutgarde
ép. comte
de Gand

Baudoin III
† 962

Arnoul
comte
de Boulogne

Baudoin
Balzo
† 973

Arnoul II
† 988
ép. Rozzala
*(cf. XXI)*

Baudoin IV le Barbu
† 1035

## XXXII. MAISON DU MAINE

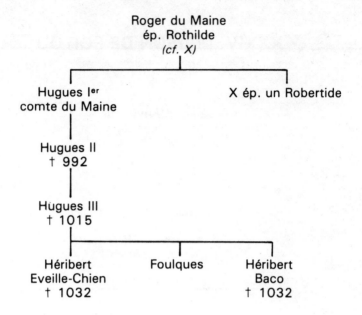

Roger du Maine
ép. Rothilde
*(cf. X)*

- Hugues Ier
comte du Maine
- X ép. un Robertide

Hugues II
† 992

Hugues III
† 1015

- Héribert
Eveille-Chien
† 1032
- Foulques
- Héribert
Baco
† 1032

## XXXIII. MAISON DE NORMANDIE

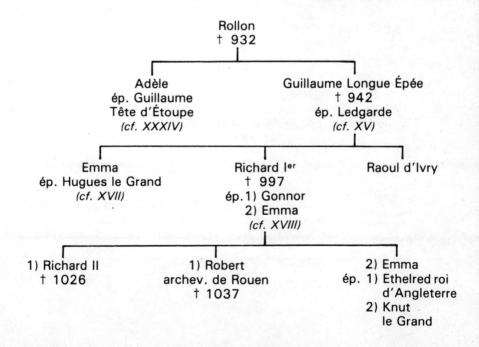

Rollon
† 932

- Adèle
ép. Guillaume
Tête d'Étoupe
*(cf. XXXIV)*
- Guillaume Longue Épée
† 942
ép. Ledgarde
*(cf. XV)*

- Emma
ép. Hugues le Grand
*(cf. XVII)*
- Richard Ier
† 997
ép. 1) Gonnor
2) Emma
*(cf. XVIII)*
- Raoul d'Ivry

- 1) Richard II
† 1026
- 1) Robert
archev. de Rouen
† 1037
- 2) Emma
ép. 1) Ethelred roi
d'Angleterre
2) Knut
le Grand

# XXXIV. MAISON DE POITOU

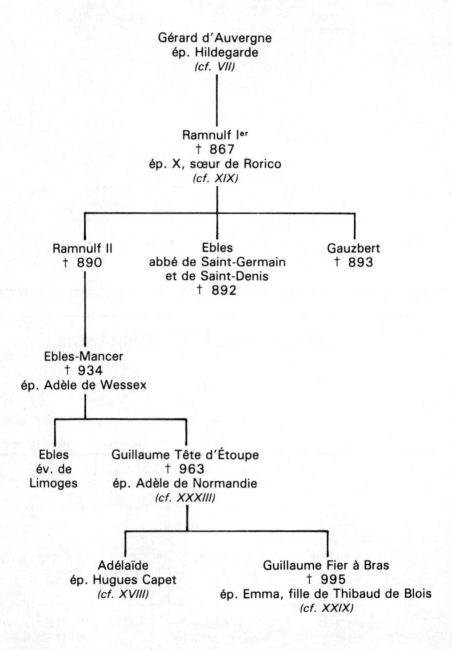

Gérard d'Auvergne
ép. Hildegarde
*(cf. VII)*

Ramnulf Ier
† 867
ép. X, sœur de Rorico
*(cf. XIX)*

Ramnulf II
† 890

Ebles
abbé de Saint-Germain
et de Saint-Denis
† 892

Gauzbert
† 893

Ebles-Mancer
† 934
ép. Adèle de Wessex

Ebles
év. de
Limoges

Guillaume Tête d'Étoupe
† 963
ép. Adèle de Normandie
*(cf. XXXIII)*

Adélaïde
ép. Hugues Capet
*(cf. XVIII)*

Guillaume Fier à Bras
† 995
ép. Emma, fille de Thibaud de Blois
*(cf. XXIX)*

# LISTE DES CARTES

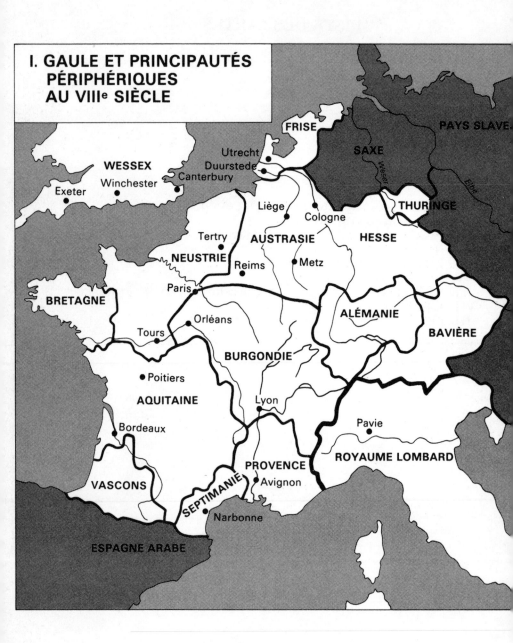

# I. GAULE ET PRINCIPAUTÉS PÉRIPHÉRIQUES AU VIIIᵉ SIÈCLE

PAYS SLAVES

FRISE

SAXE

Utrecht
Duurstede
Canterbury

WESSEX

Winchester

Exeter

THURINGE

Liège

Cologne

Tertry

AUSTRASIE

HESSE

NEUSTRIE

Reims

Metz

Paris

ALÉMANIE

BRETAGNE

Orléans

BAVIÈRE

Tours

BURGONDIE

Poitiers

Lyon

AQUITAINE

Pavie

Bordeaux

ROYAUME LOMBARD

PROVENCE

VASCONS

Avignon

SEPTIMANIE

Narbonne

ESPAGNE ARABE

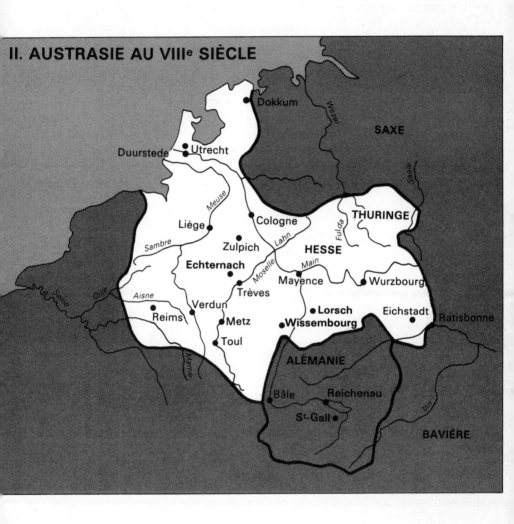

II. AUSTRASIE AU VIIIe SIÈCLE

# III. ÉVÊCHÉS DES PROVINCES DE MAYENCE, TRÈVES, COLOGNE, REIMS

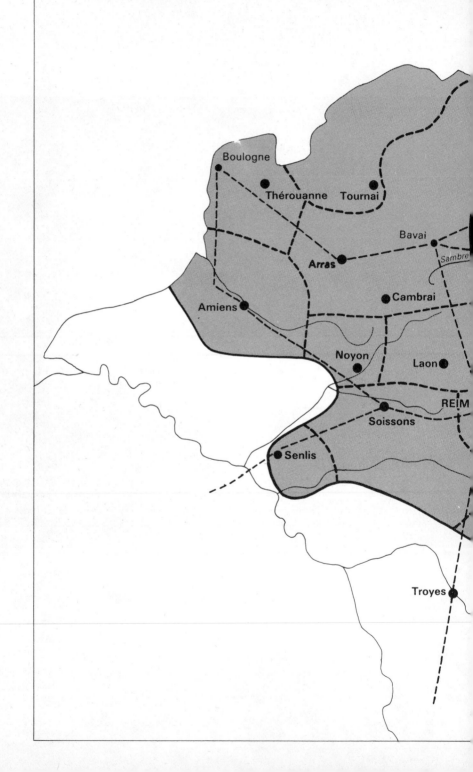

– – – Grandes routes

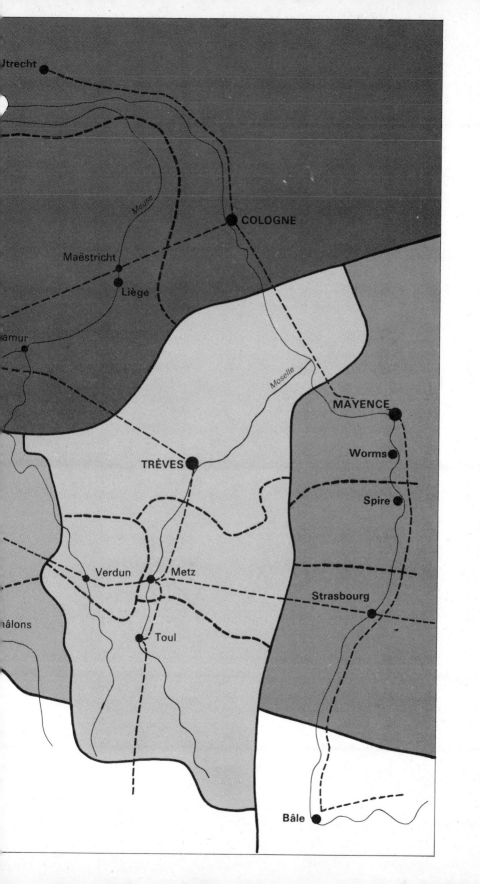

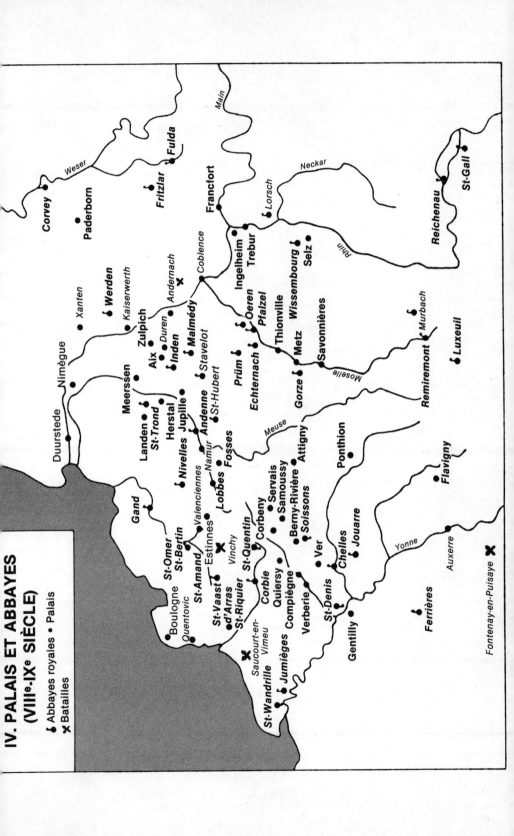

# IV. PALAIS ET ABBAYES
## (VIIIe-IXe SIÈCLE)

⸙ Abbayes royales ● Palais
✗ Batailles

Corvey
Paderborn
Weser
Main
Fulda
Fritzlar
Francfort
Neckar
St-Gall
Reichenau
Lorsch
Rhin
Coblence
Werden
Xanten
Kaiserwerth
Andernach ✗
Ingelheim
Trebur
Selz
Nimègue
Duurstede
Zulpich
Malmédy
Oeren
Wissembourg
Savonnières
Murbach
Aix
Duren
Inden
Pfalzel
Thionville
Metz
Gorze
Moselle
Luxeuil
Meerssen
Stavelot
Prüm
Echternach
Remiremont
Landen
St-Trond
Herstal
St-Hubert
Andenne
Namur
Fosses
Meuse
Nivelles
Jupille
Lobbes
Gand
Valenciennes
Servais
Samoussy
Attigny
Ponthion
Flavigny
St-Omer
St-Bertin
Estinnes
Corbeny
Berny-Rivière
St-Amand
Vinchy
St-Quentin
Soissons
Chelles
Jouarre
Yonne
Boulogne
Quentovic
Corbie
Quiersy
Ver
Auxerre
St-Vaast
d'Arras
St-Riquier
Compiègne
Verberie
St-Denis
Ferrières
Saucourt-en- ✗
Vimeu
Jumièges
Gentilly
St-Wandrille
Fontenay-en-Puisaye ✗

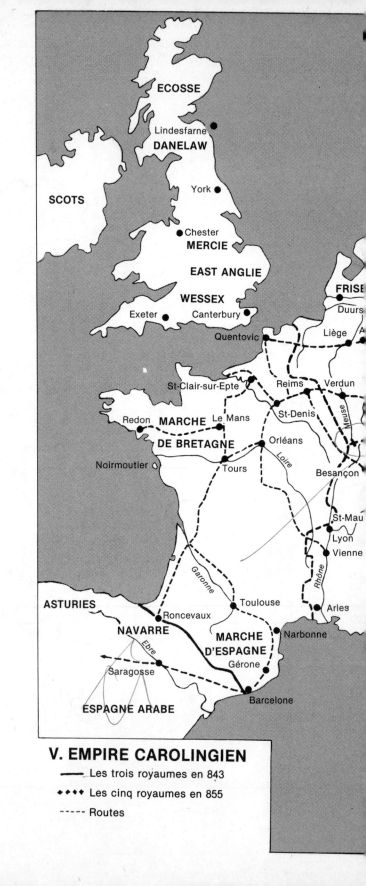

# V. EMPIRE CAROLINGIEN

—— Les trois royaumes en 843

◆◆◆ Les cinq royaumes en 855

- - - - Routes

# VI. SAXE, HESSE, THURINGE ET MARCHES SLAVES (VIIIe-Xe SIÈCLE)

PAYS DES DANOIS

Oldenbourg

NORDALBINGIE

PAYS DES ABODRITES

WIHMODIE HAMBOURG

Brême

Havel

Lenzen

PAYS DES WILZES

Osnabrück ANGARIE

Verden OSTPHALIE Havelberg

WESTPHALIE Halle

Ems

Teutoburger Wald Spree

Minden Hildesheim Brandebourg

Münster MAGDEBOURG

Lippe Corvey Gandersheim Werla Meissen

Goslar

Lippspringe Paderborn

Herstel Quedlinbourg Halberstadt

Ruhr

Werden Fritzlar Grone

Burabourg Gernrode

Nordhausen Mersebourg

Elbe

Erfurt Zeitz

Hersfeld PAYS DES SORABES

Thuringerwald

Fulda

HESSE

Francfort

MAYENCE

Wurzbourg Kitzingen

Ochsenfurt

Tauberbischofheim

Archevêchés
Évêchés
Abbayes
Palais

## VII. L'EUROPE VERS L'AN 1000

— Limites de la Chrétienté latine

IRLANDE

York

PAYS
DE GALLES · MERCIE

WESSEX

CORNOUAILLE · Canterbury

FLAND

Lao

NORMANDIE

Reims

BRETAGNE

Chartres

MAINE · Orléans

BOURGOG

Bourges

POITOU · Clur

Lyo

Bordeaux · Vienne

St-Jacques

Oviedo

León · Pampelune · GASCOGNE · ROUERGUE

NAVARRE · Toulouse

CATALOGNE

Barcelone

Tolède

Cordoue

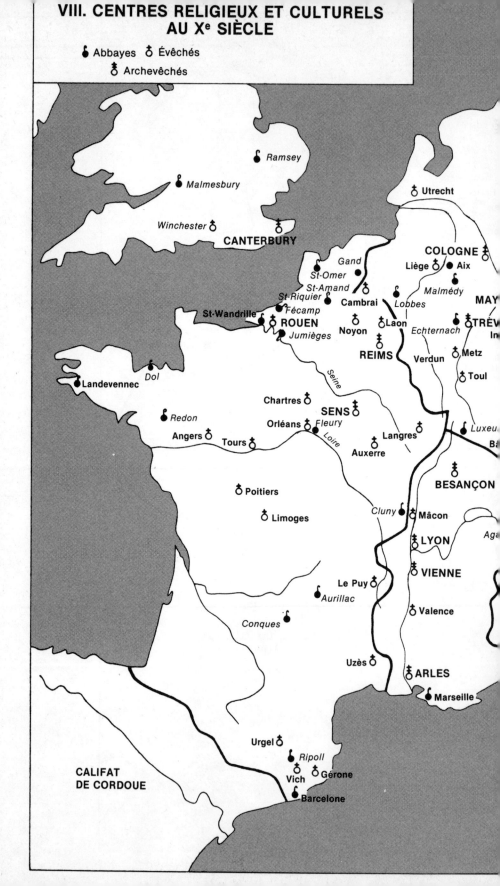

# VIII. CENTRES RELIGIEUX ET CULTURELS AU Xᵉ SIÈCLE

- Abbayes
- Évêchés
- Archevêchés

Ramsey

Malmesbury

Winchester

**CANTERBURY**

Utrecht

**COLOGNE**

Gand

St-Omer

St-Amand

St-Riquier

Fécamp

St-Wandrille

**ROUEN**

Jumièges

Liège   Aix

Malmédy

Cambrai   Lobbes

**MAY**

Noyon   Laon

Echternach   **TRÈV**

In

Verdun   Metz

**REIMS**

Dol

Landevennec

Seine

Toul

Redon

Chartres

**SENS**

Luxeu

Angers   Tours

Orléans   Fleury

Loire

Langres

Auxerre

**BESANÇON**

Poitiers

Limoges

Cluny   Mâcon

Aga

Le Puy

Aurillac

Conques

**LYON**

**VIENNE**

Valence

Uzès

**ARLES**

Marseille

Urgel

Ripoll

Vich   Gérone

**CALIFAT DE CORDOUE**

Barcelone

# CHRONOLOGIE
## DU DÉBUT DU VIIᵉ SIÈCLE
## À LA FIN DU Xᵉ SIÈCLE

720   Hugues évêque de Rouen. Siège de Toulouse par les Arabes.
723   Fondation de Fritzlar.
724   Fondation de Reichenau. Mort de Théodon de Bavière.
725   Mort du duc alaman Lantfrid.
727   Fondation de Murbach. Grégoire II condamne l'icono-
      clasme.
728   Soumission de la Bavière.
731   Grégoire III pape. *Histoire ecclésiastique* de Bède.
732   Bataille de Poitiers. Egbert évêque d'York.
734   Pépin à la cour de Pavie. Conquête de la Frise.
735   Mort d'Eudes d'Aquitaine. Mort de Bède le Vénérable.
736   Charles Martel en Bourgogne.
738   Charles Martel en Provence.
739   Appel de Grégoire III à Charles Martel. Mort de Willibrord.
741   Mort de Charles Martel. Soulèvement des ducs alaman et
      bavarois.
742   Débuts de la réforme ecclésiastique. Chrodegand évêque de
      Metz.
743   Synode de Leptinnes. Childéric III roi.
744   Synode de Soissons. Fondation de Fulda. Mort de Liut-
      prand. Création des marchés en Gaule.
746   Boniface archevêque de Mayence.
747   Concile de Cloveshoe. Abdication de Carloman.
748   Mort d'Odilon de Bavière.
749   Fondation de Gorze.
751   Prise de Ravenne par les Lombards. Pépin élu roi.
752   Reconquête de la Septimanie. Étienne II pape.
754   Voyage d'Étienne II en France. Concile iconoclaste de
      Hiera.
755   Assemblée de Ver.
756   Règle des chanoines. Nouvelle expédition de Pépin en Ita-
      lie. Tassilon vassal de Pépin. Didier roi des Lombards.
757   Offa roi de Mercie. Mort d'Alphonse I<sup>er</sup> d'Asturie.
760-768 Expéditions en Aquitaine.
767   Synode de Gentilly. Virgile évêque de Salzbourg. Alcuin
      maître à York.
768   Ambassade abbasside en France. Mort de Pépin III. Par-
      tage du royaume.
771   Mort de Carloman.
772   Hadrien I<sup>er</sup> pape. Débuts de la conquête de la Saxe.
774   Charlemagne roi des Lombards. Premier voyage à Rome.
775   Achèvement de la nouvelle église de Saint-Denis.
777   Assemblée de Paderborn.
778   Expédition d'Espagne. Roncevaux. Alcuin quitte l'Angle-
      terre.
779   Capitulaire d'Herstal.
781   Pépin roi d'Italie. Louis roi d'Aquitaine. Rencontre entre
      Charlemagne et Alcuin.
782   Paul Diacre en Gaule. Nouvelle expédition en Saxe. Fonda-
      tion d'Aniane.
784   Mort de Fulrad de Saint-Denis.
785   Capitulaire saxon. Le sacramentaire romain en Gaule. Prise
      de Gérone.

787   Deuxième concile de Nicée. Fin de l'iconoclasme. Mort d'Arichis de Bénévent. Troisième voyage de Charles à Rome. Hildebald archevêque de Cologne.
788   Destitution de Tassilon.
789   *Admonitio generalis*. Expédition contre les Slaves.
790   Angilbert abbé de Saint-Riquier. *Libri carolini*. Construction du palais d'Aix-la-Chapelle.
792   Révolte de Pépin le Bossu.
793   Bataille de l'Orbieu. Révolte des Saxons.
794   Assemblée de Francfort. Condamnation de l'adoptianisme
795   Léon III pape. Raid viking en Northumbrie.
796   Soumission des Avars. Alcuin, abbé de Saint-Martin de Tours.
797   Deuxième capitulaire saxon. Irène impératrice de Byzance.
798   Arn archevêque de Salzbourg.
799   Mort de Gérold de Bavière. Leidrade archevêque de Lyon.
800   Couronnement impérial. Capitulaire *De villis*.
801   Prise de Barcelone.
804   Mort d'Alcuin. Fondation de Gellone.
808   Expédition de Bohême. Introduction de la règle de Chrodegand en Angleterre.
806   Projet de partage.
809   Concile d'Aix. Affaire du *Filioque*.
812   Paix entre Charlemagne et Byzance.
813   Conciles réformateurs.
814   Mort de Charlemagne. Mort d'Angilbert. Wala à Corbie.
816   Étienne IV pape. Ebbon archevêque de Reims. Concile d'Aix-la-Chapelle.
817   *Ordinatio imperii*. Révolte de Bernard d'Italie.
818   Expédition en Bretagne.
Vers 818   Plan de Saint-Gall.
819   Remariage de Louis le Pieux. Eginhard écrit la *Vita Caroli*.
821   Mort de Benoît d'Aniane et de Théodulf.
822   Assemblée d'Attigny. Fondation de Corvey et d'Herford.
823   Naissance de Charles le Chauve. Drogon évêque de Metz.
824   Mariage de Bernard et de Dhuoda. « Constitution romaine ».
825   Concile de Paris. Capitulaire d'Olonna.
826   Harold de Danemark à Ingelheim. Mission d'Anschaire au Danemark.
827   Première traduction du pseudo-Denys. Grégoire IV pape.
828   Capitulaire sur les marchands.
829   Concile de Paris. Assemblée de Worms. Bernard chambellan.
830   Révolte de Lothaire.
831   *De institutione regia* de Jonas d'Orléans. Hambourg évêché.
832   Aldric évêque du Mans.
833   Nouvelle révolte de Lothaire. Pénitence de Saint-Médard de Soissons.
835   Restauration de Louis le Pieux.
836   Mort de Wala.
838   Nouveau projet de partage. Walafrid Strabon, abbé de Reichenau. Mort de Pépin d'Aquitaine.
839   Division de l'empire entre Lothaire et Charles.

840  Mort de Louis le Pieux. Mort d'Agobard de Lyon et d'Eginhard.
841  Bataille de Fontenay-en-Puisaye. *Manuel* de Dhuoda.
842  Serment de Strasbourg. Les Sarrasins pillent Arles. Mariage de Charles le Chauve.
843  Traité de Verdun. Prise de Nantes par les Normands. Mort de l'impératrice Judith. Assemblée de Coulaines.
844  Conférence de Yüt. Exécution de Bernard de Septimanie.
845  Paris pillé par les Normands. Hincmar archevêque de Reims. Victoire des Bretons à Ballon. Traité de Saint-Benoît-sur-Loire avec Pépin II.
846  Rome pillé par les Arabes. Construction de la « Cité léonine ». Ratislav prince de Moravie. Première Bible de Charles le Chauve.
847  Première conférence de Meersen. Léon IV pape.
848  Sacre de Charles à Orléans. Sedulius Scotus à Liège.
850  Louis II empereur. Fondation de l'évêché de Nin en Croatie.
**Vers 850**  Rédaction des « Fausses Décrétales ».
851  Deuxième conférence de Meersen.
855  Mort de Lothaire I<sup>er</sup>. Mort de Léon IV, Alfred de Wessex à la cour carolingienne. Charles l'Enfant roi d'Aquitaine.
856  Mort de Raban Maur. Grande invasion normande.
857  Soulèvement de l'Aquitaine. Mort d'Aldric du Mans.
858  Louis de Bavière envahit la Francie occidentale. Nicolas I<sup>er</sup> pape. Fondation de Gandersheim. Photius patriarche de Constantinople.
859  Assemblée de Savonnières. Cryptes d'Auxerre.
860  Affaire du divorce de Lothaire II. Adon archevêque de Vienne. Jean Scot à la cour carolingienne.
862  Cyrille et Méthode en Moravie. Mort de Loup de Ferrières. Baudouin de Flandre enlève Judith.
863  Mort de Charles de Provence. Privilège de Nicolas I<sup>er</sup> pour Vézelay.
864  Assemblée de Pîtres. Révolte des fils de Louis de Bavière. Mort de Pépin II. Testament d'Eberhard.
866  Mort de Robert le Fort. *Periphyseon* de Jean Scot Érigène.
867  Mort de Nicolas I<sup>er</sup>. Louis roi d'Aquitaine. Les Normands à York.
869  Mort de Lothaire II. Troisième Bible de Charles le Chauve. Charles le Chauve roi de Lorraine. Mort de Ratislav de Moravie et de Cyrille.
870  Révolte de Carloman contre Charles le Chauve.
871  Reprise de Bari. Mariage de Charles avec Richilde. Alfred le Grand roi.
872  Jean VIII pape.
874  Mort de Salomon de Bretagne.
875  Mort de Louis II. Couronnement impérial de Charles le Chauve.
876  Mort de Louis de Germanie.
877  Capitulaire de Quierzy. Construction de la chapelle de Compiègne. Mort de Charles le Chauve.
878  Jean VIII en France.
879  Mort de Baudouin I<sup>er</sup> de Flandre. Mort de Louis le Bègue. Boson roi de Provence. Alfred traite avec les Danois.

| | |
|---|---|
| 881 | Charles le Gros empereur. Victoire de Saucourt-en-Vimeu. |
| 882 | Mort d'Hincmar. Mort de Jean VIII. Foulques archevêque de Reims. Mort de Louis III. |
| 883 | Destruction du Mont-Cassin par les Sarrasins. |
| 885 | Siège de Paris par les Normands. Mort de Méthode. |
| 887 | Déposition de Charles le Gros. Arnulf roi de Germanie. |
| 888 | Eudes roi de Francie occidentale. Rodolphe Ier roi de Bourgogne. |
| 889 | Guy de Spolète roi d'Italie. |
| 890 | Louis roi de Provence. Mort de Ramnulf de Poitou. |
| 891 | Guy de Spolète empereur. |
| 893 | Charles le Simple sacré roi. |
| 894 | Zwentibold roi de Lorraine. Fondation de Saint-Géraud d'Aurillac. |
| 896 | Arnulf empereur. Procès posthume de Formose. |
| 897 | Mort de Guifred Pilosus. Lambert de Spolète empereur. |
| 898 | Mort d'Eudes. Charles le Simple roi. Début des raids hongrois. |
| 899 | Morts d'Arnulf et d'Alfred le Grand. |
| 900 | Assassinat de Foulques de Reims. Hervé archevêque. |
| 901 | Victoire d'Alphonse III à Zamora. Louis de Provence empereur. |
| 906 | Louis l'Enfant roi de Germanie. |
| 909 | Fondation de Cluny. |
| 910 | Mort d'Alphonse III d'Asturies. León capitale du royaume chrétien d'Espagne. |
| 911 | Traité de Saint-Clair-sur-Epte. Conrad Ier roi de Germanie. |
| 912 | Rodolphe II roi de Bourgogne. Mort de Notker de Saint-Gall. |
| 915 | Bérenger empereur. Construction de Cluny I. |
| 916 | Synode de Hohen-Altheim. Défaite des Sarrasins au Garigliano. |
| 919 | Henri Ier roi de Germanie. Début de la reconquête du *Danelaw*. |
| 921 | Mort de Richard le Justicier. |
| 923 | Mort de Robert. Raoul roi. Charles le Simple emprisonné. |
| 924 | Assassinat de Bérenger Ier. Athelstan roi de Wessex. |
| 925 | Hugues archevêque de Reims. |
| 926 | Hugues d'Arles roi d'Italie. Rathier évêque de Vérone. Odon abbé de Cluny. |
| 927 | Mort de Guillaume le Pieux. |
| 928 | Expédition d'Henri Ier en Bohême et sur la Havel. Mort de Charles le Simple. |
| 929 | Abd Al-Rahman calife à Cordoue. |
| 932 | Marozie épouse Hugues d'Arles. Début du principat d'Albéric. |
| 933 | Henri Ier victorieux des Hongrois. Guillaume Longue Épée comte de Rouen. |
| 936 | Mort d'Henri Ier. Otton Ier roi de Germanie. Mort de Raoul. Louis IV roi de France. |
| 937 | Fondation de Magdebourg. Intervention d'Otton dans le royaume de Bourgogne. Adaltag archevêque de Hambourg. |
| 936-938 | Révolte des grands en Germanie. Louis IV en Lorraine. |
| 941 | Révolte de Bérenger d'Ivrée. Louis IV à Vienne. Widuking à Corvey. |

942 Entrevue d'Otton Ier, d'Hugues le Grand et d'Herbert de Vermandois à Attigny. Mort de Guillaume Longue Épée et d'Herbert de Vermandois. Mort d'Odon de Cluny. Louis IV à Poitiers. Entrevue de Visé-sur-Meuse.

946 Louis IV à Autun. Création de l'évêché de Havelberg.

948 Synode d'Ingelheim. Restauration du Mont-Cassin. Maieul abbé de Cluny.

951 Louis IV à Mâcon. Otton roi d'Italie.

952 Le comte de Cuxa à Reims. Mort d'Hugues le Noir comte de Bourgogne. Gerbert élève à Aurillac. Synode d'Augsbourg.

953 Révolte des grands en Germanie. Paix entre Hugues le Grand et Louis IV. Brunon archevêque de Cologne. Rathier évêque de Liège.

954 Mort de Louis IV d'Outremer. Mort du sénateur Albéric.

955 Victoire d'Otton Ier sur les Hongrois. Jean XII pape.

956 Mort d'Hugues le Grand.

959 Ambassade d'Olga de Kiev à Francfort. Edgar roi de Wessex. Mort de Gérard de Brogne.

960 Mort de Foulques d'Anjou. Conversion d'Harald de Danemark.

962 Couronnement impérial d'Otton Ier. Hroswitha à Gandersheim.

963 Conrad le Pacifique épouse Mathilde. Procès de Jean XII. Nicéphore Phocas empereur.

965 Mort d'Arnoul de Flandre. Jean XIII pape. Mort de Brunon de Cologne.

966 Baptême de Miesco de Pologne. Mort de Flodoard.

967 Gerbert élève en Catalogne. Otton II empereur. Adson abbé de Montierender.

968 Ambassade de Liutprand de Crémone à Constantinople.

969 Adalbéron archevêque de Reims. Jean Tzimiscès empereur.

970 Promulgation de la *Regularis concordiae* à Winchester.

972 Mariage d'Otton II et de Théophano. Gerbert écolâtre à Reims. Notker évêque de Liège.

973 Assemblée de Quedlinbourg. Mort d'Otton Ier. Mort de Widuking.

975 Mort d'Edgar le Pacifique. Willigis archevêque de Mayence. Construction de Cluny II.

976 Révolte des Lorrains. Fondation de la cathédrale de Prague.

977 Egbert archevêque de Trèves.

978 Mort de Thibaud le Tricheur. Louis V roi. Expédition de Lothaire à Aix-la-Chapelle. Expédition d'Otton en France.

980 Entrevue de Margut-sur-Chiers. Gerbert à Ravenne.

982 Mariage de Lothaire à Vieux-Brioude.

983 Gerbert abbé de Bobbio. Mort d'Otton II. Soulèvements des Slaves. Révolte d'Henri le Querelleur.

984 Prise de Verdun par Lothaire.

985 Appel de Borrell de Barcelone au roi de France. Baptême de Vajk, futur saint Étienne. Abbon de Fleury maître à Ramsay.

986 Mort de Lothaire. Sacre d'Otton III.

987 Élection d'Hugues Capet.

988 Charles de Lorraine prend Laon. Abbon abbé de Saint-Benoît-sur-Loire. Mort de Dunstan de Canterbury.

989 Assemblée de Charroux : Paix de Dieu.
990 Pèlerinage de Sigéric de Canterbury à Rome.
991 Mort d'Adalbéron de Reims. Arnoul archevêque de Reims. Concile de Saint-Basle. Mort de Théophano.
994 Bernhard évêque de Hildesheim.
994 Mort de Maieul de Cluny.
995 Création de la première église norvégienne. *Histoire* de Richer de Reims.
996 Otton III empereur. Robert le Pieux roi. Fondation de Saint-Michel de Hildesheim.
997 Grégoire V pape. Mort d'Adalbert de Prague.
999 Gerbert pape. (Sylvestre II). Mort de l'impératrice Adélaïde.
1000 Otton III à Aix. Pèlerinage à Gniezno. Mort d'Olaf Tryggvason. Mort de Hroswitha.
1001 Étienne Ier roi de Hongrie.
1002 Mort d'Otton III.
1003 Mort de Sylvestre II.
1004 Mort d'Abbon de Fleury.
1005 Mort de saint Nil de Rossano.

# BIBLIOGRAPHIE

En raison du grand nombre d'ouvrages écrits sur l'histoire de l'Europe du VIIᵉ au XIᵉ siècle, nous nous contenterons de citer les livres et articles les plus importants ou les plus récents.

## OUVRAGES GÉNÉRAUX

BOUSSARD (J.), *Charlemagne et son temps*, Paris, 1968.
BOUTRUCHE (R.), *Seigneurie et féodalité*, t. I, Paris, 1959.
CALMETTE (J.), *L'Effondrement d'un empire et la naissance d'une Europe*, Paris, 1914 ; réimp. Genève, 1978.
CAMPBELL (J.), *The Anglo-Saxons*, Oxford, 1982.
Catalogue de l'exposition Charlemagne. Œuvre, rayonnement et survivances, éd. W. Braunfelds, Aix-la-Chapelle, 1965, tr. fr.
DAWSON (C.), *Les Origines de l'Europe et de la civilisation européenne*, tr. fr., Paris, 1934, réimp., 1960.
DHONDT (J.), *Le Haut Moyen Age (VIIIᵉ-XIᵉ siècle)*, tr. fr. M. Rouche, Paris, 1976.
DUBY (G.), *Guerriers et paysans (VIIᵉ-XIIᵉ siècle)*, Paris, 1973.
DVORNIK (F.), *Les Slaves*, Paris, 1970.
EWIG (E.), « *Spätantikes und fränkisches Gallien* » (recueil d'articles), Munich, 2 vol., 1976 et 1979.
FOSSIER (R.), *Enfance de l'Europe*, 2 vol., Paris, 1982.
FISCHER (J.), *Oriens-Occidens-Europa. Begriff und Gedanke « Europa » in der späten Antike und frühen Mittelalter*, Wiesbaden, 1957.
FOLZ (R.), *De l'Antiquité au monde médiéval*, Paris, 1972.
— *L'Idée d'empire en Occident du Vᵉ au XIVᵉ siècle*, Paris, 1954.
GANSHOF (F.-L.), *Qu'est-ce que la féodalité ?* Bruxelles, 1944, 5ᵉ éd., Paris, 1982.
HALPHEN (L.), *Charlemagne et l'Empire carolingien*, Paris, 1947, 2ᵉ éd. 1968.
*Handbuch der deutschen Geschichte*, sous la dir. de GEBHARDT ; t. I : « *Frühzeit und Mittelalter* » ; t. II, LÖWE (H.), « *Deutschland im frankischen Reich* » ; t. III, FLECKENSTEIN (J.), « *Das Reich der Ottonen im 10 Jahrhundert* ».

*Iren (Die) und Europa im früheren Mittelalter*, 2 vol., Stuttgart, 1982.
JAMES (E.), *The Origins of France from Clovis to the Capetians 500-1000*, Londres, 1982.
*Karl der Grosse*, sous la dir. de BRAUNFELS (W.), 4 vol., Düsseldorf, 1965-1967.
LOPEZ (R.S.), *Naissance de l'Europe*, Paris, 1962.
LOT (F.), *Naissance de la France*, Paris, 1948, 2e éd. 1970.
MUSSET (L.), *Les Invasions : le second assaut contre l'Europe chrétienne (VIIe-XIe)*, Paris, 1965.
PACAUT (M.), « L'Europe carolingienne ou le temps des illusions (milieu VIIIe-milieu Xe siècle) », dans « *Histoire générale de l'Europe* », t. I, *L'Europe des origines au début du XVe siècle*, Paris, 1980.
POLY (J.P.) et BOURNAZEL (E.), *La Mutation féodale (Xe-XIIe siècle)*, Paris, 1980.
RICHÉ (P.), *Grandes Invasions et Empires (Ve-Xe siècle)*, Paris, 1968.
— *La Vie quotidienne dans l'Empire carolingien*, Paris, 1973, 2e éd. 1979.
— en coll. avec TATE (G.), *Textes et documents d'histoire du Moyen Age*, t. II : « Milieu VIIIe-Xe siècle », Paris, 1974.
ROUCHE (M.), « Les premiers frémissements de l'Europe », dans *Le Moyen Age*, sous la dir. de FOSSIER (R.), t. I, Paris, 1983, pp. 369-497.
SANCHEZ ALBORNOZ (Cl.), *Origines de la nacion espanola. Estudios criticos sobre la Historia del reino de Asturias*, 3 vol., Oviedo, 1972-1975.
SCHIEFFER (T.), *Handbuch der Europäische Geschichte*, t. I, Stuttgart, 1976.
« *Settimane di studio del centro italiano di studi sull'alto Medioevo* », Spolete :
    I : *Il problemi della civilta carolingia*, 1954.
    II : *Il problemi communi dell'Europa post-carolingia*, 1955.
    IV : *Il monachesimo nell'alto Medioevo e la formazione della civilta occidentale*, 1957.
    VI : *La Citta nell'alto Medioevo*, 1959.
    VII : *La Chiesa nei regni dell'Europa occidentale e i loro rapporti con Roma sino 800*, 1960.
    VIII : *Moneta e scambi nell'alto Medioevo*, 1961.
    XI : *Centri e vie di irradiazione della civilta nell'alto Medioevo*, 1963.
    XIII : *Agricoltura e mondo rurale in Occidente nell'alto Medioevo*, 1965.
    XIV : *La conversione al Christianesimo nell'Europa dell'alto Medioevo*, 1966.
    XV : *Ordinamenti militari in Occidente nell'alto Medioevo*, 1968.
    XVI : *I Normanni e le loro espansione in Europa nell'alto Medioevo*, 1969.
    XIX : *La scuola nell'Occidente latino dell'alto Medioevo*, 1972.
    XX : *I Problemi dell'Occidente nel secolo VIII*, 1973.
    XX : *Topografia urbana e vita cittadina nell'alto Medioevo in Occidente*, 1974.
    XXII : *La cultura antica nell'Occidente latino dal VII all'XI secolo*, 1975.
    XXVII : *Nascita dell'Europa ed Europa carolingia : Un ' equazione da verificare*, 1981.
WALLACE-HADRILL (J.M.), *Early Medieval History*, Oxford, 1972.

Wickham (C.), *Early Medieval Italy : Central Power and Local Society 400-1000*, Londres, 1982.

## PREMIÈRE PARTIE

Angenendt (A.), *Monachi Peregrini. Studien zur Pirmin und den monastischen Vorstellungen der frühen Mittelalters*, Munich, 1972.
— « Pirmin und Bonifatius. *Ihr Verhaltnis zu Mönchtum, Bischof-samt und Adel* », dans *Mönchtum, Episkopat und Adel zur Grün-dungszeit der Reichenau*, éd. A. Borst, Vorträge und Forschungen XX, 1974, pp. 251-304.
Bonnell (H.É.), *Die Anfänge der karolingischen Hauses*, 1866, réimp. Berlin, 1975.
Coens (M.), « Saint Boniface et sa mission historique », dans *Analecta Bollandiana*, 1955, pp. 462-495, réimp. dans *Recueil d'Études bollan-diennes*, Bruxelles, 1963.
Fournier (G.), *Les Mérovingiens*, Paris, 1966.
Dupraz (L.), *Le Royaume des Francs et l'ascension politique des maires du palais au déclin du VIIe siècle*, Fribourg, 1948.
Ebling (H.), *Prosopographie der Amtsträger des Merowingerreich, von Chlothar II (613) bis Karl Martell (741)*, Munich, 1974.
Gauthier (N.), *L'Évangélisation des pays de la Moselle. La province romaine de Première Belgique entre Antiquité et Moyen Age (IIIe-VIIIe siècle)*, Paris, 1980.
Heinzelmann (M.), « L'Aristocratie et les évêchés entre Loire et Rhin jusqu'à la fin du VIIe siècle », dans *Revue d'Histoire de l'Église de France*, 1976, pp. 75-90.
Hlawitchka (E.), « *Die Vorfahren Karls d. Gr.* », dans *Karl der Grosse*, I, pp. 51-82.
Irsigler (F.), *Untersuchungen zur Geschichte des frühfränkischen Adels*, Bonn, 1969.
Levison (W.), *Aus rheinischer und fränkischer Frühzeit*, Düsseldorf, 1948.
— *England and the Continent in the Eight Century*, Oxford, 1950.
Löwe (H.), « *Pirmin, Willibrord, und Bonifatius. Ihre Bedeutung für die Missionsgeschichte ihre Zeit* », dans *Settimane...*, XIV, pp. 217-261.
Moreau (E. de), *Les Abbayes de Belgique (VIIe-XIIe siècle)*, Bruxelles, 1952.
Rouche (M.), *L'Aquitaine des Wisigoths aux Arabes (418-781). Nais-sance d'une région*, Paris, 1979.
Rousseau (F.), *La Meuse et le pays mosan en Belgique. Leur impor-tance historique avant le XIIIe siècle*, 1930, 2e éd. Bruxelles, 1977.
Schieffer (T.H.), *Winfrid-Bonifatius und die christliche Gründlegung Europas*, Fribourg-en-Brisgau, 1954, réimp. 1972.
Werner (K.F.), « Les Principautés périphériques dans le monde franc du VIIIe siècle » dans *Settimane...*, XX, pp. 483-514, réimp. dans *Struc-tures politiques du monde franc (VIe-XIIIe siècle)*, Variorum Reprints, Londres, 1979.
— « Le Rôle de l'aristocratie dans la christianisation du Nord-Est de la Gaule », dans *La Christianisation des pays entre Loire et Rhin IVe-VIIe siècle*, Actes du colloque de Nanterre, *Revue d'Histoire de l'Église de France*, 1976, pp. 45-73, réimp. dans *Structures politi-ques..., op. cit.*

WERNER (M.), *Der Lütticher Raum in frühkarolingischer Zeit,* Gottingen, 1980.

## DEUXIÈME PARTIE

RÈGNE DE PÉPIN III

AFFELDT (W.), « *Untersuchungen zur Königshebung Pippins* », dans *Frühmittelalterliche Studien XIV,* 1980, pp. 95-187.

EWIG (E.), « Saint Chrodegand et la réforme de l'Église franque », dans *Saint Chrodegand,* Colloque de Metz, 1967, pp. 25-54.

HOCQUARD (G.), « Les Réformes de saint Chrodegand. État de quelques questions », *ibid.,* pp. 55-90.

LAFAURIE (J.), « Numismatique des Mérovingiens aux Carolingiens », dans *Francia,* II, 1974, pp. 26-47.

RICHÉ (P.), « Le Renouveau culturel à la cour de Pépin III », dans *Francia,* II, 1974.

SEMMLER (J.), « *Chrodegand Bischof von Metz, 747-766* », dans *Die Reichabtei Lorsch, Festschrift zum Gedeken an irhe Stiftung 764,* éd. F. Knopp, 1973, pp. 229-245.

VOGEL (C.), « Les Échanges liturgiques entre Rome et les pays francs jusqu'à l'époque de Charlemagne », dans *Settimane,* VII, 1960, pp. 185-295.

LE RÈGNE DE CHARLEMAGNE

*Généralités*

BULLOUGH (D.A.), « *Europae Pater. Charlemagne and his Achievement in the Light of Recent Scholarship* », dans *English Historical Review,* 1970, pp. 59-105.

— *The Age of Charlemagne,* Londres, 1965, tr. fr. : *Le Siècle de Charlemagne,* Paris, 1967.

FICHTENAU (H.), *Das karolingische Imperium,* Zurich, 1949, tr. fr. : *L'Empire carolingien,* Paris, 1958 (règne de Charlemagne uniquement).

KLEINCLAUSZ (A.), *Charlemagne,* Paris, 1934, réimp., 1977.

TESSIER (G.), *Charlemagne,* Paris, 1967.

WERNER (K.E.), « La Date de naissance de Charlemagne », dans *Bull. de la Société nationale des Antiquaires de France,* Paris, 1975, pp. 116-142, réimp. dans *Structures politiques..., op. cit.,* VII.

*Royaume franc et conquêtes*

BERTOLINI (O.), « *Carlomagno e Benevento* », dans *Karl der Grosse, op. cit.,* I, pp. 609-711.

DEER (J.), « *Karl der Grosse und der Untergang des Awarenreiches* », *ibid.,* pp. 719-791.

EWIG (E.), « *Descriptio Franciae* », *ibid.,* pp. 143-177.

FISCHER (J.), *Königtum, Adel und Kirche im Königreich Italien, 774-875,* Bonn, 1965.

GAUERT (A.), « *Zum Itinerar Karls des Grosse* », dans *Karl der Grosse, op. cit.,* I, pp. 307-321.

HELLMANN (M.), « *Karl und die slawische Welt zwischen Ostsee und Böhmerwald* », *ibid.,* pp. 708-718.

JANKUHN (H.), *Karl der Grosse und der Norden, ibid.,* pp. 699-707.

LINTZEL (M.), *Ausgewalhlte Schriften*, I : « *Zur altsächsischen Stämmesgeschichte* », Berlin, 1961.
REINDEL (K.), « *Bayern im Karolingerreich* », dans *Karl der Grosse, op. cit.*, I, pp. 220-246.
WALLACE-HADRILL (J.M.), « *Charlemagne and England* », *ibid.*, pp. 683-698.
WOLFF (Ph.), *L'Aquitaine et ses marges, ibid.*, pp. 269-306.

*Le couronnement impérial*

CLASSEN (P.), « *Karl der Grosse, das Papsttum und Byzanz* », dans *Karl der Grosse, op. cit.*, I, pp. 537-608.
— « *Italien zwischen Byzanz und dem Frankenreich* », dans *Settimane..., op. cit.*, XXVII, pp. 919-967.
FOLZ (R.), *Le Couronnement impérial de Charlemagne*, Paris, 1964.
GANSHOF (F.L.) « *The Imperial Coronation of Charlemagne, Theories and Facts* », dans *The Carolingians and the Frankish Monarchy*, Londres, 1971.
WERNER (K.F.), « L'Empire carolingien et le Saint-Empire », dans *Le Concept d'Empire*, sous la dir. de DUVERGER (M.), Paris, 1980, pp. 151-202.
« *Zum Kaisertum Karls des Grosse* », sous la dir. de WOLF (G.), *Weg der Forschung*, 380, Stuttgart, 1972.

*Les institutions*

GANSHOF (F.-L.), *Recherches sur les capitulaires*, Paris, 1958.
— « Charlemagne et les institutions de la monarchie franque », dans *Karl der Grosse, op. cit.*, I, pp. 349-393.
— « Charlemagne et l'administration de la justice dans la monarchie franque », *ibid.*, pp. 395-419.
PERROY (E.), *Le Monde carolingien*, Paris, 1974.
WERNER (K.F.), « *Missus, marchio, comes*. Entre l'administration centrale et l'administration locale de l'empire carolingien », dans *Histoire comparée de l'administration*, éd. W. Paravicini, *Beihefte der Francia*, 9, Munich, 1980, pp. 191-239.

## TROISIÈME PARTIE

RÈGNE DE LOUIS LE PIEUX

EWIG (E.), « *Uberlegungen zu den merowingischen und karolingischen Teilungen* », dans *Settimane..., op. cit.*, XXVII, pp. 225-253.
GANSHOF (F.-L.), « Observations sur l'*Ordinatio Imperii* de 817 », dans *Festschrift G. Kisch*, 1955, trad. angl. dans *The Carolingians and the Frankisch Monarchy..., op. cit.*
— « *Louis the Pious reconsidered* », dans *History*, II, 1957 rééd., *ibid.*, pp. 261-272.
— « Les Réformes judiciaires sous Louis le Pieux », dans *Comptes rendus de l'Académie des Inscriptions et Belles Lettres*, 1965, pp. 418-427.

TRAITÉ DE VERDUN

« *Der Vertrag von Verdun* », sous la dir. de MAYER (T.), Leipzig, 1943.
CLASSEN (P.), « *Die Vertrage von Verdun und Coulaines 843 als politis-*

*chen Gründlagen des westfränkische Reiches* », dans *Historische Zeitschrift*, 1968, pp. 1-35.
DION (R.), « A propos du traité de Verdun », dans *Annales*, 1950.
GANSHOF (F.-L.), « *Zur Entstehungsgeschichte des Vertrages von Verdun* », dans *Deutsches Archiv*, 1956, pp. 313-330, trad. angl. : « *On the Genesis and Signifiance of the Treaty of Verdun* », dans *The Carolingians...*, *op. cit.*, pp. 289-302.

CHARLES LE CHAUVE

*Charles the Bald, Court and Kingdom*, éd. M. Gibson et J. Nelson (B.A. R. S. 101), Oxford, 1981.
DEVISSE (J.), *Hincmar archevêque de Reims (845-882)*, Genève, 1976.
TESSIER (G.), *Recueil des Actes de Charles le Chauve*, 3 vol., Paris, 1943-1956.
ZUMTHOR (P.), *Charles le Chauve*, Paris, 1957, réimp. 1982.

LA GERMANIE AU IXᵉ SIÈCLE

« *Enststehung (Die) des Deutschen Reiches (Deutschland um 900)* », *Weg der Forschung*, I, Darmstadt, 1956.
ZATSCHEK, « *Ludwig der Deutsche* » dans *Der Vertrag von Verdun.*, *op. cit.*, pp. 31-65.

*FRANCIA MEDIA* AU IXᵉ SIÈCLE

CHAUME (M.), *Les Origines du duché de Bourgogne*, Dijon, 1925-1931.
LOUIS (R.), *De l'Histoire à la légende. Girard de Roussillon*, 3 vol., Auxerre, 1946-1947.
PARISOT (R.), *Le Royaume de Lorraine sous les Carolingiens*, Paris, 1898.
POUPARDIN (R.), *Le Royaume de Provence (855-933)*, Paris, 1901.

PRINCIPAUTÉ MORAVE

DVORNIK (F.), *Les Slaves, Byzance et Rome au IXᵉ siècle*, Paris, 1926.
GRAUS (F.), « L'Empire de Grande Moravie, sa situation dans l'Europe de l'époque et sa structure intérieure », dans *Das grossmährische Reich*, Prague, 1966, pp. 133-226.
OBOLENSKY (D.), « Cyrille et Méthode et la christianisation des Slaves », dans *Settimane...*, *op. cit.*, XIV, pp. 587-610.

LA PAPAUTÉ DU IXᵉ SIÈCLE

LAPOTRE (A.), *Études sur la papauté au IXᵉ siècle*, 2 vol., Turin, 1978, (recueil d'ouvrages et d'articles d'avant 1927).

LES SCANDINAVES

HAENENS (A. d'), *Les Invasions normandes, une catastrophe ?*, Paris, 1970.
MUSSET (L.), *Les Peuples scandinaves au Moyen Age*, Paris, 1951.
PATZELT (E.) et PATZELT (H.), *Schiffe machen Geschichte*, Vienne, 1981.

Les grandes familles aristocratiques

Boussard (J.), « L'Origine des familles seigneuriales dans la région de la Loire moyenne », dans *Cahiers de Civilisation médiévale*, 1962, pp. 303-322.

Fleckenstein (J.) « *Uber die Herkunft der Welfen und ihre Anfänge in Suddeutschland* », dans Tellenbach (G.), *Studien...*, *op. cit.*, pp. 71-136.

Hennebique (R.), « Structures familiales et politiques au IXe siècle : un groupe familial de l'aristocratie franque », dans *Revue historique*, 1982, pp. 289-333.

Hlawitschka (E.), *Franken, Alemanen und Burgunder in Oberitalien (774-962)*, Fribourg-en-Brisgau, 1960.

Tellenbach (G.), *Studien und Vorarbeiten zur Geschichte der grossfränkischen und frühdeutschen Adels*, Fribourg-en-Brisgau, 1957.

Vollmer (F.), « *Die Etichonen* », dans Tellenbach (G.), *Studien...*, *op. cit.*, pp. 137-184.

Werner (K.F.), « *Bedeutende Adelsfamilien im Reich Karls des Grossen* », dans *Karl der Grosse, op. cit.*, I, pp. 83-142 ; trad. angl. : « *Important Noble Families in the Kingdom of Charlemagne* », dans *Medieval Nobility*, éd. Reuter (T.), Leyde, 1978, pp. 137-202.
— « *Die Nachkommen Karls des Grossen bis um das Jahr 1000* », dans *Karl der Grosse, op. cit.*, pp. 403-482.

Débuts des grandes principautés

Dhondt (J.), *Études sur la naissance des principautés territoriales en France, IXe-Xe siècle*, Bruges, 1948.

Kienast (W.), *Studien über die französischen Volkstamme des Frühmittelalters*, Stuttgart, 1968.

Werner (K. F.), « *Untersuchungen zur Frühzeit des französischen Furstentums 9-10 Jahrhundert* », *Welt als Geschichte*, 18-20, 1958, p. 256 ; 1959, p. 146 ; 1960, p. 87.
— « Les Nations et le sentiment national dans l'Europe médiévale », dans *Revue historique*, 1970, pp. 285-304 ; réimp. dans *Structures politiques du monde franc...*, *op. cit.*, XXX.
— « La Genèse des duchés en France et en Allemagne », dans *Settimane...*, *op. cit.*, XXVII, pp. 175-207.
— « Les Duchés nationaux d'Allemagne au IXe et Xe siècle », dans *Les Principautés au Moyen Age*, Bordeaux, 1979, pp. 14-20.

## QUATRIÈME PARTIE

Royaume de France

Bautier (R. H.), « Le Règne d'Eudes à la lumière des diplômes expédiés par sa chancellerie », dans *Comptes rendus de l'Académie des Inscriptions et Belles Lettres*, 1961, pp. 140-147.

Bur (M.), *La Formation du comté de Champagne vers 950 - vers 1150*, Nancy, 1977.

Lemarignier (J.-F.), « Les Fidèles du roi de France, 936-987 », dans *Recueil Clovis Brunel*, Paris, 1955, t. II, pp. 138-162.

Lot (F.), *Les Derniers Carolingiens (954-991)*, Paris, 1891.

— *Études sur le règne de Hugues Capet et la fin du X<sup>e</sup> siècle*, Paris, 1903.

SCHNEIDMÜLLER (B.), *Karolingische Tradition und frühes französisches Königtum. Untersuchungen zur Herrschaftslegitimation der westfränkisch-französischen Monarchie im 10. Jahrhundert*, Wiesbaden, 1979.

WERNER (K.F.), « *Westfranken-Frankreich unter der Spätkarolingern und frühen Kapetingern (888-1060)* », dans *Handbuch der Europaischen Geschichte*, I, pp. 732-783.

### GERMANIE

CUVILLIER (J.-P.), *L'Allemagne médiévale. Naissance d'un État*, Paris, 1979.

FLECKENSTEIN (J.), *Grundlagen und Beginn der deutschen Geschichte*, Gottingen, 1976; tr. angl. *Early Medieval Germany*, Amsterdam, 1978.

— *Die Hofkapelle der deutschen Konige*, Stuttgart, 1966.

« *Konigswahl und Thronfolge in ottonisch-frühdeutscher Zeit* », sous la dir. de HLAWITSCHKA (E.), *Wege der Forschung*, 178, Darmstadt, 1971.

LEYSER (K.J.), *Rule and Conflict in Early Medieval Society. Ottonian Saxony*, Londres, 1979.

« *Zur Geschichte der Bayern* », sous la dir. de BOSL (K.), *Wege der Forschung*, 60, 1965.

### ITALIE

FASOLI (G.), *I Re d'Italia*, Bologne, 1949.

TOUBERT (P.), *Les Structures du Latium médiéval. Le Latium méridional et la Sabine du IX<sup>e</sup> à la fin du XII<sup>e</sup> siècle*, Paris-Rome, 1973.

### PROVENCE, BOURGOGNE, CATALOGNE

BONNASSIE (P.), *La Catalogne du milieu du X<sup>e</sup> siècle à la fin du XI<sup>e</sup> siècle. Croissance et mutation d'une société*, Toulouse, 1975.

FOURNIAL (E.), « La souveraineté du Lyonnais au x<sup>e</sup> siècle », dans *Le Moyen Age*, 1956, pp. 413-452.

MARIOTTE (J.Y.), « Le Royaume de Bourgogne et les souverains allemands du Moyen Age », dans *Mémoires de la Société pour l'histoire du droit des pays bourguignons*, 1962, pp. 163-183.

POLY (J.-P.), *La Provence et la société féodale, 876-1166*, Paris, 1976.

### PAYS SLAVES

*L'Europe aux IX-XI<sup>e</sup> siècles. Aux origines des États nationaux*, Varsovie, 1968.

HENSEL (W.), *La Naissance de la Pologne*, Varsovie, 1966.

LUDAT (H.), *An Elben und Oder um das Jahr 1000*, Cologne, 1971.

### RESTAURATION IMPÉRIALE

FOLZ (R.), *La Naissance du Saint-Empire*, Paris, 1967.

— « L'Interprétation de l'Empire ottonien », dans *Occident et Orient au X<sup>e</sup> siècle*, Publications de l'Université de Dijon, LVII, Paris, 1979, pp. 5-17.

LABANDE (E.-R.), « *Mirabilia Mundi.* Essai sur la personnalité d'Otton III », dans *Cahiers de Civilisation médiévale*, 1963, pp. 297-313 et 454-476.

« *Otto der Grosse* », sous la dir. de ZIMMERMANN (H.), *Wege der Forschung*, 450, 1976.

SCHRAMM (P.E.), « La *Renovatio Imperii* des Ottoniens et leurs symboles d'État », dans *Bulletin de la Faculté des Lettres de Strasbourg*, 1925, p. 25.

## CINQUIÈME PARTIE

### L'ÉGLISE

AMANN (E.), « L'Époque carolingienne », dans *Histoire de l'Église*, sous la dir. de FLICHE et MARTIN, t. VI, Paris, 1947.

AMANN (E.) et DUMAS (A.), « L'Église au pouvoir des laïcs », ibid., t. VII, Paris, 1946.

CLERCQ (C. de), *La Législation religieuse franque de Clovis à Charlemagne*, Paris-Louvain, 1936.

— *La législation religieuse franque de Louis le Pieux à la fin du IXe siècle*, Paris-Louvain, 1958.

CONGAR (Y.), *L'Ecclésiologie du haut Moyen Age*, Paris, 1968.

« *Hanbuch der Kirchengeschichte* » sous la dir. de JEDIN (H.), t. III, nd : *Die Mittelalterliche Kirche*, 1966.

FELTEN (F.), *Abte und Laienabte im Frankenreich*, Stuttgart, 1980.

FUHRMANN (H.), « *Das Papstum und das Kirchliche Leben im Frankenreich* », dans *Settimane...*, *op. cit.*, XXVII, pp. 419-456.

— *Einfluss und Verbreitung der pseudoisidorischen Fälschungen*, 3 vol., Stuttgart, 1972-1974.

KAISER (R.), *Bischofsheerschaft zwischen Königtum und Fürstenmacht... im frühen und hohen Mittelalter*, Bonn, 1981.

LESNE (E.), *Histoire de la propriété ecclésiastique en France*, 6 vol., Lille, 1922-1943.

— *La Hiérarchie épiscopale, provinces, métropolitains, primats en Gaule et en Germanie depuis la réforme de saint Boniface jusqu'à la mort d'Hincmar, 742-882*, Lille, 1945.

PRINZ (F.), *Frühes Mönchtum im Frankenreich. Kultur und Gesellschaft in Gallien, den Rheinlanden und Bayern am Beispiel der monastischen Entwicklung 4 bis 8 Jahrhundert*, Münich, 1965.

— *Klerus und Krieg im früheren Mittelalter*, Stuttgart, 1971.

SCHMID (K.), *Die Klostergemeinschaft von Fulda im früheren Mittelalter*, 3 vol., Munich, 1982.

SEMMLER (J.), « *Karl der Grosse und das fränkische Mönchtum* », dans *Karl der Grosse, op. cit.*, II, pp. 255-289.

— « *Zum Uberlieferung der monastischer Gesetzgebung Ludwigs des Frommen* », dans *Deutsches Archiv*, XVI, 1960, pp. 37-65.

### LE ROI

*Royauté sacrale*

ANTON (H.), *Fürstenspiegel und Herrscherethos in der Karolingerzeit*, Bonn, 1968.

EWIG (E.), « *Zum christlichen Königsdeganken im Frühmittelalter* », dans *Spätantikes und fränkisches Gallien...*, I, pp. 1-71.

HALPHEN (L.), « L'Idée d'État sous les Carolingiens », dans *Revue historique*, 1939, pp. 50-70.

KANTOROWICZ (E.H.), *Laudes regiae. A Study in Liturgical Acclamations and Medieval Ruler Worship*, Berkeley, 1946.

PANGE (J. de), *Le Roi très chrétien*, Paris, 1949.

SCHRAMM (P.E.), *Der König von Frankreich*, Weimar, 1939.

— *Herrshaftszeichen und Staassymbolik*, 3 vol., Stuttgart, 1954-1956.

WALLACE-HADRILL (J.M.), *Early Germanic Kingship in England and on the Continent*, Oxford, 1971.

### Le roi chef de guerre

CONTAMINE (Ph.), *La Guerre au Moyen Age*, Paris, 1980.

FOURNIER (G.), *Le Château dans la France médiévale*, Paris, 1978.

WERNER (K. F.), « *Heeresorganisation und Kriegsführung im deutschen Konigreich des 10 und 11 Jahrhunderts* », dans *Settimane...*, *op. cit.*, *XV ;* réimp. dans *Structures politiques... op. cit.*, III.

### ÉCONOMIE

BRÜHL (C.), *Palatium und Civitas*, t. I : *Gallien*, Vienne, 1975.

— *Fodrum, Gistum, Servitium Regis. Studien zu den wirtschaftlichen Grundlagen des Königtums im Frankenreich*, 2 vol., Cologne, 1968.

DOEHAERD (R.), *Le Haut Moyen Age occidental. Économies et sociétés*, Paris, 1971 ; 2e éd. 1983.

DUBY (G.), *L'Économie rurale et la vie des campagnes dans l'Occident médiéval, IXe-XVe siècle*, Paris, 1962.

DUMAS-DUBOURG (F.), *Le Trésor de Fécamp*, Paris, 1971.

GRIERSON (Ph.), « *Money and coinage under Charlemagne* », dans *Karl der Grosse, op. cit.*, II, pp. 501-536.

LAFAURIE (J.), « Des Carolingiens aux Capétiens », dans *Cahiers de Civilisation médiévale*, 1970, pp. 111-137.

LATOUCHE (R.), *Les Origines de l'économie occidentale (IVe-XIe siècle)*, Paris, 1956.

LOMBARD (M.), « La Route de la Meuse et les relations lointaines des pays mosans entre le VIIIe et le XIe siècle », dans *Art mosan*, Paris, 1953, pp. 9-28.

LOPEZ (R.S.), « *Il commercio dell'Europa post-carolingia* », dans *Settimane...*, *op. cit.*, II, pp. 547-574.

— « *La citta dell'Europa post-carolingia* », *ibid.*, pp. 574-599.

RICHÉ (P.), « Les Gouvernants et le problème de population dans le haut Moyen Age, Ve-IXe siècle », dans *Annales de démographie historique*, 1979, pp. 301-309.

### ROIS ET CULTURE INTELLECTUELLE

BISCHOFF (B.), « *Die Hofbibliothek unter Ludwig dem Frommen* », dans *Medieval Learning and Literatur. Essays presented to R.W. Hunt*, Oxford, 1976, pp. 3-22.

*Karl der Grosse, op. cit.*, t. II.

RICHÉ (P.), *Les Écoles et l'enseignement dans l'Occident chrétien de la fin du Ve siècle au milieu du XIe siècle*, Paris, 1979.

— « Charles le Chauve et la culture de son temps », dans *Colloque Jean Scot Érigène*, Paris, 1977 ; réimp. dans *Instruction et vie religieuse dans le haut Moyen Age*, Londres, 1981.

— « Les Bibliothèques de trois aristocrates laïcs carolingiens »,
dans *Le Moyen Age*, 1963, pp. 87-104 ; réimp. dans *Instruction et Vie
religieuse...*, *op. cit.*
WALLACE-HADRILL (J.M.), « *A Carolingian Renaissance Prince : the
Empereror Charles the Bald* », dans *Proceeding of the British Aca-
demy*, 1978, pp. 155-184.

ROIS ET CULTURE ARTISTIQUE

GRODECKI (L.), MUTHERICH (F.), TARALON (J.), WORMALD (F.), *Le Siècle de
l'An Mil*, Paris, 1973.
HEITZ (C.), *L'Architecture religieuse carolingienne*, Paris, 1980.
HUBERT (J.), PORCHER (J.), VOLBACH (W. F.), *L'Empire carolingien*, Paris,
1968.
*Karl der Grosse*, *op. cit.*, t. III.
RICHÉ (P.), « Trésors et collections d'aristocrates laïcs carolingiens »,
dans *Cahiers archéologiques*, 1972, pp. 39-46 ; réimp. dans *Instruction
et vie religieuse...*, *op. cit.*, IX.

CONCLUSION

FOLZ (R.), *Le Souvenir et la légende de Charlemagne dans l'Empire ger-
manique médiéval*, Paris, 1950.
*Karl der Grosse*, IV : « *Das Nachleben* », *op. cit.*, Düsseldorf, 1967.
LOUIS (R.), « L'Épopée française est carolingienne », dans *Coloquios de
Roncesvalles*, 1955, publicacion de la Facultad de Filosofia y Letras
II, 18, Saragosse, 1956, pp. 327-460.

# INDEX

# TABLE DES MATIÈRES

TROISIÈME PARTIE

DESTINÉES DE L'EUROPE CAROLINGIENNE
(814-877)

*CINQUIÈME PARTIE*

## LES ROIS ET LA CIVILISATION DE L'EUROPE
## DU PREMIER MILLÉNAIRE

L'impression de ce livre
a été réalisée sur les presses
des Imprimeries Aubin
à Poitiers/Ligugé

pour les Éditions Hachette-Littérature

ISBN 2.01.0097378.9
No d'édition, 6896. — No d'impression, L 16101
Dépôt légal novembre 1983
23.43.3873.01

23.3873.9

u